Scots-English
English-Scots
DICTIONARY

Scots-English
English-Scots
DICTIONARY

Abbreviations used in this book

adj	adjective
adv	adverb
art	article
conj	conjunction
imper	imperative
interj	interjection
n	noun
npl	plural noun
phr	phrase
prep	preposition
pron	pronoun
pp	present or past participle
v	verb
v aux	auxiliary verb

Published 2007 by Geddes & Grosset,
David Dale House, New Lanark, ML11 9DJ

Compiled by David Ross and Gavin D. Smith
for RLS Limited

Cover photograph courtesy of Chris Close Photography

First published in this edition 2007

ISBN 978 1 84205 602 8

Printed and bound in Poland

Introduction

The Scots language has had an independent existence for more than eight hundred years. It shares its beginnings with Northumbrian English, the language spoken by the Anglian invaders who settled in the area between the Humber and the Forth. In the time before the Scottish kingdom was formed, its home was Lothian, sometimes a kingdom in its own right, sometimes a protectorate of either Angles or Scots. The principal language of Scotland was Gaelic, but in the southwest an early form of Welsh was spoken, and in the far north, from the ninth century, the dominant language was the Norse of different Scandinavian groups. From its base in the southeast corner, Scots gradually spread, forcing the older Gaelic language back into the glens and uplands of the Highlands. As control of the north and the Hebrides was wrested from the Norsemen, their language was forced out (although it was Gaelic that largely filled the gap). During this lengthy process, many Gaelic and Norse words were borrowed into Scots – this legacy is one of the elements that make it a distinctive language. Later, other languages made important contributions, especially French and Dutch, languages of the countries with which Scotland had the most important commercial and political ties.

Students of Scots recognise that the language, developing in a country with poor communications and where until the Reformation most people were illiterate, varied within itself from region to region. Lothian, Clydesdale and Aberdeen all spoke Scots but with a rich supply of local idiom and pronunciation in each case.

What makes a language? It must be sufficiently distinct from any other not to be merely a dialect. It must be the prime means of communication for a distinct group of people. Some would say that it should also display a literature or at least a store of legend and fable. On these grounds, Scots was indeed a language up to the nineteenth century, but ever since the union with England in 1707 it had been under threat. Just as it had once usurped the place of Gaelic, first at court then among the traders, churchmen and teachers, so now a 'standard' English crept across the land. The Scots diction and vocabulary were felt to be provincial and quaint. As mass communications and mass printing improved, this trend intensified until Scots as a written language fell into disuse. Because of this, there was no process of standardisation of the spelling of Scots, with the result that there is no recognised orthography and many words have variant forms.

Scots was rescued as a literary language in the first part of the twentieth century by the determined efforts of a group of writers and poets, among whom the most distinguished was Hugh MacDiarmid. This 'Scottish Renaissance' brought with it the use of the word 'Lallans' (Lowlands) since it was the language of Lowland Scotland as distinct from the tenuously surviving Gaelic of the Highlands and Islands. The later decades of the twentieth century brought a new appreciation of Scotland's cultural past and a new school of writers prepared to combine an uncompromisingly demotic Scots with a tactical deployment of standard English. This period also brought the admirable efforts of the Scottish National Dictionary Association in documenting and describing the Scots language. Not least, the realisation is still growing that language is one of the factors that serves most effectively to define and unite a nation.

Scots-English Dictionary

A

a *adj* all.
aafie *adj* awful.
aar *n* alder tree.
aback *adj* aloof. • *adv* away; behind.
abad, abade *n* delay.
abaid *n* abode.
abaisit *adj* abashed.
abaitment *n* diversion; sport.
abandon *v* let loose.
abandoun *adj* at random.
abay *v* astonish.
abbacy *n* abbey.
abbeit *n* dress; clothing.
abee *v* let alone.
abeelitie *adj* ability.
abeese *v* abuse.
abeigh *adj* aloof. • *adv* at a distance.
abeis *prep* compared with.
abin *prep* above.
ablach *n* carrion; dwarf.
ableeze *adj* ablaze.
ablow *adv* below. • *prep* below.
abodie, a'body *n* everybody, everyone.
abone, aboon *see* **abuin**.
aboot *adv* about; in addition. • *prep* about.
abraid, abreid, abreed *adv* abroad; widely.
abrede *v* spread abroad.
abreed *adv* abroad; asunder.
abreid *see* **abraid**.
abreist *adv* abreast.
abstrack *adj* abstract.
abstractness *n* aloofness.
abstraklous *adj* outrageous.
abuin, abone, aboon, abune *adv* above. • *prep* above; about.
abuinheid *adj* overhead.
abuise *v* abuse; revile; violate.
abune *see* **abuin**.
abuse *v* stop using.
abusion *n* deceit.
aby *v* suffer for.
abye *adv* ago.
accep *v* accept.
accres, accresce *v* accrue; increase.
ace *n* smallest part.
acherspyre *v* sprout.
achil *adj* noble.
ack *n* act; deed. • *v* act.
acker, ackre *n* acre.
ackwallie *adv* actually.
ackwart *adj* awkward; gawky.
aclite *adv* awry.
acquant *v* acquaint.
acquantance *n* acquaintance.
acquent *adj* acquainted. • *v* acquaint.
acquentance *n* acquaintance.
acre-braid *n* width of an acre.
acteeve *adj* active.
actioun *n* affairs, business.
adae *n* ado.
adap *v* adapt.
addeetion *n* addition.
addikit *adj* addicted.
addle *adj* foul.
addle dub *n* filthy pool; cesspit.
adeas *npl* difficulties.
adew *adj* gone; fled.
adhantare *n* phantom.
adist *prep* on this side.
adrad *adj* afraid.
adred *adv* downright.
adreich *adv* behind.
adreigh *n* distant.
adresly *adv* skilfully.
adverteese *v* advertise.
adverteesement *n* advertisement.
advisement *n* advice.
advocate *n* barrister.
advoutrie *n* adultery.
adwang *adj* tiresome.
ae *adj* only; sole. • *art* a. • *n* one.
ae-haunt *adj* single-handed.
aefauld *adj* faithful; sincere; single-minded. • *n* honesty.
aefauldlie *adv* honestly.
aeger *n* auger.
aer *n* oar.
aesome *adj* single; solitary.
aet *v* eat.
aeter *n* eater.

afauld *adj* honest.
afaynd *v* attempt.
afeard, afeared *adj* afraid.
afen *adv* frequently, often.
aff *adv* off. • *prep* off; **aff an on** *adv* intermittently; **aff the knot** *adj* crazed.
affa *adv* away from.
affcome *n* result.
affeck *v* affect.
affer *n* condition, state.
aff-hand *adj* plain-dealing.
afflickit *adj* afflicted.
afflufe, affluif *adv* off the cuff. • *adj* impromptu; offhand.
affoord *v* afford.
affordell *adj* alive.
affpit, affput *n* delay, procrastination; procrastinator.
affpittin *adj* dilatory.
affray *n* fear.
affrichted *adj* afraid.
affset *n* disadvantage; ornament; outset.
affside *n* far side.
afftak *n* deduction (of something); jeer; mimic; mocking remark.
afftakin *n* sarcasm; mockery. • *adj* mocking.
afit *adv* afoot.
aflaught *adj* lying flat.
aflocht *adj* distraught.
afore *adv* previously; prior to. • *conj* before. • *prep* before, prior to; **afore the pint** *adj* premature.
aforgane *adv* opposite to.
aft, aften *adv* often.
agait *adj* astir.
agane *adv* again.
agate *adv* afoot.
agee *adv* one side.
agent *v* manage.
agin *adv* against. • *prep* against.
aglee, agley *adv* astray; awry; askew; obliquely.
agrufe *adj* grovelling.
ah *pron* I.
aheid *prep* ahead.
ahin, ahind, ahint *adv* behind. • *prep* after; behind. • *adj* late; **ahin the haun** overdue.
ahomel *adv* upside-down.
aiblins *adv* perhaps.
aidder *n* udder.
aidle *n* liquid manure.
aifternune *n* afternoon.
aigars *npl* pot-dried grain.
aiger *adj* eager, fervent.
aigh, aight *v* owe.
aigle *n* eagle.
aiglet *n* tagged point; jewel.
aigre *adj* sour.
aik *n* oak.
aiken *adj* oaken.
aikit *adj* owed.
aile *n* transept.
ailickie *n* best man; groomsman.
ailin *n* sickness.
ain *adj* own.
aince *adv* once.
aince-eeran *adv* specially.
aincin *adv* quite, fairly.
aind *v* breathe.
aindless *adj* breathless.
ainlie *adj* familiar; only.
ainsel, ainsome *n* one's own self.
aip *n* ape.
aipple *n* apple.
air[1] *adv* before, ere; early.
air[2] *n* oar.
airch[1] *adv* scarcely.
airch[2] *n* aim; arch. • *v* take aim.
aircock *n* weathercock.
aird *n* ridge.
airgh *adj* hollow.
argument *n* argument; contention.
airish *adv* chilly.
airlie *adj* early.
airm *n* arm.
airn *n* iron.
airnin *n* ironing.
airschip *n* inheritance.
airt for *v* make for.
airt[1] *n* art.
airt[2] *n* direction; locality; quarter; point of the compass; tack; way. • *v* direct; point; urge on; guide; incite; manoeuvre; pilot; steer; **airt oot** detect.
airtie *adj* artful.
airtily *adv* artfully.
airtiness *n* artfulness.
airy *adj* showy; pretentious; conceited.
aishan *n* generation.
aislar, ashiler *n* ashlar.
aisle-tuith, asil-tooth *n* molar.
aisment *n* accommodation.
aist *n* east.
ait *n* habit, custom (bad).

aitcake *n* oatcake.
aiten[1] *adj* oaten.
aiten[2] *n* partridge.
ait-farle *n* oatcake.
aith *n* oath.
aither *conj* either.
aithland *n* infield.
aits *npl* oats.
aiver *n* carthorse; neutered he-goat.
aix *n* axe, hatchet.
aixman *n* axeman.
aixtree *n* axle.
aizle *n* hot ember.
ajee *adj* ajar; disturbed; awry.
alaft *adv* aloft.
alagust, allagust *n* suspicion.
alaigh *adv* under.
alairm *n* alarm. • *v* alarm.
alane *adj* alone.
alang *adv* along.
alaw *adv* beneath.
albuist *conj* although.
aleen *adj* alone.
alenth *adv* at full distance; at maturity.
algait *adv* anyways.
alhale *adv* entirely.
alicht *v* enlighten.
alist *adj* alive.
allagrugous *adj* grisly.
allagust *see* **alagust**.
allan *n* skua.
alleadgance *n* allegation.
allege *v* advise; confirm.
allenarly *adj* solely.
aller[1] *n* alder.
aller[2] *adv* wholly.
allerish *adj* chilly.
allevolie *adj* volatile.
allister *adj* sane.
alloo *v* allow.
allover *prep* over and above.
allow *v* approve; commend.
allowance *n* approval.
allryn *adj* weird.
allryns *adv* all together.
allstryne *adj* ancient.
allthocht *adv* although.
almain *adj* German.
almous, almows *npl* alms.
alood *adj* aloud.
alous *v* release.
alow[1] *adv* below. • *prep* below; under.
alow[2], **a-lowe** *adj* alight, blazing.
alpe *n* elephant.
alpuist *conj* although.
alquhare *adv* everywhere.
alsame *adv* all together.
alse *conj* as.
alswyth *adv* immediately.
alunt *adv* ablaze.
alycht *v* enlighten.
alytre *adv* little.
amaist *adv* almost.
amang *adv* among. • *prep* among.
ambry, amry *n* (food) cupboard.
ameise *v* mitigate.
amene *adj* pleasant.
amerand *adj* green; emerald.
amerciat *v* fine.
amichtie *adv* almighty.
amirale *n* admiral.
amissin *adj* missing.
amitan *n* fool lunatic.
amoont *n* amount, quantity.
amove, amow, amowe *v* anger, vex; disturb.
amry *see* **ambry**.
amshach *n* accident; misfortune; calamity.
amshack *n* noose.
an *conj* and; if; then. • *adv* then; **an a** also, besides; **an siclike** et cetera.
anarmit *adj* armed.
anciety *n* antiquity.
ancleth, ankleth *n* ankle.
ane[1] *art* a. • *adj/n* one; **after ane** *adj* alike.
ane[2] *v* agree.
aneath *adv* beneath; underneath.
anefauld *adj* honest.
aneist *adv* adjacent, adjoining.
anely, ainlie *adj* only.
anent *adv* concerning. • *prep* about; alongside; opposite.
anerly *adj* lone. • *adv* only.
anew *adj* adequate. • *adv* beneath.
angersome, angersum *adj* annoying, provoking.
angir *n* grief; vexation.
anie *n* little one.
anither *adj* another.
ankerly *adv* unwillingly.
ankleth *see* **ancleth**.
annere, annerd *v* adhere; consent.
anse *conj* else; otherwise.

anter *v* chance; happen.
antercast *n* misfortune.
antrin *adj* chance; haphazard; occasional; rare; exceptional.
anxeeitie *n* anxiety.
anygates *adv* everywhere.
apairt *adv* apart.
apayn *adj* furnished; supplied. • *adv* unwillingly.
apen, appin *adj* open. • *v* open.
apersmart *adj* bad-tempered.
apert *adj* bold; brisk; open.
apiest *adv* although.
aplace *adv* here present.
aplight *adv* completely.
apon *adv* upon.
appair *v* injure.
appearinlie *adv* apparently.
appell *v* challenge.
appeteet *n* appetite.
appin *see* **apen**.
appleis *v* satisfy.
apprise *v* appreciate; approve; prefer.
appruve *v* approve.
Aprile *n* April.
aqual *adj* equal. • *adv* equally. • *n* equal.
aquavitae *npl* spirits.
ar *v* plough.
arbiter *n* arbitrator.
arch *see* **argh**.
archilagh *n* turn to stand.
archin *adj* smooth-flowing.
aready, areddies *adv* already.
arend *v* rear up.
argh, arch *adj* reluctant. • *v* hesitate.
argie *v* argue.
argie-bargie, argle-bargle *n* dispute, argument. • *v* dispute; haggle.
argufy *v* argue.
aricht *adv* aright.
arit *adj* ploughed.
ark *n* chest.
arle, erle *v* give a pledge; betroth.
arles *n* earnest; token.
arlich *adj* sore; chafed.
armless *adj* without weapons.
arn *n* alder tree.
arnit *n* pignut.
aroads *adv* everywhere.
aroon *prep* around.
arr *n* scar.
arra, arrae *n* arrow.
arrachin *adj* tumultuous.
arras *n* darts.
arreik *v* reach.
arreird *adj* confused; slow.
arrondell *n* swallow.
arsecockle *n* pimple.
arselins *adv* backwards.
arval supper *n* funeral meal.
as *adv/conj* than.
asclent *adv* aslant.
ascrive *v* ascribe.
ase, ass *n* ash; ashes.
ase-backet *n* ash bucket.
ase-midden *n* ashpit.
ashet, aschet *n* large plate, platter; pie dish.
ashiler *see* **aislar**.
aside *adv* near. • *prep* beside.
asil-tooth *see* aisle-tuith.
ask *n* eft; newt.
ask for *v* ask after.
asklent, asklint *adv* askance; askew, aslant; obliquely.
aspert *adj* cruel.
aspre *adj* keen.
ass *see* **ase**.
assailye *v* attack.
asseer *v* assure.
asseerance *n* assurance.
assession *n* complicity.
asshole *n* ashpit.
assilag *n* storm petrel.
assize *n* jury.
assoilye, assoilzie *v* acquit.
assyth *v* compensate.
astarn *adv* astern. • *adj* insolvent.
asteer *adv* astir; confusedly.
astit *adv* rather; as soon as.
astren *see* **austern**.
aswim *adv* afloat.
at *conj/pron* that.
athegither *adv* altogether.
athings *npl* everything.
athir, ayther *pron* either.
athoot *adv* without.
athort *prep* across; through.
attercap, attercop *n* spider.
atterie *adj* festering; infected; septic.
atterlie *adj* angry.
attrie *adj* festering, purulent; grim; fierce.
atweel *adv* assuredly, truly.
atween *adv/prep* between.

atwix *prep* between.
auchmutie *adj* mean.
aucht[1] *adj* eight; eighth. • eight.
aucht[2] *n* ownership. • *v* possess, own; owe.
aucht[3] *adj* possessed.
auchteen *adj/n* eighteen.
auchteenth *adj* eighteenth.
auchten *adj* eighth.
auchtie *adj/n* eighty.
auchtlins *n* anything.
audie *n* fool.
aul *adj* old; oldest.
auld *adj* old.
auldfarran, aulfarran *adj* droll, witty; wise; old-fashioned; quaint; precocious.
auld-father *n* grandfather.
auld lang syne *n* long ago.
auld-warld *n* antique.
auld-young, aulyoung *adj* middle-aged.
aumrie *n* cabinet, cupboard; larder, pantry.
auncient *adj* ancient.
aunter *v* hazard.
aunterous *adj* adventurous.
aunty *n* aunt.
Aunty Beeny *n* old-fashioned woman.
austern, austerne, astren *adj* austere; severe.
austrous *adj* frightful.
author *n* ancestor; informant.
ava *adv* of all; at all.
avail *n* worth.
avenand *adj* elegant.
aventure *n* chance; accident.
aver *n* carthorse.
averie *n* livestock.
Averil *n* April.
averins *npl* cloudberries.
avillous *adj* contemptible.
avise *v* deliberate.
avisement *n* advice.
aw *adj* all. • *adv* all. • *pron* I.
awa *adv* at all; away; distant; asleep.
awail *v* let fall.
awald *adj/adv* prostrate, supine.
a-wastle *prep* to the west.
awaur *adj* aware.
awband *n* check; restraint.
awe *v* owe.
awee *adv* slightly.
awesome *adj* appalling.
awey *adv* everywhere.
awfie, awfu *adj* awful, atrocious, frightful, dire; lamentable; shocking. • *adv* very. • *n* lot.
a'where *adv* everywhere.
awid *adj* longing.
awkart *adv* athwart.
awkwart *adj* hostile.
awmon *n* helmet.
awmous *n* alms.
awn *v* acknowledge, admit; claim, confess; contact; own.
awner *n* owner, proprietor.
awnie *adj* bearded.
awns, yauvins *npl* beards of corn.
awpron *n* apron.
awrangous *adj* criminal.
aws *npl* windmill sails.
awsome *adj* horrendous.
ax *v* ask.
ay *adv* still; yes. • *prep* of.
aye *adv* always; constantly; ever; forever; still. • *n* yes.
ayeways *adv* always.
ayont *prep* beyond.
ayther *see* **athir**.

B

ba[1], **baw** *n* ball.
ba[2] *n/v* hush; lull.
baa, bae *v* bleat.
baach, bauch *adj* bad-tasting.
bab *n* nosegay. • *v* dance.
babbis *v* sneer.
babbity-bouster *n* last dance at a feast.
babby, babbie *n* baby.
babbie-clouts *npl* baby clothes.
bacheleer *n* bachelor; third-year university student.
bachie *n* bachelor.
bachle *see* **bauchle**.
back *adv* behindhand. • *n* address; backstairs; brewing vessel. • *v* address.
backart *adj* backward.
back-birn *n* load on the back.
backchap *n* retort.
backcome *n* recrimination.
back coort *n* backyard.
back-door trot *n* diarrhoea.
back-drawer *n* apostate.

backend, back-en *n* autumn; later part.
backga'en *adj* receding; declining.
backgain *n* decline; sickness.
backgang *n/v* relapse.
backie *n* bat.
backin *n/v* address.
backings *npl* remnants.
backland *n* tenement.
backlins *adv* backwards.
back o *prep* after.
backowre *adv* some way behind.
backrans *adv* backwards.
backset *n* setback.
backsey *n* loin.
backside foremaist *adj* inside out.
backsprent *n* spine.
backyett *n* back gate.
bad *adj* unwell.
badgeran *n* beating.
badly *adj* poorly.
bad-money *n* gentian.
bae *see* **baa**.
baff *n* blow; hit.
baffie *n* slipper.
baffle *n* trifling thing.
bagenin *n* snogging.
baggie *n* belly.
bagrel *n* child; dwarfish person.
bagrie *n* trash.
bahookie *n* buttocks.
baid, bud *n* bribe.
baigle *v* walk with short steps.
baik, beek *v* warm; bask.
baikie[1] *n* ash bucket, coal bucket.
baikie[2] *n* tethering post or stake.
bail, bale *n* fire; signal fire.
bailie, baillie *n* civic dignitary; magistrate.
bainie *adj* large-boned.
bainish *v* banish.
bair *n* boar.
baird[1] *n* bard, poet.
baird[2] *n* awn; beard.
bairdie[1] *adj* bearded.
bairdie[2] *n* loach.
bairge *n* barge. • *v* collide; strut.
bairman *n* bankrupt.
bairn *n* child; infant; offspring. • *v* impregnate.
bairnheid *n* childhood.
bairnie *adj* childish. • *n* baby; child.
bairnlie *adj* puerile.
bairnlik *adj* childlike; immature.
bairnly *adj* childish.
baisdlie *adv* confusedly.
baise *n* hurry.
baiss[1] *v* baste, sew loosely.
baiss[2], **baist** *v* beat, drub.
baiss[3] *adj* sorrowful.
baist[1] *n* beast, creature; cow.
baist[2] *adj* afraid.
baist[3] *see* **baiss**[2].
baists *npl* cattle; vermin.
bait[1] *n* boat, ship, ferry.
bait[2], **bayt** *v* feed.
baith *adj/pron* both.
baither *n* trouble; annoyance. • *v* trouble; annoy.
baivenjar *n* ragamuffin.
bajan *see* **bejant**.
bake *n* biscuit.
balapat *n* family pot.
balderie *n* orchid.
bale *see* **bail**.
ballant *n* ballad.
ballfire *n* bonfire.
ballion *n* knapsack.
ballish *n* ballast.
ballycog *n* milk pail.
bamling *adj* clumsy.
bammer *n* mad person, lunatic.
bampot *n* idiot.
ban[1] *n* choir.
ban[2] *n/v* curse.
ban[3] *see* **band**.
bananie *n* banana.
band, ban *n* bond; marriage bond; hinge; leather strap.
bandstane *n* anchor-stone.
bane[1] *adj* ready.
bane[2] *n* bone.
bang *adj* fell, cruel; violent; ferocious, fierce. • *v* excel, outdo, surpass; move suddenly; trounce.
bangie *adj* irritable.
bangrel *n* shrewish woman.
bangster *n* bully.
bangstrie *adj* bullying.
bankrape *v* bankrupt.
bankrout *n* bankrupt.
bankset *adj* hillocky.
bannet *n* bonnet.
bannock *n* barley-meal cake, oatcake.
bansel *see* **hansel**.
banstickle *n* stickleback.

bap *n* bread roll.
bapper *n* baker.
bapteese *v* baptise.
bar *n* barley.
barbour *see* **baurber**.
bard *n* minstrel; poet.
bardach, bardy *adj* bold; pugnacious.
bardin, bards *n* harness trappings.
bardish *adj* insolent.
bards *see* **bardin**.
bardy *see* **bardach**.
bare *adj* unsheathed.
barefit *adj* barefoot.
barelies *adv* barely.
bargane *v* fight.
baries *npl* bare feet.
bark *v* strip bark.
barken *v* clot; harden; encrust; tan.
barkenit *adj* encrusted.
barker *n* tanner.
barley *n* truce.
barley bree *n* whisky.
barm *n* yeast. • *v* ferment.
barmie *adj* frothy; hasty.
barnat *adj* native; ancestral.
barnman *n* thresher.
barra *n* barrow, trolley.
barrace, barras *n* barrier.
barrie *adj* good.
barsk *adj* hoarse.
bask *adj* arid.
bass *n* doormat.
bass mat *n* table mat.
bate *adj* defeated.
bate *n* bet. • *v* bash, beat; bet.
bather *v* bother.
batie, bawty *n* big dog.
bating *n* drubbing.
batter *n* glue, paste. • *v* paste.
bauch[1] *adj* (*implement*) blunt; seedy; sheepish; sorry.
bauch[2] *see* **baach**.
bauchelt *adj* distorted, misshapen.
bauchle, bachle *n* old shoe; trifling thing; clumsy person. • *v* distort; shamble.
bauchled *adj* bent.
baud *adj* bad. • *adv* badly.
baudrans *n* pet cat.
bauk *n* balk; beam, rafter; narrow unploughed strip.
baukie *n* bat.
bauld *adj* audacious, bold.
bauldaur *adj* dashing.
baumy *adj* balmy.
baun *n/v* band.
baunk *n* bank.
baur *n* bar; comic story, gag, joke.
baurber, barbour *n* barber.
baushfae *adj* bashful.
bausie *adj* big.
bavard *adj* worn-out.
bavarie *n* greatcoat.
baver *v* shake.
baw *see* **ba**[1].
bawbee *n* halfpenny.
bawbies *npl* money.
bawd *n* hare.
bawty *see* **batie**.
baxter *n* baker.
bayt *see* **bait**[2].
be *prep* by.
beadle, betheral *n* gravedigger, sexton, verger.
beal *v* suppurate.
bealach *n* mountain pass.
bealin *n* abscess, ulcer.
beamer *n* blush.
bean *adj* cosy.
bear[1] *v* denote, mean.
bear[2] *see* **bere**.
bearward *n* bearkeeper.
beast *n* animal.
beastie *n* insect.
beb *v* swill.
bebble *v* sip rapidly.
bechle *v* cough.
becht *adj* tied.
beck[1] *n/v* bow, curtsy.
beck[2] *see* **burn**.
beddie *n* cot, cradle, crib.
bedene *adv* quickly.
bedfast *adj* bedridden.
bedink *v* bedeck, decorate.
bedlare *adj* bedridden.
beds *n* hopscotch.
beek *see* **baik**.
beenge *v* cringe; fawn.
beeny *adj* bony.
beerial *n* funeral.
beerie *v* bury, inter.
beescap *n* beehive.
beet *v* refuel a fire; praise publicly.
beetraw *n* beet, beetroot.
beezer *n* outstanding person.

befa *v* befall, betide.
beflum *v* befool.
befyle *v* foul.
begane *adj* covered.
begarie *v* decorate in different colours.
begeck, begeek *v* disappoint; deceive, trick.
begot *n* bigot.
begotted *adj* bigoted.
begottit *adj* besotted.
begouk *v* jilt.
begouth *v* began.
begowk *v* beguile; betray; cheat.
begoyt *adj* foolish.
begrutten *adj* marked with tears.
beguess *adj* random.
begunk *v* jilt.
behaud *v* behold; hold on.
behauden *adj* beholden, indebted.
behecht *v* promise.
behin *adv/prep* behind.
beho, boho *n* laughing stock.
beik *n* beak.
beild, bield *n* shelter, protection, refuge. • *v* shelter protect.
beinlike *see* **bienlike**.
beir[1] *v* bear.
beir[2] *v* signify.
beir[3] *see* **birr**.
beit, bete *v* help mend.
beizless *adj* extreme.
bejant, bajan *n* first-year undergraduate.
belang *v* belong, belong to.
belch *n* monster.
beld, bell *adj* bald.
belike *adv* probably.
bell[1] *v* bubble up.
bell[2] *see* **beld**.
belleis, bellies *npl* bellows.
bellie *v* bellow.
bellies *see* **belleis**.
belling *n* rutting call of deer.
bellisand *adj* elegant; imposing.
belloch *v* (*cattle*) low.
bellraive *v* rove about; be unsteady.
belltowe *n* bell rope.
bellum *n* noise.
bellwaver *v* straggle; stroll.
bellythraw, bellythra *n* colic; stomach ache.
belshach *n* brat.
belshie *adj* short and fat.
belt *n* thump.
Beltane *n* May festival.
belth *n* whirlpool.
beltin *n* clump of trees.
bely *v* besiege.
belyve *adj* immediately.
bemang *v* hurt, harm.
bemangt *adj* injured.
beme *v* resound; boom.
bemean *v* degrade, humiliate; demoralise.
ben[1] *n* mountain.
ben[2] *adv* inside.
bend *v* drink heavily; **bend the bicker** carouse.
benew *adv* below.
benichtit *adj* benighted.
benjel *n* heap.
benmaist, benmost *adj/adv* innermost.
benorth *adv* north of.
bensel, bensell *n* force; violence; exposedness.
benshie *n* fairy woman.
bensome *adj* quarrelsome.
bent *n* coarse grass.
bequeyst *n* bequest.
bere *n* barley.
beremeal *n* barley meal.
berge *v* scold without effect.
bern *n* man.
berries *npl* raspberry picking.
berry *v* thrash.
berry-pickin *n* raspberry picking.
beseik *v* beg, beseech.
beshacht *adj* torn; twisted.
besle, bezle *v* chatter.
besom *n* broom; hussy, slut.
besouth *adv* south of.
besplatter *v* besprinkle.
bestial *n* farm animals.
best maid *n* bridesmaid.
besturted *adj* startled.
beswackit *adj* soaked.
besweik *v* allure, beguile.
bete *see* **beit**.
betech *v* put in trust.
bethankit *n* grace.
betheral *see* **beadle**.
betimes *adv* by and by.
better *adv* more. • *n* advantage.
better-faured *adj* better-looking.
better-mais *adj* better-class.
betterness *n* improvement; recovery.

beuch *n* branch, bough.
beugle-backed *adj* crook-backed.
beukit *adj* baked.
bevie *n* fire.
bevvy *n* liquor.
bew[1] *adj* good.
bew[2] *n* blue.
bewaur *v* beware.
bewave *v* make to waver; shield.
bewith *n* poor substitute.
beyont *adv/prep* beyond.
bezle *see* **besle**.
bibble *n/v* bubble.
bick *n* bitch.
bicker[1] *n* beaker, drinking bowl, cup.
bicker[2] *v* move rapidly as in fighting.
biddin *n* command.
bide a wee *v* wait a while.
bide in *v* inhabit.
bide *n* agony; pain; stay. • *v* abide; await; bear, put up with; remain; reside, stay.
bidie-in *n* cohabitee; resident girlfriend; concubine.
bield *see* **beild**.
bien *adj* complacent; cosy; prosperous, rich.
bienlike *adj* well-to-do.
big[1] *adj* conceited; stuck-up.
big[2] *v* build.
big coat *n* greatcoat.
big hoose *n* mansion.
bigg[1] *n* kind of barley.
bigg[2] *v* build.
biggar *n* builder.
biggin, bigging *n* building.
biggit *adj* cultivated; built.
biglie *adj* habitable; large, commodious.
bike, byke *n* building; wasps' nest.
biking, byking *n* hive swarm.
bilbie *n* shelter.
bilch *v* limp.
bile *n/v* boil.
biler, boiler *n* boiler; kettle.
bilin *n* boiled sweet.
bill *n* bull.
billie *n* man, fellow.
Billy *n* Protestant.
bilsh, bilshie *adj* short and plump.
bin[1] *v* bind.
bin[2], **binner** *v* run fast.
binch *see* **bink**.
bind *n* size.
bine *n* tub.
bing *n* heap; pile; slag-heap. • *v* dump; pile.
bink[1], **binch** *n* bench; dresser; hob; plate-rack; shelf; bank; hive.
bink[2] *v* press down.
binkie *adj* gaudy.
binna, binnae *prep* except.
binner *see* **bin**.
binwood *n* convolvulus.
binwuid *n* ivy.
bir *see* **birr**.
bird, burd *n* woman, lady.
birdalane *n* only child.
birdie's een *n* tapioca.
birk[1] *n* birch tree.
birk[2] *v* answer tartly.
birken *adj* of birch.
birkenshaw *n* birch wood.
birkie *adj* perky. • *n* young fellow.
birl *n* turn. • *v* dance; turn round; spin, rotate; pour out; whirl around; revolve.
birlinn *n* oared boat, galley.
birn[1] *n* burden. • *v* burden, encumber.
birn[2] *n* burn; burn mark. • *v* burn.
birn[3] *n* hill part of a farm.
birnie, byrnie *n* armoured vest.
birr, bir, beir *n* energy; enthusiasm; force; vigour; pace; whirring noise.
birse[1] *n* anger, ire; irritation.
birse[2] *n* bristle; bruise. • *v* bruise.
birsie *adj* hairy; hot-tempered, passionate.
birsle *v* parch; roast; scorch; toast, warm at the fire.
birslet *adj* burnt.
birst[1] *n* brunt.
birst[2] *v* weep profusely.
birstle *n/v* bristle.
birth *n* current.
birthgrun *n* birthplace.
birze *n* press; pressure. • *v* press.
bismare *n* whore.
bisming *adj* horrible.
bisset *n* gold ornamentation.
bit[1] *adj* small. • *n* place.
bit[2] *conj* but.
bittie *n* bit, small piece.
bittle *n* mallet; masher.
bittock *adv* little. • *n* morsel, small piece; dagger.
bizz *v* buzz; fizz; hiss.
bla[1] *n* blow. • *v* blow; vaunt.
bla[2] *see* **blae**.
blab *n* blob.

black *adj* absolute. • *adv* completely, entirely.
black-avised *adj* dark-complexioned, swarthy.
blackberry *n* blackcurrant.
black coat *n* clergyman.
blackie *n* blackbird.
blacklie *adj* ill-coloured; unwashed-looking.
blackmail *n* protection money.
blackman *n* goblin.
blacks *npl* mourning clothes.
blad[1] *n* portion; piece.
blad[2], **blade** *n* leaf; tea leaf; page; blotting pad; portfolio.
blad[3] *v* drive; strike; defame.
bladdry, bladrie, blaidrie, blathrie *n* nonsense; ostentation.
bladoch *n* buttermilk.
blae[1], **bla** *adj* blue; bluish; livid; bleak.
blae[2] *v* bleat.
blaeberry *n* bilberry.
blaff *n* bang.
blaflum *v* bluff.
blaid *n* pimple.
blaidrie *see* **bladdry**.
blain *n* bare patch; blank space; cicatrice.
blait *see* **blate**.
bland *v* blend.
blander *v* scatter.
blandish *n* flattery; unharvested grain.
blare *v* bleat.
blash *n* heavy fall of rain. • *v* soak drench.
blashy *adj* thin; watery.
blason *v* announce.
blast *v* breathe hard; smoke; boast.
blastit *adj* paralysed.
blate, blait *adj* bashful, shy; diffdent, modest; simple; slow; naive; timid.
blather *n* bladder.
blathrie *see* **bladdry**.
blatter *n* hailstorm; tempest; rattle. • *v* rattle.
blaucht *adj* pale; livid.
blaw[1] *n* gust; blow; boast. • *v* blow; boast, brag; exaggerate; **blaw up** compliment.
blaw[2] *n* oatmeal.
blawdoon *n* back-draught.
blawort *n* bluebell; cornflower.
blawp *v* belch; retch.
blear *v* blind.
blearie *n* gruel.
blearit *adj* debauched.
bleb *v* sip.
blebbit *adj* blurred.
bleck[1] *adj* black • *n* blacking; negro. • *v* black; defame.
bleck[2] *n* challenge; puzzle. • *v* puzzle, baffle; exceed.
blecken *v* blacken.
bleckguaird *n* blackguard.
bleeze *n* blaze. • *v* blaze; flare; turn sour blaze; brag.
bleffert *n* snowfall; squall.
bleib *n* blister.
bleir *v* calumniate, lie.
bleirie *n* lie.
blellum *n* wastrel.
bleme *n* blossom.
blenk *see* **blink**.
blent *v* shine; flash; blink.
blether *n* chat; chatterbox; nonsense. • *v* babble; chat; gossip; talk nonsense, jabber.
bletherie *adj* talkative.
bletherin *adj* chatty, garrulous.
blethers *n* babble, chatter; gibberish, nonsense.
blethers! *interj* rubbish.
blethersay *n/v* talk.
bletherskite *n* babbler; braggart.
blibberin *adj* slobbering.
blichan *n* poor specimen.
blicht *n/v* blight.
blide *adj* blithe.
blin *adj/v* blind.
blin bargain *n* pig in a poke.
blindlins *adv* with eyes shut.
blinee *n* dogfish.
blinman's buff *n* puffball.
blinsmoor *n* snowdrift.
blink, blenk *n* beam; moment. • *v* look upon; ogle; bewitch; enchant; turn sour.
blinker *n* star.
blinlins *adv* heedlessly.
blinners *npl* blinkers.
blinter *v* glimmer, shine weakly.
blinterin *adj* gleaming.
blirt *n* squally gust. • *v* weep noisily.
blissin *n* benediction.
blithe *adj* festive; glad, happy, joyful. • *adv* gladly, happily.
blitheness *n* gladness.
blithesome *adj* merry.
blizzen *v* parch.
blob *n* drop.

blocher *v* cough.
block[1] *n* bargain. • *v* plan; bargain.
block[2] *n* pulley. • *v* hinder.
block[3] *n* codfish.
blonk, blouk *n* horse, steed.
blooter *v* blurt; bungle.
blootered *adj* drunk.
bloss *n* buxom girl.
blot *v* puzzle.
blotch *v* blot; **blotch out** blot out.
blot sheet *n* blotting paper.
blouk *see* **blonk**.
bloust *v* boast.
blouster *n* bluster; boaster, braggart.
blout *adj* naked.
blowstrie *adj* breezy.
bluebell *n* harebell.
blue bunnet *n* bluetit.
bluefly *n* bluebottle.
bluff *adj* credulous.
bluid *n* blood. • *v* bleed.
bluidie *adj* bloody.
bluidie puddin *n* black pudding.
bluidshed *adj* bloodshot.
blume *n* bloom. • *v* bloom, flower; flourish.
blunk *v* mismanage.
blush *n/v* blister.
bluthrie *n* thin porridge; phlegm.
blyter *v* besmear.
boab *n* bob.
boak, bock, bok, bowk *n/v* belch, retch; vomit.
boakie *n* sprite, brownie.
boal *n* niche, wall opening.
bob[1] *n* bouquet, posy.
bob[2] *n* dance.
bobbinquaw *n* quagmire.
bocht *v* bought.
bock *see* **boak**.
bockie *n* hobgoblin.
bod *see* **bode**.
bodach *n* old man.
boddom *n* bottom.
bode, bod *n* bid, offer. • *v* offer; portend; press on.
bodement *n* foreboding.
boden *adj* prepared. • *conj* provided.
bodie, body *n* human being, person.
bodle *n* two Scots pence.
bodword *n* prediction.
body *see* **bodie**.
bog *n* bug.
bogan, bolgan *n* boil.
bog-bluiter *n* bittern.
bog-cotton *n* cotton-grass.
boggard *n* bugbear.
boggle *v* protrude.
bogle *n* ghost, bogy, hobgoblin; phantom; scarecrow.
boglie *adj* haunted.
boho *see* **beho**.
boich *v* cough constrictedly.
boiler *see* **biler**.
bok *see* **boak**.
boldin *v* swell up.
bole *n* alcove.
bolgan *see* **bogan**.
bon *adj* borrowed.
bonailie *n* farewell drink.
bone *n* petition; boon.
bonk *n* bank.
bonnet fir *n* pine.
bonnet flook *n* brill.
bonnet laird *n* small landowner.
bonnie, bonie, bonny *adj* attractive, pretty, beautiful; considerable.
bonspiel *n* competition in archery or curling.
bonxie *n* skua.
boo[1], **bow** *n* bend, curve; bow; curving street; archway. • *v* bow; bend, curve.
boo[2] *n* bull.
booder *n* boulder.
bool[1] *n* glass ball, marble; cannonball.
bool[2] *n* dotard.
bools *npl* marbles; taws.
boon[1] *prep* above.
boon[2] *adj* prepared. • *n* extent; width. • *v* bound.
boondinner *n* harvest dinner.
boonmost *adv* uppermost.
boontie *n* bounty.
boorach *n* group. • *v* cluster.
boord *n/v* board.
boose *n* cattle stall.
boost *v* dispel.
bootch *v* botch.
borch *n* surety, bail.
bord *n* hem; ruffle.
bordel hoose *n* brothel.
bore *n* crevice.
bosie *n* bosom; embrace.
boss[1] *n* tussock.
boss[2] *n* void; hollow. • *v* undercut.

bot *conj* but.
bote *n* help.
bothan *n* shebeen.
bothie, bothy *n* wooden hut or booth; cottage.
bothne *n* cattle park.
bothy *see* **bothie**.
bottick *n* boat hook.
bouch *n/v* bark.
boucht *n* curve; knot; twig.
bouet *n* lantern.
bouff, bowf *v* bark; bay.
bougar[1] *n* crossbeam.
bougar[2] *n* puffin.
bougars *npl* cross-spars.
boughtie *n* twig.
bouk[1] *n* size, bulk; carcass; corpse. • *v* bulk.
bouk[2] *see* **buik**.
bouke *n* solitude.
boukit *adj* large; pregnant.
bouksum *adj* honourable.
bouky *adj* bulky.
boun *v* make ready.
bound, bund *adj* pregnant.
bounder *v* limit.
bount *v* spring.
bountith *n* bonus; reward.
bountree, bourtree *n* elder.
bour, boure *n* bower; chamber.
bourach *n* enclosure; confused heap.
bourd *v* jest, joke; mock.
boure *see* **bour**.
bourie *n* burrow; den; lair.
bourtree *see* **bountree**.
bouss *n* pout.
bouster *n* bolster.
bout *v* sift.
bouzie, bowsy *adj* bushy, wooded.
bow *see* **boo**[1].
bowand *adj* pliant.
bowat, bowet *n* hand lantern.
bowbard *n* coward.
bowbert *adj* lazy.
bowder *n* tempest.
bowe *n* buoy.
bower *n* bowmaker.
bowet *see* **bowat**.
bowf *see* **bouff**.
bowie *n* barrel; bucket, pail; butt; cask; small tub.
bowk *see* **boak**.
bowl *n* basin.
bowlie[1] *adj* bent, crooked.
bowlie[2] *n* basin, bowl, dish.
bowlieleggit *adj* bandy-legged.
bowpot *n* bouquet.
bowsieman *n* bogyman.
bowsome *adj* compliant; obedient; flexible.
bowsplit *n* bowsprit.
bowsy *see* **bouzie**.
bowt *n/v* bolt.
boxbed *n* wall-bed.
boxin *n* panelling, wainscoting.
boy *n* bachelor.
boyickie, buygie *n* small boy.
boyn, boyne *n* washtub.
boytach *n/v* bundle.
bra' *see* **braw**.
braal *n* fragment.
brace *n* chimney piece.
brachell *n* game dog.
brachen *n* bracken.
brack *n* salty liquid; flood.
bracken *adj* broken.
brade *v* move fast; spring out; take after, resemble.
brae *n* brow; hill; slope; upland.
braehead *n* hill-top.
braeshot *n* landslip.
brag *n* challenge. • *v* reproach; defy.
braggie *adj* bombastic.
braid *adj* broad; wide. • *adv* indiscreetly.
braid claith *n* broadcloth.
brain[1] *n* spirit; voice.
brain[2] *v* wound.
brainge, breenge *v* run rashly forwards, barge.
brainyell *v* break out.
braisant *adj* shameless.
braith[1] *adj* violent; severe.
braith[2] *n* breath.
brak *n* break; bankruptcy. • *v* break; stave.
brakfast *n* breakfast.
brakker *n* lawbreaker.
bramble, brammle *n* blackberry.
brammel *n* fish bait.
brander *n* gridiron. • *v* grill.
brang *v* brought.
brangle *v* shake; wave.
branit *adj* brindled.
brank *v* cavort, prance; bridle; hold back.
brankie *adj* gaudy.

branks[1] *n* bridle.
branks[2] *n* mumps.
brash *n* short sickness.
brast *v* burst.
brat *n* apron; bib; clothing; rag; cloth.
brathly *adj* noisy.
brattle *n* clatter; gunshot; peal; thunder. • *v* make a clattering noise.
bratts *n* scum.
braverie *n* bravado.
braw, bra', brave *adj* fine; handsome; splendid; admirable; handsome; well-dressed; worthy.
brawlins *npl* cowberries.
brawly *adv* finely.
brawn *n* boar; calf of the leg.
brawness *n* beauty; splendour.
braws *npl* beautiful things; finery; best clothes.
bray *v* push; squeeze.
braze *n* bream; roach.
breach *n* breaking waves.
brechle *see* **breechle**.
breckan *n* bracken.
bred *n* board; lid.
bree[1] *n* soup, broth; gravy; stock; liquid.
bree[2] *n* eyebrow.
breechle, brechle *v* waddle.
breed *n* pancreas.
breedie *adj* prolific.
breeks *npl* trousers; breeches.
breekums *n* small boy.
breel *v* move rapidly.
breels *npl* spectacles.
breem *adj* keen.
breenge *see* **brainge**.
breengin *adj* bustling.
breer[1] *n* briar; rose.
breer[2] *see* **brere**.
breerie *adj* sharp clever.
breeth *n* breadth.
breeze *n/v* bruise.
brehon *n* local judge.
breid[1] *n* bread; loaf.
breid[2] *n* breadth.
breids *npl* oatcakes; sweetbreads.
breife, breve *n* writing; spell. • *v* write down.
breist *n* breast. • *v* spring forward or up.
brek *n* breach; break, breaking; tumult.
breme *see* **brym**.
brenn *n/v* burn.
brent *adj* precipitous, steep; straight; smooth, unwrinkled.
brenth *n* breadth.
brent-new *adj* brand-new.
brere, breer *v* germinate.
bress *n* brass.
breve *see* **breife**.
brewster, browster *n* brewer; publican.
bribour *n* beggarly type.
bricht *adj* bright.
brickle *adj* brittle.
brid *n* bird.
bridecake *n* wedding cake.
bridie *n* small meat and vegetable pie.
brief *n* certificate.
briestane *n* sandstone.
brig *n* bridge.
briganer *n* brigand, thief.
bril *n* wishbone.
brile *v* broil.
brime *n* brine.
brisket *n* breast.
brither *n* brother.
brither-dochter *n* neice.
brizz *v* squash.
broach *v* cut stones roughly.
broch *n* burgh; fort; halo.
brochan *n* thin porridge.
brochle *n* lazy person.
brocht *v* brought.
brod[1] *n* goad; spur.
brod[2] *n* board, plank; table; book-board; collection plate.
brod[3] *n* brood; litter.
brog *n* awl, bradawl.
brogle *v* persist ineffectually; bungle.
brogue *n* light deerskin shoe.
broig, broich *v* be in a sweat.
broken, brokken *adj* outlawed; bankrupt.
broo[1] *n* bureau; job centre; dole.
broo[2] *n* eyebrow; forehead.
broo[3] *n* liquid.
broo money *n* unemployment benefit, dole money.
broofle *see* **broostle**.
brook *n* soot.
brookie *adj* begrimed; grimy; smutty.
brookit *adj* neglected; soiled; streaked.
broon *n* brown.
broostle, broofle *n* bustling.
brooze *v* browse.
brose[1] *n* keep, livelihood, living.

brose[2] *n* oatmeal pudding.
brosy, brosie *adj* glutinous; bloated; inert.
brother *v* initiate, accustom.
broudster *n* embroiderer.
broukit *adj* part clean, part dirty; tear-stained.
browden, browdin *adj* devoted; enamoured; fond. • *v* pet.
browl *n* firewood.
brownie *n* domestic sprite.
browst *n* brewing; brew of malt liquor.
browster *see* **brewster**.
brub *v* check; restrain.
bruckle *adj* brittle, fragile; crumbly; unsettled.
bruik, bruke *v* enjoy; possess.
bruilyie *v* broil.
bruilyie, bruilzie *n* fight, brawl.
bruit[1] *n* brute.
bruit[2] *see* **brute**.
bruke *see* **bruik**.
brumble *v* rumble hollowly.
brume *n* broom.
brunds *npl* glowing embers.
brunstane *n* brimstone.
brunt *adj* keen; burnt.
bruntie *n* blacksmith.
brushie *adj* spruce.
brussel *v* push forward.
brust *n/v* burst.
brute, bruit *n* report; rumour.
brym, breme *adj* stormy; raging.
bubbies *npl* breasts.
bubble *n* snot, mucus. • *v* blubber.
bubblie *adj* blubbering, tearful.
bubblyjock *n* turkey cock.
buck[1] *n* beech tree.
buck[2] *n* body. • *v* butt.
bucker *n* smuggling boat.
bucket *n* bin, dustbin, wastepaper basket.
buckie *n* whelk or other spiral shell;.
bucksturdie *adj* stubborn.
bud *n* gift; bribe.
budden *adj* invited.
buddie *n* body.
buff[1] *n* lung.
buff[2] *v* buffet.
bugaboo *n* hobgoblin.
buggle *n* bog, marsh.
bught *n* ewe-milking pen.
bughtin-time *n* milking time.
Buik *n* Bible.
buik, bouk *n* trunk of the body; book.
buikbuird *n* bookshelf.
buiklair, buiklare *n* learning, erudition.
buird[1] *adj* well-built.
buird[2] *n* board; table; bier; fishing net. • *v* board.
buirdlie, buirdly, burdly *adj* burly, stalwart; imposing.
buist[1] *n/v* brand.
buist[2] *n* box, chest; coffin.
buit *n* boot.
buith *n* shop; booth.
bullace *n* axe.
buller *n* bellow; loud gurgling.
bullie *n* bullfinch.
bulty *adj* large.
bulwand *n* bulrush.
bum[1] *v* buzz; hum; drone; boaster.
bum[2] *n* slattern.
bumbaze *v* astonish; bamboozle.
bumbazed *adj* bewildered, perplexed.
bumbazit *adj* dazed.
bumbee *n* bee, bumblebee.
bumfelt *adj* puffed out; rumpled.
bumfle *n/v* bulge; pucker; rumple.
bumflie, bumfly *adj* bulging; rumpled.
bumlack *n* stumbling block.
bummle[1] *v* blunder; bumble.
bummle[2] *v* boil up; bustle.
bun *n* rabbit's tail.
bunce *v* bounce.
bund *see* **bound**.
bung[1] *n* nag, old horse.
bung[2] *adj* drunk.
bunker *n* bench seat; sandpit.
bunkle *n* stranger.
bunnel *n* bundle.
bunnet *n* bonnet, cap.
bunnle *n* pack.
bunsucken *adj* beholden.
buntin *n* bantam.
bural *n* burial.
burd *see* **bird**.
burdalane *n* only child.
burden *n* drone.
burdenable *adj* burdensome.
burdenous *adj* burdened.
burdly *see* **buirdly**.
burgh *n* borough.
burial letter *n* intimation.
burian *n* mound.
burn, beck *n* brook, stream.

burnet *adj* brown.
burran *n* badger.
burrow duck *n* sheldrake.
burry man *n* scapegoat.
bursary *n* scholarship.
bush *v* sheathe; enclose.
busk *v* adorn, deck, decorate; dress; equip.
busker *n* dresser.
buskit *adj* well-dressed.
buss[1] *n* bush, shrub; clump, thicket.
buss[2] *n* herring fishing boat.
bussie *adj* bushy.
busteous *adj* huge.
buster *n* fish, chips and peas.
bustine *n* fustian cloth.
but[1] *adv* though. • *prep* without; outwards.
but[2] *n* outer room.
but and ben *n* two-roomed house.
butch *v* butcher.
butchach *n* curse.
butch-hoose *n* abattoir.
butt *n* isolated piece of land; archery ground.
butterie *n* butterfly.
buttery rowie *n* breakfast roll.
buttery-lippit *adj* flattering.
butts *npl* fire engine.
buy *v* bribe.
buygie *see* **boyickie**.
by *adv* beyond. • *prep* past; **by himsel/hersel** *adj* of unsound mind; **by wi** *adj* over and done.
byaak *v* bake.
bycommon *adj* unusual.
bydand *adj* waiting.
bygaen, bygane *adj* passing by; bygone. • *adv* past.
bygate *n* byway.
bygoing *n* passing.
byke[1] *n* beehive; hive; wasp's nest.
byke[2] *see* **bike**.
byking *see* **biking**.
byoors *n* overtime.
by-ordinar, by-ornar *adj* unusual, exceptional, extraordinary, outstanding, special. • *adv* exceptionally.
byous *adj* remarkable.
by-pit *n* makeshift; substitute.
byre *n* cattle shed, cowshed.
by-rins *npl* arrears.
bysenless *adj* utterly worthless.
byset *n* substitute.
byspel *n* uncommon individual.
bystart *n* bastard.
by-time *n* leisure time, spare time.

C

ca[1] *n* greeting. • *v* call; drive; order; urge on; **ca awa** proceed with care; **ca canny** slow down; **ca doon** knock down; **ca the feet frae** astonish.
ca[2] *n* hill pass.
caak *v* cackle.
caar *see* **cair**[2].
cab *v* pilfer, steal.
cabbitch *n* cabbage.
cabbrach *adj* greedy.
caber *n* beam, rafter; long pole; tree trunk.
cabroch *adj* skinny.
cackie *v* excrete.
cacks, cackies *npl* excreta, turds.
caddie, cadie *n* errand-runner; cadet.
caddle *n* nail.
cadge[1] *v* hawk, peddle wares; beg.
cadge[2] *v* drive; toss; jolt; shake up.
cadger *n* driver; carrier, carter; pedlar.
cadgie *adj* exuberant; hospitable.
caff *n* chaff.
cag *n* keg.
cahute *n* ship's cabin.
caibe *n* cabinet-maker.
caibin *n* cabin.
caif *adj* tame.
caigie, caidgie *adj* wanton; sportive.
caik *n* stitch, side pain.
cailleach *n* old woman; corn dolly.
caip, cape *n* top part; coping.
caiper *n/v* caper.
caipstane *n* coping stone.
cair[1] *v* rake up.
cair[2], **caar** *adj* left.
caird[1] *n* card (comb used to comb cotton).
caird[2] *n* map, chart; card.
caird[3] *n* tramp; travelling tinker.
cairds *npl* cards.
cair-haundit *adj* left-handed.
cairn *n* marker of heaped stones.
cairney *n* hillock.
cairngorm *n* precious stone.
cairpet *n* carpet.

cairry *v* carry, convey.

cairry-oot *n* takeaway, drink or hot food bought to consume elsewhere.

cairt[1] *n* card.

cairt[2] *n* cart.

cairt-draucht *n* cart-load.

cairter *n* carter.

cairtin *n* card-playing.

cairts *npl* playing cards.

caiver *v* waver in the mind.

cald *n* cold.

callant *n* lad.

caller *adj* bracing, refreshing; fresh; vigorous. • *v* freshen; refresh.

callet *n* cap.

calsay *n* causeway.

calshie *adj* crabbed.

cammock *adj* crooked. • *n* hooked stick; game of shinty.

camp *adj* brisk; active.

campie, campy *adj* bold, intrepid; brave.

camshachelt *adj* disarranged; misshapen.

camshachle *v* distort.

camshack *adj* crooked; unlucky.

camstairie, camstarrie, camsteerie, camstrary *adj* insubordinate; perverse; unrestrained; tumultuous; disorderly; unmanageable.

camstane *n* pipeclay.

camy *adj* crooked.

canallie *n* mob.

canass *n* canvas.

canaul *n* canal.

candent *adj* red-hot.

candibrod *n* sugar-candy.

cangle *v* cavil; quarrel.

canker *n* ill-humour. • *v* fret.

cankert *adj* lowering.

cankry *adj* cantankerous.

canna, cannach *n* cotton grass.

cannas *n* coarse cloth; canvas.

cannel *n* cinammon.

cannel *n* cinnamon.

cannel-bane *n* collarbone.

cannel coal *n* bright-burning coal.

cannie, canny *adj* cautious; prudent; shrewd; thrifty; tactful; unassuming.

canny-wife *n* midwife.

Canongate breeks *n* venereal disease.

canse *v* speak saucily.

canshie *adj* cross.

cansie *adj* conceited.

cant[1] *adj* playful.

cant[2] *n* custom.

cant[3] *v* recite, chant; set a stone on its edge; fall over; ride rapidly.

cantel *n* fragment.

cantie *adj* comfortable; contented.

cantily *adv* cheerfully.

cantle[1] *n* ledge.

cantle[2] *v* erect.

cantlin *n* corner.

cantrip *n* charm, spell, magic; frolic, trick; mischief.

cantrips *npl* antics.

canty *adj* lively, cheerful, pleasant.

canyel *v* jolt, shake.

cap[1] *n* wooden eating dish.

cap[2] *v* seize; excel.

cape *see* caip.

caper *n* pirate.

capercailzie *n* mountain cock.

caperonish *adj* good, excellent.

cappilow *v* get ahead.

cappit *adj* peevish.

capul *n* horse, mare.

car[1], **caur** *n* sledge; hurdle.

car[2], **ker** *adj* left; left-handed.

carb *v* carp.

carcat, carcant *n* necklace; garland.

carcidge *n* carcass.

carebed *n* sickbed.

carfuffle, curfuffle *n* agitation; disorder; fuss.

carie *adj* soft.

cark *n* load.

carlage *adj* churlish.

carle *n* man, fellow; commoner; candlestick.

carlie *n* little man.

carline, carlin *n* old woman; witch.

carlish *adj* coarse.

carmovine *n* camomile.

carnail *adj* rotten.

carnaptious *adj* cantankerous, quarrelsome.

carnell *n* heap.

carp *v* speak, relate.

carping *n* narration.

carsackie *n* blouse; overall, smock.

carse *n* low-lying land by a river.

carte *n* chariot.

carvel *n* sailing ship.

carvie *n* caraway.

case *n* chance.
cashie *adj* luxuriant, blooming.
cashle *v* squabble.
cassie, cazzie *n* straw basket for carrying peat.
cast *n* appearance, aspect, bearing, demeanour, deportment; assistance, help; twist. • *v* throw off, shed; use; coat with lime or plaster; swarm; **cast oot** disagree; fall out; spurn.
cast-bye *adj* useless.
casten *adj* faded.
castings *npl* old clothes.
casual *adj* accidental.
catalogue *n* register.
catechis *n* catechism.
cateran *n* bandit, brigand.
cat-kindness *n* cupboard love.
ca-through *n* disturbance.
cat's een *n* speedwell.
catsherd *n* cataract.
cat-tails *n* cotton-grass.
catterbatch *n* quarrel.
cattle *npl* lice.
cat-wittit *adj* foolish, silly; unbalanced.
caudron *n* cauldron.
cauf *n* calf.
caufkintra *n* birthplace; native district.
cauk *v* pay dearly.
caul *n* dam; weir.
caulcreeps *npl* gooseflesh.
cauld *adj* cold.
cauld-bark *n* coffin.
cauldrid *adj* chilling.
cauldrife *adj* causing coldness; apathetic.
cauld-watter *adj* apathetic; unconcerned.
caulk *n/v* chalk.
caulker *n* bumper.
caum *adj* quiet.
caunle *n* candle.
caunle-dowp *n* candle-end.
caur[1] *n* car.
caur[2] *see* **car**[1].
cause *conj* because.
causey *n* pavement; roadway; street. • *v* pave.
causey stane *n* cobblestone.
caution *n* security; pledge; bail.
cave *v* push; toss.
cavel *see* **kavel**.
cavie *n* hen coop.
cay *n* jackdaw.
cazzie *see* **cassie**.
ceepher *n* cipher.
cele *v* hide.
cerse, cerss *v* search.
certaint *adj* certain.
certie *adv* certainly.
cess *n* tax.
chaave *n/v* struggle; toil.
chack[1] *n/v* check.
chack[2] *v* clack; clink; nip. • *n* ouzel; stonechat.
chack[3] *n* wheel rut.
chackert, chackit *adj* chequered; tartan.
chackie *adj* uneven.
chackie mill *n* death-watch beetle.
chackit *see* **chackert**.
chad *n* compacted gravel; small stones forming a river bed.
chaddy *adj* gravelly.
chaff *v* chafe.
chaft *n* jaw.
chaft-blade *n* cheekbone; jawbone.
chafts *npl* chops; jaw.
chaipe *v* escape.
chaipel *n* chapel.
chairge *n* cost; expense. • *v* charge.
chaistifie *v* chastise.
chaker *n* chessboard.
chalmer *see* **chaumber**.
cham *n/v* chew.
chammer *v* settle; quash.
champ *n* morass. • *v* chop; mash; pound.
champer *n* pestle.
champit tatties *npl* mashed potatoes.
chance n perk, perquisite.
chancy *adj* lucky.
chandler *n* candlestick.
change-house *n* tavern.
channel *n* gutter.
channel-stane *n* curling stone.
channer *v* fret; chide.
chanter *n* bagpipe drone.
chantie-beak *n* chatterbox.
chanty *n* chamberpot; lavatory pan.
chap *n* blow, knock, tap; choppiness. • *v* knock; strike; mash; ratify, sanction; pick out; **chap hauns** shake hands.
chape *adj* cheap.
chapman *n* pedlar.
chapper *n* knocker.
chappit *adj* cracked.
char *v* stop; turn aside.

chark *v* grind; gnash.
charker *n* cricket.
chase *n* hunt, case; hurry.
chasie *v* chase.
chate *v* cheat.
chaterie *adj* cheating.
chatter *v* shatter.
chattert *adj* frayed.
chattle *v* nibble.
chaum *v* gobble.
chaumber, chaumer, chalmer *n* chamber, room; bedroom; parlour.
chaunt *v* chant.
chauve *adj* black and white.
chaw *n* hawthorn.
chaw *n* snub; chagrin. • chew; fret; provoke.
chawed *adj* vexed.
chawsome *adj* galling.
cheat *n* cat.
cheatrie, cheatry *adj* fraudulent. • *n* fraud.
check *n* key.
cheek *n* jamb; side.
cheen *n/v* chain.
cheenge *n* change; patronage. • *v* alter; convert; transform; vary.
cheeny *n* china.
cheer *n* chair.
cheerisome *adj* cheerful.
cheetle *v* chirp.
cheggie *n* chestnut.
cheim *v* divide equally.
cheip, chepe *v* chirp.
chese *v* choose.
chess *n* sash; window-frame; segment of fruit.
chessart *n* cheese-press.
chessie *n* chestnut.
chessoun *v* accuse.
chib *n* knife. • *v* knife; slash.
chibbie *adj* chubby.
chice *n* choice.
chickenwort *n* chickweed.
chief *adj* intimate.
chieftain *n* chief.
chiel *n* fellow, lad; servant.
childe *n* servant; man.
childer *npl* children.
chilpie *adj* chilly.
chim *v* make up to.
chimes *n* main dwelling.
chimley *n* fireplace; grate; chimney.
chine *n/v* chain.
chingle *n* shingle.
chinglie *adj* gravelly.
chinkie *n* chin.
chippie *n* marble.
chippit *adj* damaged.
chirk, jirk *v* gnash; grate noisily.
chirl *v* chirp; warble.
chirle *n* chin.
chirm *n* warble.
chirr, churr *v* chirp.
chirrie, chirry *n* cherry.
chirt *n/v* hug; squeeze.
chitter *v* chatter; shiver.
chitterin *adj* trembling.
chizel *v* cheat.
chizors *npl* scissors.
chock *n* croup.
choice *v* choose.
choller *n* jowl; double chin.
chookie *see* **chuckie**.
chop, chope *n* shop.
chore *v* steal.
chork *v* squelch.
chow *n* chew; mouthful. • *v* chew.
chowk *v* choke.
chowks *npl* cheeks, chops.
chowl *v* twist.
chree *adj/n* three.
Christendie *n* Christendom.
Christenmas *n* Christmas.
chucken *n* chicken.
chuckie[1], **chookie** *n* chick, hen.
chuckie[2], **chucky** *n* pebble, stone.
chuckie-stane *n* throwing pebble.
chuddue *n* chewing gum.
chuffie *adj* chubby.
chuffie-cheekit *adj* chubby-cheeked.
chug *n/v* tug.
chuggie *n* chewing gum.
chye *n* chaffinch.
chynge *n* change. • *v* change; decompose; go off.
cinner *n* cinder.
circumjack *v* agree; correspond to.
cissie *adj* girlish.
cistren *n* cistern.
clabbydhu *n* mussel.
clachan *n* village, hamlet.
clacher *v* move with difficulty.
clack *n* gossip; insolence. • *v* gossip.
clackan *n* racquet.

cladach, cleitach *n* talk.
claen *adj* clean.
claes *npl* clothes, attire.
claffie *adj* disordered.
clag *n* encumbrance; clot; dried-on excreta or dung. • *v* clog; stop up.
claggie, claggy *adj* glutinous; adhesive, sticky.
clag-tailed *adj* dirty-bottomed.
claik[1] *n* barnacle.
claik[2] *n* clucking; idle talk. • *v* cluck.
clair[1] *adj* clear.
clair[2] *v* scold; beat.
claith *n* cloth; clothing.
claiver *v* talk idly.
clam[1] *adj* clammy; mean; low.
clam[2] *n* scallop.
clamant *adj* urgent.
clamjamfry, clamjamfrie, clamjamphry *n* company; crowd, rabble; jumped-up people; junk, rubbish.
clammer *v* clamber.
clammersome *adj* clamorous.
clamp *n* clump.
clampers *npl* clogs.
clams, clamps *npl* pincers.
clap[1] *n* moment; stroke, pat. • *v* adhere, cling; flop; pat; press down.
clap[2] *n* rabbit's burrow.
clapman *n* public crier.
clappit *adj* flabby; gaunt; sunken.
clark *n* clerk. • *v* compose; write.
clart *n* dirt, grime; mud; muck. • bedaub; make dirty.
clarty adj dirty; muddy; adhesive.
clash *n* idle talk, rumour; heap. • *v* gossip; throw; strike; slam.
clasher *adj/n* telltale.
clashmeclaver *see* **clishmaclaiver**.
clat *see* **claut**.
clatch *n* slut. • *v* daub; patch up roughly.
clathes *npl* clothes.
clatter *n* prattle; rumour. • *v* gossip.
clatterer *n* scandalmonger.
clattie *adj* disagreeable; nasty; dirty.
claucher *v* snatch up.
claut, clat *n* clod; clot; lump. • coagulate; clutch.
claver *n* clover.
clavers *npl* gossip, tittle-tattle.
claw *v* scratch.
claymore *n* two-handed sword.
clean-fung *adv* cleverly.
cleanin *n* placenta.
clear *adj* certain, sure.
clearance *n* revelation.
clearin *n* beating.
cleas *npl* clothes.
cleck *v* give birth; breed; conceive; hatch; invent.
cleckin *n* brood of chicks.
cleed, cleith *v* clothe.
cleedin *n* attire, clothing; garment; suit of clothes.
cleek, click *n* hook; crochet hook; girlfriend, boyfriend. • *v* hook; clutch; ensnare.
cleekie *n* staff; hooked stick; golf club.
cleekit *adj* linked.
cleeks *npl* cramp.
cleepie *n* heavy blow.
cleester *v* anoint; plaster.
cleg *n* horsefly; gadfly.
cleik *adj* lively.
cleisher *n* monster.
cleitach *see* **cladach**.
cleith *see* **cleed**.
clem *adj* mean; low.
clem *adj* queer.
clench *v* limp.
clep *n* gaff.
clep, clepe *see* **clype**.
clesp *n/v* clasp.
cless *n* class.
clett *n* sea rock.
cleuch, cleugh *n* hollow between rocks; gorge; chasm.
cleuk *n/v* claw.
cleuks *npl* clutches.
clever *v* climb.
clew *n* ball of thread.
cley *n* clay.
cley davy *n* navvy.
clibber *n* pack-saddle.
click *see* **cleek**.
clift[1] *n* cavern; cleft, fissure; plank; crotch.
clift[2] *n* cliff.
clim *v* climb.
climp *v* catch quickly.
clink[1] *n* money, cash; telltale. • *v* beat, strike; join metal; **clink up** *v* snatch up.
clink[2] *v* compose.
clint *n* flinty rock.
clip *n* colt; tearaway; yob.
clip *v* embrace; grapple.

clipe *see* **clype**.
clippin *n* sheep-shearing.
clippin time *n* nick of time.
clish *v* spread gossip.
clishmaclaiver, clashmeclaver *n* busybody; tittle-tattle; lengthy debate.
cliver *adj* clever; nice; quick, swift.
cliveralitie *adv* cleverness.
cloak *n* clock.
clocher *v* cough thickly.
clock[1] *n* beetle.
clock[2] *n* cape, cloak.
clock[3] *n* cluck. • *v* cluck; brood.
clocker[1] *n* broody hen.
clocker[2] *n* cockroach.
clockin *adj* broody.
clockin hen *n* broody hen.
clod *n* sod. • *v* pelt, throw.
cloff *n* split; fissure.
clog *n* log.
cloit *n* afternoon nap.
cloitery *adj* damp; slimy.
cloor *v* cuff, thump.
cloorer *n* chisel.
cloot[1], **clout** *n* cloth; rag; bandage; nappy; patch. • *v* patch.
cloot[2], **clout** *n* blow.
cloot[3], **clute** *n* hoof, cloven hoof.
cloots *npl* clothes; rags.
close[1] *adj* constant, continual.
close[2] *n* alley; staircase of a tenement building; passageway; courtyard.
closin *n* congestion.
closs *adj* close.
closter *n* cloister.
clottert *adj* caked.
clour *v* beat; thump.
clout *see* **cloot**[1], **cloot**[2].
clow *n* clove.
clowe *n* talon.
clowen *adj* cloven.
clud *n* cloud.
cluddy *adj* cloudy.
cludgie *n* lavatory; toilet.
cluf, cluif *n* hoof; claw.
cluff *n* blow; thump.
clung *adj* empty.
clute *see* **cloot**[3].
clyack sheaf *n* last sheaf of harvest.
clype, clep, clepe, clipe *n* telltale. • *v* tell tales; report.
clyre *n* tumour.
clytach *n* balderdash.
coaf *v* cough.
coal bing *n* pit heap.
coalie-back *adv/n* piggyback.
coal neuk *n* coal cellar.
coal-ree *n* coalyard.
coat *n* petticoat; skirt.
coat-weasel *n* ermine.
coble *n* fishing boat; ferry-boat.
coch *v* cough.
cock *v* indulge; pick up; set up.
cockapentie *n* snob.
cocker *v* totter.
cockernonny *n* snood.
cockieleerie *n* cockerel.
cockle *v* cuckold.
cockle-headed *adj* whimsical.
cocky *adj* vain.
cod[1] *n* cushion; pillow.
cod[2] *n* pea pod.
codgie *adj* relaxed, contented.
codroch *adj* rustic.
cods *npl* testicles.
coff *n/v* purchase, buy.
coft *adj* bought.
cog[1] *n* bucket, pail; wooden dish.
cog[2] *n* chock.
cog[3] *n* small sailing ship.
cog-wame *n* potbelly.
coggie *n* small wooden bowl.
coggle *v* rock; unbalance.
cogglie, coggly *adj* unsteady.
coin, coyn *n* corner.
coinyelled *adj* pitted.
coist *n* flank.
coit *v* jostle.
cole *n* haycock.
colfin *n* wadding.
coll[1] *n* coal.
coll[2] *v* cut; clip; shape.
college *n* university.
collegener, collegianer *n* university student.
collet *n* collar.
collie[1] *n* sheepdog.
collie[2] *v* abash; domineer.
collieshangie *n* controversy; disturbance; dogfight.
collogue *n* conference; interview; symposium. • *v* conspire, plot.
collop *n* steak.
come *n* growth; bend. • *v* expand; happen;

come by come in; **come in** collapse; **come ower** befall; **come tae** comply; **come to** calm down.
come awa! *interj* come on!
come-doon *n* degradation.
commandin *adj* disabling.
communin *n* discussion.
compaingen *n* companion, comrade.
compare *n* comparison.
compeir *v* appear in court.
complain *n* moan.
complainer *n* prosecutor.
compliment *n* donation, gift.
complouter, compluther *v* coincide; comply; collaborate; cooperate.
compone *v* compound; settle.
comprise *v* evaluate.
con *n* squirrel.
conand *adj* knowing.
conceitie *adj* conceited.
concioun *n* assembly; speech.
condescend on *v* particularise, specify.
condinglie, condingly *adv* agreeably; lovingly.
conduck *n* conduct; safe-conduct.
confabble *v* converse.
confeerin *adj* corresponding. • *prep* considering.
confeese *v* bemuse; confuse.
conflummix *n/v* shock.
confoon *v* confound.
conformity *n* concession.
connach *v* waste.
conneck *v* connect.
consait *n* conceit.
considerin *n* considerate.
consither *v* consider.
consolement *n* consolation.
constant *adj* plain.
consumpt *n* consumption, ingestion.
conter *adj* adverse; contrary. • contrary; opposite; reverse. • *prep* against. • *v* contradict; counteract; oppose; thwart.
contermit *adj* determined.
continuation *n* postponement.
continue *v* postpone.
contrack *n* contract.
contrair *adj* contrary; opposed. • contrary; opposite. • *v* contradict.
contramashous *adj* wilful.
contrufe *v* contrive.
convener *n* president.
convenient *adj* satisfied.
convick *v* convict.
convoy *n* escort. • *v* accompany; carry; conduct; convey; escort; transport.
cony *n* cognac.
conyng *n* knowledge.
coo *n* cow.
cooard *n* coward.
cooardiness *n* cowardice.
coo-cracker *n* campion.
cood *n* cud.
coof *n* simpleton.
cook, couk *v* appear and disappear.
cookie *n* sweet roll, bun, teabread; trollop.
cool *n* cowl.
coolriff *adj* cold.
coom *n* coffin lid; coal dust, peat dust, dross.
coomed *adj* vaulted.
coonger *v* cow, intimidate.
coont *n* count. • *v* calculate, count.
coonter *n* counter.
coonter-lowper *n* shop assistant.
coontie, coonty *n* county.
coonts *npl* arithmetic; sums.
coop *n* small heap.
coopat *n* cowpat.
coor *v* cower.
coorag *n* forefinger.
coordie *adj* cowardly, craven.
coorie *v* cringe; crouch, stoop; cuddle; snuggle; **coorie doon** crouch; **coorie hunker** squat; **coorie in** nestle, snuggle up.
coorse[1] *adj* barbarous; boorish, coarse, crude; disreputable; hard, inclement; naughty; rascally; disobedient.
coorse[2] *n* course.
coort *n* court.
cooser *n* stallion.
coost *n* physique.
cooter *n* coulter.
coper *see* **couper**.
corbie *n* crow; raven.
corbie stanes *n* crowsteps.
corbie-steps *n* stepped gable.
cord *n* accord. • *v* harmonise.
cordiner *n* shoemaker.
corf *n* basket, creel.
cork *n* contractor; employer.
corky *adj* airy.
corn *n* oats.

cornet *n* standard-bearer.
cornt *adj* tiddly, tipsy.
cornyaird *n* stackyard.
coronach *n* dirge, lament.
corp *n* cadaver, corpse.
corp-lifter *n* body-snatcher.
corrie *n* mountain hollow.
corrie-fister *n* left-handed person.
corrieneuchin *adj* murmuring.
corruption *n* anger.
corrydander *n* coriander.
corse, cors *n/v* cross.
cosh *adj* cosy, snug.
cosie *n* scarf.
coss *v* exchange.
cot[1] *n* coat.
cot[2] *n* cottage.
cottar *n* cottager.
coudle *v* float.
couk *see* **cook**.
coulie, cowlie *n* boy.
coulter-neb *n* long nose.
countra *n* country.
coup, cowp[1] *n* fall, tumble; rubbish dump, midden. • *v* fall over; overbalance; capsize; topple; upset; tilt.
coup, cowp[2] *n/v* exchange.
coupen *n* fragment.
couper, coper, cowper *n* dealer; broker.
cour *v* crouch.
courage-bag *n* scrotum.
cout *n* yearling horse, colt.
couter *v* cosset.
couth, couthie, couthy *adj* familiar, known; pleasant; affable, agreeable; sociable; kind, humane; sympathetic.
couthless *adj* unfriendly.
cove *n* cave, cavern.
covine *n* fraud.
cow[1] *n* twig; scarecrow.
cow[2] *v* exceed; clip.
cowclink *n* whore.
cowd *n* short sailing trip.
cowdach *n* heifer.
cowdrum *n* beating.
cowe[1] *n* haircut. • clip.
cowe[2] *v* outdo, surpass; **cowe the cuddie** surpass everything.
cower *v* recover.
cowlick *n* tuft of hair on the forehead.
cowlie *see* **coulie**.
cowmon *adj* common.
cowp *see* **coup, cowp**[1], **coup, cowp**[2].
cowper *see* **couper**.
cowshus *adj* cautious.
cowstick *n* caustic.
cowt *n* cudgel; colt; boor.
cowzie *adj* boisterous.
coxy *adj* coaxing.
coy *adj* quiet.
coyn *see* **coin**.
crabbit *adj* crabbed, crusty, ill-tempered, irascible, irritable, testy, tetchy.
crabbitness *n* bad-temper.
crack *n* anecdote, story; chat, free talk; boasting. • *v* chat, converse, talk freely.
cracker nut *n* hazelnut.
crackers *npl* castanets.
crackie, cracky *adj* affable; talkative.
crackie-stool *n* three-legged stool.
craft *n* croft.
crag, craig *n* neck.
craichling, creichling *n* itching cough.
craig[1] *n* cliff, crag; rock.
craig[2] *see* **crag**.
craik *n* corncrake; croak. • *v* creak; croak.
craitur *n* creature.
craize *v* creak.
cramasie, cramasye *adj* crimson. • *n* crimson; crimson cloth.
crambo-clink *n* doggerel.
crame *see* **cream**.
cramp *v* contract.
cramsh *v* grit.
cran[1] *n* crane (bird and machine); trivet.
cran[2] *n* swift.
cran[3] *n* barrelful of herring.
cran[4] *n* tap.
cranachan *n* dessert of honey cream and cheese.
crance *n* chink.
cranch *v* crush.
crank *adj* weak; sickly.
crankie, cranky *adj* insecure; testy.
crannie *n* recess.
crannog *n* lake dwelling.
cranreuch *n* hoar frost, rime.
cranshach *n* cripple.
crap *n* top part; craw of a fowl, crop. • *v* fill; stuff.
crape *n* crepe.
crappit *adj* stuffed.
crat *adj* weak.
crave *v* dun.

craw *n* crow, rook.
crawberry *n* cranberry, crowberry.
crawdoun *n* coward.
craw's aipple *n* crab apple.
craw-taes *n* crow's feet.
craw widdie *n* rookery.
creagh, creach *n* raid, cattle raid; plunder.
cream, crame *n* booth, stall.
creck *n/v* crack.
creeks an corners *npl* nooks and crannies.
creel *n* wicker basket; peat basket; lobster pot.
creenge *v* cringe.
creepie *n* footstool.
creepie stool *n* stool of penance.
creesh *n* fat, grease. • *v* grease, lubricate; **creesh a luif** bribe.
creeshie *adj* fat; greasy.
creichling *see* **craichling**.
creil *n* creel.
cress *n/v* crease.
crib[1] *n* beaker.
crib[2] *n* coop.
crib[3] *n* kerb.
cricklet *n* runt.
cries *npl* banns.
crimp *adj* scarce.
crimpet *n* crumpet.
crinch *v* crunch.
crinchie *adj* crunchy.
crine *v* shrink; shrivel; reduce.
crinkie-winkie *n* contention.
cripple *adj* lame.
crock *v* crouch.
croft *n* small upland farm.
crofter *n* upland farmer.
cromag *n* staff; crook.
crone *v* wheedle.
cronnie *n* crony.
croo *n* hovel.
crood *n* crowd, multitude.
croodle *v* hum; coo; croon.
crook *n* fireplace chain and hook.
crook-tree *n* beam of the crook.
croon[1] *n* crown.
croon[2] *n* lament. • *v* mourn; murmur.
crooner *n* gurnard.
croop, croot *v* croak.
croose, crous, crouse *adj* cocky; confident; courageous, valiant; exuberant, jaunty, merry; self-satisfied, smug; assured. • *adv* boldly.
cross-and-pile *n* coin.
cross-speir *v* cross-examine.
crotal *n* lichen for dyeing.
crote *n* grain, tiny particle.
crottle *n* crumb.
crouchie *adj* hunchbacked.
crouds *npl* curds.
croup *v* caw, croak; speak hoarsely.
croupie-craw *n* raven.
croupit *adj* croaking.
crous, crouse *see* **croose**.
crove *n* chisel.
crowdie *n* kind of cream cheese.
crowdle *v* crawl; draw together.
crowl *v* crawl.
croy[1] *n* crustacean.
croy[2] *n* fish trap; groyne; breakwater.
cru *n* enclosure.
crub *n/v* curb.
cruck *v* make lame.
crud *n* curd.
cruddie *adj* curdled.
cruddle, crudle *v* curdle.
cruds *npl* curds.
cruels *npl* scrofula.
cruet *n* carafe, decanter.
crufe *see* **cruive**[1].
cruik *v* bend; **cruik yer hochs** kneel.
cruisie, crusie *n* oil lamp.
cruive[1], **crufe** *n* pen, pigsty; hovel.
cruive[2] *n* wicker fish trap.
crummet, crummie *adj* crooked-horned.
crummle *v* crumble.
crummock *n* shepherd's crook, staff; walking stick.
crump *adj* crisp. • *v* crunch.
crumpie *adj* crackly; crisp.
crumshie *adj* crackly; crisp.
crunkle *n/v* crease; crinkle.
crusie *see* **cruisie**.
cry *n* summons. • *v* call; summon; proclaim, publish; shout; name; **cry in** call in; **cry on** call on.
cuchil, cuthil *n* forest.
cuddie, cuddy *n* donkey; horse; ass.
cuddieheels, trenkets *npl* iron heels on shoes.
cudding *n* char.
cuddom *v* tame.
cuddum *v* train.
cuddy *see* **cuddie**.
cufe *n* simpleton.

cuff *n* nape; scruff.
cufie *v* excel.
cuik *n*/*v* cook.
cuil *adj*/*v* cool.
cuir *n*/*v* cure.
cuit, cuitt, cuite, cute *n* ankle; fetlock.
cuiter *v* coddle, pamper; indulge; nurse.
cull *n* testicle.
cullage *n* sexual organs.
culpable homicide *n* manslaughter.
culroun *n* rascal.
culyie *v* coax, cajole; fondle.
cumber *adj* numbed.
cummer[1] *n* godmother; midwife.
cummer[2] *n* vexation; gossip.
cundie, cundy *n* culvert, drain, tunnel; conduit; apartment; hidden space.
cuningar *n* warren.
cunner *v* scold.
cunyie *n* coin; corner.
cupple *n* couple.
curator *n* guardian.
curch *n* kerchief for the head.
curfuffle *see* **carfuffle**.
curie *n* search.
curjute *v* overthrow.
curl-doddie *n* plantain; scabious.
curl-doddies *n* curled cabbage.
curling *n* game of bowling on ice.
curling stane *n* stone used in curling.
curly kail *n* colewort.
curmud *adj* cordial; intimate.
curmur *v* purr.
curmurrin *n* murmur; stomach rumble.
curn *n* grain of seed.
curny *adj* grainy.
curpin *n* rump.
curple *n* crupper.
curpon *n* rump of a fowl.
curr *v* lean; cower; purr.
currach *n* coracle, small boat.
curran *n* currant.
currie *n* small stool.
curtill *n* slattern.
cushat, cushie-doo *n* wood-pigeon; ring-dove.
cushin *n* cushion.
cut *n* appetite; temper.
cutchin *adj* cowardly.
cute *see* **cuitt**.
cuthil *see* **cuchil**.
cutikins *npl* gaiters.
cutle *v* wheedle; guide.
cutter *n* reaper.
cuttit *adj* peremptory; succinct.
cutty, cuttie *adj* short. • *n* short pipe.
cutty-stool *n* low stool; stool of penance.
cuz *adj* closely.

D

daak *n* lull.
daaken, daakenin *v* dawn.
dab, daub *v* peck.
dab-at-the-stuil *n* pepper and salt.
dabber, dever *v* jabber.
dablet *n* imp.
dacent *adj* decent.
dachle *v* hold back, impede.
dacker, daiker *v* search about; be lightly employed.
dackle *n* suspense; hesitancy.
dacklie *adj* pale, livid.
dad, dawd *n* lump; piece. • *v* dash; gust.
daddle *see* **daidle**[2].
dadie *n* dad, daddy.
dae[1] *v* do; **dae guid** thrive.
dae[2] *n* doe.
daeless *adj* improvident; lazy; useless.
dae-na-guid *n* good-for-nothing, ne'er-do-well.
daff *v* frolic, lark; make sport, sport.
dafferie *n* flirtation; frivolity, fun.
daffery, daffing *n* romping.
daffin *n* fun; merry-making.
daffins *n* daffodil.
daft *adj* stupid, silly, foolish; delirious; mad, insane; crazy; doting, infatuated.
daftie *n* fool, halfwit, idiot, simpleton.
daftlike *adj* stupid-seeming.
daftness *n* foolishness.
dag *v* shoot; rain gently.
daggie *adj* drizzling.
daggle *v* lag.
daible *v* wash imperfectly.
daich, daigh *n* dough.
daichie *adj* doughy.
daidle[1] *n* bib; table napkin.
daidle[2], **daddle** *v* dawdle; waste time.
daidle[3] *v* dandle.
daigh *see* **daich**.

daik *v* smooth down.
daiken *n* decade.
daiker[1] *v* decorate.
daiker[2] *see* **dacker**.
dailer *n* dealer.
dailigaun *n* twilight.
daimen *adj* rare.
daine *adj* modest.
dainschoch *adj* squeamish.
daintie-lion *n* dandelion.
daintith *n* dainty.
dainty *adj* large; thriving; plump.
dairt *n/v* dart.
daise *v* rot; wither.
daised *adj* rotten; spoilt.
daith *n* death.
daith-cannle *n* will-o'-the-wisp.
daiver, dever *see* **daver**.
daizzle *v* dazzle.
dale *n* deal; portion, share. • *v* deal; trade.
dale *n* diving board.
dale *n* goal.
dall *n* doll.
dam *n* urine. • *v* urinate.
damasee *n* damson.
dambrod *n* draughts board.
dame *n* maiden.
damishell *n* damsel.
dams *npl* draughts.
dancer *n* outstanding person.
dancie *n* dancing master.
dancin mad *adj* frantic.
dander *n* stroll.
dander *see* **daunder**.
danders *npl* clinkers, slag.
dandie *adj* fine; grand.
dandrum *n* freak.
dang *n/v* damn.
dannle *v* dangle.
dant *v* daunt.
danton, daunton *v* subdue; discourage.
dare *n* awe.
darg *n* day's work.
darklins *adv* in the dark.
darn *see* **dern**.
darth *n* dearth.
dashelt *adj* battered.
dashing *n* disappointment.
dask *n* desk; pew.
dass *n* layer.
datchie *adj* penetrating; clever.
daub[1] *n* dash.
daub[2] *see* **dab**.
dauble *v* dabble.
dauch *n* heavy dew.
daud, dad *n* dab; drop.
daumer *v* spellbind; stun.
dauner, dander *n/v* amble, stroll.
daunton *see* **danton**.
daupit *adj* imbecile.
daur *n* daring. • *v* dare.
daurk *adj* dark.
daut *v* caress, fondle; cosset, pamper; dote; make much of.
dautie, dawtie *n* darling, dear; darling child; kindness.
daver, daiver, dever *v* stupefy; stun; chill.
davielie *adv* listlessly.
davoch *n* division of land.
daw[1] *n* daybreak. • *v* dawn.
daw[2] *n* sluggard; particle.
dawdie *n* slut.
dawghie, dawkie *adj* moist.
dawsie *adj* stupid; dull.
dawtie *see* **dautie**.
day *n* today.
day-daw *n* dawn.
daylicht *n* daylight.
dayligaun *n* nightfall.
daze *v* stun.
dazent *adj* damned.
dazzle *v* daze.
dazzly *adj* dazzling.
de *art* the.
deacon *n* expert.
dean, den *n* steep little valley; hollow place.
dearch *n* dwarf.
deart *v* raise in price.
dearth *n* price.
deasie *adj* cold; raw.
deave *v* deafen; plague, torment, weary.
debosh *v* debauch.
deburse *v* spend.
deceiverie *n* deceit.
decern *v* decree; judge; determine.
dech *see* **deigh**.
decorement *n* decoration.
decree *n* judgement.
decreit *v* decree.
decrippit *adj* decrepit.
dede *see* **deid**.
dee *v* die; decease; expire.
deed *adv* indeed.

deedle *v* sing low.
deedlie *adj* fatal.
deef *n* deaf.
deek *n* look; glance. • *v* spy out.
deem *n* dame; maiden.
deemer *n* judge.
deemless *adj* countless.
deem's day *n* doomsday.
deepens *n* depth.
deep plate *n* soup plate.
deevil *see* **deil**.
defaik *v* relax.
defait *adj* defeated. • *v* defeat, vanquish.
defeeckwalt *adj* difficult.
defender *n* defendant.
defenn *n* dirt.
defluction *n* catarrh.
deg *v* strike with a sharp point.
deid, dede *n* death. • *adv* very; **deid auld** very old. • *adj* dead; **deid as a mauk** lifeless.
deid-bell *n* passing bell.
deid-hoose *n* mortuary.
deid-ill *n* mortal illness.
deid-kist *n* coffin.
deidlie *adj* deadly.
deidman's bellows *npl* bugle.
deid thraws *npl* death throes.
deigh, dech *v* build.
deil, deevil *n* devil; **deil a haet** damn all, nothing at all.
deil's darnin needle *n* dragonfly.
deil's picter buiks *n* playing cards.
deir *adj* bold; wild.
dek *adj*/*n* ten.
delash *n*/*v* discharge.
deleerit *adj* delirious.
delf *n* pit; grave; crockery; clod.
delicht *n*/*v* delight.
delichtsome *adj* delightful.
delt *v* fondle.
deltit *adj* pampered, petted.
delyver *v* deliberate.
dem[1] *pron* them.
dem[2] *v* dam.
demain *v* demean.
demit *v* dismiss; resign.
dempster *n* judge.
den[1] *n* forecastle.
den[2] *see* **dean**.
denner *n* dinner. • *v* dine.
denner piece *n* packed lunch.
dentie *adj* fair-sized.
deny *v* refuse.
deochandorrus *n* parting drink; stirrup cup.
depairt *v* depart.
depart, depert *v* part with; divide.
depone *v* declare; testify.
depute *n* deputy.
deray *n* disorder; mirth.
derbel *n* eyesore.
derf *adj* bold, daring; cruel; hardy; sullen, taciturn; obscure.
dern, darn *v* hide, conceal; hearken.
derrin *n* cake of oatbread.
deturn *v* turn aside.
deuch *n*/*v* drink.
deugind *adj* wilful.
deuk *n* duck. • *v* dip; duck.
deuk-dub, deuk's dub *n* duck pond.
deule weeds *npl* mourning clothes.
devail *v* descend; let fall.
devel *n* heavy blow. • *v* strike, hit.
develler *n* boxer; fighter.
dever[1], **deever** *v* be stupid.
dever[2] *see* **dabber**.
dever[3] *see* **daiver**.
deviltry *n* devilry.
devise *v* talk.
devol *v* deviate.
devore *n* service; duty.
dew *adj* damp.
dewgs *npl* rags.
dey *n* dairymaid.
diacle *n* compass.
dib *see* **dub**.
dibler *n* large wooden dish.
diceboard *n* chessboard.
dichel *n* thrashing.
dicht *n* light polish; rub; wipe. • *v* dry, wipe; prepare; polish; rub; decorate.
dichtings *npl* refuse.
dick *adj*/*n* ten.
dict *v* dictate.
diddle *v* fiddle; shake.
diet[1] *n* journey; outing; meeting.
diet[2] *n* meal.
diet-book *n* diary.
diet-oor *n* mealtime.
differ *n* difference; dissent. • *v* dissent.
diffide *v* distrust.
digestlie *adj* deliberately.
diggot *n* scamp.

dike[1] *v* dig; pick.
dike[2] *see* **dyke**.
dildermot *n* obstacle.
dill *v* placate.
dilly-castle *n* sandcastle.
dilp *n* trollop. • *v* stalk.
dilse *n* dulse.
dimple *n/v* dibble.
din *adj* dingy; dun-coloured; sallow.
din *n* report, fame; loud talking.
ding *v* drive; dash; bash, beat, thrash; **ding doon** overthrow, overcome; **ding in** drive in; ding on attack; **ding up** break up.
ding-dang *adv* helter-skelter.
dingle *v* tingle.
dink *adj* neat; trim. • *v* deck, dress up.
dinklie *adv* trimly.
dinnle *adj* tingling. • *n* vibration; peal. • *v* peal; shake.
dinnous, dinsome *adj* noisy; riotous.
dint *n* chance; affection.
dippen *n* riverside steps; washing-place.
dird *n* stroke; bump; achievement. • *v* bump; thrust.
dirdum *n* achievement; uproar; tumult; retribution.
direck *adj* direct. • *adv* directly. • *v* direct.
dirk[1] *n* dagger.
dirk[2] *v* grope in the dark.
dirkin *v* eavesdrop.
dirl *n* jar; rattle; stroke; vibration; thrill. • *v* jar; pierce; thrill; rattle; reverberate; vibrate.
dirlie-bane *n* funny-bone.
dirlin *n* vibration.
dirr *adj* numb.
dirray *n/v* disorder.
dirrie *n* tobacco ash.
dirt *n* excrement.
dirten *adj* base; soiled.
dirt-flee *n* dungfly.
dirt-hoose *n* privy.
disabuse *n/v* damage; misuse.
disagreeance *n* disagreement.
disannul *v* obliterate.
dischairge *n/v* discharge.
disconvenience *n/v* inconvenience.
disconvenient *adj* inconvenient.
discreet *adj* obliging.
diseise *n* discomfort.
disgeest, disgest *v* digest.
dish *v* butt; destroy.
dish cloot *n* dishcloth.
disherten *v* dishearten.
dish-faced *adj* flat-faced.
dishins *n* drubbing.
disjaskit *adj* depressed, downcast, low-spirited; decrepit, dilapidated; tired-looking, weary-looking.
disjeckit *adj* dejected, despondent.
disjune *n* breakfast.
disloaden *v* unload.
disparit *adj* desperate.
disparple *v* scatter.
displenish *v* unfurnish.
dissle *n* light rain.
dist *n/v* dust.
distance *n* difference.
distrack *v* distract.
distrackit *adj* distracted.
distrubil *v* disturb.
disty *adj* dusty.
dit, ditt *v* indulge.
dite *see* **dyte**.
ditt *see* **dit**.
divert *n* amusement; comic; diversion; entertainment.
divider *n* serving spoon, ladle.
divot *n* clod of turf, sod.
dizzen *n* dozen.
dobbie, dobie *n* dunce; foolish person.
docher *n* durability; wear and tear; weariness.
dochter *n* daughter.
dock *n* backside; stern of a ship. • *v* clip; shorten; spank.
docken *n* dock (plant).
docketie *adj* short and jolly.
dockit *adj* clipped.
dockus *n* something short.
docky *adj* short; neat.
dod, dods *n* petulant fit.
dodd *v* jog.
doddle *v* wag about.
doddles *npl* genitals (male).
doddy *adj* petulant; hornless.
dodge *v* jog, trudge along; **dodge awa** trudge on.
dodgel, dudgel *v* hobble.
dodgie *adj* irritable.
dodrum *n* whim.
dods *see* **dod**.
doer *n* steward, factor.

dog[1] *n* blacksmith's lever.
dog[2] *v* skive.
dog-hip *n* dog-rose hip, rosehip.
doid *n* dolt.
doif *adj* dulled.
doil *n* piece.
doin, done, doon, doyn *adv* very.
doister *n* storm from seawards.
doistert *adj* confused.
doit *n* small copper coin.
doited *adj* crazy.
doiter *v* stagger, totter.
doitert, doittert *adj* witless; senile.
doittrie *n* dotage.
doldies *n* droppings.
dole *n* fraud; malice.
dolent *adj* mournful.
doless *adj* helpless.
doll *n* pigeon dung.
dollie, dowie *adj* dull; wearied.
dolver *n* anything large.
dominie *n* schoolmaster, teacher.
doncie *n* clown, buffoon.
done *see* **doin**.
donie *n* hare.
donk *adj* damp.
donnar *v* stupefy.
donnar'd *adj* stupefied.
donn'd *adj* fond.
donner *v* daze.
donnert *adj* doltish, slow-witted; stunned, stupefied.
donsie *adj* over-neat; restive; unlucky, hapless; wretched.
doo, dow *n* darling; dove; pigeon.
dooble *n* duplicate. • *v* double.
doocot, dowcate *n* dovecote; pigeonhole.
doodle *v* dandle.
doof *n* soft blow.
dook, douk *n* plunge into water; bath; dip. • *v* immerse; bathe; dip; dive.
dookin *n* immersion; soaking.
dool, dule *n* grief, sadness; suffering. • *v* grieve.
doolie[1] *n* hobgoblin; spectre.
doolie[2], **dulie** *adj* doleful.
doolsome *adj* doleful.
doolzie *n* light-minded woman.
doom *n* sentence. • *v* condemn.
dooms *adv* very.
doon[1] *v* upset overthrow.
doon[2], **doun** *adv* down.
doon[3] *see* **doin**.
doon-brae *adv* downwards.
doon-haud *n* handicap.
doon-hauden *adj* repressed.
doon-richteous *adj* downright.
doon-sittin *n* sitting.
doon-tak *n* degradation, humiliation; disparagement.
doonfa *n* declivity.
doonset *n* settlement.
doonthro' *adv* in the low country.
doonwith, doonwi *adj* descending. • *adv* downhill; downwards.
door-cheek *n* doorway.
doorstane *n* doorstep.
doosht *v* throw down.
doot *n* qualm.
dootless *adv* indubitably.
doots *npl* misgivings.
dootsome *adj* uncertain; undecided; vague.
dorb *n* peck.
dorbel *n* unseemly thing.
dorbie *n* mason, stonemason.
dore-crook *n* hinge; hasp.
dorestane *n* threshold.
dorlach *n* short sword.
dorle *n* piece.
dornel *n* horse's anus.
doroty *n* doll.
dort *n* huff; petulance.
dortie, dorty *adj* supercilious; pettish.
dorts *npl* sulks.
dorty *see* **dortie**.
doss[1] *n* tobacco pouch.
doss[2] *v* pay down; **doss doon** toss down.
doss[3] *adj* dozy, stupid; neat, tidy.
doss[4] *n* bow of ribbon.
dote *n* dowry.
dottar, dotter *v* dodder, become senile.
dottelt *adj* senile.
dotter *see* **dottar**.
dotterel *n* dotard.
dottle *n* small piece; cigarette butt; pipe ash; short person; stopper; dotage.
douce *adj* amiable; decorous; gentle; respectable, sedate, staid; sweet; sober; **douce-gaun** prudent.
doucht *n* stroke, blow.
douchtie, douchty *adj* doughty; valiant.
douf *v* grow dull; slumber.
douff *n* heavy blow. • *v* strike; drive.
doufness *n* dullness.

dought *n* strength.
douk[1] *v* duck; bow.
douk[2] *see* **dook**.
dount, dunt *n* strike; blow.
doup[1] *v* bend forwards; lour.
doup[2] *see* **dowp**.
dour *adj* austere, bleak; grim, stern, humourless, intractable; determined, dogged; hardy; sullen, taciturn; unyielding; barren.
dourlie *adv* sullenly.
douse *adv* solid.
dout *n/v* doubt.
douth *adj* dull.
doutless *adv* doubtless.
doutsome *adj* doubtful; hesitant.
dove *v* dote; doze.
dove-dock *n* coltsfoot.
dover *n* nap, snooze. • *v* drowse, nod off, snooze; sleep.
dovie *adj* imbecilic. • *n* imbecile.
dow[1] *n* worth.
dow[2] *v* be able; thrive; dwindle.
dowcate *see* **doocot**.
dowf *adj* inert; useless; insensitive.
dowfart *adj* delicate, disconsolate, dismal, dispirited, doleful, dull, melancholy, mournful, sad, spiritless, unhappy, glum.
dowie, dollie *adj* sad gloomy. • *v* ail.
dowielie *adv* mournfully; sadly.
dowkar, douker *n* diver.
dowl *n* large piece.
dowless *adj* feeble.
downans *npl* green hillocks.
downby *adv* downwards; down the way.
downcast *n* overthrow.
down-ding *n* heavy shower.
downie *n* duvet.
downset *n* beginning setback.
dowp, doup *n* bottom; backside, buttocks, posterior; **dowp doon** *v* sit.
dowp-skelper *n* bottom-smacker.
dowt *n* cigarette butt.
doxie *adj* lazy.
doyce *v* thump dully.
doyn *see* **doin**.
dozen *v* stupefy.
drabble *v* make dirty.
drabloch *n* refuse, trash.
drachle *n* slow mover.
drachtit *adj* harnessed.
draff *n* remains of malted barley.
draigle[1] *n* small quantity.
draigle[2] *v* bedraggle; trail in mud.
draigon *n* dragon; kite.
draik *v* drench.
dram[1] *n* tot of liquor.
dram[2] *adj* melancholy.
drame *n/v* dream.
drammach[1], **drammock** *n* mix of meal and water.
drammach[2], **dremmach** *adj* whining.
drangle *v* loiter behind.
drant, drunt *n/v* drawl.
drap *n/v* drop.
drappie *n* drop.
drappit eggs *n* fried eggs.
drars *npl* drawers, pants.
draucht *n* facial feature; sheeps' entrails. • *v* gasp for breath.
drauchty *adj* artful.
draunt *n/v* whine.
drauntin *n* tedious talk.
drave *n* haul; herd; herring fishing; shoal.
draw *v* milk; **draw a leg** pull a leg.
drawl *v* act slowly.
drawlie *adj* slow; slack.
dread *v* suspect.
dredge-box *n* flour box.
dree *n* fear. • *v* endure; undergo.
dreeble *n/v* dribble.
dreedle *v* dwindle.
dreel *n* ploughed furrow. • *v* drill; hustle.
dreep, dreip *n* drip. • *v* drip; drain.
dreezle *n/v* drizzle.
dreg *n/v* dredge.
dreich *adj* bleak; depressing; dismal; drab; dreary, boring, wearisome, dull; godforsaken; monotonous; persistent; tardy; tedious.
dreichlie *adv* monotonously.
dreid *n* dread.
dreik *n* excrement.
dreip *see* **dreep**.
dremmach *see* **drammach**.
dress *v* iron; neuter; treat well; chastise.
dresser *n* kitchen sideboard.
drib *n* drop.
dribble *n/v* trickle; tipple.
driddle *v* spill.
drien *adj* driven.
drieshach *n* ashes of peat fire.
driffle *n* drizzle.
drift *n* delay; flying snow. • *v* delay; put off.
dring[1] *n* wretch.

dring[2] *v* delay.
dring[3] *v* sing slowly; sing (kettle).
dringle *v* delay.
drite *n* excrement, faeces. • *v* defecate, excrete.
drither *v* fear, dread.
drizzle *v* walk slowly.
drob *n* thorn.
droch, droich *n* dwarf.
drochle *n* puny person.
drochlin *adj* dwarfish; puny.
droddum *n* backside.
drods *n* petulance.
drog *n/v* drug.
droggie *n* apothecary; pharmacist.
droguery *n* medicines.
droich *see* **droch**.
drook, drouk *v* drench, saturate, soak, sop, steep.
drookit, droukit *adj* soaked, drenched.
drool *v* trill; quaver.
droon *v* drown.
droondit *adj* drowned.
droop *adj* dripping.
droosie *adj* drowsy.
droppie *n* dram.
dross *n* coal dust.
drotch *v* dangle.
drotchel *n* idle woman.
droublie, drublie *adj* dark; troubled.
drouchit *adj* parched.
drouerie *n* illicit love.
drouk *see* **drook**.
droukit *see* **drookit**.
drouth *n* thirst; drinker, drunkard, tippler; drought, dry weather. • *v* thirst.
drouthie, drouthy *adj* thirsty; dry; alcoholic.
drouthieness *n* drunkenness, intoxication.
drove *v* drive cattle.
drowe, drow *n* fainting fit; spasm.
drowie *adj* moist; misty.
drowrie *n* troth.
drublie *see* **droublie**.
drucken *adj* drunken.
drug *v* pull hard.
drulie *adj* muddy; troubled.
drum[1] *n* hill; knoll; ridge.
drum[2] *adj* discontented; glum; gloomy.
drumble *v* make muddy.
drumlie *adj* cloudy, turbid; troubled; muddy.
drune *n* drone; murmur.
drunkart *n* drunkard.
drunt *see* **drant**.
drush *n* bits; dross; peat dust.
drutle *v* excrete.
drutlin *adj* piddling.
dryachtie *adj* dryish.
dry-dam, dry-darn *n* constipation.
dry dyke *n* drystone wall.
dry siller *n* hard cash.
dub, dib *n* small pool of rainwater; puddle; pond.
dub-skelper *n* one who goes hell-for-leather.
dud *n* rag; poor clothing.
duddie *adj* ragged, tattered. • *n* rag; poor clothing.
duddroun *n* slut.
dudgel *see* **dodgel**.
duds *npl* rags.
duffart *n* dull person.
duffie *adj* inferior; soft; spongy.
dug *n* dog.
dulce *adj* sweet.
dule *see* **dool**.
dulie *see* **doolie**[2].
dullion *n* large piece.
dulse *n* edible seaweed.
dult *n* dolt.
dumb-deid *n* midnight.
dumbie *n* mute.
dumfooner *v* amaze, astonish, astound, dumbfound.
dumfoonert *adj* aghast; bewildered; speechless.
dummie *n* mute.
dump *v* beat; kick.
dumph *adj* dull.
dun *n* low hill; hill fort.
dunch *n* bump. • *v* butt.
dunch *v* push; jog; thump.
dunchy *adj* squat.
dung *adj* exhausted.
duniwassal *n* follower of a chief.
dunk *adj/n* damp.
dunkle *n* dint; dimple.
dunner *n* reverberation; rumble; thunderous noise. • *v* bang; reverberate; rumble; sound like thunder.
dunnie *n* basement.
dunt *n* bump, blow, thud, thump, dent; impact; indentation; insult, jibe; palpita-

tion; wound. • *v* bash, bump, dent, knock; strike, slap; thud; palpitate.
dunter *n* dolphin.
dunty *n* doxy.
durgy *adj* thick.
durk *v* ruin.
durr *v* deaden pain.
dursie *adj* unrelenting.
dush *v* push.
dusty miller *n* primula.
dute, dutt *n/v* doze.
dwable *adj* flexible; weak.
dwadle *v* tarry.
dwaible *adj* flexible; pliable; pliant.
dwaiblie *adj* frail; infirm.
dwall *v* dwell.
dwallion, dwalling *n* dwelling.
dwam *n* daydream, reverie; faint, swoon. • *v* daydream; faint, swoon; nap.
dwamfle *adj* sagging.
dwamie, dwamy *adj* dreamy; faint.
dwang *n* wooden strut; labour; toil. • *v* compel; constrain; force.
dwine, dwyne *n* decline; waning. • *v* decline; wane; pine; fade; waste away.
dwingle *v* loiter.
dwybe *n* very tall, thin person.
dwyne *see* **dwine**.
dyester *n* dyer.
dyke, dike *n* wall; hedge.
dyke-louper *n* trespasser; libertine.
dyker *n* wall-builder.
dyoch *n* drink.
dyow *n* dew.
dyster *n* dyer.
dyte[1], **dite** *adj* stupid.
dyte[2] *n* written account.
dyvour *n* debtor; bankrupt; rogue.

E

e *art/pron* the.
ear *adv* early.
earest *adv* especially.
earn[1] *v* coagulate.
earn[2] *see* **erne**.
easdom *n* comfort.
easel, eassel *adv* eastwards.
easement *n* ease; relief.
easin *n* eaves; horizon.
easter *adj* eastern.
eastlin *adj* easterly, eastward.
eastlins *adv* eastwards.
easy-osie *adj* easy-going.
eat *n* banquet, feast.
eat-mait *n* parasite.
ebb *n* foreshore, seashore.
echt *adj* eight, eighth. • *n* eight.
eckies *npl* ecstasy tablets.
eckle-feckle *adj* cheery.
edgie *v* be quick.
ee *n* eye.
ee-bree *n* eyebrow.
ee-breer *n* eyelash.
eedol *n* idol.
eejit *n* dunderhead.
eekfow *adj* equal.
eeksie-peeksie, eeksy-peeksy *adj* of one kind; much alike.
eel *n* oil.
eelid *n* eyelid.
eelie dolly *n* oil lamp.
eelist, eelast *n* eyesore; grievance.
eelyin *adj* vanishing.
eemir *n* humour.
eemis *adj* insecure.
eemock *n* ant; elf, fairy.
een[1] *npl* eyes.
een[2] *adv* simply.
e'en[1] *adj* even. • *adv* even, even so; nevertheless.
e'en[2] *n* evening.
eenbright *adj* shining.
e'end *adj* even; straight; **eend-on** continuous.
eenil *v* be jealous.
eenin *n* evening.
eenlins *see* **eildins**.
e'enow *adv* at present.
eeriorums *n* details
eer *pron* your.
eeran *n* errand.
eeran-loon *n* errand-boy.
eerie *adj* apprehensive; timorous.
eerisome *adj* causing fear.
eese *n/v* use.
eesefae *adj* useful.
eeseless *adj* useless.
eesicht *n* eyesight.
eeswal *adj* usual.
eet *n* custom.

eetch *n* adze.
eetim *n* item.
effeck *n* effect.
effeckwal *adj* effectual.
effeir *v* relate.
eft[1] *n* aft.
eft[2], **efter** *adv/prep* after.
eftercast, eftercome *n* aftermath, consequence, result.
eftergait *adj* fit; modest. • *n* outcome.
efterhend *adv* afterwards.
efterins *npl* consequences.
efter ither *adj* consecutive. • *adv* one after another.
efternuin *n* afternoon.
efterwards *adj* afterwards.
egg-bed *n* ovary.
ei *pron* he.
eident *adj* diligent; efficient; intent.
eiffest *adv* especially.
eik[1] *n* codicil; extension; increase; supplement; patch. • *v* add, augment; enlarge; increase; patch; **eik tae** supplement; **eik up** top up.
eik[2] *see* **ilk**.
eild, yeild *n* antiquity; old age; stage of life, age. • *v* grow old.
eildins, eenlins, yeildins *adj* of equal age; **eilins wi** contemporary. • *npl* persons of the same age.
eildit *adj* aged.
eind *n* breath.
eir *n* fear.
eirack *see* **errak**.
eirne *see* **ern**.
eiry *see* **erie**.
eistit *adv* rather.
eithlie, eithly *adv* easily.
eizel, izel *n* hot ember.
elaskit *adj* elastic.
elbuck *n* elbow.
eld *v* grow old.
elder *n* lay officer of the church.
eldin, eildin *n* fuel.
eldren *adj* elderly.
eldritch *adj* ghostly, supernatural, unearthly.
eleck *v* elect.
eleevin *adj/n* eleven.
eleevint *adj* eleventh.
elenge *adj* foreign.
Elfin *n* fairyland.
elf-ring *n* fairy ring.
elide *v* abolish; eliminate; annul; cancel.
eller *n* elder.
ellwan *n* measuring rod, yardstick.
elne, ell *n* unit of measure.
elrisch, elrick *adj* elvish; frightening.
else *adv* already.
elsh, elsyn *n* awl.
ely *v* disappear gradually.
eme *n* uncle.
emerant *n* emerald.
emmis *adj* variable.
emmit *n* ant.
emmledeug *n* offal.
emmock *n* ant.
empash *v* hinder.
empress *n* enterprise.
en, end *n* room; end. • *v* end; kill.
endie *adj* egoistic.
endlang *adv* along.
endurement *n* endurance.
eneuch *adj* adequate; enough. • *adv/n* enough.
engage *v* pray.
Englify *v* anglicise.
English pancake *n* pancake.
enkeerloch *adj* hot-tempered.
enkerly *adv* inwardly; ardently.
enlang *adv* lengthwise; straight on.
enless *adj* long-winded.
enlicht *v* enlighten.
enner *adj* inner.
ennermaist *adj* nethermost.
ense, ens, enze *adv* otherwise, else.
entry *n* alley; doorway; lobby; porch.
enweys *adv* straight ahead; successfully.
equal-aqual *adj* equally. • *n* balance; quits.
erast *adv* soonest.
erch *n* arch.
erd, erde *n* earth.
ereck *v* erect.
erethestreen *n* night before last.
erf[1] *adj* unwilling.
erf[2], **erfe** *adv* near.
ergh *adj* hesitant; shy. • *adv* insufficiently.
erghness *n* timidity.
erie, eiry *adj* afraid.
erle, arle *v* betroth.
erlis *n* earnest.
erm *n* arm.
ermit *n* earwig.
ern, earn, erne, eirne *n* eagle; sea eagle.

ernand *adj* running.
erp *v* harp on a topic.
errak, eirack *n* chicken; pullet.
Erse *adj/n* Gaelic.
erse *n* hinterland.
ert *v* urge; prompt.
ertand *adj* ingenious.
erthlins *adv* earthward.
eruction *n* outburst.
esh *n* ash tree.
esk *n* newt.
eskin *n* hiccup.
esp *n* aspen.
esplin *n* youth, growing lad.
ess *n* ace.
essock *n* dipper.
est *n* nest.
estate *n* social group.
ester *n* oyster.
estlins *adv* rather.
eterie, etrie, etry *adj* keen; sharp; hot-headed.
eth *adj* easy.
ether[1] *n* adder.
ether[2] *n* udder.
etin *n* giant, ogre.
etion *n* race, stock.
etnach *adj* of juniper.
etrie, etry *see* **eterie**.
ett, eet *n* habit, custom.
etter *n* pus. • *v* fester, suppurate.
ettercap *n* spiteful person.
ettering *adj* festering.
ettle *n* aim, ambition; attempt, effort. • *v* aim, aspire; assess; attempt, try; guess; guide; intend; **ettle at** get at.
even *v* compare; equal.
evendoon, evendoun *adj* perpendicular, straight; honest; emphatic; impeccable. • *adv* thoroughly.
evenlie *adj* level.
evenliness *n* equanimity.
even on *adv* continuously; incessantly.
ever-bane *n* ivory.
everich *adj* every.
evident *n* evidence.
evill *adj* worn-out.
evin *adj* equal; indifferent.
evite *n* dodge. • *v* avoid, evade, shun.
evleit *adj* active.
ewder, ewdruch *n* bad smell.
ewest *adj* closest.
ewin *adv* straight.
examin *n* examination. • *v* examine.
excep *prep* except.
exclaim *n* exclamation.
exem *v* examine.
exemp *n* exemption. • *v* exempt.
exercise *v* explain Scripture.
exies *npl* hysterics.
exoner *v* relieve.
exoust *v* exhaust.
expeck *v* expect.
expensive *adj* extravagant.
explore *n* exploration.
expoon, expone *v* explain; expose.
extrae *adj* extra.
ey *n* isle.
eydent *adj* assiduous; attentive; conscientious; diligent; industrious.
eyn *n/v* end.
eyven *adj* even.
ezle *n* spark of fire.

F

fa[1] *adv* who.
fa[2], **faw** *n* fall. • *v* fall; slump; fare; deserve; **fa wi bairn** become pregnant.
fa[3] *see* **fall**.
faan *adj* fallen.
faceplate *n* face.
facie *adj* bold; cheeky; eloquent.
factor *n* agent, manager; land steward.
faddom *n/v* fathom.
fader *see* **faither**.
fadge *n* faggot.
fae[1] *adv/prep* from.
fae[2] *pron* who.
fae[3] *n* foe, enemy.
faem, faim *n/v* foam.
faeman, faman *n* enemy.
faff *v* fan.
faffer *n* fan.
fag *v* flag.
faggald *n* faggot.
faggie *adj* tiring.
fagsum *adj* wearisome.
faik[1] *n* razorbill.
faik[2] *v* fold; reduce a price.

fail *see* **feal**[1].
fail-dyke *n* dyke of sods.
failed *n* infirm.
failye *v* be in want.
failzie *n* failure.
faim *see* **faem**.
fain[1] *adj* damp.
fain[2] *adj* amorous; fond. • *adv* gladly.
fainness *n* affection.
faintice *n* dissembling.
faints, feints *npl* partly distilled spirits.
faiple *n* drooping lip.
fair *adj* absolute.
fair *adj* apt; ready; likely; complete, utter. • *adv* completely, entirely; frankly, openly; utter; **fair ca'in** smooth-tongued; **fair duin** broken-down; **fair duin** dog-tired; **fair fa'** good luck to; **fair fleggit** terrified; **fair oot** candid, down-to-earth; **fair-faced** suave; **fair-farran** plausible, specious; **fair-farrand** fair-faced; **fair-spoken** frank.
faird[1] *n* course; enterprise.
faird[2], **fard** *v* paint.
fairdie *adj* passionate; angry.
fairfle *n* skin eruption.
fairin, fairing *n* gift from a fair; deserts; fare.
fairly *adv* surprisingly.
faisible *adj* feasible; presentable.
faither, fader *n/v* father.
faitly *adv* neatly.
faizart *n* effeminate man; androgyne.
faize *v* fray; roughen; flatter.
fake *v* believe.
fald *see* **fauld**.
falderal *n* gewgaw; whimsy.
fale *v* happen.
fall, fa *n* trap.
fall-by *v* be lost.
fallow *v* follow.
falorum *n* virility.
falsehood *n* forgery.
falt, faut *n* want.
falten *n* fillet; ribbon.
faman *see* **faeman**.
famous *adj* well thought of.
fan *adv/conj* when.
fancy breid *n* dainties.
fane[1] *n* elf; fairy.
fane[2] *v* protect.
fang *n* suction. • *v* capture; grasp; hold; prime.
fank *n* sheep pen. • *v* pen.
fankelt *adj* tangled.
fankle *n* muddle, tangle. • *v* entangle; ravel; tangle; trap.
fantice *n* imagination.
fanton, fantod *n* swoon; emotional fit.
fantoosh *adj* flashy, showy; fancy, ornate; overdressed; pretentious; trendy.
far[1] *adv* where.
far[2] *n* appearance.
farand *adj* seeming.
farawa *adj* remote.
far-back *adj* ignorant.
far-ben *adj* intimate.
farcost *n* trading ship.
fard *n/v* paint.
farden *n* farthing.
farder *adv* further.
fareweel *n* farewell.
far i the buik *adj* well-read; erudite; learned.
farl *n* segment of a cake or scone.
farran[1] *adj* starboard.
farran[2] *n* character.
farrant *adj* wise.
farrest *adj* farthest.
farseen *adj* accomplished.
fas *n* knot.
fash *adj* painstaking. • *n* trouble, nuisance; care; anguish, worry; pain. • *v* trouble; anger, annoy, bother, vex; worry; exasperate, irritate, perturb; care; exert.
fasherie, fashery *n* annoyance, vexation, indignation; trouble; care.
fashious *adj* annoying, bothersome, irksome; maddening; peevish, fractious; troublesome.
fassit *adj* knotted.
fasson, fassoun *n* fashion, trend.
fast[1] *adj* hasty; impetuous.
fast[2] *adv* tight.
fat[1] *n* barrel, keg, vat.
fat[2] *pron* what.
fa-tae *n* set-to.
fatality *n* fate.
fatter *v* thresh barley.
fattrils *npl* folds.
fauch, faugh *n* fallow ground. • *v* fallow.
fauchie, faughie *adj* colourless; yellowish; sickly-looking.
faucht *n/v* fight.
fauld, fald *n* bend; enclosure; fold, sheepfold. • *v* bend; enclose.

faur *adv* far.
faur-ben *adj* popular.
faurer *adj/adv* further; farther. • *v* further.
faur-seen *adj* far-sighted.
fause *adj* counterfeit, fake; false; spurious.
fausehood *n* falsehood; fraud.
fausont *adj* decent.
faut, faute *n* fault; want, need. • *v* accuse; find fault with.
fauter *n* offender.
favour *v* resemble.
faw[1] *adj* pale red.
faw[2] *see* **fa**[2].
fawely *adv* few.
faynd *v* attempt; endeavour.
fazart *adj* cowardly.
fe, fee, fie *n* cattle; beasts; possessions.
feal[1], **fail** *n* piece of turf.
feal[2], **feale** *adj* faithful.
fear *n* fright.
feart *adj* afraid, frightened.
feartie *n* coward.
feasible *adj* neat; tidy.
featless *adj* feeble.
Februar *n* February.
fecht *n* battle, combat, conflict, fight, fray; pugnacity; struggle. • *v* conflict, fight, struggle.
fechter *n* fighter.
fechtin *adj* pugnacious.
feck *adj* main. • *n* abundance; greater part, majority; **feck o** most of.
feckful *adj* able; capable; dynamic; effective; efficient; rich.
fecklie, feckly *adv* mainly; almost.
fecklish *adj* feeble.
fee[1] *v* engage; hire.
fee[2] *see* **fe**.
feedle *n* field.
feek *n* methylated spirit.
feel[1], **feil** *adj* foolish.
feel[2], **feil** *adj* soft; velvety, silky; many.
feel[3] *v* perceive.
feem *n* passion. • *v* fume.
feenichin *adj* dandyish, foppish.
feerich *n* trepidation.
feerie *adj* clever; active; weak-looking.
feesan *n* pheasant.
feeth *n* net.
feeze *n/v* screw; twist; turn; **feeze aff** unscrew.
feg *n* fig; worthless thing.
fegs! *interj* goodness! really!
feid *n* enmity; quarrel; feud.
feifteen *adj/n* fifteen.
feifteent *adj* fifteenth.
feignyie *v* forge.
feil *see* **feel**.
feim *n* bodily heat; sweat.
feingle *v* fabricate.
fell[1] *n* uncultivated hill; animal hide, sheepskin.
fell[2] *adj* acute; adept, astute; ferocious, fierce; forceful; loud; severe; virulent; hot; biting; strange. • *adv* very; much of; energetically; sternly. • *v* kill.
fella *n* fellow.
felled *adj* prostrate.
felter *v* entangle.
feltie *n* fieldfare.
femmil *adj* firm.
fen *v* fend.
fend *n* defence; effort; resistance.
fend *v* defend; make shift; maintain; provide; succour; support oneself.
fendful *adj* resourceful.
fendie *adj* managing; resourceful; thrifty.
fengie *v* feign.
fent *n* faint; slit. • *v* faint.
fere, fier *n* companion; friend.
ferlie *adj* superb. • *adv* wonderfully. • *n* curio; marvel; strange sight; wonder. • *v* marvel.
ferm *n/v* farm.
fermer *n* farmer.
fermtoon *n* homestead.
fernitickelt *adj* freckled.
fernitickle, ferntickle *n* freckle.
fernowl *n* nightjar.
fernyear *n* last year.
ferrier *n* farrier; veterinary surgeon.
ferry *v* farrow, produce young.
ferry-louper *n* mainlander.
ferter *n* fairy.
fesh *v* fetch.
fess up *v* bring up, rear; nurture.
fest *adj* fast; occupied. • *adv* fast.
festern's een *n* Shrove Tuesday.
fethock *n* polecat.
fettle, fettil *n* energy power. • *v* mend, repair; put in order.
feu *n* land held on payment of a rent. • *v* grant land rights.
feuar *n* one who holds a feu.

feuch *n* whiff.
fewter *v* bind together.
fey *adj* close to death. • *n* omen.
fiall *n* vassal; servant.
fiar *n* property owner.
fiars *npl* fixed grain prices.
ficher *v* dabble at work.
fickle *adj* tricky. • *v* perplex; puzzle.
fidder *v* hover.
fiddle *n* violin.
fiddlie *n* fiddler.
fidge *n* shrug; twitch. • *v* fidget; twitch.
fidgin *n* itching.
fidgin-fain *adj* quivering with fondness.
fie *see* **fe**.
fien *n* fiend.
fient *n* nothing of; devil.
fier1 *adj* healthy.
fier2 *see* **fere**.
fiercelins *adv* hurriedly; impetuously; violently.
fierd *n* ford.
fifie *n* sailed fishing boat.
fift *adj* fifth.
figgleligee *adj* foppish.
fike *see* **fyke**.
fikie *see* **fykie**.
filabeg *n* kilt.
filchans *npl* rags.
file *conj* while.
filiation *n* paternity.
filk *adj/pron* which.
fill *adj* full.
filler *n* funnel.
fillets *npl* thighs.
fill fou *v* intoxicate.
fillie *n* rim.
fillock *n* filly, young mare; boisterous wench.
filsh *n* lout.
fin, find *n* feel. • *v* feel; grope; discover; find; perceive.
findle *n* something found.
findy *adj* full.
fine *adj* likeable; placid.
fine time o day *n* pretty pass.
fineer *v* ornament; veneer.
finger neb *n* fingertip.
finnan haddie *n* smoked haddock.
fippil *v* whimper; snivel.
fir *prep* for.
fire *n* fuel.
fireburn *n* phosphorescence.
firefang *n* fermentation.
fire-flacht, fire-flaucht *n* lightning; meteor; shooting star.
fireraising *n* arson.
firework *n* firearm.
firm *n/v* form.
firn *n* fern.
firnie *n* quarrel.
firple *v* whimper.
firron *adj* of the fir.
first-fit *n* first visit on New Year's Day; New Year visitor.
firsten *adj* first.
firth, frith *n* estuary; long narrow bay.
fir yowe *n* pine cone, fir cone.
fish *n* salmon.
fisher *n* fisherman.
fish supper *n* fish and chips.
fissle *v* rustle.
fit[1] *n* foot; foothold.
fit[2] *pron* what.
fitba *n* football.
fitbrod *n* treadle.
fitch[1] *n* tare; vetch.
fitch[2] *v* move a short distance.
fit-dint *n* footprint.
fite *adj* white.
fit for fit *adj* side by side.
fit-fowk *npl* pedestrians.
fit-road *n* footpath.
fitstap *n* footstep.
fitsted *n* footprint.
fittie *adj* speedy.
fittiefie, fittifie *n* quibble; quirk.
fittininment *n* concern; interference.
fittit *adj* satisfied.
fittock *n* sock.
fivver *n* fever.
fizz *n* bustle, hurly-burly. • *v* fuss; rage.
flacht *n* lock, tress.
flae *n* flea.
flaff *n* flap; fan; flutter. • *v* flap; fan; flutter; palpitate.
flag *v* flog.
flaich *n* flea.
flain *see* **flane**.
flaip, flipe *n* fall.
flair *n/v* floor.
flaither *v* wheedle.
flake *n* hurdle.
flam *n* flame.

flamfoo *n* gaudily dressed woman.
flamp *adj* inactive.
flane, flain *n* arrow.
flannen *n* flannel.
flansh *v* flatter.
flanter *v* waver; falter.
flat *n* floor; saucer; storey.
flatlins *adv* flat; horizontally.
flauch *v* flay.
flaucht *n* handful.
flauchter-spade *n* turf-cutter.
flaughter *v* flicker; flutter; shine fitfully.
flaunty *adj* whimsical; eccentric.
flaw[1] *n* storm of wind or snow.
flaw[2] *v* lie, fib.
fleasocks *npl* shavings.
fleat *n* saddle mat.
flech *n* flea.
fleckert *adj* torn; mangled.
flee *n/v* fly.
fleech *v* flatter.
fleeing *adj* flying. • *n* fly-fishing.
fleeing merchan *n* travelling salesman.
fleep *n* flea.
fleer, flyre *v* taunt.
fleerish *n* steel.
fleesh, flesche *n* fleece; horde.
fleesome *adj* frightful.
fleet[1] *adj* manageable.
fleet[2] *n* nets. • *v* float; flow; flood.
fleetch *v* cajole, coax, entreat.
fleetdyke *n* breakwater.
fleetful *adj* fleeting.
fleg *n* alarm, fright. • scare, frighten; *v* take fright.
fleggar *n* liar; exaggerator.
fleggit *adj* scared.
flesche *see* **fleesh**.
flesh *n* meat.
flesher *n* butcher.
flet[1] *adj* dry-spoken; flat. • *v* flatten.
flet[2], **flett** *n* house.
fleuk *see* **flook**.
flichan[1] *n* flake; snowflake.
flichan[2] *n* sudden heat; surprise.
flicht[1] *n* mote; speck.
flicht[2] *n* flight, fleeing. • *v* flee.
flichter *n* flutter. • *v* alarm; flutter.
flichtie *adj* capricious.
flichtrif *adj* fitful.
flichty *adj* flighty.
flicker *v* coax.
fliep *n* silly fellow.
flinders *npl* fragments.
flindrikin *adj* flirtatious.
fling *n* disappointment; jilting; dance. • *v* jilt; kick; dance.
flipe *see* **flaip**, **flype**.
flird[1] *n* insubstantial thing.
flird[2] *v* flaunt; move about restlessly.
flirdie *adj* giddy.
flirdoch *n* flirt.
flisk *n* caper; flick. • *v* caper, frisk, gambol, skip; flick.
fliskmahoy *n* giddy girl.
flisky *adj* skittish.
flist *n* explosion.
flist *n* explosion; rage. • *v* fly off in a rage; explode.
flisty *adj* stormy.
flit *n* removal. • *v* transport; move house.
flitters *npl* small pieces; shreds, tatters.
flitting *n* moving house.
floan *v* court publicly.
flocht *n* flight; outburst of feeling; stress. • *v* agitate.
flochtersome *adj* joyful.
flodden *adj* flooded.
flodder, flotter *v* overflow.
flook, fleuk *n* flatfish.
flosh *n* swamp.
flot *n* scum on hot broth.
flotch *n* large slatternly woman.
flotter *see* **flodder**.
flottrit *adj* splashed.
flourish *n* blossom. • *v* blossom; embroider.
flourishin *n* embroidery.
flow *n* bog, marsh, morass, moss, swamp; jot, speck.
flownie *adj* light; downy.
floyt *n* flute.
flude, flude *n* flood. • *v* flood; inundate.
fluffed *adj* disappointed.
fluffer *v* agitate; excite.
fluffy *adj* powdery.
fluise *v* blunt.
flumgummerie *n* tomfoolery.
flunce *v* flounce.
flunge *v* skip; caper.
fluther *n* rise. • *v* be in a bustle; flutter.
fly cemetery *n* fruit slice.
flype, flipe *n* brim; turn-up. • *v* turn inside out; flop.
flyre *see* **fleer**.

flyte *n* debate. • *v* debate; rail, scold.
flyter *n* scolding.
flytin *adj* quarrelling.
flyting *adj* abusive.
fob *v* breathe hard.
fochten *adj* wearied.
fode *n* brood.
fodgel *n* plump person.
fog *n* moss. • *v* be moss-covered; prosper; eat well.
foggage *n* grass left after harvest.
fogged *adj* moss-covered.
foggie, fogie *adj* dull; mossy. • *n* pensioner; veteran; invalid; old person.
foggit *adj* mossy.
fogie *see* **foggie**.
foichel *n* foal.
foison *n* abundance.
foisonless *see* **fushionless**.
foldings *npl* nappies; diapers.
folk *n* relatives; family.
follower *n* young.
fond *adj* besotted, infatuated, doting; gullible.
foo *adv* how; why.
fool *n* fowl.
foon *n* fund. • *v* found; base.
foond *n* foundation.
fooner *n* breakdown. • *v* fell, strike down; founder; collapse; prostrate.
foord, fuird *n/v* ford.
fooroch *n* bustle; haste.
foos *n* leek.
foost, foust, fuist *n* fustiness; mildew; mould; mouldy smell. • *v* smell bad.
foust, fuist *see* **foost**.
foostie, fousty *adj* fusty, musty; mouldy; off.
footer *see* **fouter**.
for *conj* because.
forat, forad *adj/v* forward.
for aye *adv* perpetually; eternally.
forbot *v* forbid.
forby, forbye *prep* over and above; beside; past. • *adv* also; besides; furthermore; extraordinarily; much less.
force and fear *n* duress.
forcie *adj* dynamic; forceful; hustling; lively.
for common *adj* commonly.
fordel *adj* progressive. • *n* precedence; progress; reserve; store; stock.
forder *adj/adv* further. • *n* advancement; aid. • *v* advance; further; promote.
fordwibelt *adj* enfeebled.
fore *n* profit.
forebear, forebeir *n* ancestor.
forebreist *n* forefront.
foreby *see* forby.
forecasten *adj* neglected.
foredone *adj* worn-out.
fore-end *n* front end.
forefoughten *see* **forfochen**.
foregainst *adv* opposite to.
foregang *n* apparition.
forego *n* augur, premonition.
forehammer *n* sledgehammer.
forehand *adj* first. • *n* start.
forehandit *adj* provident; rash.
foreheid *n* forehead.
foreleit *v* forsake.
foreloppen *adj* fugitive.
foremaist *adj* foremost.
forenent *prep* facing; opposite.
forenoon, forenuin *n* morning.
foresaid *adj* above-mentioned, aforementioned.
foresicht *n* foresight.
foreside *n* front.
foresman *n* foreman.
forespoken *adj* bewitched.
foresta[1] *n* manger.
foresta[2] *v* forestall.
forethink *v* reconsider.
forethinking *n* repentance.
forethocht *n* forethought.
forethochtie *adj* prudent.
forfair *v* waste; perish.
forfairn *adj* forlorn.
forfeitry *n* forfeiture.
forflitten *adj* scolded.
forfochen, forefoughten *adj* exhausted, tired; enervated; worn out.
forgaither *v* assemble; associate; congregate; convene.
forgaitherin *n* assembly, meeting.
forget *n* forgetfulness.
forgettle *adj* absent-minded, forgetful.
forgie *v* forgive.
forhoo *v* abandon.
forjeskit, forjaskit *adj* jaded; weary.
fork *n* hunt, quest, search. • *v* search.
forkin *n* crotch.
forky *adj* strong.

forkytail *n* earwig.
forlay *v* ambush.
fornent *adv* directly opposed to; against.
fornyaw *v* tire.
fornyawed *adj* tired.
for ordinar *adv* normally, usually.
forpit, forpet *n* fourth part.
forray *v* pillage.
forrit *adj* present. • *adv* forward; onward.
forritsome *adj* defiant; forward, pert.
forsamekil *conj* forasmuch.
forsee *v* overlook; neglect.
forspeak *v* overpraise; enchant, bewitch.
forss *n* waterfall.
forsweer *v* forswear.
fortalice *n* fortress.
fortell *n* benefit.
forten *n* fortune.
forthens *adv* at a distance.
forthiness *n* frankness.
forthink *v* repent, rue.
forthwart *n* precaution.
forthy *adj* forward; familiar.
fortnicht *n* fortnight.
forvay *v* go astray.
forwondrit *adj* astounded.
forworthin *adj* execrable.
foryet *v* forget.
foryoudent *adj* exhausted.
fos *n* pit; drowning pool.
fosie *adj* bloated.
fotch *v* flinch.
fother *n/v* fodder.
fothersome *adj* rash; pushy.
fots *npl* leggings.
fou, fow, fu *adj* full; replete; drunk; pompous. • *adv* fully. • *n* fill. • *v* fill.
foudrie *n* lightning.
foug *n* moss.
foumart, fowmart *n* ferret; polecat.
foundy *v* founder.
fourneukit *adj* four-cornered.
fousome *adj* cloying; filling; squalid.
foust *see* **foost**.
fousty *see* **foostie**.
fout *n* spoilt child.
fouter, footer, fuiter *n* bungler; slacker; dabbler..*v* potter; trifle; fiddle aimlessly with things.
fouterie *adj* bungling, dithering; fiddly; footling, paltry, trivial; inept; time-wasting.
fouth, fowth *n* fullness; plenty.
fouthie, fouthy *adj* full-seeming; copious; ample; opulent; prosperous, rich.
foutie *adj* ignoble; indecent.
foutsome *adj* meddling.
fouty *adj* mean, low.
fow *see* **fou**.
fowe *n* pitchfork.
fower *adj/n* four.
fowert *adj* fourth.
fowerteen *adj/n* fourteen.
fowerty *n* forty.
fowie *adj* well-off.
fowk *n* folk; humanity; mankind; people; servants, employees.
fowmart *see* **foumart**.
fowsum *adj* over-big.
fowsumlie *adj* unpleasantly over-big.
foy *n* celebration.
foze *v* go mouldy.
fozie, fozy *adj* flabby; spongy.
foziness *adv* flabbiness.
fra, frae *see* **from**.
fraca *n* fracas; friendship.
frack, freck *adj* ready.
frae, fra *prep* from.
fraemang *adv* from among.
fraet *n* superstition.
Fraiday *n* Friday.
fraik *v* flatter, cajole; mollycoddle; malinger; shade.
fraikie *adj* coaxing.
frail *n* flail.
frainesie *n* frenzy.
fraith *n/v* froth.
frane, frain *v* insist; interrogate.
franent *prep* opposite to.
frath *adj* reserved; cold.
fraucht *n/v* freight; hire.
frawart *prep* from.
frawful *adj* bold; scornful.
freak *v* fret.
freck *see* **frack**.
freckle *adj* hot-blooded.
free *adj* brittle; single, unmarried. • *v* acquit; exonerate.
freedom *n* leave.
free-living *adj* self-indulgent.
freen, freend *n* friend, intimate.
freenge *n* fringe.
freenless *adj* friendless.
freenlie *adj* friendly.
freenliness *n* friendliness.

freens *adj* akin.
freesk *v* scratch.
freest *n* frost.
freet[1] *n* butter.
freet[2] *v* fret; chafe.
free trade *n* smuggling.
freff *adj* aloof; shy; frigid.
freik, frick *n* strong man.
freir *n* friar.
freit *n* fad; superstition.
freith *v* lather.
freitie *adj* superstitious.
frely *n* beautiful woman.
frem, frame *adj* strange; foreign.
fremd *n* outsiders.
fremmit *adj* alien; strange; unrelated.
frenauch *n* crowd.
frenyie *n* fringe.
frequent *v* associate; hobnob.
fresh *adj* open; sober. • *n/v* thaw.
frest *see* **frist**[1].
fret *v* devour.
fretty *adj* fretful.
freuchan *n* toe-cap.
fricht *v* fright; petrify; terrify.
frichten *v* frighten.
frichtit *adj* frightened.
frichtless *adj* fearless.
frichtsome *adj* fearful; frightening, terrifying.
frick *see* **freik**.
frist[1], **frest** *n/v* delay.
frist[2], **fryst** *adj* first.
frith *see* **firth**.
fro, froe *n/v* froth.
frog *n* cloak.
froon *n/v* frown; glower.
frosch *n* rush of water.
frost *n* ice. • *v* be frostbitten.
frowdie *n* lusty woman.
frozent *adj* frozen.
frull *n* frill.
frumple *v* crease.
frunsit *adj* puckered.
frunty *adj* open-mannered; healthy.
frush *adj* brash; crumbly; friable; tender.
fry *n* distraction.
fryne *v* fret.
fryst *see* **frist**[2].
fryth *v* fry.
fu *see* **fou**.
fud *n* short tail of a rabbit; genitals (female).
fudder[1] *n* large quantity.
fudder[2] *n* scurry.
fuddie *adj* short-tailed.
fudgie *adj* gross.
fuff *n/v* hiss; puff; blow.
fuffie *adj* impatient; short-tempered.
fufty *adj/n* fifty.
fugie *n* deserter; fugitive; runaway.
fuid *n* food.
fuil *n* buffoon, fool.
fuil-like *adj* foolish.
fuird *see* **foord**.
fuist *see* **foost**.
fuit *n* foot.
fuiter *see* **fouter**.
fule *n* fool.
fullie *adv* fully.
fulyie *n* excrement; manure; filth.
fume *n* fragrance.
fumler *n* parasite.
fummle *n* fumbling. • *v* fumble.
fumper *n/v* whimper.
fumple *v* crumple.
fund *adj* found.
fundy *v* stiffen with cold.
fung *n* cuff, kick; toss; tantrum, huff. • *v* cuff; sulk; toss.
funk *v* strike; kick; become afraid; shy.
funker *n* kicker.
funtain *n* fountain.
fup *n/v* whip.
fure *adj* firm; fresh. • *n* strong man. • *v* carry.
fure-days *adv* late in the afternoon.
fureing *n* freight.
furfelles *npl* furry skins.
furhow *v* forsake.
furich *n* bustle.
furk *n* gallows.
furlenth *n* furrow's length.
furl o birse *n* ace of spades.
furr *n/v* drill; furrow.
furrochie *adj* infirm.
furth *prep* outside; beyond. • *adv* beyond; out of doors; forth.
furthie, furthy *adj* affable; benevolent, generous; impulsive; unabashed.
furthilie *adv* frankly.
fush *n/v* fish.
fushion *n* nourishment; pith; sensation.
fushionless *adj* lacking taste, insipid; dull; weak, feeble, ineffectual, wishy-

washy; faint-hearted; listless; passive; pithless; withered.
fusker *n* whisker.
fuslin *adj* trifling.
fussie, fussy *adj* dressy, foppish.
fussle *n/v* whistle.
fusslebare *adj* exposed.
futebrod *n* footstool.
futret *n* ferret.
futtle *v* whittle.
fuzziness *n* effervescence.
fuzzy, fuzzie *adj* effervescent; feathery; fluffy; fizzing, fizzy; hissing.
fyke, fike *n* restlessness. • *v* fidget; jerk; grieve.
fykerie *n* fussiness.
fikie, fykie *adj* pernickety, finicky, fussy, overparticular; fidgety, restless.
fyle *v* befoul; defile; desecrate; pollute; sully.
fyow *adj* few; some.

G

ga *n* bile; gall; grudge. • *v* gall.
gaad *n* gaff.
gab *n* mouth; beak; chatter; tongue. • *v* mock.
gabbart *n* sailing lugger.
gabber *v* gibber.
gabbie, gabby *adj* chatty; fluent; loquacious.
gabbit *n* gobbet.
gaberlunzie *n* beggar; tinker.
gabers *npl* fragments.
gack *n* gap.
gad *n* fishing rod; bar.
gadder *see* **gaither**.
gadge *v* talk idly.
gadgie *n* fellow.
gae *v* go; **gae back** deteriorate; lose ground; **gae frae** abstain; **gae halfers** share equally; **gae hame** die; **gae on** fuss; **gae ower the score** misbehave; **gae thegither** combine, merge; come together; court; **gae will** stray.
gae-doun *n* swallowing.
gaff[1] *n/v* guffaw.
gaff[2] *n* hand-net.
gaig *n/v* chap.
gail *v* make a piercing noise; break into pieces.
gaillie *n* galley; garret.
gain *adv* later.
gainer *n* gander.
gainstan *v* resist, withstand.
gainter *v* put on airs.
gair[1] *n* pleat.
gair[2] *adj* covetous; greedy.
gaird *n* guard; watch. • *v* guard.
gairden *n* garden.
gairdner *n* gardener.
gaired, gairy *adj* streaked.
gairten *n/v* garter.
gaislin *n* gosling.
gaist *see* **ghaist**.
gait[1] *n* goat.
gait[2] *see* **gate**.
gaither, gadder *v* gather; pull oneself together; recover; save.
gaithering, gaddering *n* gathering; company.
gait's hair *n* cirrus.
gaivel *v* stare wildly.
galashes *npl* galoshes.
gale *n* flock (of geese).
gallant *v* flirt; show attention to.
gallepin *n* domestic servant.
galliard *adj* sprightly.
galliardness *n* gaiety.
gallivant *v* run about idly.
gallus, gallous *adj* mischievous, bold; wild; villainous.
galluses, gallowses *npl* trouser braces.
galore *n* glut; plenty.
galshachs *npl* sweets.
galt *n* neutered sow.
galyie *v* roar; brawl.
gam[1] *adj* cheerful.
gam[2] *n* gum.
gamaleerie *adj* tall; awkward.
gamf, gamph *v* gape; laugh foolishly.
gamie *n* gamekeeper.
gammal *v* gobble.
gammel *v* gamble.
gamph *see* **gamf**.
gams *n* teeth.
gandy *v* boast.
gane *adj* raving.
ganelie *adj* fit; proper.

gang *n* gait; journey; passageway; pasture. • *v* go; **gang agley** go astray; **gang doon** descend.
gange, gaunge *v* prate.
ganger *n* pedestrian.
gangin body *n* tramp.
gangrel *n* stroller; vagrant.
gangs *n* sheep-shears.
gansald, gansel *n* rebuke.
gansey *n* jersey; guernsey; jumper; pullover.
gansh *v* snatch; snarl.
gant[1] *n* gannet.
gant[2] *n/v* yawn.
ganting *adj* yawning.
gantry, gantree *n* stand for bottles.
gapus *n* fool.
gar *v* cause to happen; coerce; compel; force.
garbel *n* fledgling.
garderobe *n* clothes cupboard.
gardie *n* forearm.
gardin *n* chamberpot.
gardy *n* arm.
gardy-bane *n* arm bone.
gargrugous *adj* austere.
garmunshoch *adj* ill-humoured.
garnel *n* granary.
garnel *see* **girnal**.
garnisoun *n* garrison.
garrit, garret *n* watchtower.
garron *n* small horse.
garten *n* garter.
garth *n* enclosure; garden.
garvie *n* sprat.
gash[1] *adj* ashen-faced.
gash[2] *adj* free-spoken. • *n* cheek; prattle. • *v* prattle; talk freely.
gashlie *adj* ghastly.
gasoliere *n* chandelier.
gast, ghast *n* fright.
gastrous *adj* monstrous.
gate, gait *n* way; street; tour; trip; conduct.
gates *npl* habits.
gate-slap *n* gateway.
gaud, gawd *n* trick; goad.
gaudsman *n* ploughman.
gauffin *adj* light-headed.
gauger *n* examiner of weights and measures, excise officer.
gauges *npl* wages.
gauk *v* play the fool.
gaukit, gawkit, gawky *adj* foolish; awkward; blundering.
gaun-aboot *adj* itinerant. • *n* vagrant.
gauner *v* bark; scold.
gaunge *see* **gange**.
gaut *n* boar, hog.
gavel *n* gable; gavel.
gavelock *n* crowbar.
gaw *n* weal.
gawd *see* **gaud**.
gawk *n* clumsy person.
gawkit, gawky *see* **gaukit**.
gawpin *adj* gaping.
gawsie, gawsy *adj* buoyant; imposing; plump; jolly.
gean *n* cherry; wild cherry.
gear, gere *n* clothes; accoutrements; commodity; effects; estate; livestock; property; possessions; armour; weapons of war.
gear-gaitherer *n* hoarder.
geat *n* child.
geck *v* fool; twit; **geck at** scoff.
geckin *adj* playful.
geck-neckit, geik-neckit *adj* wry-necked.
ged *n* pike.
gee *n* offence.
geeg *n* gibe.
geenyoch, geenoch *adj* ravenous. • *n* glutton.
geetsher *n* grandfather.
geg[1] *n* deception.
geg[2] *n* poacher's hook.
geig *v* creak.
geik-neckit *see* **geck-neckit**.
geing *n* excrement.
gell[1] *adj* intense.
gell[2] *n* gale.
gell[3] *n* leech.
gelled *adj* split.
gelloch *n* yell.
gemm *n* game.
gend *adj* comical.
gener *n* gender.
genie *n* genius.
genivin *adj* genuine.
gentie, genty *adj* chivalrous; dainty; neat; genteel; graceful; well-bred.
gentrice *n* person of honourable birth; gentility.
genty *see* **gentie**.
geo *n* coastal chasm; creek.

geordie *n* yokel.
gerss *see* **girse**.
gester *v* gesture.
gestning, guestning *n* hospitable reception.
get *n* bastard; brat; child; progeny.
get *v* become; beget; find; **get a len o** borrow; **get a sicht o** glimpse; **get by** get through; **get by wi** dispense; **get fou** befuddle; **getroon** accomplish, achieve; **get up in years** age.
gey *adj* considerable; fairly. • *adv* considerably; pretty.
geylies *adv* pretty well.
ghaist, gaist *n* soul; spirit; ghost; apparition; wraith.
ghast *see* **gast**.
ghillie, gillie *n* boy; servant, attendant; sportsman's assistant.
gib *n* cat.
gibbery *n* gingerbread.
gibble-gabble *n/v* prattle.
gibcat *n* tomcat.
gidlie *adj* godly.
gie *v* give; grant; accelerate; **gie a lift tae** encourage; **gie a name** christen; **gie a riddie** embarrass; **gie ower** abandon, cede; **gie ower** desert; give up, abdicate; **gie the door** eject.
gien *adj* given.
gien-horse *n* gift-horse.
gif[1] *conj* if.
gif[2], **gyf** *v* give.
giff-gaff *n* mutual assistance; repartee. • *v* bandy.
gift *v* present.
gigot, jigot *n* leg joint of mutton.
gigsie *adj* swollen-headed.
gild *adj* strong; great.
gill *n* cavern; gully; ravine.
gillie *see* **ghillie**.
gillock *n* gill.
gillot *n* filly; young mare.
gilp *v* jerk; spurt; spill.
gilpie, gilpy *n* tomboy; roguish boy.
gilravage *n* revelry; riot. • *v* carouse; feast; guzzle; riot.
gilt *v* gild.
giltit *adj* gilded.
gimmer *n* two-year old ewe.
gimp *see* **jimp**.
gin *conj* before; if; until. • *prep* against; before; by; until.
ginge *n* ginger.
gingebreid *n* gingerbread.
ginger *n* lemonade.
gink *v* snigger.
ginkum *n* mannerism.
ginnle *see* **guddle**.
ginnles *npl* gills.
gip *v* gut.
gird[1], **girr** *n* moment; girth; hoop.
gird[2] *v* copulate.
girdle, girl *n* flat iron cooking plate, griddle.
girn *n* grimace; grin; grumbling; snare, trap; snarl; whine, whining. • *v* grimace; grin; grouse, grumble; snare, trap; sneer; whine.
girnal, girnel, garnel *n* granary.
girnie *adj* whining; peevish; querulous.
girr *see* **gird**[1].
girse, gerse, gress *n* cress; grass. • *v* pasture.
girsie *adj* grassy.
girsin *n* grazing; pasturage.
girsle *n* cartilage.
girslie *adj* gristly.
girslouper *n* grasshopper.
girst *n* grist.
girstle *n* gristle.
girt *adj* great; large.
girten *n* garter.
girth, gyrth *n* protection; sanctuary.
git *v* acquire; get; **git abuin** get over.
gite *see* **gyte**.
gitter *n* gutter.
given name *n* Christian name.
gizen *n* gizzard.
gizz *n* countenance; face.
gizzen *adj* leaky. • *v* dry up; split from dryness.
glaamer *v* grope.
glaff *n* glimpse.
glagger *v* long.
glaid[1], **glad** *adj* smooth; slippery.
glaid[2] *n* kite.
glaik *n* glance. • *v* flirt; **glaik wi** trifle with.
glaikit *adj* backward; daft; stupid; irresponsible; thoughtless; clinging.
glaim *v* gleam.
glaip *n/v* gulp.
glairie-fairie *adj* glaring.
glaise *n* warm.
glaister *n* thin covering.

glaize *n* gloss. • *v* glaze.
glaizie *adj* glittering; glossy.
glammach *v* grab.
glammis, glaums *npl* pincers.
glamour, glammer *n* enchantment; magic; influence of a charm.
glamourie *n* glamour; witchcraft.
glamp *see* **glaum**.
glance on *v* occur to.
glancie *adj* shiny.
glasenit *adj* glazed.
glassin *n* glasswork.
glassin-wricht, glasser *n* glazier.
glaster *v* bark; bawl; boast.
glaum, glamp *n* snatch. • *v* clutch at; **glaum at** snatch at.
glaums *see* **glammis**.
glaun *n* clamp.
glaur *n* mud; ooze; slime; slipperiness. *v* muddy.
glaze *v* smooth over.
glazie *adj* glassy.
glebe *n* plot.
gled *n* hawk; kite; buzzard; hen-harrier; rapacious person.
gledge *v* look squint.
gleed *n* ember.
gleed *see* **gleid**.
gleek *v* gibe.
gleesome *adj* cheerful.
gleet *n* glistening; shine. • *v* shine.
gleg *adj* perceptive; sharply clever; brisk; clear-sighted; crafty; prompt; speedy; subtle; vivid.
gleg-eed *adj* keen-eyed, sharp-eyed.
gleglie *adv* briskly.
gleg-luggit *adj* sharp-eared.
glegness *n* sharpness; keenness.
gleg-tonguit *adj* glib; voluble.
gleid, gleed *n* spark; burning coal. • *v* spark.
gle-man *n* minstrel.
glen *n* dale; valley.
glent, glint *n* glance, peep; glint; glitter, sparkle; flash; shine; twinkle; intuition • *v* glance; glint; glitter; sparkle; twinkle; flash; slip past.
Glesca *n* Glasgow.
gless *n/v* glass.
glesses *npl* glasses.
gley *n* aim; irregularity; squint. • *v* squint.
gley-eed *adj* cross-eyed.
glib *adj* eloquent; voluble; smooth.
glib-gabbit *adj* gossipy.
glid *adj* slippery.
gliff *adj* instant. • *n* flash; glare; hurried glance; sensation; shock. • *v* look at hurriedly; appal; take fright.
glim *n* gleam; glimmer; glimpse.
glime *v* look askance.
glimmer *v* blink; wink.
glimmerin *adj* peering.
glinkit *adj* giddy.
glint[1] *adj* vestige.
glint[2] *see* **glent**.
glisk *n* flash; glance; glancing ray. • *v* glance.
gliss *v* shine.
glister *n* brilliance. • *v* glisten.
glit *n* mucus; phlegm.
glittie *adj* very smooth; slimy.
gloamin *n* dusk; half-light; twilight.
gloan *n* substance; strength.
glock, glock *v* gulp.
glog *adj* black; dark.
gloggie *adj* dark and hazy.
gloit *v* work messily.
glooms *npl* depression.
gloove *n* glove.
glore *n* glory.
glorgie *adj* mired; besmeared.
glorious *adj* hilarious.
glose, gloze *n* blaze.
gloss *n/v* snooze.
glotten *v* thaw slowly.
gloum *n* frown; gloom.
gloup, glupe *n* cliff hole; cave.
glour, glowr *v* stare.
glousterie *adj* boisterous.
glout *v* pout.
glowe *n/v* glow.
glower *n/v* gaze; glare; stare.
glowsterin *adj* loud-mouthed.
gloze *see* **glose**.
gluff, glump *adj* sullen.
glumsh *adj* sulky. • *n* sour look.
glundie *adj* sullen.
glunsh *n/v* scowl; pout.
glunt *v* look sour.
glupe *see* **gloup**.
glush *n* slush.
glut *n* draught.
gluther *v* swallow noisily.
glybe *n* glebe, glebe land.
glyde *n* nag; old horse.

gnaff *n* small stunted thing or person.
gnap *n/v* bite.
gnidge *v* press.
gnyauve *n/v* gnaw.
go *n* excitement.
goad *n* god.
goam, gome *v* care for; greet.
goat *n* sea cave; trench.
gob *n* beak; mouth; stomach.
God-left *adj* God-forsaken.
godrate *adj* cool; collected.
goff *n* fool.
goggie *adj* elegant.
goif *see* **gove**.
goit *n* fledgling.
golach *n* beetle.
goldie *n* goldfinch.
goller, gollar *n/v* shout, bawl.
gome *see* **goam**.
gomerel, gomeril *n* silly person, fool.
goo[1] *n* gull (bird).
goo[2] *n* liking.
goodman *see* **guidman**.
goods an gear *npl* belongings.
goodwife *see* **guidwife**.
goom *n* gum.
goon *n* gown.
goonie *n* nightgown.
goor *n* mucus; slime.
goose-seam *n* goose grease.
gorb *n* glutton.
gorby *n* raven.
gordy *adj* frosty.
gorlin *n* fledgling; urchin.
gormaw *n* cormorant.
gornal *n* button.
gos *n* goshawk.
goshens! *interj* gosh!
goss *n* simpleton.
gote, got *n* creek; ditch; drain.
goud, gowd *n* gold.
gouden *adj* golden.
goudspink *n* goldfinch.
goudy, gowdie *n* jewel.
gouk *see* **gowk**[1], **gowk**[2].
goule *n* throat.
goupin *see* **gowpin**.
gouthart *adj* in a fright.
govance *n* good breeding.
gove. goif *n/v* gaze; stare.
gow *n* blacksmith; smith.
gowan *n* daisy.
gowd *see* **goud**.
gowden *see* **gouden**.
gowf *n* golf.
gowfba *n* golfball.
gowfer *n* golfer.
gowff *n/v* strike.
gowfstick *n* golf club.
gowk[1], **gouk** *n* cuckoo; fool, simpleton; April fool.
gowk[2], **gouk** *v* stare vacantly.
gowk-like *adj* stupid-seeming.
gowk-spit *n* cuckoo-spit.
gowl *n/v* howl; yell.
gowlie *adj* scowling.
gowp *n* ache; gulp; stare. • *v* gape; gulp.
gowpin, goupin *n* hollow of the hand.
gowpinful *n* double handful.
gowst *n* gust.
gowster *n* outburst; swaggerer.
gowstie *adj* desolate; gusty; tempestuous; vast; wasted.
grabbie *adj* covetous.
grabble *n* grab; grasping. • *v* grab.
gracie *adj* devout; virtuous; well-behaved.
gracious *adj* outgoing.
gradawa *n* graduate.
grafel *v* grovel.
graff[1] *adj* coarse.
graff[2] *n* grave.
graid *see* **graith**.
grain[1] *n/v* groan.
grain[2], **grane** *n* branch; stem.
graip *n* fork; pitchfork. • *v* fork.
graipple *v* grapple.
graisle *v* crackle.
graith, graid, grait *n* apparatus; belongings; harness; equipment; goods; machinery; tools; medicine; wealth. • *v* prepare, make ready; harness.
graithin *n* outfit; trappings.
graithlie *adv* carefully.
gralloch *v* disembowel.
gramarye *n* magic.
gramloch *adj* miserly.
gramlochlie *adv* graspingly.
gramshoch *adj* coarse.
gran *adj* excellent; grand.
granbairn *n* grandchild.
grandery *n* grandeur.
grandochter *n* granddaughter.
grane *see* **grain**.
granfaither *n* grandfather.

gran-wean *n* grandchild.
grange *n* corn farm.
granit *adj* forked.
granmither *n* grandmother.
grannie *n* granny.
grannie's mutch *n* snapdragon; columbine; old-fashioned girl.
gransher *n* great-grandfather.
granzie *n* barn.
grashloch *adj* boisterous.
gratis *adj* gratuitous.
gravat, grauvat *n* cravat; muffler; scarf.
graveyaird *n* graveyard.
gravy *n* sauce.
gray *adj* grey.
graybeard *n* pitcher; stone bottle.
greable *see* **greeable**.
great *adj* boastful.
gree *n* step; degree; prize; pre-eminence; supremacy. • *v* agree; conciliate; correspond.
greeable, greable *adj* agreeable; harmonious; peaceable.
greeance, greement *n* agreement; assent; concord; harmony.
green[1] *adj* young; youthful. • *n* backyard.
green[2], **grene** *v* crave; yearn, long.
greenichie *adj* greenish.
greenin *n* craving.
green lintie *n* greenfinch.
greet, greit *n* cry. • *v* cry; lament; weep.
greetie *adj* weepy.
greetin *n* lamentation.
greetin-faced *adj* moaning.
greetin-fou *adj* maudlin.
greice *see* **grice**.
greit *see* **greet**.
gremmar *n* grammar.
grene *see* **green**[2].
gresp *n/v* grasp.
gress *see* **girse**.
gret *adj* great.
grew *n* greyhound.
grice, greice *n* pig.
grie *n* gradation.
grieve *n* farm bailiff; overseer.
grilse *n* young salmon.
grim *adj* roan.
grip *n* mastery. • *v* catch; capture; seize.
grippie *adj* mean, parsimonious.
grippiness *n* avarice; meanness.
grippitt *adj* avaricious.
grisk *adj* avaricious; greedy.
grist *n* girth.
grit *adj* great.
groatie buckie *n* cowrie.
groats *npl* husked oats.
groff, grofe *adj* obscene; strident; vulgar; rough.
groncie *adj* fine.
groof *n* belly.
grooflins *adj* prone.
groose *n* grouse (bird).
groosie *adj* coarse-faced.
grosset, grosart *n* gooseberry.
grosset-bush *n* gooseberry bush.
grouk *v* watch over.
grounch *v* grunt.
ground mail *n* burial rent.
ground lair *n* burial plot.
grounge *see* **grunge**.
growe *v* develop; grow.
growl *n* grumbler.
grown-up *adj* overgrown.
growp *v* grope.
growthe *n* growth; vegetation; weeds.
growthie, growthy *adj* fertile; humid; lush; thriving; weed-infested; well-grown.
growthieness *n* fertility.
grudge *v* squeeze.
grue[1] *n* half-frozen water.
grue[2] *adj* horrible; trembling; • *n* horror; revulsion; tremor. • *v* shudder; creep.
grugous *adj* grizzly.
grulshie *adj* gross.
grumlie *adj* grumbling.
grumly *adj* muddy.
grummle *n/v* grudge; grumble.
grumph *n* grumbler; grunt. • *v* grumble; grunt.
grumphie *adj* grumpy; ill-natured.
grumple *v* feel; palpate.
grun *n* basis; farmland; ground; text.
grun-ebb *n* low tide.
grunge, grounge *v* scowl.
grunkle *n* snout.
gruns *npl* lees; sediment.
grunsel *n* groundsel.
grunstane *n* grindstone.
grunzie *n* mouth; snout.
grup *n/v* grip.
grupe *n* dung trench.
grush *n* grit. • *v* crush; squash.
grushie *adj* thick.
gruslins *npl* intestines.

gryce *n* pig.
gryfe *n* claw.
gryking *n* dawn.
gub *v* beat.
gubbing *n* beating.
guddle, ginnle *n* mess; slovenly person. • *v* catch in the fingers.
gude *see* **guid**.
gudelie *see* **guidlie**.
gudeman *see* **goodman**.
gudewife *see* **guidwife**.
gudge *n* gouge; dislodge.
gudgie *adj* short and thick.
guess *n* conundrum; riddle.
guff *n* aftertaste; smell; savour; stench.
guffle *v* puzzle.
guid, gude, gweed *adj* good; in-law. • *n* good; (*pl*) livestock.
guidal *n* guidance.
guid bit *n* long time.
guid-brither *n* brother-in-law.
guid-dochter *n* daughter-in-law.
guide *v* control; govern; handle; organise; **guide yersel** behave.
guider *n* manager.
guideship *n* guidance; treatment.
guid-faither *n* father-in-law.
guid-fowk *n* fairies.
guid-gaun *adj* flourishing.
guidlie, guidly, gudelie *adj* good-humoured; goodly; godly. • *adv* properly.
guidman, goodman, gudeman *n* proprietor; farmer; husband.
guidliheid *n* goodliness.
guid-mither *n* mother-in-law.
guid-sister *n* sister-in-law.
guid-son *n* son-in-law; stepson.
guidwife, goodwife, gudewife *n* farmer's wife; wife; housewife; landlady; matron.
guidwilled *adj* zealous.
guidwillie *adj* benign.
guid words *n* prayers.
guiltful *adj* guilty.
guise *n* masquerade. • *v* disguise.
guiser, gysar *n* one in disguise or wearing a mask.
gulder, guldar *n* threat.
gullet *n* gully.
gulliegaw *v* gash.
gullion *n* marsh; morass.
gully *n* large knife.
gullygaw *n* brawl.
gulpin *n* raw fellow.
gulsach *n* jaundice.
gum *n* condensation; rancour.
gumbile *n* gumboil.
gummle *adj* indistinct.
gump *n* ninny.
gumple *n* excess.
gumption *n* common sense; pluck.
gun *n* pipe for tobacco.
gundie *adj* greedy.
gunkie *n* dupe.
gunner *v* gossip.
gurk *n* fat short person.
gurl *n* gale; gurgle. • *v* gurgle.
gurlie, gurly *adj* gnarled; gurgling; savage; surly; stormy.
gurr *n/v* growl.
gurthie *adj* corpulent; heavy; oppressive.
guschet *see* **gushet**.
guse *n* goose.
gushel *n* dam; sluice.
gushet, guschet *n* gusset; gore of skirt.
gust *n* flavour; taste. • *v* taste.
gustie, gusty *adj* appetising; savoury; tasty.
gustless *adj* tasteless.
gut *n* gout.
gutcher *n* grandfather.
guts *n* glutton.
gutser *n* bellyflop.
gutsie, gutsy *adj* gluttonous; voracious; greedy.
gutsin *n* overeating.
gutsiness *n* gluttony; greed.
gutter *n* mire.
gutterbluid *n* guttersnipe.
gutters *npl* puddles; dirtiness.
guttie[1], **gutty** *adj* corpulent; pot-bellied; gross; thick.
guttie[2] *n* rubber; catapult.
guttle *v* guzzle.
gweed *see* **gude**.
gyf *see* **gif**[2].
gyle-hoose *n* brew-house.
gymp *v* gibe; taunt.
gynour *n* engineer.
gype *adj* keen; hungry.
gyping *adj* open-mouthed.
gyrth *see* **girth**.
gysar *see* **guiser**.
gyte, gite *adj* daft; crazy, mad; inflamed; lovesick. • *n* lunatic.
gyter *n* drivel; driveller.

H

ha[1] *v* have.
ha[2] *n* hall; house; mansion.
haaf *n* sea.
haaf-net *n* bag net.
haar *n* fog, mist; hoarfrost.
haarie *adj* foggy, hazy, misty.
habber *v* stutter.
habbergaw *n* hesitation.
habbie *adj* stiff-jointed.
habbie-horse *n* hobby-horse.
habble[1] *n* perplexity; slovenly person. • *v* confuse.
habble[2] *v* snap, growl.
habblie *adj* big-boned.
hace *adj* hoarse.
hachel *n* slut.
hachle *see* **hauchle**.
hack[1] *n* adze; muck-rake • *v* chop, cut up, roughen.
hack[2] *n* chap.
hack[3], **heck** *n* wooden frame, rack.
hackit *adj* cracked.
hackle *n* cockade; cock's neck feathers.
hack stock *n* chopping block.
hackum-plackum *adv* even-steven.
had *see* **haud**.
haddie *n* haddock.
haddin *n* house; possession.
ha'door *n* front door.
hae *v* have; take; credit (believe/think); **hae an ee in** covet; **hae an ee till** desire; **hae wi** go with.
haem-houghed *adj* knock-kneed.
haet *n* least thing.
haffet, haffit *n* sidelock; temple; side of the head.
hafflin *adj* half-grown.
hafless *adj* destitute.
haft *n* dwelling.
hag[1] *n* bank.
hag[2] *n* stroke; notch. • *v* cut, cut down, strike; fell (a tree).
hage, haig *n* hedge.
hagg, haggs *n* broken peaty ground.
haggart *n* nag.
hagger *n* small rain.
haggerdash *n* disorder.
haggersnash *n* offal.
haggerty-taggerty *adj* ragged.
haggis *n* offal and oatmeal pudding.
haggle *v* mar.
hagglie *adj* rough.
haggs *see* **hagg**.
hagman *n* woodcutter.
haif-knab *n* bourgeois.
haig *see* **hage**.
haigle[1] *v* haggle.
haigle[2] *v* walk with difficulty.
haik *v* drag.
hail[1] *adj* able-bodied, healthy. • *v* heal.
hail[2], **haill, hale** *adj* entire, whole, total. • *adv* quite. • *n* the whole.
hail[3] *npl* pellets.
hail-heidit *adj* unharmed, unhurt.
haill *see* **hail**[2].
haillie *adv* wholly.
hailscart *adj* scot-free, unscathed.
hailsome *adj* medicinal.
hailstane *n* hailstone.
haimert *see* **hameart**.
haimmer *n/v* hammer.
hain, hane *v* conserve, reserve, save; stock.
hainch *n* haunch; lameness. • *v* leg-up.
hainches *npl* haunches.
hainer *n* frugal person, saver.
haingle *adj* slack.
haingles *npl* influenza.
hainin *n* economy.
haining *n* hedging.
hainins *npl* savings.
haip *n* heap, mass. • *v* heap.
hairm *n* harm. • *v* harp on, nag.
hairp *n* harp.
hairse *adj* hoarse.
hairst *n* harvest.
hairster *n* harvester.
hairst mune *n* harvest moon.
hairt *n* heart.
hairth *n* hearth.
hairy *n* prostitute.
hairy hutcheon *n* sea urchin.
hairy-tail *n* trollop.
haisome *adj* wholesome.
haister *v* speak on impulse.
hait[1] *n/v* heat. • *adj* hot.
hait[2] *n* atom; speck.
haithen[1] *adj* incomprehensible, inconceivable.
haithen[2] *n* heathen.
haithen[3] *n* gneiss (rock).

haivel *n* conger eel.
haiveless *adj* meaningless; shiftless.
haiver, haver *v* babble; pretend to be busy.
haiverel *n* lounger.
haiverin *adj* nonsensical.
haivers *npl* babble; drivel.
haizer *v* bleach.
hald *see* **haud**.
hale[1] *v* haul, pull up.
hale[2] *see* **hail**[2].
hale and feer *adv* altogether.
halflin, halfling *see* **hauflin**.
halflins *see* **hauflins**.
halidom *n* holiness.
halie, haly *adj* holy.
haliket *adv* headlong.
hallach *adj* crazy.
hallan *n* screen wall.
hallanshaker *n* sturdy beggar.
hallion *n* clown; rascal.
hallockit *n* tomboy, hoyden. • *adj* tomboyish.
hallop *v* skip about.
hallow *n/v/adj* hollow.
hallyoch *n* jabberings.
hals, hawse *see* **hause**.
halsbane *n* collarbone.
haltand *adj* haughty.
halth *n* health.
haly *see* **halie**.
ham *n* bacon.
hame *n* home.
hameart, hamart, haimert *adj* domestic; home-grown; native.
hame-bred *adj* homely.
hame-comin *n* return.
hame-drachtit *adj* home-loving; homesick.
hame-gaun *n* burial; death.
hamelie *adj* domestic, homely; familiar; kindly.
hamelt *adj* indigenous; plain.
hameower *adj* unaffected; vernacular.
hames *n* collar.
hamesucken *n* assault on a householder.
hame-through *adv* straight homewards.
hamewith *adv* homewards.
hammle *v* walk unsteadily.
hamp *v* stumble, stutter.
hamperit *adj* cramped.
hamshoch *n* bruise, misfortune.
han[1] *n* event.
han[2], **hand** *n* hand; clever performer; handwriting; business; job; help; direction; fuss. • *v* hand.
han-ban *n* cuff.
hanch *v* champ; gobble.
handclap *n* moment.
handfast *v* betroth.
handfasting, hanfastin *n* betrothal, unblessed marriage.
hand-hap *n* chance.
handie[1] *adj* adaptable, amenable.
handie[2] *n* milk pail.
handless *see* **hanless**.
handsel, hansel *n* seasonal gift. • *v* inaugurate; celebrate.
handselling *n* inauguration.
hane *see* **hain**.
hanfae *n* handful.
hanfastin *see* **handfasting**.
hangie *n* executioner, hangman.
hangit-faced *adj* villainous.
hanigle *adj* workshy.
hank[1] *n* influence.
hank[2] *n* skein. • *v* fasten, loop.
hankie *n* bucket.
hankle *v* tie up.
hanless, handless *adj* fumbling, incompetent, inefficient, clumsy.
hanlessness *n* incompetence.
hanlin *n* piece of work.
hannie[1] *adj* light-fingered.
hannie[2] *n* milk pail.
hannle, haunle *n* handle.
han ower heid *adv* indiscriminately.
hanplane *n* plane for wood.
hansel *see* **handsel**.
hansh, haunsh *v* snap at.
hant[1] *n/v* haunt.
hant[2] *n* custom; habit; practice, wont.
hantie, hanty *adj* convenient, handy.
hantle *n* large number.
hanwaled *adj* choice; hand-picked.
hanwrite *n* handwriting, penmanship.
hap[1] *n* blanket, cloak, cover; mat, rug • *v* clothe, drape, wrap; hide.
hap[2] *n* hip.
hap[3] *n/v* hop.
happenin *adj* casual.
happer *n* hopper.
happergaw *v* sow seed unevenly.
happity *adj* hopping.
happy *adj* lucky.
hapshackle *n/v* fetter.

harberie *n* lodging.
hard *adj* raw; strong. • *adv* firmly. • *n* hardship.
hard-handed *adj* mean.
hardin *adj* made of rough cloth.
hardlins *adv* hardly.
hard neck *n* effrontery, presumption.
hard-neckit *adj* brazen.
harebell *n* bluebell.
hareshaw, hareshard *n* harelip.
hark *v* listen; whisper.
harl, harle *n* drag; roughcast. • *v* drag; rake together; trail; roughcast.
harled *adj* roughcast.
harm *n* distress.
harn[1] *n* brain.
harn[2] *n* coarse linen; sackcloth.
harnes[1] *npl* armour.
harnes[2] *npl* brains.
harnless *adj* brainless.
harn-pan *n* skull.
harra *n/v* harrow.
harrie *v* pillage.
harschip *see* **hership**.
harsk *adj* harsh, bitter.
hartful, hartlie *adj* cordial.
has *v* abuse, ill-treat.
hasart *adj* hoary.
hash *v* afflict, deface, destroy; munch; harass, overwork.
hashie, hashy *adj* careless, slipshod, slovenly.
hask *v* cough up.
haskie *adj* stale.
hass[1] *n* throat.
hass[2] *v* kiss.
hassie *n* confused heap.
hastard *adj* ill-tempered.
hastern *adj* early.
haste ye back! *interj* come back soon!
hatesome *adj* hateful.
hatrent *n* hatred.
hatry *adj* dishevelled.
hatter *n* assortment, irregular heap. • *v* gather in a crowd; hector.
hattert *adj* flustered, distraught.
hauch *n* callus.
hauchle, hachle *v* walk with difficulty.
haud, had, hald, hauld *n* sanctuary; dwelling; support, prop. • *v* hold; keep, contain, maintain; prop; **haud at** persevere in, persist; **haud awa** go away; **haud a wee** stop for a moment; **haud by** pass by; **haud doon** oppress; **haud in aboot** repress, restrain; **haud on** keep up; **haud oot** exclude, keep out; **haud oot o langer** amuse; **haud wi** own up to; **haud wide o** avoid; **haud yer wheesht** shut up.
hauden-doon *adj* oppressed.
hauder *n* container.
haudin *n* holding.
hauf *adj* half; semi-detached. • *n* division, half; whisky measure • *v* bisect; halve; **hauf and snake** divide equally.
hauf an hauf *n* whisky and beer.
hauf-bred *adj* crossbred.
hauf-cock *adj* tipsy.
hauf-gaits *adv* halfway.
hauf-jackit *adj* halfwitted.
hauf-licht *n* half-light.
hauflin, halflin, halfling *n* adolescent, boy; halfwit. • *adj* adolescent, half-grown; intermediate.
hauflins halflins *adj* partly. • *adv* half.
haufroads *adj/adv* halfway, midway.
hauf-yokin, ten-hours'-bite *n* morning pause in ploughing.
haugh[1] *n* riverside pastureland.
haugh[2] *see* **hoch**.
haugull *n* sea wind.
haukit *adj* white-faced.
hauld *see* **haud**.
haulm[1] *n* stalk.
haulm[2] *see* **holm**.
haun *see* **han**.
haunle *see* **hannle**.
haunsh *see* **hansh**.
haup *v* swing to the right.
hause, hals, hawse *n* narrow part, defile; neck. • *v* embrace.
hausebane *n* collarbone.
haut *n* halt; limping.
have *v* heave.
haveless *adj* feckless.
haver *see* **haiver**.
haveril *n* babbler.
havers *see* **haivers**.
havings, havins *npl* behaviour.
haw *adj* green or pale blue. • *n* hollow.
haw-buss *n* hawthorn bush.
hawk *n/v* hack.
hawkie *n* cow.
hawkit *adj* foolish; white-faced.

hawse *see* **hause**.
hawy *adj* heavy.
hazel oil *n* caning.
hazelraw *n* lichen.
hazy *adj* feeble-minded.
he *n* male; man.
heading *n* scorn.
headlins *adv* headlong.
headrigg *n* turning area for plough.
heague *v* butt.
heally *v* abandon.
hearer *n* churchgoer.
hearing *n* lecture; scolding.
hearken *v* hear, eavesdrop, listen.
hearkener *n* listener.
heart *v* encourage.
heartscald *n* heartburn.
heartsome *adj* merry.
heather-ask *n* lizard.
heather-bleater *n* snipe.
heather-cow *n* heather besom.
heather lintie *n* twite.
heather-lowper *n* countryman.
heave *v* rise.
heavenlie *adj* divine.
heavy *n* bitter beer.
hech *interj* indication of contempt.
hechle *v* breathe hard; **hechle and pechle** puff and pant.
hecht *n* promise, pledge • *v* raise in price; heighten; name.
heck *see* **hack**[3].
heck-door *n* door between a kitchen and byre.
heckle *n* criticism. • *v* hook; cross-question; storm.
heckle-pins *n* tenterhooks.
hedder *n* heather; ling.
hedderie *adj* heathery.
hedder-reenge *n* hydrangea.
hedger *n* hedgehog.
hedinful *adj* scornful.
hee, hey *adj* high. • *v* raise.
heefer *n* heifer.
heeld *v* lean.
heelie *adj* disdainful • *n* affront; pique; slight. • *v* affront.
heeligoleerie *adj* topsy-turvy.
heely *adj* arrogant.
heepy *n* fool.
heestie *adj* hasty.
heez *pron* his.
heeze *n* assistance. • *v* dignify, exalt, extol; elevate, lift, raise.
heff *n* resting-place, environment. • *v* dwell.
heft *n* handle, haft.
heftit[1] *adj* accustomed.
heftit[2] *adj* flatulent.
heich *adj* high, tall; haughty; overweening. • *adv* disdainfully; haughtily; loudly; proudly. • *n* eminence.
heich-heidit *adj* arrogant, condescending.
heich-kilted *adj* immodest.
heichmaist *adj* highest.
heicht[1] *n* altitude, height; summit. • *v* heighten.
heicht[2] *adj* promised, engaged to.
heid[1] *n* head; top, summit. • *adj* principal. • *v* behead, decapitate.
heid[2] *n* issue, point of discussion.
heid[3] *n* heat.
heidban *n* waistband.
heid bummer *n* manager.
heider *n* header.
heid-heich *adv* confidently.
heidie, heidy *adj* headstrong, impetuous, rebellious; intelligent, brainy.
heidmaist *adj* chief; topmost.
heidsman *n* leader.
heidy *see* **heidie**.
heiffle *v* have intercourse with.
heil, heill *n* health.
heild *v* cover, hide.
heily *adj* proud.
hein-shinn'd *adj* with heavy shinbones.
heiranent *adv* concerning this.
heir downe *adv* here below.
heirly *adj* honourable, noble.
heirship, heirskap *n* inheritance.
heis *v* hoist.
heist *n* haste. • *v* hasten.
heiven *n* heaven.
heivenlie *adj* heavenly.
hellicat *n* hell-cat, demon.
helmy *adj* rainy.
helpender *adj* auxiliary. • *n* assistant.
helplie, helplyk *adj* helpful, obliging.
helter *n/v* halter.
hemmins *npl* leather shoes.
hempe *n* shoot.
hempie, hempy *adj* romping. • *n* rogue.
hen *n* dare. • *v* withdraw.
hench *v* limp.

hender *v* hinder.
hen-hertit *adj* cowardly.
henner *n* feat.
hen-pen *n* chicken dung.
hen-taed *adj* pigeon-toed.
hen-wifie *n* poultry woman.
herbour *n* harbour; port.
herd, hird *n* cattle herdsman, shepherd.
hereawa *adv* hereabouts, in this area.
here's tae ye *interj* cheers!
heriot *n* landlord's claim to part of a deceased tenant's estate.
herison *n* hedgehog.
heritour *n* heir.
herk *v* hark.
herle *n* imp.
herling *n* trout.
hern *n* heron.
herness *n* harness.
herr *n* hair.
herrie *v* harry, harass; pillage, ravage; **herrie oot** evict, expel.
herrin *n* herring.
herrin hake *n* hake.
herrin hog *n* grampus.
hersel, hirself *n* mistress, female head of house. • *pron* herself.
hership, harschip *n* plundering.
hersum *adj* strong, harsh.
hert *n* heart. • *v* hearten.
herten *v* embolden.
hertenin *n* encouragement.
hert-glad *adj* delighted.
hert-hale *adj* organically sound.
hertie *adj* genial, hearty; liberal.
hertilie *adv* heartily.
hertill *adv* hereunto.
hertless *adj* discouraging, disheartening.
hert-likin *n* affection.
hert-peetie *n* compassion.
hert-roastit *adv* exasperated.
hert-sair *adj* grief-stricken.
hert's care *n* anxiety.
hert-scaud *n* heartache; repulsion.
hertsome *adj* encouraging; satisfying.
hervy *adj* poor-looking.
hesp[1] *n/v* clasp; hasp.
hesp[2] *n* hank.
het *adj* fermenting; hot, warm.
hetful *adj* hot.
het pint *n* hot whisky drink.
het-skinn'd *adj* thin-skinned.
het-skinnt *adj* fiery.
hettle *adj* fiery.
heuch, heugh *n* coalmine; precipice; ravine; crag.
heuk-bone *n* rump-steak.
hey[1] *n* hay.
hey[2] *see* **hee**.
hey-fowk *n* hayfork.
hey-sned *n* scythe.
hiccory *adj* ill-humoured.
hicht *n* altitude.
hichtit *adj* infuriated.
hick[1] *n/v* hiccup.
hick[2] *v* haggle.
hiddin *n* fastening, hinge.
hiddle *n* huddle. • *v* hide.
hiddlie *adj* sheltered.
hidie *n* hide-and-seek.
hidie-hole *n* hiding place.
hidin *n* secrecy.
hidlins *adj* secret, surreptitious. • *adv* secretly, surreptitiously.
hidwise *adj* hideous.
Hielan *adj/n* Gaelic; Highland.
hielan, hieland *adj* highland; green, naive; unskilled; hospitable.
Hielander *n* Highlander.
Hielans *n* Highlands.
high-bendit *adj* ambitious; dignified.
high heid yin *n* boss, leader.
hilch[1] *n* brow of a hill.
hilch[2] *v* hobble.
hill *n* peat bog, pithead.
hillheid *n* hilltop.
hill-run *adj* hilly.
hime *n* hymn.
himlane *adv* on his own.
himsel *pron* himself.
hin *adj/n* back.
hindberry *n* raspberry.
hinder *see* **hinner**.
hinderen, hinderend, hinend *see* **hinneren**.
hind-head *n* back of the head.
hine, hyne *n* haven, harbour.
hinend *see* **hinderen**.
hing *v* hang. **hing doun** dangle; **hing in** persevere; **hing on** bide; **hing tae** join in; **hing the pettit lip** sulk. • *n* lean.
hinger *n* curtain.
hingers *npl* hangings.
hingin *adj/n* hanging.
hingin-like *adj* poorly, sick looking.

hingin-luggit *adj* abashed, dejected, downcast.
hingle *v* loiter.
hing-on *n* tedium.
hing-thegither *adj* clannish.
hink, hynk *v* be in doubt.
hinkum *n* sneak.
hinmaist *adj* final, hindmost, ultimate. • *adv* finally. • *n* close (conclusion).
hinmaist day *n* Judgement Day.
hinner, hinder *adj* latter. • *n* obstruction. • *v* hinder, delay; linger.
hinnerance *n* hindrance.
hinneren, hinderen, hinderend *n* back, backside, extremity; hindquarters; last part; refuse, leavings.
hinnie, hinny *n* honey, darling. • *adj* sweet.
hinniesickle *n* honeysuckle.
hint[1] *n* moment, chance.
hint[2] *adj* hind, rear. • *n* rear. • *prep* behind.
hint-haun, hint-hand *adv* behindhand, tardy.
hintside foremaist *adv* backwards.
hint-the-haun *adj* backward.
hip *n/v* hop. •*v* omit, pass over; hop.
hippertie-skippertie *adj* frisky.
hippin *n* nappy.
hippitie *adj* lame, limping. • *adv* lamely.
hir *pron* her.
hirays *n* ready money.
hirch *v* shiver.
hird *see* **herd**.
hirdum-dirdum *n* mirth.
hirdy-girdy *n* confusion.
hire *n* titbit.
hireman *n* male servant.
hireship *n* service.
hirne *n* corner, recess.
hirple *v* hobble, limp.
hirsel[1] *n* flock, sheep flock. • *v* flock; **hirsel yont** move along.
hirsel[2] *v* shrug.
hirself *see* **hersel**.
hirst[1] *n* accumulation.
hirst[2] *n* hilltop, ridge; wood.
hissel[1] *n* hazel.
hissel[2] *pron* himself.
hist *n* haste. • *v* hasten.
histie *adj* dry.
hit *pron* it.
hitch *n* loop.
hite, hyte *adj* avid, keen; enraged.
hither-an-yon *adj* estranged.
hive[1] *v* swell.
hive[2] *n* haven, harbour.
hivie *adj* well-off.
hivvie *adj* heavy.
hizzie *n* hussy, girl.
hoachin *see* **hoatchin**.
hoaliday *n* holiday.
hoam *v* spoil in cooking.
hoaspital *n* hospital.
hoast, hoist *n* cough.
hoatchin, hoachin, hotchin *adj* restless; overrun, seething, teeming; infested, swarming.
hobble *v* bob.
hobleshow *n* fuss, pother.
hoburn sauch *n* laburnum.
hoch, hough, haugh *n n* thigh, hamstring, hock.
hochle *v* dodder, shamble; copulate.
hockerty-cockerty *adv* piggy-back.
hod *v* hide.
hodden *adj* country-style.
hodden-grey *adj* grey-coloured cloth.
hoddins *npl* child's stockings.
hoddle, hodle *v* waddle.
hodgel *n* dumpling.
hoeshins *npl* stockings without feet.
hog, hogg *n* young sheep. • *v* pollard.
hogget, hoggie *n* hogshead.
hogglin and bogglin *adj* unsteady.
hogling *n* pig.
Hogmanay *n* New Year's Eve, last day of the year.
hois *n* hose, stockings.
hoist *see* **hoast**.
hoit *n* clumsy person.
hoker *v* sit broodingly.
hole *n* puddle.
holl *v* dig, hollow.
hollin *n* holly.
holm, haulm *n* river bank; uninhabited islet.
holt[1] *n* wood.
holt[2] *v* stop.
holyn *n* holly.
Holy Willie *n* sanctimonious person.
homologate *v* corroborate.
homyll *see* **hummel**.
honest *adj* estimable, honourable.
honest-like *adj* decent.
honesty *n* decency, respectability; decorum, propriety; honour.

hoo[1] *adv* how; why.
hoo[2] *v* hoot.
hooch *v* whoop. • *interj* hurrah!
hoodie *see* **huide**.
hooivver *adv* however.
hook *n* sickle.
hool *n* husk.
hoolet *n* owl.
hoolie *see* **huilie**.
hoose, hoosie *n* house, apartment. • *v* house.
hoose-en *n* gable.
hoose-fast *n* housebound.
hoosehadder *n* householder.
hoosehaddin *n* housekeeping.
hoose-heat *adj* house-warming.
hoosie *see* **hoose**.
hoot[1] *v* flout, pooh-pooh.
hoot[2], **hoots** *interj* pshaw.
hoozle *v* perplex.
hope *n* hill; hollow among hills; narrow haven.
hope kist *n* bottom drawer.
hopple *n* hobble.
horn[1] *n* prow.
horn[2] *v* denounce.
horn-dry *adj* bone-dry.
hornie *adj* sexually excited.
horny golach, horny goloch *n* earwig.
horoyally *n* singsong.
horsecouper *n* horse dealer.
horse gowan *n* ox-eye daisy.
hort *v* maim, hurt.
hose *n* socket.
hostler *n* innkeeper.
hot[1] *n* hat.
hot[2], **hott** *n* small, loose heap.
hotch *n/v* hitch. • *v* jerk away.
hotchin *see* **hoatchin**.
hotchpotch *n* mutton with broth.
hothoose *n* hothouse.
hott *see* **hot**[2].
hotter *n* jolting; quiver; seething mass; swarm. • *v* bump about; crowd together; simmer; jolt; seethe; toddle. • *adj* shaking.
hottle *n* hotel.
houd *v* wriggle, float.
houff *see* **howff**.
houffie *adj* snug.
hough[1] *adj* unhealthy.
hough[2] *see* **hoch**.
houghmagandie *n* sex.
houk[1] *n* hulk, big ship.
houk[2] *see* **howk**.
houp *n* mouthful, taste.
houre *see* **howre**.
houstrie *adj* bad (of food).
hove[1] *v* expand, swell.
hove[2] *v* throw, fling.
hoven *adj* blown up.
hover *v* delay, pause.
how *see* **howe**.
howd *v* assist at childbirth.
howdie *n* midwife.
howdle *v* crowd together.
how-dumb-deid *n* dead of night.
howdyin *n* midwifery.
howe, how *adj* hollow; deep; concave. • *n* hollow, cavity, depression, valley; hoe; hood; mound. • *v* hoe. • *adj* concave; deep; deep-set; famished; guttural; intense; sunken.
howe o the fit *n* sole of the foot.
howe o winter *n* midwinter.
howf, howff, houff *n* public house; haunt; burial place, cemetery; den; shelter. • *v* frequent.
howfing *adj* mean, shabby.
howk, houk *n* dig. • *v* dig, excavate, prise out; penetrate into; rummage, unearth, uproot.
howker *n* digger.
howmet *n* little cap.
hownabe *conj* howbeit.
howp *n/v* hope.
howpful *adj* hopeful.
howphyne *n* darling.
howre, houre, hure *n* whore.
howsoon, howsune *adv* as soon as.
howtowdie *n* non-laying hen.
hoy[1] *n* heave.
hoy[2] *v* hail, greet.
hoy[3] *v* hurry.
huck *v* haggle.
hud *v* hold.
hudd *n* hod.
hudderie *adj* tawdry.
hudderin *adj* flabby.
hudder on *v* throw on.
huddry *adj* sluttish.
hudge *v* accumulate.
hudgemudgin *adj* whispering.
hud-neuk *n* corner by the fire.
hue *n* small portion.

huff *v* disappoint.
huid *n* hood.
huide, hoodie *n* carrion crow; hooded crow.
huidie craw *n* sinister-looking person.
huidit *adj* hooded.
huif *n* hoof.
huik *v* consider.
huil, hule *n* covering; skin; pericardium; pod. • *v* hull, husk.
huilie, huly, hoolie *adj* slow. • *adv* gently; slowly.
huird *n/v* hoard.
huist *n* heap.
huldie *n* nightcap.
hule *see* **huil**.
hulgie *adj* humped.
hull *n* hill.
hullerie *adj* raw damp.
hullion *n* wealth.
huly *see* **huilie**.
hum[1] *n* drone.
hum[2] *n* sham.
humest *adj* uppermost.
humfish *v* surround.
humlock *n* hemlock; hogweed.
hummed *adj* frustrated.
hummel, homyll *n* hornless male deer. • *adj* without horns.
hummelt *adj* polled.
hummer *v* murmur.
hummle *adj/v* humble.
humour *n* pus.
humoursome *adj* humorous.
humph *n* hump; humpback; taint. • *v* lug.
humphed, humph'd[1] *adj* hunched.
humphed, humph'd[2] *adj* fetid, bad-smelling, putrid.
humphie, humphy *adj* tainted, unpalatable.
humple *v* limp.
humstrum *n* fit of temper.
hun *n/v* hound.
hunchie *n* hunchback.
hunder *n* hundred. • *adj* hundred, hundredth.
hune *v* stop, delay.
hunger *v* famish.
hungert *adj* peckish, hungry, starved.
hunk *n* slut.
hunker *v* sit, squat; **hunker down** squat.
hunker-bane *n* femur; thigh-bone.
hunkers *n* hams; haunches.
hunker-slide *v* prevaricate.
hurcheon *n* hedgehog.
hurdie, hurdy *n* hip.
hurdies *npl* backside, buttocks.
hure *see* **howre**.
hurkle-bane *n* hipbone.
hurl[1] *n* drive in a carriage or car, ride; surge. • *v* drive; hurtle; be driven; push along; ride; wheel.
hurl[2] *n* death rattle.
hurl-barra *n* wheelbarrow.
hurlie *n* barrow.
hurloch *adj* cloudy.
hurlygush *n* spurting out.
hurthy *adv* promptly.
hurtsome *adj* hurtful; injurious; noxious.
husband *n* farmer.
hush *n* gush, abundance, whisper.
hushel *n* worn-out implement.
hushie, huzz *v* lull to sleep.
hushie-ba *n* lullaby.
hushlochy *adj* hurried.
hussie, huzzy *n* needlecase, sewing kit.
hut[1] *n* small heap.
hut[2] *pron* it.
hutch *n* creel for coal.
huttit *adj* hated.
huv *v* have.
huzz *see* **hushie**.
huzzy *see* **hussie**.
hwll *n* ululation.
hynd-wynd *adv* straightforward.
hyne[1] *adv* hence; late.
hyne[2] *see* **hine**.
hyne-awa *adj* far away.
hynk *see* **hink**.
hyple *v* go lame.
hypothec *n* mortgage.
hypothecate *v* mortgage.
hyste *n/v* hoist.
hyte *see* **hite**.

I

i *see* **in**.
icker *n* ear of corn.
Idalian *adj* Italian.
idder *see* **ither**.
idleset *adj* idle. • *n* idleness; laziness; unemployment.

ieasing *n* childbed.
ieroe *n* great-grandchild.
ignorant *n* ignorant person.
ile *n/v* oil.
ilie *adj* oily.
ilk[1], **eik** *pron* each; every. • *n* same; **ilk ane** all and sundry; everybody; **ilk ither** one another.
ilk[2] *n* same name, place, nature or family.
ilka *pron* each; every. • *adj/adv* every; **ilka day** every day; **ilka sae lang** now and again; **ilka year** annual.
ilkaday *n* weekday.
ill *adj* evil; wicked; counterfeit; cruel; depraved; harmful; ineffective; infamous; noxious; profane; unkind; unskilled; unwholesome. • *adv* badly; wickedly. • *n* evil; wickedness; injury; mischief; wrong; malice.
ill-dreid *n* apprehension.
ill-faur'd *adj* ugly.
ill-gi'en *adj* ill disposed.
ill-aff *adj* badly off; poor.
ill-colourit *adj* discoloured.
ill-come *adj* ill-egitimate.
ill-contriven *v* disobedient.
ill-contrivit *adj* badly behaved; contradictory.
ill-curponed *adj* bad-tempered.
ill-daein *adj* licentious, dissipated. • *n* misconduct; misdemeanour; wrongdoing.
ill-daer *n* evildoer, malefactor.
ill-deedie *adj* mischievous; undisciplined; unruly; wicked.
ill-deein *adj* wrong.
ill-ee *n* evil eye; longing.
ill-farran *adj* unkempt.
ill-fashioned *adj* ill-mannered.
ill-faured *adj* discourteous; ill-mannered; offensive; shabby; ugly.
ill-gabbit *adj* foul-mouthed.
ill-gaited *adj* naughty; wicked.
ill-gate *n* bad habit.
ill-gates *n* mischievousness.
ill-gotten *adj* ill-egitimate.
ill-guidit *adj* mismanaged.
ill-hertit *adj* malevolent.
ill-intendit *adj* ill-disposed.
ill-kindit *adj* cruel; hostile; inhuman.
ill-laits *npl* bad manners.
ill-less *adj* guiltless, innocent.
ill-likit *adj* unpopular.
ill-mou'd *adj* abusive; impolite; insolent; rude.
ill-name *n* disrepute.
ill-paid *adj* regretful.
ill-pit *adj* hard-pressed.
ill-scrapit *adj* bitter.
ill-set *adj* disobliging; evill-y disposed.
ill-settin *adj* clumsy.
ill-shakken *adj* ungainly.
ill-speakin *adj* slanderous. • *n* aspersion; calumny.
ill-thing *n* devil.
ill-thochit *adj* nasty-minded.
ill-thriven *adj* undernourished; scraggy.
ill-tongue *n* slander; swear-words.
ill-tonguit *adj* abusive; slandering.
ill-trickit *adj* tricky.
ill-wared *adj* wasted.
ill-waured *adj* ill-spent.
ill-will- *n* disfavour; hatred; hostility; malice. • *v* hate.
ill-will-ed *adj* averse.
ill-will-ie *adj* grudging; spiteful; vindictive.
ill-yokit *adj* incompatible.
immedant *adj* immediate.
immedantly *adv* immediately.
immis *adj* changeable.
imp *n* shoot. • *v* graft.
impidence *n* cheek; impertinence.
impident *adj* impertinent.
implement *n* fulfilment.
impless *n* pleasure.
importable *adj* unbearable.
importance *n* means of support.
impouerit *adj* poor.
improbation *n* confutation; disproof.
improve *v* disprove.
in *prep* during; on; with. • *adv* inside; within; at home; on good terms; **in-about** close to; **in a hurry** unexpectedly; **in-ouer and out-ower** backwards and forwards. • *v* go; come; put, push, get in. • *n* entrance.
inawn *v* owe.
inbearing *adj* meddlesome; officious.
inbring *v* bring in; import.
inby, inbye *adj* inner; low-lying. • *adv* inside, indoors; close to.
incarnet *adj* carnation-coloured.
inch *n* island.
income *n* arrival; newcomer; abscess.
incomer *n* intruder; immigrant.
incoming *adj* ensuing; succeeding.

incontinent *adv* immediately.
indick *v* indict.
indiscreet *adj* rude.
indisgestion *n* indigestion.
indraught *n* customs duty.
induct *v* instal.
indwaller *n* inhabitant.
indwell *v* reside in.
infa *n* junction.
infang *v* cheat.
infar, infare *n* entertainment at home.
infeft *v* invest.
infeftment *n* investiture.
infield *n* land under cultivation.
infortune *n* misfortune.
ingaan *adj* ingoing.
ingan *n* onion.
ingang *n* access; entrance; lack.
ingangs *npl* intestines.
ingate *n* access.
ingaun *n* entering; entrance.
ingetting *n* collection.
ingine *n* engine, machine; faculty, talent; ingenuity.
ingle *n* fire; fireside.
ingle-neuk *n* chimney corner; fireside corner.
inhabile *adj* inadmissible.
inhauden *adj* pent up.
injuiry *n* inquest.
injure *v* insult.
inkfish *n* cuttlefish; squid.
inklin *n* inclination; intuition.
inkneed *adj* knock-kneed.
inks *n* tidal land by a river.
inlaik *n* lack; reduction. • *v* do without; die.
inlat *n* bay; cove; inlet; avenue; concession; opportunity.
inlyin *n* confinement.
inn *n* habitation.
innerlie *adj* inland; snug; fertile; neighbourly; affectionate; compassionate; likeable; sympathetic.
innin *n* introduction; reception.
inower *adv* inside. • *prep* inside.
inpit *n* contribution.
inquire at *v* consult.
inseat *n* farm kitchen.
insense *v* convince; enlighten; **insense intae** instil.
insicht *n* furniture; implements.
insist *v* prolong; persevere; **insist for** insist on; **insist in** proceed with.
insnorl *v* implicate; inveigle; involve.
insteid *prep* instead.
instructions *npl* brief.
intae *prep* into; in; within.
intak *n* ground taken in from moorland; eating; narrowing of a wall, offset. • *v* take in.
interdict *n* injunction. • *v* prohibit.
inthrow *adj* the fireside. • *prep* by means of.
intil *prep* into. • *v* enter.
intimmers *n* mechanism; workings; consort.
invade *v* assail; assault; attack.
invite *n* invitation.
inwey *adj* inward.
inwith *adv* within; on good terms with.
Irisher *n* Irishman.
irne, airn *n* iron.
iron fit *n* last (in shoemaking).
iron man *n* winch; pylon.
irons *npl* surgical instruments.
irritancy *n* nullification.
irritate *v* nullify.
is *adj* this. • *conj* as. • *pron* this.
ish *n* expiry; issue, exodus.
it *prep* at. • *pron* that.
ither, idder *adj* other. • *pron* other.
itherwhere *adv* elsewhere.
itherwhiles *adv* other times.
itherwise *adv* otherwise.
itsel *pron* itself.
iver *adj* upper. • *adv* ever.
iver *adv* ever; **iver an on** continually.
iverie *adj* every.
iverlie *adv* constantly.
ivernow *adv* just now.
ivnoo *adv* forthwith.
iz *pron* me.
izel *see* **eizel**.

J

jab *v* pierce.
jabart *n* sick or dying animal.
jabbit *adj* weary.
jabble *n* agitation; bewilderment; disturbed water.
jabloch *n* weak liquor.

jabot *n* necktie.
jachelt *adj* blown about.
jack *n* privy.
jack-easy *adj* easy-going.
Jacob's ladder *n* belladonna; deadly nightshade.
jadstane *n* white pebble.
jaffled *adj* jaded.
jag *n* fatigue; leather bag; injection; prick; prickle; thorn. • *v* prick; puncture.
jagget *n* full bag.
jaggie *adj* prickly; thorny.
jags *see* **jaugs**.
jaicket *n* jacket.
jaikie *n* jackdaw.
jaip, jape *v* mock.
jairble *v* spill; sprinkle.
jairblins *npl* dregs.
jalouse *v* conjecture; deduce; imagine; presume; speculate; suspect.
jamb *n* projection; wing.
jammed *adj* preoccupied.
jamph[1] *v* tire out.
jamph[2] *n* banter; jeer; mockery. • *v* banter; gibe; jeer; jilt.
jandies *n* jaundice.
jangle *v* prattle.
janitor, jannie *n* caretaker.
jank *v* fob; trifle; **jank off** run off.
Januar *n* January.
jape[1] *n* toy; trinket.
jape[2] *see* **jaip**.
jarg *n* grating noise.
jargle *v* cry shrilly.
jasp *n* jasper; particle; spot.
jass *n* throw.
jaud *n* nag, horse.
jaudie *n* stomach of a hog.
jaugs, jags *npl* saddle bags.
jauk *v* fit loosely; slack.
jaunder *v* talk idly.
jaunt *v* taunt; jeer.
jaup, jawp *n* breaker; surf; dash of water. • *v* fatigue; (*water*) rebound as waves; **jaup the watter** waste one's efforts.
jaupie *adj* splashy.
jaupin fou *adj* brimming.
jaur *n* jar.
jaurnoch *n* filth.
jaw *n* wave; mass of water or other liquid; coarse talk. • *v* spurt; surge.
jaw-box *n* sink, basin.
jaw-hole *n* sewer; sump; drain.
jaw-lock *n* lockjaw.
jawp *see* **jaup**.
jawther *v* talk frivolously.
jeck *v* discard; neglect.
jeck-easy *adj* indifferent.
jedge *n* gauge.
jee *n* swerve. • *v* budge; displace; move; swerve.
jeeg *n* jig. • *v* jig; taunt.
jeeger *n* eccentric.
jeel *n* chill; frostiness. *v* chill; freeze; congeal; set.
jeelie *n* jam; jelly.
jeelie jaur *n* jamjar.
jeelie neb *n* bloody nose.
jeelie piece *n* jam sandwich.
jeelous *adj* jealous; envious.
jeest[1] *n*/*v* jest.
jeest[2] *n* joist.
jeet *n* jet.
jelly *adj* upright; worthy.
Jennie *n* country girl.
Jennie a'thing *n* female storekeeper.
Jennie-hunner-legs *n* centipede.
Jennie-langlegs *n* daddy-longlegs, crane-fly.
Jennie-nettle *n* nettle.
Jennies *npl* calipers.
Jessie *n* sissy.
jeve *n* nudge; shove.
jevel *v* joggle.
jibber *n* silly talk.
jibbings *npl* last drops at milking.
jibble *v* spill.
jick *v* dodge.
jig *v* play the fiddle; dance.
jiggin *n* dancing.
jigot *see* **gigot**.
jigs *npl* capers.
jile *n* jail; prison. • *v* jail.
jiler *n* jailer.
jillet *n* flirt; giddy girl.
jilp *v* spurt; throw water on.
jimmy *adj* spruce; trim.
jimp[1], **gimp** *adj* sparing. • *adv* scarcely; scantily; sparingly. • *v* curtail; scrimp.
jimp[2] *adj* neat.
jimpit *adj* short.
jine *n*/*v* join.
jiner *n* joiner.
jing *n* jingle. • *v* jangle; jingle.

jink[1] *n* chink; cranny.
jink[2] *n/v* dodge; trick; zigzag.
jinker *n* lively girl.
jint *n* joint.
jirg *n/v* creak.
jirk[1] *v* unship stealthily.
jirk[2] *see* **chirk**.
jirkinet *n* bodice.
jirt *v* squirt.
jisk *v* caper.
jist *adv* just.
jizzen-bed *n* childbed.
jo *n* lover, sweetheart.
joab *n* job.
joater *v* wade through mire.
job *n/v* jab.
jobbie1 *adj* prickly.
jobbie2 *n* turd.
Jock *n* rustic.
Jockie *n* countryman; gipsy.
Jock Tamson's bairns *npl* human race, humankind.
jockteleg *n* clasp knife, folding knife.
joggle *v* move shakily.
Johnny a'thing *n* male storekeeper.
Johnsmas *n* Midsummer Day.
joice *n* juice.
jokie *adj* jocular, jovial.
jollock *adj* fat and jovial.
jonick *adj* fair, just; genuine; honest; impartial; veritable. • *n* fair play; justice.
joogle[1] *n/v* joggle.
joogle[2] *v* juggle.
jookerie *n* juggling.
jordan *see* **jourdan**.
jore *n* mixture; mire.
jorram, jorum *n* rowing song; chorus; drinking vessel.
joskin *n* farmworker.
jots *npl* odd jobs.
jotter *n* exercise book, notebook; dawdler; odd-jobs man.
jotterie *n* odd or dirty work.
jottin *n* memorandum.
jottle *v* feign business.
joug *n/v* jug.
jougs *npl* pillory.
jouk, jowk, juke *n* curtsy; meander. • *v* curtsy; dodge, duck; cower; flinch; deceive, dupe, trick; elude, evade; play truant; wince.
jouker *n* deceiver.
joukerie *n* deceit; double-dealing; evasion.
joundie *v* jog with the elbow.
jourdan, jordan *n* chamberpot.
jow *n* peal; swell. • *v* toll, peal, ring; move from side to side.
jowel *n* jewel; precious stone.
jowk *see* **jouk**.
jubish *adj* dubious.
judgement *n* sanity; wits.
juffle *v* walk hastily.
juffles *npl* worn shoes.
juggins *npl* rags.
juggle *v* shake.
Juin *n* June.
juke *see* **jouk**.
jum *adj* cold; reserved.
jummle *n/v* jumble; muddle.
jumpie *n* bodice.
jumpin raip *n* skipping rope.
jumzie *n* something that is too large.
jundie *n/v* jog; push; shove; trot.
junk *n* chunk.
junt *n* large piece of something.
jupe *n* tunic.
jurmummle *v* crush.
jurr *n* servant girl.
justify *v* punish by death.
justrie *n* justice.
juxt *adv* next to.
jyple *n* ill-dressed person.

K

kaa *see* **kay**.
kabe *n* rowlock.
kackie *v* excrete.
kae *v* invite.
kail, kale *n* cabbage; dinner.
kail blade *n* cabbage leaf.
kailwife *n* female greengrocer.
kailworm *n* caterpillar.
kailyard, kailyaird *n* back garden; kitchen garden.
kaim *n* comb. • *v* comb; **kaim down** strike with the fore-hooves.
kain *n* penalty; rent.
kair *n* puddle.

kaithe *v* show oneself.
kale *see* **kail**.
kame *n* low ridge; crest of a hill; comb. • *v* climb; comb, rake.
kar *see* **ker**.
kartie, kertie *n* pubic louse.
katy-handed *adj* left-handed.
kauch *n* bustle.
kavel, cavel *n* mean fellow.
kay, kaa *n* jackdaw.
keave *v* toss the horns threateningly.
kebar *n* rafter.
kebbock, kebbuck *n* cheese.
keck *v* go back on a bargain; faint.
keckle *n/v* chuckle; cackle; chortle.
keech, keich, keigh *n* excrement, faeces. • *v* defecate.
keechin *n* fermented but undistilled liquor.
keek[1] *n* malicious person.
keek[2] *n* peep. • *v* spy; peep.
keeker *n* black eye; peeping Tom.
keekhole *n* peephole; spy-hole.
keek o day *n* sunrise.
keel[1] *n* coastal sailing vessel.
keel[2] *n* crayon.
keelick *n* anger.
keelie[1] *n* kestrel.
keelie[2] *n* lout, ruffian; slum-dweller.
keeling, keiling *n* large cod.
keelivine *n* black-lead pencil.
keen *adj* enthusiastic; eager.
keep *v* care for; tend; sustain; **keep shoatie** keep watch; **keep tryst** fulfil an engagement.
keepie-in *n* detention.
keep-up *n* upkeep.
keestless *adj* tasteless.
keezlie *adj* barren.
keich *see* **keech**.
keiling *see* **keeling**.
keiltch *v* hoist up.
keind *n* kind, sort.
keip *see* **kep**.
keir *v* drive.
keitchin *n* kitchen.
keks *npl* pants.
kelpie *n* water spirit, water sprite.
kelt *n* salmon after spawning.
kelter *v* undulate; heave up.
kelties *npl* children.
kemp *n* champion; warrior. • *v* combat; compete; contend; strive; vie.
ken *n* comprehension; knowledge. • *v* know; recognise.
kenable *adj* apparent, obvious; blatant.
kendie *see* **kennle**.
kene, keyne *adj* daring.
kengude *n* lesson.
kenmairk *n* brand, sheepmark.
kennin *n* acquaintance; hint; apprehension; recognition.
kennle, kendle, kinnle *v* kindle; ignite; bring forth.
kennlin *n* kindling.
kenspeckle *adj* conspicuous; familiar; prominent; well-known.
kent *adj* known.
kep[1] *n/v* cap.
kep[2], **keip** *n* catch; chance. • *v* intercept; encounter; parry; prevent; keep; retain; **kep again** turn back.
kep-a-gush *n* splay-footed person.
ker, kar *adj* left.
kerbit *adj* peevish.
ker-haundit *adj* left-handed.
kern *n* foot soldier.
ket[1] *adj* irate. • *n* carrion.
ket[2] *n* fleece.
ketach *n* left hand.
kethat *n* cloak.
kettle *n* cooking pot; picnic.
ketty *adj* matted.
keuchle *n* cough.
key *v* lock.
keyne *see* **kene**.
keytch *n/v* toss.
kibble *adj* strong; active.
kick *n* habit; novelty.
kicky *adj* gaudy.
kiffle, kighle *n* ticklish cough.
kill *n* kiln.
killick *n* seaman.
killywimple *n* gewgaw.
kilogie *n* kiln fire.
kilt, quelt *n* pleated form of Highland dress. • *v* tuck up.
kilter *v* fettle.
kiltie *n* boy in a kilt; soldier.
kiltit *adj* tucked up.
kim *adj* frolicsome; keen.
kimmen, kimmond *n* milk pail.
kimmer *n* gossip.
kin *adj* native. • *n* extraction; kind, lineage; relation; variety.

kinch *n* loop; noose; problem.
kinchin *n* child; kid.
kindly *adj* congenial; natural; normal.
kink *v* struggle for breath.
kink-hoast *n* whooping cough.
kinnen *n* rabbit.
kinnle *see* **kennle**.
kinred *adj* kindred.
kinrick *n* kingdom; realm.
kinsh *v* tighten a rope by twisting.
kintle *v* fondle.
kintra *adj* of the country; rustic. • *n* country; district; region.
kip[1] *n* haste.
kip[2] *v* take another's property.
kip[3] *n* peak.
kippage *n* ship's company.
kipper *v* cure fish.
kippit *adj* turned-up.
kipple *n* couple.
kir *adj* cheerful; amorous.
kirk *n* church.
kirk-fowk *n* congregation.
kirkin *n* first appearance of a married couple in church.
kirkstile *n* churchyard gate.
kirkyaird, kirkyard *n* churchyard; graveyard.
kirn *adj* rummaging. • *n* churn; messy work; pottering. • *v* churn; mill around.
kirn dollie *n* corn doll.
kirnel *n* kernel.
kirnie *n* cheeky lad.
kirn milk *n* buttermilk.
kirr *adj* complacent.
kirstal *n* crystal.
kirsten *v* baptise. christen.
kirstenin *n* christening.
kirstie *n* whisky jar.
kis *conj* because.
kist *n* chest, coffer; thorax. • *v* store.
kistit *adj* dried up.
kitchen, kitching *n* solid foods; seasoning. • *v* flavour, spice.
kitchenless *adj* bland.
kitchie *v* live in.
kith *n* acquaintances.
kitter *v* fester.
kittie *n* kittiwake.
kittit *adj* deprived.
kittle *adj* adept; ticklish; tricky; intricate; fickle, unpredictable. • *n* feat; stimulus; tickle. • *v* arouse, enliven; bring forth; tickle; perplex; tease; titillate; tune.
kittlie *adj* itchy; precarious; sensitive.
kittlin *n* kitten.
kizen *v* shrink.
kizzen *n* cousin.
klippert *n* shorn sheep.
knab *n* hillock; pretentious person; small laird.
knack *n/v* snap; taunt.
knackety *adj* egoistic.
knackie, knacky *adj* adroit; facetious; skilful; witty.
knaggie *adj* with bulges.
knap[1] *n* knob; hillock; protuberance; kneecap.
knap[2], **knop** *n* blow, tap, slight stroke; bite; morsel. • *v* rap, strike; pat; cleave; speak in an English way.
knappel *n* clapboard.
knappie *adj* bumpy.
knappin hammer *n* stone hammer.
knarlie *adj* knotted.
knaw *n* male child.
kneef, kneif *adj* active.
knewel *n* crossbar.
knible *adj* nimble.
knicht *n/v* knight.
knick *n/v* click.
knidder *v* keep under.
knidget *n* mischievous child.
knit *v* unite.
knitch *n/v* bundle.
knock *n* clock; hill; knoll.
knog *n* something or someone short and stout.
knoit *n* hunk. • *v* gnaw.
knooff *v* chat.
knop *see* **knap**[2].
knot *n* cloudberry; flowerbed; node. • *v* lump.
knotless *adj* futile, ineffective; aimless.
knottie *adj* lumpy.
knowe *n* knoll, little hill.
knuckle *v* give way, submit.
knudgie *adj* squat and strong.
knurl *n* dwarf; knob.
knuse *v* cuddle; press with the knees or knuckles; pummel; squeeze.
kow *n* goblin.
kowk *v* retch.
koyt *v* beat; flog.

kweerichin *adj* unskilful.
kye *n* cattle.
kye time *n* milking time.
kyle *n* sound, strait.
kyle *n* strait.
kyles *npl* ninepins, skittles.
kyloe *n* Highland black cow.
kypie *n* left-hander.
kyte *n* belly.
kythe *v* appear; show; practise; demonstrate; reveal.
kythin *n* manifestation.
kytie *adj* corpulent.

L

laa *n* law.
lab *n* portion. • *v* pitch, toss.
labber *v* soil.
laborin *n* tillage.
lab-sidit *adj* inclinded to one side, lopsided.
lach, lauch *n/v* laugh.
lacht *n* fine; penalty.
lachter[1] *n* laughter.
lachter[2] *n* lecher; clutch of eggs; layer.
lack, lak *n* blame; disgrace; fault. • *v* slight; reproach.
lad *n* boy; boyfriend; son; youth.
laddie *n* boy; young lad.
lade *n* millrace.
lade-sterne *n* lodestar.
lad o pairts *n* promising youngster.
ladry *n* rabble.
lady's fingers *n* cowslip.
lady's thummles *n* foxglove.
laffy *adj* soft.
laft *n* loft.
lag *adj* lingering; slow.
laggery *adj* dirty.
laggin *n* edge.
laich, laigh *adj* inferior; low. • *n* basement. • *v* lower; delay.
laich room *n* cellar.
laid *n/v* load.
laidner *n* larder.
laidron *n* rascal, reprobate; slattern.
laif *n* loaf.
laigh *see* **laich**.
laik[1] *n* linen cloth.
laik[2] *v* leak.
laily *adj* lowly.
laip *v* lap.
lair[1] *n* place for lying down; burial place.
lair[2] *n* marsh. • *v* sink.
lair[3], **lare, lear** *n* doctrine; dogma; learning.
laird *n* lord; landowner; chief.
lairdie *n* small landowner.
lairdlie *adj* august; lordly; aristocratic.
lairge *adj* benevolent; copious; numerous; innumerable; large; lavish.
lairie *adj* boggy.
lairn *v* learn.
lairstane *n* gravestone, headstone, tombstone.
laist *adj/adv* last. • *n* the last. • *v* hold out; last.
lait, lete *n* manner; gesture.
laith, lathe *adj* loathsome; reluctant. • *n* loathing; scorn. • *v* detest, loathe.
laitherin *adj* lazy.
laithful *adj* disgusting, horrible.
laithlie *adj* abhorrent; foul; loathsome.
laithsome *adj* detestable.
laitless *adj* uncivil.
laits *n* behaviour.
laive *v* throw water.
lak *see* **lack**.
lake *v* heed.
laldie *n* chastisement.
lall *n* shiftless person.
lallan *adj* of the Lowlands. • *n* lowland.
Lallans *n* Lowland speech, Scots.
lamb's tongues *n* mint.
lame *adj* earthen. • *n* pottery, earthenware.
lament *n* elegy.
lameter *n* cripple.
lammer *n* amber.
lammie *n* lamb.
lamp *v* belabour; trounce; stride.
lamper eel *n* lamprey.
lamping *adj* trouncing.
lan *n* land.
lance *n* lancet, scalpel.
lanch, lench *n/v* launch.
land *n* tenement house.
landart *adj* country.
landlash *n* heavy rain.
landlouper *n* unsettled person, rover.
land o the leal *n* heaven.
landward *adj* rural, rustic.

landways *adv* by land.
lane[1] *n* slow stream; rivulet.
lane[2] *adj* lone; alone; solitary.
lanelie, lanely *adj* lonely.
lanesome *adj* lonely.
lang[1] *adj* long; tall; great.
lang[2] *v* long for, yearn.
lang[3] *prep* along.
lang-board *n* long table.
lang-chaftit *adj* lantern-jawed.
lang-drauchit *adj* scheming.
langel *v* entangle.
lang-heidit *adj* profound; sagacious.
langis, langins *prep* along.
langle *n/v* hobble.
lang-lugged *adj* sharp-eared.
lang-nebbit *adj* long-nosed; pedantic; prying.
langour *n* boredom.
langrin *adv* at length.
lang-shankit *adj* long-legged.
langsum *adj* slow.
lang syne *adv* long since. • *n* long ago.
lan-moose *n* vole.
lans *v* throw out; spring forward.
lant *v* deride; jeer, mock.
lap *n* coil. • *v* surround; embrace.
lapper *v* besmear; clot, curdle.
lapron *n* young rabbit.
lapster *n* lobster.
larach *n* base; site; building site.
larbour *adj* lazy.
lare *see* **lair**[3].
larges *n* liberality.
larick *n* larch; lark.
larie *n* laurel.
larrie *n* lorry.
lash *v* fall; pour.
lass *n* girl; sweetheart; maid.
lassie, lassikie *n* young girl; girlfriend.
lass-like *adj* girlish.
lass o pairts *n* promising youngster.
lassock *n* little girl.
lastie *adj* durable.
lat *v* allow, let, permit, suffer; **lat be** cease; **lat doon** drop; **lat gird** let fly; **lat ken** divulge; **lat licht** acknowledge; **lat see** indicate; **lat wit** proclaim.
latch[1] *n* mire; wheel; rut.
latch[2] *v* procrastinate.
late *v* heat metal.
lathe *see* **laithe**.
lathron *adj* lazy.
latron *n* latrine, privy.
latter *adj* lower.
lauch *see* **lach**.
laugh *v* own.
laught *n* law.
lavatur *n* washing vessel.
lave[1] *n* rest, remainder, residue.
lave[2] *v* bail.
lave-luggit *adj* droop-eared.
lavendar *n* washerwoman.
laverock *n* lark; skylark.
law[1] *adj* low.
law[2] *v* litigate, sue.
law[3] *n* tumulus.
law-board *n* ironing board.
lawbor *n* labour.
lawbor *v* labour.
lawer *n* attorney, lawyer.
lawin *n* bill for drink.
lawin-free *adj* scot-free.
law plea *n* lawsuit.
lax *n* salmon.
lay[1] *v* put; form; plant; **lay aff** hold forth; **lay at** strike at; **lay by** incapacitate; **lay in** turn up; **lay the brain asteep** contemplate.
lay[2] *n* lathe.
lay-aff *n* harangue; rigmarole.
lay-fittit *adj* flat-footed.
laylock *n* lilac.
lea[1], **ley** *adj* fallow; infertile; barren. • *n* unploughed land; grassland.
lea[2] *v* leave.
leader *n* tributary.
leading *n* provisions.
leadsman *n* pilot.
leaf *n* segment.
leager *v* encamp.
leal *adj* chaste; loyal; honest; law-abiding. • *adv* loyally.
lealtie *n* allegiance, loyalty.
leam[1], **leem, leme** *n* gleam; glow; light; ray; sunbeam. • *v* gleam; glow; shine; blaze.
leam[2] *v* shell nuts.
lean *v* recline.
leap[1] *n* waterfall.
leap[2] *v* burst open.
lear *see* **lair**[3].
learn, leern *v* instruct; teach.
leash *v* lash; tie together.
least *conj* lest.
leasumlie *adv* lawfully.

leath *v* loiter.
leather, ledder *n* hide. • *v* thrash.
leave *n* dismissal.
lebbers *npl* slobberings.
leche *v* cure.
leck[1] *n* slab.
leck[2] *v* leak.
ledder *see* **leather**.
leddiness *adj* ladylike.
leddy *n* lady.
leddy-launners *n* ladybird.
leddy's purse *n* shepherd's purse.
lee *n/v* fib, lie.
leech *n* doctor.
leed *n/v* strain.
leefow *adj* lonely.
leegen *n* legend.
leelang *adj* livelong.
leem *see* **leam**.
leenge *v* slouch.
leep *v* heat; burn; parboil.
leepit *adj* pampered.
leerie *n* lamp; lamplighter.
leern *see* **learn**.
leesome *adj* balmy; pleasant; shady.
leet *n* list. • *v* nominate; list.
leeve *v* live; permit; **leeve aff** live on.
leevin *n* subsistence.
leeze, leis *v* be lease to; **leeze me** is dear to me.
leg *v* run.
leg-bane *n* shinbone.
leggat *n* invalid stroke in golf.
leggums *npl* gaiters; leggings.
legim *adv* astride.
leglin *n* milk-pail.
leid[1] *n* language; theme.
leid[2] *n* lead.
leif[1] *n* leave, permission.
leif[2] *v* believe.
leind[1] *v* stay.
leind[2] *see* **lend**[2].
leiper *n* basket-maker.
leis *see* **leeze**.
leish *adj* athletic.
leishin *adj* tall and active.
leist *v* incline, tilt.
leister, lister *n* spear; fish spear. • *v* spear.
leisum *adj* lawful; warm.
leit, let *v* pretend.
lekame *n* corpse.
lell *v* take aim.
lemane *n* sweetheart.
leme *see* **leam**.
lempit *n* limpet.
len *n* loan. • *v* lend; deliver.
lench *see* **lanch**.
lend[1] *n* loan.
lend[2], **leind,** *v* dwell.
lendis *npl* buttocks.
lenth *n* distance; height; length; stature. • *v* lengthen.
lep *v* go rapidly.
lerk *v* shrivel.
les, less *conj* unless. • *adj* fewer. • *n* lease.
lest *adj* last, final. • *adv* last. • *n* • the last. • *v* last, endure.
let[1] *n* hurdle. • *v* reckon; expect; dismiss; **let aff** break wind; **let o'er** swallow; **let on** mention.
let[2] *see* **leit**.
let-abee *conj* not to mention.
lete *see* **lait**.
letter *n* writ.
letteron *n* writing desk.
leuk *n* look; survey. • *v* look; inspect; survey; view; **leuk ower** look after; watch; **leuk til, leuk till** observe; behold; look at.
leuk see! *interj* look here!
leven *n* lawn.
lever *adv* rather.
levin *n* lightning; sunlight.
lew *adj* lukewarm. • *v* cool.
lewder *v* batter; move heavily.
lewer *n* lever.
ley *see* **lea**.
liam, lyam *n* string; thong.
liart *adj* grey-haired.
lib *v* castrate; geld; neuter.
libart *n* leopard.
libbet *adj* neutered.
libel *n* indictment; treatise.
licent *adj* accustomed.
licht *adj* bright, light; dizzy; merry. • *n* light; enlightenment. • *v* mitigate; temper.
lichten *v* alleviate; brighten; light; lighten.
lichter *v* unload; deliver.
licht-hertit *adj* light-hearted.
lichtlie *adv* lightly. • *v* despise; scorn; slight; underrate; undervalue.
lichtlieness *n* contempt.
lichtlifie *v* deprecate.
lichtsome *adj* agile; carefree; cheering; enlivening; delectable.

lick *v* hit; beat; hurry.
lickerie *n* liquorice.
lickit *adj* thrashed.
licklip *adj* fawning, wheedling.
lickma-dowp *n* sycophant.
lid *n* leaf.
lidder *adj* sluggish.
lide *v* thicken.
lie *n* bed.
lief *adj* dear, beloved; willing. • *n* beloved.
liefsome *adj* desirable.
liege *n* subject; vassal.
lieutenand *n* lieutenant.
lifieness *n* vivacity, liveliness.
lift[1] *n* sky.
lift[2] *n* encouragement; whip-round; card-trick; coal-seam; swell. • *v* cheer; collect; pick up; steal; arrest; serve; **lift an lay** pick and choose.
lifter *n* cattle rustler.
liftie *adj* dirty and sticky.
lifting *n* removal.
lig[1] *n/v* lie.
lig[2] *v* fall behind; lodge; make love to.
liggat *n* self-closing gate.
ligger-lassie *n* camp-follower.
lik[1] *adj* appropriate, apt; like; likely, probable. • *adv* approximately. • *v* fancy; like.
lik[2] *see* **lyke**.
likand *adj* pleasing.
likewark *n* limekiln.
liking *n* pleasure.
likly *adj* competent. • *n* chance; likelihood.
lilt *n* song; tune; rhythm. • *v* sing out.
lily *n* narcissus.
limb o the deil *n* mischievous person.
lime *n* mortar.
limestane *n* limestone.
limmer *n* gangster; rogue; hussy; prostitute.
limn *n* replica; likeness.
limner *n* painter, portrait-painter.
linch *v* limp.
lind *n* lime tree.
line *n* account; betting slip; note; prescription.
linens *npl* underclothing.
lines *npl* certificate.
ling[1] *n* gait; line.
ling[2] *n* tall thin grass.
lingel[1] *n* shoemaker's thread.
lingel[2] *v* tie firmly; hobble.
linget *n* linseed.
lingit *adj* flexible.
link[1] *n* skip. • *v* walk smartly.
link[2] *n* vertebra.
linkie *adj* sly.
links[1] *npl* locks of hair; sandy ground by the sea, dunes; golf course.
links[2] *npl* sausages.
linn, lynn *n* waterfall, cataract.
lin-pin *n* linchpin.
lint[1] *v* rest, relax; wink.
lint[2] *n* flax.
lintel *n* mantelpiece.
lintie *n* linnet; pipit.
lip *n* chip in a blade, etc; brink; edge. • *v* taste.
lippen *v* depend; entrust; look after; expect.
lippening *adj* occasional. • *n* expectation.
lipper *adj* leprous. • *n* leper.
lire, lyre *n* flesh.
lirk[1] *n* crease; rumple. • *v* crease, rumple.
lirk[2] *v* lurk.
lish *adj* athletic.
lisk *n* flank; groin.
liss *n* stopping, cessation. • *v* stop.
lissance *n* respite.
lissens *n* release; cessation.
list[1] *adj* agile.
list[2] *v* enlist; recruit.
lister *see* **leister**.
lit *n* dye. • *v* dye; colour; blush.
lite *n* excrement.
lith[1] *n* joint; division; section; segment. • *v* disjoint.
lith[2] *v* listen.
lithe *adj* calm, tranquil; kind; gentle. • *n* stillness; shelter; lee; soften; thicken.
lither *adj* lax, lazy.
lithesome *adj* affectionate; genial; mild.
lithin *n* thickening.
lithrie *n* mob.
little ane *n* child.
little-boukit *adj* deflated; insignificant; small.
littlie *adj* rather small.
liver *adj* sprightly.
lizour *n* pasturage.
loags *npl* stockings without feet.
loamy *adj* lazy.
loan[1] *n* provisions; wages.
loan[2], **loaning** *n* enclosed way; avenue; lane; cow path.
loave *v* put on sale.

loch *n* lake.
lochan *n* small lake.
locker *adj* curled; curly.
lockerie *adj* rippling.
locket *n* belch.
lockfast *adj* secured. • *n* lock and key.
lockman *n* executioner.
loddan *n* puddle.
lodesman *n* pilot; steersman.
lo'e *see* **luve**.
loff *n* praise.
loggerin *adj* soaked.
loit *n* turd.
loll *v* mew.
long lie *n* lie-in.
loo *see* **luve**.
lood *adj* loud.
loof *see* **luif**.
loofie *see* **luifie**.
loom *n* diver; fog; haze; mist.
loon, lown *n* boy, lad; stripling; scallywag, scamp; lecher.
loonder *n* wallop, whack. • *v* strike out; wallop, whack.
loonderin *adj* thrashing.
loop *n* bend, winding.
loopie *adj* shifty.
loorie *adj* overcast.
loose *n* louse.
loosies *npl* lice.
loosome *adj* lovable; lovely.
loot *v* yield.
lootch *n* stoop.
lordship *n* royalty.
lose, loss *n* praise.
losh *interj* lord!
loss[1] *v* lose, mislay; unload.
loss[2] *see* **lose**.
lotch *n* snare. • *v* jog.
louch *n* cavity.
loue, love *v* praise.
lounlie *adj* sheltered.
loup *see* **lowp**.
loupen-steek *n* broken stitch.
lour *n* lure.
lourd *adj* dull; surly.
louse *see* **lowse**.
lout *v* bow down.
lout, lowt *v* stoop.
louthshouther'd *adj* round-shouldered.
lovanentie! *interj* dear me!
love *see* **loue**.
lovie *n* lover.
low *v* haggle; stop.
lowden *v* calm; die down; moderate; reduce; subdue.
lowe *n* fire; flame; radiance. • *v* burn; rage; flare.
lown[1] *adj* serene; peaceful; still; sheltered; windless; undemonstrative. • *adv* peacefully. • *n* calm; peace; silence; peaceful place. • *v* tranquillise.
lown[2] *see* **loon**.
lownd *adj* quiet.
lowp, loup *n* jump, leap. • *v* bound, jump, leap; pop; spring; **lowp aff** alight, dismount; **lowp on** mount; **lowp the kintra** emigrate.
lowpin-on stane *n* mounting stone.
lowrie *n* fox. • *adj* foxy.
lowse, louse *adj* dishonest; immoral; lawless; licentious; loose; loose-fitting; unfastened; unsettled. • *v* detach; knock off; let go; release; undo, unbind.
lowsen *v* loosen; untie.
lozen *n* pane of glass.
lozenger *n* lozenge.
lozenit *adj* glazed.
lozent *adj* criss-crossed.
lubbard *n* lout; coward.
lubbertie *adj* lazy.
luck *v* prosper; succeed.
lucken *adj* locked up. • *v* lock.
lucken-brow'd *adj* close-browed.
luckie *n* old woman.
luck-pock *n* lottery.
lucky *adj* ample.
lucky poke *n* lucky dip; raffle.
ludge *n/v* lodge.
ludger *n* lodger.
ludgin *n* lodging.
luely *adv* softly.
luf *see* **luve**.
lufrent *n* affection.
lufsum *see* **lusome**.
lug *n* ear; fin; flange; flap. • *v* cut off the ears.
luggie *n* small wooden dish.
lugmairk *n/v* earmark.
luif, loof *n* palm; paw.
luifie, loofie *n* smack on the hand.
luim *n* implement; instrument; loom.
lum *n* chimney; chimney stack; funnel.
lumbagie *n* lumbago.

lum can, lumheid *n* chimney pot.
lum hat *n* top hat.
lummed *adj* thwarted.
lunk, lunkie, lunkit *adj* lukewarm; (*weather*) close.
lunkhole *n* hole in a dyke for sheep.
lunt[1] *n* match, light; column of smoke. • *v* puff out smoke.
lunt[2] *v* walk fast.
lunyie *n* loin; hip.
luppen sinnon *n* ganglion.
lurdane *n* fool.
lusome, lusum, lufsum *adj* lovely.
luss *n* dandruff.
lusty *adj* beautiful; pleasant.
lusum *see* **lusome**.
lute *n* sluggard.
luthrie *n* lechery.
luve, luf, lo'e, loo *n/v* love.
luve-bairn *n* bastard, love-child.
luve-blink *n* loving look.
lyam *see* **liam**.
lyardly *adv* sparingly.
lyart *adj* grey; silvery; grizzled; multicoloured.
lyflat *adj* deceased.
lyin siller *n* ready cash.
lyke, lik *n* corpse.
lykly *adj* good-looking.
lyksay *adv* like as.
lymfad, lymphad *n* galley.
lynn *see* **linn**.
lyomons *npl* feet.
lype *n* crease.
lyre *see* **lire**.
lyte *n* short time.
lyter *v* loiter.
lythe[1] *n* pollack.
lythe[2] *n* shelter.
lythocks *n* meal poultice.

M

ma[1] *pron* my.
ma[2] *see* **mair**.
maa, mae *n/v* bleat, baa.
maad *see* **maud**.
macer *n* mace bearer; drinking cup.
mach *see* **maich**.
mache *v* strive.
machine *n* vehicle.
machle *v* be busy doing nothing.
macht *n* strength.
mack *adj* neat.
macklack *adv* clatteringly.
mackrel *n* pimp.
mad *adj* annoyed; indignant.
madderam *n* folly; hilarity; insanity.
made on *adj* simulated.
made tie *n* bow-tie.
made up *adj* elated.
mae[1] *see* **mair**.
mae[2] *see* **maa**.
maese *v* allay.
magg *v* steal.
maggie *n* magpie.
maggotie *adj* whimsical.
maggs *npl* gratuity.
magink *n* oddity; queer-looking person.
magistrand *n* final-year undergraduate.
mags, maigs *npl* hands.
maich, mach *n* son-in-law.
maichless *adj* feeble.
maid *n* maggot.
maiden *n* corn dolly; guillotine; spinster.
maid-in-the-mist *n* navelwort.
maig *v* handle roughly.
maighrie *n* money; valuables.
maik, mayock *n* equal; peer.
maikless *adj* matchless.
mail *n* mark, stain; tribute.
mail-free *adv* rent-free.
mail gairden *n* market garden.
mailie *n* pet ewe.
main *adj* low-class.
mainner[1] *n* manner.
mainner[2] *n* fertiliser, manure. • *v* fertilise, manure.
mainnerlie *adj* mannerly.
mainners *npl* manners.
mains *n* home farm.
mainto *n* obligation.
mair[1], **ma, mae** *adj* more. • *adv* more; moreover.
mair[2] *n* sheriff's officer.
Mairch *n* March.
mairch *n* border, boundary, frontier; line; march. • *v* be bounded by; march; **mairch wi** adjoin.
mairchant *n* customer.
mairch dyke *n* boundary wall.

mairch-stane *n* landmark.
mairriage *n* marriage; matrimony.
mairry *v* marry.
mairtin *n* martin.
mairtyr *n* martyr. • *v* wound.
mais'd *adj* overripe.
maist *adj* major; most. • *adv* most.
maister *n* master; boss; director.
maister an mair *n* autocrat.
maistlie, maistly, maistlins *adv* most of all, mostly; especially; largely.
mait[1] *adj* weary.
mait[2] *n* flesh, meat; sustenance; diet. • *v* cater; feed.
mait-lik *adj* well-fed.
mait-rife *adj* abounding in food.
maitter *n* affair; matter. • *v* matter.
major-mindit *adj* high-minded.
mak *v* compose poetry; avail; make; set, thicken; **mak a bauchle o** ridicule; **mak a fashion o** pretend to do; **mak a rue** repent; **mak for** look like; prepare for; **mak in with** ingratiate; **mak murn fur** bewail; **mak o** cherish; **mak on** pretend; simulate; **mak siccar** ensure; **mak to** approximate; **mak up** remunerate; **mak weel** get on, succeed.
makar *n* poet.
makint *adj* confident.
makly *adj* seemly. • *adv* equally.
mak-on *n* impostor; make-believe.
malagrooze *v* disarrange.
male *see* **meal**.
malegrugrous *adj* grim.
malice *n* illness.
malifice *n* sorcery.
malison *n* curse; malediction.
malky *n* razor.
mallat *v* feed.
mallduck *n* fulmar.
malvesie *n* malmsey.
mam *n* mum.
mammie *n* mummy.
mamp *v* nibble.
man *see* **maun**.
man-body *n* adult.
mand *n* payment.
mandrit *adj* tame.
mane *n* complaint; dirge. • *v* console; pity; bemoan.
mang *v* stupefy; hurt.
mangle *v* press smooth.
mangyie *n* hurt.
manheid *n* manhood.
maniable *adj* able to be handled.
manish *v* cope; manage.
mank *v* blemish; maim; mar.
mankit *adj* corrupt; mutilated.
manly *adj* human.
manner *v* mimic.
mannie *n* little man; captain, skipper.
manrent *n* homage.
manritch *adj* masculine.
manse *n* minister's house.
manswear *v* perjure.
manswearing *n* perjury.
mansworn *adj* perjured.
mant, maunt *n* impediment. • *v* stutter.
manteel *n* mantle.
manter *n* stutterer, stammerer.
mantie-maker *n* dressmaker.
mappit *adj* thick-headed.
mar, marr *n* obstruction; injury; disadvantage. • *v* mutilate; obstruct.
marbel *adj* feeble.
marbles *npl* taws.
marbyr *n* marble.
march *see* **mairch**.
mare *n* mason's hod.
margulyie *v* spoil.
marischal *n* steward, marshal. • *v* marshal.
marish *adj* marshy.
mark *n* importance. • *v* note.
markit *adj* distinguished; notable.
marled *adj* variegated.
marlie *adj* mottled.
marmaid *n* mermaid.
maroonjous *adj* outrageous.
marr *see* **mar**.
marrot *n* guillemot.
marrow, marra *adj* equal. • *n* companion; spouse; consort; match. • *v* match; equal.
marrowless *adj* incomparable; matchless; unequalled; unmarried.
mart *n* winter provisions.
martlet *n* martin.
masar, mazer *n* drinking cup.
masel *pron* myself.
mashie *n* golf club.
mashlach *adj* mingled.
mashlin *n* mixed grain.
mask *n* mesh. • *v* brew; infuse; enmesh.
mask-fat *n* brewing vat.

maskin *adj* brewing.
maskin-pat *n* teapot.
massacker *v* batter; maul; mutilate.
massie *adj* boastful; self-important.
massymore, massimore *n* dungeon.
matit *adj* spent.
mattle *v* nibble.
mauch *n* marrow, pith; maggot.
mauchless *adj* helpless; powerless.
maucht *n* strength.
mauchy *adj* dirty.
maud, maad *n* grey shepherd's plaid.
maugre *n* ill-will. • *prep* despite. • *v* dominate; master; spite.
mauk *n* maggot.
maukin *n* hare; young girl.
maukit *adj* filthy; maggoty.
maum *v* steep.
maumie *adj* full-bodied; luscious; mellow; ripe.
maun, man[1] *v aux* must.
maun, man[2] *v* accomplish, effect; control.
maunder *v* jabber.
maundrel *n* chatterer.
maunner *v* maunder.
maunt *see* **mant**.
maut *n/v* malt.
mautman *n* maltster.
mavis *n* thrush, song thrush.
maw *n* mallow.
maw[1] *n/v* mew, miaow.
maw[2] *n* seagull.
maw[3] *v* mow; scythe.
mawer *n* mower.
mawsie *adj* strapping. • *n* hard woman.
mawten *v* malt.
may *n* maid; girl.
maybe *n* possibility.
mayock *see* **maik**.
maze[1] *n* measure of herrings.
maze[2] *n* astonishment.
mazer *see* **masar**.
meal, male *n* oatmeal; flour made from oats or barley.
meal-ark, meal kist *n* meal chest.
mealie pudding *n* oatmeal pudding.
mealock *n* crumb.
mean *adj* scraggy.
mear *n* mare.
measelt *adj* blotchy.
meath *n* maggot.
meat-rife *adj* abounding in food.
mebbe *adv* maybe; perhaps; possibly.
meble *n* moveable object.
meckant *adj* mischievous.
mede *n* meadow.
mediciner *n* physician.
meduart *n* meadow-sweet.
meeth[1] *adj* modest.
meeth[2] *see* **meith**[2].
meethless *adj* inactive.
meeths *npl* bodily action.
meg *n* flipper.
megrim *n* whim; preposterous idea.
meik *v* tame, humble.
meikle, mekyl *adj* big; great. • *adv* much.
meir *n* mare.
meis, mese *v* mitigate.
meisel *v* crumble.
meith[1] *n* mark; boundary marker; feature; landmark. • *v* mark boundaries of.
meith[2], **meeth** *adj* sultry.
meithie *adj* maggoty.
meiths *npl* boundary.
mekyl *see* **meikle**.
melder *n* quantity of meal ground at a time.
meldrop *n* drip.
mell[1] *n* club; hammer. • *v* hammer.
mell[2] *v* amalgamate; mix; blend; consort; meddle.
melt *n* milt, sperm; spleen; tongue.
meltith *n* meal.
mem *n* madam.
memerkin *n* something very small.
memmit, memt *adj* related; allied.
mend *v* atone; fatten; reform.
mends *npl* amends; atonement; compensation; damages; reparation; penance.
mene *n* meaning; moaning. • *v* bemoan; intend.
meng *v* become mixed.
mengie *n* collection.
mense *n* discretion; etiquette; common sense; hospitality; honour; tact. • *v* treat respectfully. • *v* adorn; grace.
menseful *adj* discreet; courteous; intelligent; polite; sensible.
menseless *adj* boorish; silly; grasping; extortionate.
mention *n* trifle.
menye, meynie *n* followers.
mercat *n* market; commerce.
mercat cross *n* market cross.
merch *see* **mergh**.

merchan *n* merchant; shopkeeper.
merciable *adj* merciful.
merciall *adj* martial.
merciment *n* mercy.
mercury *n* barometer.
mere *n* boundary; sea.
mergh, merch *n* marrow, pith.
merk *n* mark; silver coin. • *v* mark.
merle *n* blackbird.
merrit *adj* married.
merry dancers *n* northern lights, aurora borealis.
merry-hine *n* dismissal.
merse *n* fertile land among hills.
mervie *adj* rich, mellow.
mervil *adj* inert.
mese *see* **meis**.
message boy *n* errand boy.
messages *adj* shopping; purchases; errands.
messan *n* small dog, mongrel.
metal *n* roadstone.
mete *v* paint.
mett *n* measure; measurement.
mettle *adj* mettlesome; sturdy.
Mey *n* May.
Mey bird *n* whimbrel.
meynie *see* **menye**.
mi *pron* my.
micht *n* might.
michtie *adj* mighty; stately; scandalous; disgraceful; shameful.
mid *n* midst. • *prep* midst.
midden *n* dung heap; bin; compost heap; rubbish dump.
midden bree *n* effluent.
midden hole *n* hole for dung.
middle *v* interfere, meddle.
middlin *adj* medium; moderate; tolerable. • *adv* fairly; tolerably.
middlins *adv* moderately.
midgie, midge, mudge *n* gnat.
midnicht *n* midnight.
mids *adj* middle. • *n* centre; compromise.
miff *n* petulant fit.
mildrop *n* snot; froth.
milk-hoose *n* dairy.
mill[1] *n* snuff-box.
mill[2] *n* fight. • *v* beat, drub.
millart *n* miller.
millstew *n* mill dust.
milltrowse *n* mill sluice.
milner *n* dweller by a mill.
milygant *n* false person.
mim *adj* affected; prim, prudish, mealy-mouthed; restrained. • *adv* primly.
mim-mou'd *adj* mincing; affectedly modest.
min *adj* less.
mince *n* minced meat.
minch *n* minced meat. • *v* mince.
mind *v* remember; recall; remind; intend.
minding *n* keepsake; memory; souvenir.
mine *n* level.
mine ain *pron* my own.
mines *pron* mine.
ming[1] *v* mix; confuse.
ming[2] *n* bad smell. • *v* give off a bad smell.
minging *adj* smelly; stinking.
minikin *adj* very small.
mink *n* noose; entanglement; matrimony.
minnie *n* mother; female parent of an animal; **minnie's bairn** mother's pet.
minnon *n* minnow.
minnonette *n* mignonette.
mint *n* aim, purpose; attempt; feint. • *v* hint; aim; attempt; allude; feint; intend; plan; utter; **mint at** speak of.
minute *n* dot.
minuwae *n* minuet.
miraculous *adj* loutish.
mird *v* make advances to; meddle; jest; **mird wi** deal with.
mire-duck *n* mallard.
mirk *n* black; obscure; dark. • *adj* dark; gloom. • *v* darken.
mirken *v* darken.
mirkie, mirky *adj* merry. • *adv* merrily; pleasantly.
mirkin *n* nightfall.
mirklins *adv* in the dark.
mirksome *adj* gloomy; murky; sombre.
mirky *see* **mirkie**.
mirlie *adj* speckled.
mirligoes *n* dizziness.
mirls *n* measles.
mirrot *n* carrot.
misanswer *v* disobey.
misbehadden *adj* improper; out of place; unbecoming.
misca *v* decry; denounce; disparage; mispronounce; slander.
miscairry *v* miscarry.
miscaw *v* miscall; revile.

mischancie *adj* unfortunate.
mischant *n* evildoer. • *adj* wicked.
mischanter *n* disaster.
mischief *n* wicked person; misfortune.
mischieve *v* be hurt.
mischievious *adj* mischievous.
miscomfit *v* displease; offend.
miscontentit *adj* dissatisfied.
misdoubt *n* doubt. • *v* doubt; mistrust.
misert *adj* miserly. • *n* miser.
misfall, misfare *v* miscarry.
misfault *n* misdeed.
misfortunate *adj* luckless.
misgae *v* fail; miscarry; miss; let down.
misgoggle *v* spoil.
misgrugle *v* rumple.
misguide *v* abuse; waste; mismanage.
mishannle *v* maim; mangle.
mishanter *n* disaster; misfortune; mishap.
misharrit *adj* unhinged.
misk *n* coarse grassland.
misken *v* be ignorant of.
misleard *adj* rude, slatternly; deluded.
mislearit *adj* misinformed.
mislearnit *adj* erroneous.
mislippen *v* distrust; neglect; overlook; disappoint.
mismae *v* disturb.
mismaggle *v* spoil.
mismak *v* shape wrongly.
mismarrow *v* mismatch.
mismarrowed *adj* ill-assorted.
misperson *v* abuse.
misred *adj* complicated.
miss, mys *n* fault. • *v* avoid; escape; fail; **miss yersel** *v* miss something.
missaying *n* calumny, lie.
misset *v* displease.
missionar *n* preacher.
misslie *adj* solitary.
mistaen *adj* mistaken; misunderstood.
mistak, mistaik *n* misapprehension; mistake. • *v* mistake; transgress; neglect.
mistell *v* misinform.
mister *v* need.
mistimeous *adj* unpunctual.
mistlie *adj* solitary.
Mistress *n* Mrs.
mistrow *v* suspect.
mistrowing *n* distrust.
mistryst *v* seduce; fail to meet.
mith *v* may.
mither *n* mother.
mitle *v* eat away.
mittens *npl* woollen gloves.
mittle *v* hurt.
mixit, mixt *adj* fuddled; tipsy.
mixter-maxter *adj* heterogeneous; motley.• *n* concoction; confusion; hotchpotch; mixture.
mizzer *n/v* measure.
mizzle[1] *v/n* muzzle.
mizzle[2] *v* disappear; melt away.
moach *v* rot.
moch[1], **mogh** *n* moth.
moch[2], **mochy, moich** *adj* moist.
mochie[1] *adj* moth-eaten.
mochie[2] *adj* muggy.
mochre *v* hoard.
mockrif *adj* sardonic; scornful.
mode *n* courage.
moderate *v* preside.
modgel *n* noggin.
modren *n* modern.
mody, mudie *adj* bold.
moggan *n* sleeve; footless stocking.
mogh *see* **moch**[1].
moich *see* **moch**[2].
moider *v* knock insensible.
moidert *adj* dull.
moil *n* hard labour.
moilie *n* unhorned bullock; mild person.
moister *n* moisture.
mollat *n* bridle bit; curb.
molligrant *adj* whining.
moloss *adj* loose.
molten *v* melt.
mon *see* **mun**.
Monanday *n* Monday.
mone *v* take notice of.
moneth *n* month.
monie, mony *adj* many.
moniefeet *n* centipede.
moniment *n* monument; laughing stock.
moniplied *adj* manifold.
moniplies *npl* tripe.
Mononday *n* Monday.
month o muins *n* eternity.
mony *see* **monie**.
moo *see* **mou**.
moodie *adj* brave.
moog *n* mug.
mool[1], **moul** *n* chilblain.
mool[2] *n* slipper.

mool[3] *n* mould. • *v* crumble; **mool wi** dally with.
moolder *v* moulder.
mooldin *n* moulding.
moond *n* mound.
moose *n* mouse.
moose-fa *n* mousetrap.
moose wab *n* cobweb, spider's web.
moot[1], **mute** *n* hint; insinuation. • *v* insinuate; whisper; say; divulge; fritter.
moot[2], **mout** *n* moult. • *v* decay.
mooth[1] *adj* misty.
mooth[2] *see* **mou**.
moothie *n* mouth organ.
mootie *adj* parsimonious.
mootle *v* nibble.
morn *n* morrow, tomorrow.
mornin *n* morning.
morning *n* morning tipple.
morn's morn *n* tomorrow morning.
morn's nicht *n* tomorrow night.
morroch *v* soil.
mortal *adj* dead drunk.
mort-claith, mortcloth *n* pall.
mort-heid *n* death's head; turnip lantern.
moss *n* bog, marsh; moor; peat bog; swamp.
moss aik *n* bog oak.
moss-bummer *n* bittern.
moss-hag *n* peat working.
mossie *adj* boggy; swampy.
mosstrooper *n* bandit.
most *n* mast.
mosted *adj* crop-eared.
mote[1] *n* flaw.
mote[2] *n* embankment.
moth *adj* warm.
mothie *adj* unaired.
mou, moo, mooth *n* mouth; blade. • *v* mention; tell.
mou-ban *v* articulate.
moudie *see* **mowdie**.
moul *see* **mool**[1].
mounth *n* mountain.
moup *n* nibble.
mou-poke *n* nosebag.
mouser *n* moustache.
mout *see* **moot**[2].
mouten *v* dissolve.
mouter *v* fret.
moutit *adj* reduced.
movir, mure *adj* mild.
mow *v* copulate.
mowar *n* mocker.
mow-bit *n* morsel.
mowch *n* spy.
mowdie, moudie *n* mole; mole-catcher.
mowdiehill *n* molehill.
mowdieskin *n* moleskin.
mowdieworp *n* mole.
mowdiewort *n* intriguer; recluse; slow-witted or underhand person.
mowe *n* dust.
mowp *v* nibble.
moy *adj* gentle.
moyen *n* foreknowledge; forewarning; prescience; mediation. • *v* induce; recommend.
moyt *adj* many.
mozie, mozy *adj* decayed.
muck *n* dung; clutter. • *v* shift dung; clean.
muckflee *n* dung-fly.
muckle *adj* great; big; large; mature; much; **muckle big** huge, vast. **muckle mou'd** wide-mouthed. • *adv* much.
muckle coat *n* overcoat.
muckle kirk *n* parish church.
mud *n* stud.
muddle *v* grub; overturn.
mudge[1] *n* motion; movement. • *v* shift; move.
mudge[2] *see* **midgie**.
mudgeons *npl* frownings.
mudgins *npl* movements.
mug, muggle *v* drizzle.
muggart *n* mugwort.
mugger *n* crockery seller.
muggy *adj* drizzly; tipsy.
muid *n* mood.
muild *n* soil.
muilder *v* putrefy.
muin[1] *n* goldcrest.
muin[2] *n* month; moon.
muir *n* heath, moorland; common.
muirburn *n* heath-burning.
muith *adj* oppressively hot; warm, misty.
mulberry *n* whitebeam.
muldes, mools *npl* dust.
mule *n* mould.
mulk *n/v* milk.
mulkin steel *n* milking stool.
mull[1] *n* headland.
mull[2] *n* canister.
mull[3] *n* mill.

mull[4] *n* lip.
muller *v* crumble.
mulock *n* crumb.
multi *n* high-rise flat.
mum[1] *n* mutterer.
mum[2] *adj* tingling from cold, numb.
mummle *v* mumble.
mump *v* mimic; shuffle, loaf; mope; mumble; mutter.
mumple *v* retch.
mun, mon *n* man.
munge *v* mumble.
munk *v* diminish.
munkrie *n* monastery.
munsie *adj* contemptible.
munt *n* mount. • *v* mount; adorn.
muntain *n* mountain.
muntin *n* trousseau.
munts *npl* fittings.
murdie-grups *n* belly-ache.
murgeon *n* grimace; murmur. • *v* grimace, mock.
murky *n* dark.
murl *v* disintegrate; pulverise.
murlie *n* small object.
murlin *n* fragment.
murmell *v* protest.
murmichan *n* bugbear.
murmuration *n* murmur.
murn *v* complain; mourn.
murning *n* mourning.
murnings *npl* mourning clothes.
murr *n* purr.
murther *n* murder. • murder; bedevil; persecute.
murtherer *n* killer, murderer.
musall, mussall *n* veil. • *v* veil.
mush *n* muttering.
musicker *n* musician.
musk *n* moss.
mussel scaup *n* mussel-bed.
must *n* mould.
mustart *n* mustard.
muster *v* talk volubly.
mutch *n* woman's headdress.
mutchit *n* brat.
mutchkin *n* pint.
mute *see* **moot**[1].
muther *n* great number.
muve *v* move.
myance *n* wages.
mynde *n* mine. • *v* undermine.
mype *v* talk too much.
myrkest *adj* rottenest.
mys *see* **miss**.
mystir *adj* necessary.

N

na[1] *conj* but; than.
na[2] *see* **nae**.
nab *n* peg; smart stroke.
nabal *adj* churlish; grasping. • *n* miser.
nacket *n* pert or precocious child; insignificant person.
nacketie, nackety *adj* compact.
nackit *adj* bare.
nadkin *n* bad smell.
nae, na *adj* no. • *pron* not any. • *adv* no; not; **nae bother** easily; **nae doot** doubtless; **nae ornar** unusually; **nae place** nowhere.
naebodie *pron* nobody.
nae-canny *adj* unnatural.
nae-fair *adj* unfair.
naegait *adv* in no way.
nae-in *adj* absent-minded; daydreaming.
nae-richt *adj* simple-minded.
nae see by *v* favour.
naet *n* nought.
naethin *n* nothing.
nae-weel *adj* unwell, indisposed.
nae-wicelik *adj* bizarre.
naffing *n* idle chat.
nag[1] *n* peg.
nag[2] *v* strike; taunt.
naig *n* horse.
nail *v* clinch.
nain *adj* own.
naipkin *n* handkerchief; napkin.
nairra-nebbit *adj* bigoted, prejudiced; sharp-nosed.
naistie *adj* nasty.
naither, naitherans, nather *conj* neither.
naitral *adj* natural.
naitur *n* nature.
nakit *adj* bare; naked, nude.
nam *v* seize hold of.
namecouth *adj* famous.
namelie, namely *adj* noted; notable; famous.
nane *adj* no; none. • *pron* none; not any.

nap *n* milk vessel.
naperie *n* table linen.
naperie press *n* linen cupboard.
nappit *adj* ill-humoured.
nappy, nappie *adj* heady, foaming; tipsy. • *n* ale.
nar *adj* close, near. • *adv* near; nearly. • *conj* nor. • *prep* close by, near.
narby *adj* nearby.
narr *v* snarl.
narrer *adv/prep* nearer.
narrest *adv/prep* nearest.
narvis *adj* Norwegian.
na-say, nay-say *n* contradiction; denial; refusal; veto. • *v* deny; veto.
nash *v* prate.
nar-side *n* left side.
nat *adv* not.
natch *n/v* notch.
nate *adj* exact; neat; trim.
natheless *adv* notwithstanding.
nather *see* **naither**.
natter *adj* nagging. • *v* nag; rant.
nattle *v* nibble.
naturaill *adj* lawful.
natural philosophy *n* physics.
nauchle *n* dwarf.
naukie *adj* wheezing.
naur *adj* near.
nawiss *adv* nowadays.
nay-say *see* **na-say**.
ne[1] *adv* near.
ne[2] *conj* neither.
ne[3] *v* neigh.
neaphle *n* trifle.
near *adj* niggardly. • *adv* almost; narrowly; nearly.
nearaboot *prep* near.
near cut *n* short cut.
near-gaun *adj* niggardly.
near-han, nearhand *adj* near, close; neighbouring.
neb *n* beak, bill; nose; face; nib; tip; pinpoint; projection; nosy person. • *v* pry.
nebbie *adj* nippy; nosy.
nebbit *adj* beaked.
nece *n* granddaughter.
necessar *adj* essential; necessary.
necessars *npl* necessaries.
necessitat *v* necessitate.
neck *n* collar. • *v* embrace.
neck-break *n* ruin.
ned *n* tearaway; yob.
nedeum *n* gnawing pain.
nedmist *adv* undermost.
neebor *see* **neibor**.
needcessitie *n* necessity; need.
needful *adj* indigent; needy.
neef *n* difficulty.
neemit *n* dinner.
neep *n* swede, turnip.
neep-cutter *n* turnip slicer.
neep-heid *n* blockhead.
neep-lantern *n* turnip lantern.
neepshaw *n* turnip top.
Ne'erday *n* New Year's Day; New Year gift.
neese *v* sneeze.
neeshin *v* be on heat.
neesing *n* sneezing.
neet *n* nit.
neet *n* nit; miser.
neeze *n* sneeze.
neff *n* nave; hand.
neffit *n* dwarf.
neffow *v* take in handfuls.
negleck *n/v* neglect.
neibour, neebor *n* neighbour; counterpart; bedfellow; mate; partner.
neibourheid *n* neighbourhood.
neibourlik *adj* neighbourly.
neibours *adj* much alike.
neich *n* approach.
neid *n* need.
neidforse *n* necessity.
neiffar *see* **niffer**.
neipert *n* neighbourliness.
neipsie *adj* prim.
neir, neyr *n* kidney.
neist *adj* next; nearest.
neithers *prep* notwithstanding.
neive *see* **nieve**.
nem *n/v* name.
nerby *adv* nearby.
nere hand *adv* nearly.
nere til *prep* close to.
nervish *adj* nervous.
ness, nes *n* bluff, headland, promontory.
nestie *adj* nasty. • *v* befoul, foul.
net *n* caul.
nether[1] *adj* lower; under.
nether[2] *n* adder.
nether end *n* backside.
nethmaist, nethmost *adj* lowest; undermost.

nettlie *adj* ill-humoured.
netty *n* wool-gatherer.
neuk *n* alcove, recess, corner; nook.
neukit *adj* crooked.
nevel, nevell *n* punch. • *v* pummel, punch.
nevelling *n* fisticuffs.
nevilstane *n* keystone.
nevin *v* name.
nevoy *n* grandson; great-grandson; nephew.
nevoy *n* nephew.
new[1] *adv* newly.
new[2] *v* curb.
newfangle *n* innovation.
new-farran *adj* newfangled, novel.
newin *n* novelty.
newings *npl* news.
newis, newous *adj* greedy for.
newlins *adv* newly, recently.
newmost *adj* nethermost.
newous *see* **newis**.
newse *v* talk over the news.
next *adj* next but one.
neyr *see* **neir**.
nib *n* nip; pinch; pencil-point. • *v* pinch.
nibbie *n* shepherd's crook.
nibbit *n* sandwich.
nice *adj* simple.
nice-gabbit *adj* faddish about food.
nicher *v* neigh, whinny.
nicht *n* night.
nichtingale *n* nightingale.
nicht mutch *n* nightcap.
nick *v* catch; cut off; drink heartily; snip.
nicket *n* small notch.
nickle *n* knuckle.
nicknackie *adj* skilful.
nicks, nix *v* set up a mark.
nickstick *n* tally.
nickum *n* scallywag.
nicky-tams *n* trouser ties below the knees made of string or leather.
nicniven *n* chief witch.
nidder *v* depress; pinch.
niddle *v* work uselessly with the fingers.
nidge *n* nudge.
nid-noddin *adj* dozing; nodding.
nidge *v* nudge; squeeze through.
nidgel *n* fat youth.
nief *n* female bondservant.
nieve, neive *n* fist.
nieveful *n* fistful.
nieves *npl* fisticuffs.
niffer, neiffar *n* barter; exchange. • *v* bargain; barter; exchange; trade.
niffnaffs *npl* trifles.
niggar *n* miser, niggard.
nimmle *adj* nimble.
nimness *n* neatness.
nineteent *adj* nineteenth.
nint *adj* ninth.
nip *n* pungency; pinch; notch; advantage; fragment; piece. • *v* cheat; steal; catch; constrict; smart.
nipcaik *n* secret eater.
nip-lug *n* acrimony; backbiting; squabbling.
nippers *npl* pincers.
nippit, nippie, nippy *adj* niggardly, cheeseparing, miserly, avaricious; brusque, bad-tempered; narrow-minded; terse; tight-fitting.
nippity *adj* jerky.
nippy-sweety *n* bitter person.
nipscart *n* mean person.
nirb *n* stunted thing.
nirl *n* crumb; dwarf. • *v* shrink; diminish; pinch with cold.
nirled, nirlie *adj* stunted.
nit *n* nut.
nitch *n* bundle; notch.
nither[1] *adv* nether.
nither[2] *v* shrivel; be cold.
nitherie *adj* feeble-growing.
nithering *adj* biting.
nithert *adj* shrivelled.
nittles *npl* new horns.
niver, nivir *adj* never. • *adv* never; **niver heed** never mind.
nix *see* **nicks**.
nixie *n* water nymph.
nixt, nixtin *adj* next.
nizwise *adj* perceptive.
nizzlin *adj* miserly.
no *adv* not.
no-able *adj* unfit.
no-bad *adj* satisfactory.
nocht, nochtis *n* nothing; naught.
nochtie *adj* puny.
nock *n* notch; clock.
nocket *n* midday meal.
noddle *n* head; brain.
noddy *n* cab; coach.
nodge *n/v* nudge.
nog *n* knob; peg.

noggie *n* drinking cup.
noise *v* clown.
noisome, noyous *adj* noisy.
noit *v* beat.
noitled *adj* drunken.
noll *n* push. • *v* strike with the knuckles.
nolt, nout *n* black cattle.
nolt-hird *n* cattle herd.
noo *adv* now.
nooadays *n* nowadays.
noof, nuff *adj* neat.
noop *n* cloudberry.
nor[1] *adv/conj* than.
nor[2] *n* north.
no-richt *adj* abnormal; unwell.
norie *n* notion.
norlan *adj* northern.
norlander *n* northerner.
norlin *adj* northerly.
norlins *adv* northwards.
normost *adj* northernmost.
Norn *n* language of the Northern Isles.
northart *adj* northern.
northart *adv* northwards.
nosethirl *n* nostril.
nosewiss *adj* keen-smelling.
nost *n* noise; chatter.
note *v* use.
noteless *adj* unnoticed.
notour *adj* infamous, notorious.
nourice, nouris *n* nurse; foster-mother. • *v* nourish.
noust *n* landing place.
nout *see* **nolt**.
now *n* top of the head.
no-weel *adj* ailing.
no-wise, no-wyse *adj* weak in the head; deranged.
nowmer *v* count.
nowt *n* nothing.
noy *v* annoy.
noyit *adj* vexed.
noyous *see* **noisome**.
nuce *adj* destitute.
nuff *see* **noof**.
nuin, nune *n* noon.
nummer *n/v* number.
numptie *n* nitwit.
nune *see* **nuin**.
nuse *v* knead.
nyaff *n* insignificant or pert person. • *v* yelp.
nyaffing *adj* idle; insignificant.
nyarr *v* fret.
nyatter *v* chatter.
nyle *n* navel.
nyse *v* beat; thump.
nyte *v* deny.

o, oan *prep* of; on.
oam *n* air, atmosphere; aroma; condensation; shimmer.
obefore *adv* before.
obeisance *n* subjection.
objeck *n* object; article. • *v* object.
object *n* witless person.
obleegement *n* favour; obligation.
obleis *v* bind; oblige.
obscure *adj* secret.
observe *n* observation, remark.
obset *v* repair.
obtemper *v* obey.
ochone *interj* alas.
ocht *n* ought. • *pron* anything.
ocker *n* usury.
ockerer *n* moneylender.
odds *n* consequence; change.
oder *conj* either.
odious *adj* excessive, intense.
odoure *n* nastiness.
odsman *n* chief arbiter.
oe, oo *n* grandchild.
o'er *see* **ower**.
offcome *n* apology.
offer *n* projecting bank.
off-faller *n* apostate.
offgoing *n* death.
offish *n* office.
offisher, officiar *n* officer; court official.
offset *n* recommendation.
ogart *n* pride.
ogertful *adj* squeamish.
olick *n* tusk.
olie *n* oil.
olight *adj* nimble.
oliphant *n* elephant.
olite *adj* ready.
omast *adv* uppermost.
on-beast *n* monster.

onbraw *adj* ugly.
on brede *adv* wide open.
oncome *n* approach, attack, development, progress.
oncost *n* overheads.
onder *adv* under.
onding *n* downpour; fall of snow; attack, onset, onslaught.
oneith *adj* uneasy. • *adv* with difficulty.
onfa *n* snowfall; coming on of night.
onfeel *adj* unpleasant.
onfrack *adj* lax.
on fur yersel *adj* independent.
ongae *n* progress.
ongauns *npl* behaviour, goings-on, happenings, procedure.
on-hanger *n* hanger-on.
on hecklepins *adj* anxious.
onie, ony *adj* any.
onie ane, onie yin *adj* anyone.
oniebodie *n* anybody.
onie gait *adv* in any place.
onie how, onie road *adv* anyhow.
oniething *pron* anything.
oniewey, onieways *adv* anyhow; anywhere.
onkennable *adj* unknowable.
onker *n* portion of land.
onlay *v* superimpose.
onless *conj* unless.
onlouping *n* mounting of a horse.
onlyf *adj* alive.
on-marrows *adj* sharing.
on-nettles *adj* uneasy.
on-past *adj* not having passed.
onpit *n* array, costume.
onsettin *adj* ugly. • *n* attack.
onstead *n* farm building.
ontak *n* job.
ontakkin *n* enterprise.
onter *v* rear.
on the road *adj* pregnant.
on till *adv* well nigh to.
ontray *v* betray.
ontron *n* evening meal.
onwaiting *n* attendance, service. • *adj* attending.
ony *see* **onie**.
oo[1] *n* wool.
oo[2] *n* oyster.
oo[3] *v* woo.
oo[4] *pron* we.
oo[5] *see* **oe**.
ooen *adj* woollen.
oof *n* wolf.
oof-lookin *adj* stupid-looking.
ooglie *adj* ugly.
ooie *adj* woolly.
ook, oulk, owlk *n* week.
ooklie *adj* weekly.
ool[1] *n* owl.
ool[2] *v* bully, ill-treat.
oo-mill *n* tweed mill.
oop[1] *adv/prep* up.
oop[2], **wup** *v* bind.
oor[1] *n* hour.
oor[2] *pron* our.
oorie *adj* chilly, frozen, shivery; eerie, uncanny; miserable-looking; raw.
oorlich *adj* out of sorts.
oorsels *pron* ourselves.
oos *n* fluff.
oosie *adj* fluffy; furry.
ooslie *adj* slovenly.
oot *see* **out**.
ooth *n* value.
oowen *adj* woollen.
ooy *see* **ooie**.
open *n* gap, opening.
open tae *adj* available.
opo-pogo-eye *n* gobstopper.
oppone *v* oppose.
or *adv* before; rather than. • *conj* before, lest. • *prep* before.
oranger *n* orange.
ord *n* mountain ridge.
ordeen *v* destine; ordain.
orders *npl* paraphernalia.
ordinar, ornar *adj* ordinary; humdrum, routine.
ore *n* grace; favour.
oreeginal *adj* original. • *n* origin.
orf *n* puny individual.
orison *n* oration.
orlang *n* full year.
ornar *see* **ordinar**.
orp *v* fret.
orphant, orpheling *n* orphan.
orpit *adj* proud.
orra, orrow *adj* abnormal; eccentric, odd, quaint; irregular; miscellaneous; nondescript; spare, occasional; unemployed, unmatched; leftover.
orrals, orras, orrows, orts *npl* bits and

pieces, odds and ends; leftovers, remains, scraps.
orraman *n* odd-jobs man.
ort *v* throw away.
orts *see* **orrals**.
oshen *n* mean person.
ostend *v* show.
ostleir *n* innkeeper.
ostrye *n* inn.
othir *adj* other.
oubit *n* caterpillar.
ouder *n* light haze.
ouer *see* **ower**.
oufdog *n* wolf-dog.
oughtlins *adv* any extent.
ougsome *adj* horrid.
oulk *see* **ook**.
our *v* awe.
ourlop *see* **owerloft**.
ouster *see* **oxter**.
out, oot *adj* outlying; outside. *adv* out; completely. • *v* turn out; expend, issue, divulge.
outa, oota, ootae, ooten *adv/prep* out of.
outaboot *adj* out of the way; outdoor. • *adv* out of doors.
outbearing *adj* bullying.
outbreaker *n* criminal.
outby, ootby *adj* out of doors, outlying. • *adv* outwards; outside. • *n* outskirts.
outca *n* cattle pasture.
outcast *n* quarrel.
outcome *n* emergence; end product; escape; produce; production; profit.
outcoming *n* exit.
outcuissen *n* outcast.
outerlie *adj* offshore.
outerlin *n* black sheep.
outfall *n* dispute.
outfield *n* unmanured arable land.
outforth *adv* henceforth.
outgait *n* exit.
outgang *n* exit; expense; outlay.
outganging *n* going out.
outgaun *adj* ebbing.
outgie *n* expenditure.
outherans *adv* either.
outish *adj* showy.
outlabour *v* exhaust (of soil).
outlak *prep* except.
outlan *adj* exotic; remote. • *n* outcast, alien; outlying land.
outlat *n* outlet.
outler *n* beast that remains outside.
outlin *adj* alien. • *n* foreigner; outlaw.
outly *adv* fully.
outmaist *adj* outermost.
outon *adv* by and by.
out ower *adv* over; **oot ower the lugs** *adj* absorbed.
outpit *v* emit; send out; throw out.
outrake *n* expedition.
outray *v* treat disgracefully.
outred *v* extricate; finish off.
outredding *n* rubbish.
outrel *n* alien; incomer; newcomer; stranger.
outricht *adv* outright.
outrig *n* array, costume, dress, garb.
outrinning *n* expiry.
outroom *n* outer room.
outset *n* arrangement, display, layout; beginning, publication.
outshot *n* pasture land; extension.
outspeckle *n* laughing stock.
outstrikin *n* eruption.
out through *adv* right through.
outwaile *n* rubbish.
outwair *v* expend.
outwan *adv* outwards.
outward *adj* unkind; reserved.
outwark *n* outside work.
outwith *adv* beyond; opposed to; outside; outwards; abroad; away from. • *prep* beyond.
outwittins *adv* without knowing.
over *see* **ower**.
ovies *npl* overall.
ovven *n* oven.
owdience *n* audience.
owe *adj* owing.
ower, o'er, ouer, our, over *adv* excessively; over; too. • *prep* over. • *v* get over, recover from.
owerance *n* ability; dominion; supervision.
owerby *adv* just beside, over.
owercast *adj* overcast.
owercome *n* chorus; theme. • *v* overcome; recover.
owerend *v* turn over.
owerest *adj* highest.
owerfa'in *n* point of childbirth.
owerflete *v* overflow.
owergaffin *adj* clouded.
owergang, owergae *v* go over; give up;

elapse; infest, overrun, dominate, exceed, surpass, oppress.
owerhaile, owerhale, owerharl *v* oppress; overtake; overlook.
owerhaun, owerhan *n* upper hand; victory.
owerheid, owerhede *adv* without distinction. • *n* average. • *adj* untidy, careless.
owerheild *v* cover over.
owerhing *v* overhang.
owerhip *v* skip over.
owerhye *v* overtake.
owerin *n* remains.
oweritious *adj* careless; excessive. • *adv* too much.
owerlay *n* cravat, necktie.
owerleuk *v* overlook.
owerlie *adj* facile; unconventional. • *adv* carelessly, casually.
owerloft, ourlop *n* upper deck.
owerman, owersman *n* inspector; overseer; umpire; ruler.
owermeikle, owermuckle *adj* over much; too much.
owermest *adv* topmost.
owermonie *adj* too many.
owermuckle *see* **owermeikle**.
owernown *n* afternoon.
owerplus *adj* surplus.
owerpooer *v* overpower.
owerrad *adj* too hasty.
owerrate *v* overrate.
owerrax *v* overreach.
ower-richt *adj* awry.
owerrid *v* traverse.
owerrin *v* overrun.
owersailzie *v* build above a close.
owersee *v* oversee, supervise.
owerset *v* defeat; translate.
owersettin *n* translation.
owershot *n* excess.
owersile *v* cover.
owersman *see* **owerman**.
owerstap *v* overstep.
owertaen, owertane *adj* overcome, overtaken.
owertak *v* accomplish in a hurry; overtake.
owerthraw *v* overthrow.
owerthrough *adv* across the country.
owertill *adv* above, beyond.
owerturn *n* turnover.
owerword *n* frequently repeated word; refrain.
owg *v* shudder.
owlk *see* **ook**.
own *v* favour.
owrie *adj* chilly.
owrn *v* adorn.
owse[1] *n* ox.
owse[2] *v* bail.
owsen *n* oxen.
owt *n/pron* anything.
owthor *n* author.
oxter, ouster *n* armpit. • *v* elbow, jostle; take by the arm.
oxterful *n* armful.
oxter-pooch *n* breast pocket.
oyce *n* sea inlet.
oyl-dolie *n* olive oil.
oyne *n* oven.
oynte *v* anoint.
oyss *n* custom; use.

P

paak, paik *v* beat.
paal *n* post.
pabrod *n* pot lid.
Pace, Pasch, Pask *n* Easter.
pace[1] *n* peace.
pace[2] *n* weight.
Pace egg *n* Easter egg.
pack[1] *adj* familiar.
pack[2] *n* conspiracy.
pack[3] *n* property.
packald *n* pack.
packet *n* pannier.
packhouse *n* store.
packlie *adv* familiarly.
packman *n* pedlar.
paction *n* bargain, collusion, covenant.
pad *n* path, track. • *v* go on foot; trot along.
padder *v* tread.
paddist *n* footpad.
paddit *adj* well-trodden. • *v* trample down.
paddock *n* sledge.
Paddy's mairket *n* shambles, untidy place.
pade *n* toad.
paffle *adj* allotment.
paichled *adj* exhausted.
paid *n* path.

paiddle *v* paddle.
paidle *n* hoe. • *v* paddle; trample; tread down.
paidlin *n* ainless.
paik[1] *n* trick.
paik[2] *see* **paak**.
paikie *n* prostitute.
pail *n* hearse.
pailace *n* palace.
paile *n* canopy.
pailie *adj* deformed.
pailin *n* paling.
painch, pench *n* abdomen, belly; paunch.
painches *n* bowels; entrails; tripe.
pains *n* rheumatism.
paintrie *n* painting.
paip[1] *n* pip.
paip[2] *n* pope.
pair *n* set.
paircel *n* group.
paircel *n* parcel. • *v* parcel.
pairish *n* parish.
pairk *n* park.
pairl *n* pearl.
pair o cairds *n* pack of cards.
pairt *n* part; quota. • *v* part; sever; share.
pairtie *n* party.
pairtless *adj* free from.
pairtlie *adj* partly.
pairtner *n* partner.
pairtsay *n* joint venture.
pais *n* retribution.
paithment *n* pasture; pavement.
paitrick *n* partridge.
palaver *n* claptrap; idle chatter; ostentatious behaviour.
palaverin *adj* ostentatious.
pale *v* cut into.
palie *adj* pallid.
pall[1] *n* bollard; pillar, pole.
pall[2] *v* baffle, frustrate.
pall[3] *v* strike with the fore-hooves.
pallach *n* porpoise.
pallet *n* ball, globe; float.
palmander *n* pomander.
palmer *v* straggle from place to place.
paltrie *n* trash.
palyard *n* lecher.
pam *n* knave.
pan[1] *n* cranium, skull.
pan[2] *n* valance.
pan[3] *v* match.
panash *n* panache.
pand *n* pledge; pawn.
pander *v* drift, trail from place to place.
pandit *adj* pawned.
pan drop *n* mint imperial.
pandrous *n* pimp.
pandy *n* stroke of the tawse on the hand.
pane *n* fine cloth.
panel *n* accused, defendant; prisoner; dock (of court).
pang *adj* full. •*v* cram; throng.
panged *adj* compressed.
pangful *adj* crammed.
panst *adj* cured.
pantener *adj* rascally.
pantoun *n* slipper.
pant-well *n* covered well.
pap[1] *n* woman's breast.
pap[2] *n* sea anemone.
pap[3] *v* move about quickly; shoot.
pap[4], **pawp** *v* beat; dab.
pape *see* **paip**.
papingo *n* parrot.
pap-milk *n* breast-milk.
pap o the hass *n* uvula.
pappant *adj* wealthy.
papple *v* bubble up.
par *v* fail.
paraffin *n* get-up.
parafling *n* evasion.
paraleese *v* paralyse.
paraleesis *n* paralysis.
parawd *n* parade, procession.
parbrake *v* puke.
pare *v* impair.
pareeshioner *n* parishioner.
parigal *adj* equal.
parische *adj* from Paris.
park[1] *n* field, open ground; wood.
park[2] *v* rear.
parkie *n* park-keeper.
parle *n* speech.
parpane *n* wall, partition.
parrach *v* crowd together.
parritch *n* porridge.
parritch-time *n* breakfast hour.
parroch *n* paddock.
parrock *v* shut up.
parry *v* equivocate.
partan *n* sea crab.
parteeclar *adj* particular, exceptional; hygienic • *adv* particularly. • *n* confidential.

parteetion *n* partition.
particularity *n* detail, idiosyncrasy.
partnerie *n* partnership.
partrick *n* partridge.
Pasch, Pask *see* **Pace**.
pass[1] *n* aisle; pace; team.
pass[2] *v* forgive, pardon.
passage *n* corridor.
passments *n* braid.
pass-ower *n* omission.
past a *adj* beyond belief; intolerable.
pastance *n* pastime.
paster *n* pasture.
past mendin *adj* incorrigible; irreparable.
pat *n* pot.
pat-bool *n* pot handle.
pate *n* peat.
patent *adj* ready.
pat-fit *n* pot-leg.
pathlins *adv* by a steep path.
patience *n* passion.
patientful *adj* submissive; long-suffering.
patter[1] *v* beat down, trample.
patter[2] *v* move quickly; repeat in a low voice.
pattle *n* ploughman's stick.
pattren, pattron *n* pattern.
pauchle *n* swindle. • *v* embezzle; pilfer.
pauchtie *adj* haughty, self-important; saucy.
pauge *v* prance.
paukie *see* **pawky**.
paulie *adj* feeble.
paut *v* stamp menacingly; kick.
paveelion *n* pavilion.
pavie *n* lively motion.
paw *n* pa, dad.
pawis *n* parts in music.
pawk *n* wile.
pawkery *n* cunning, guile.
pawkie[1] *n* woollen mitten.
pawkie[2], **pawky, paukie** *adj* astute, roguish, shrewd; humorous, flirtatious. • *n* flirtation.
pawmer *n* palm tree.
pawn[1] *n* pawnshop.
pawn[2] *n* peacock.
pawn[3] *v* foist.
pawnd *n/v* pawn.
pawp *see* **pap**[3].
pawrent *n* parent.
pawt *v* finger; paw.
pay *v* satisfy; drub.
paycock *n* peacock.
paye *n* paving.
payment *n* pavement.
payne[1] *adj* pagan.
payne[2] *v* be at pains.
paysie *n* peahen.
peak *v* squeak.
peakit *adj* peaky.
peanie *n* hen turkey.
pearie *n* humming top.
pearl *v* purl.
pearlin *n* pearlstring.
pearlins *n* lace.
pea-splittin *adj* petty.
peat bree *n* peaty water.
peat-caster *n* peat-cutter.
peat-castin *v* peat-cutting.
peat-corn *n* peat dust.
peat-creel *n* peat basket.
peat-hag *n* peat working.
peat lowe *n* peat fire.
peat moss *n* peat bog.
peat-pat *n* peat trench.
peat-reek *n* peat smoke.
pech, pechle *n* panting breath. • *v* breathe; gasp, puff and pant.
pechan *n* stomach.
pechie *adj* asthmatic, breathless.
pechts *npl* Picts.
pedder *n* pedlar.
pee *v* urinate, soak by urination.
peeble *n* pebble.
peecifee *v* pacify.
peedie *adj* little, tiny.
peeins *n* urine.
peek *n/v* cheep.
peel[1], **peil** *n* palisade, stockade.
peel[2] *n* pill.
peel[3] *n* pool.
peel[4] *v* equal.
peeled egg *n* windfall.
peelie *adj* thin.
peelie-wallie, peely-wally *adj* colourless, pale, sickly-looking.
peel-ringe *n* skinflint.
peen[1] *n* apex; peak; pin; hammer point. • *v* pin.
peen[2] *n* pane.
peenge *v* complain; pine.
peenie, pinnie *n* apron, pinafore.
peep *see* **pepe**.
peepy-show *n* cinema.

peer[1] *n* pear.
peer[2] *v* equal.
peerie *adj* sharp-looking; timid; small.
peerie heel *n* stilletto heel.
peerieweerie, peeriewirrie *adj* minute, very small.
peesie-weesie *adj* sharp-featured.
peesweep, peewee, peeweet *n* lapwing; peewit.
pee-the-bed *n* dandelion.
peetiful *adj* pitiable.
peever *v* piss; wet.
peevers *npl* hopscotch.
pegil *n* dirty housework.
peg off *v* go off.
pegrall *adj* paltry.
peifer *v* whimper.
peikthank *adj* ungrateful.
peil *see* **peel**[1].
peild *adj* bald.
peilour *n* thief.
peisled, pyslit *adj* comfortably off.
pelcher *n* mullet.
pell *n* soured buttermilk.
pellet *n* pelt.
pellock[1] *n* bullet.
pellock[2] *n* porpoise.
peltrie *adj* trashy.
pen[1] *n* conical hill.
pen[2] *n* plume, quill; stalk, stem.
pencefu' *adj* conceited.
pench *see* **painch**.
pend *n* arch; covered entryway; vaulted passageway.
pendit *adj* arched.
pendle *n* pendant; earring; pendulum.
penge *v* droop.
penkle *n* rag, fragment.
penny-bridal *n* wedding where the guests pay for the entertainment.
penny-fee *n* earnings.
penny-pig *n* piggy-bank.
penny-wheep *n* small beer.
penseful *adj* pensive; wistful.
pensie *adj* pompous, self-important; responsible.
pent *n* paint. • *n* paint; paintwork.
pentit *adj* painted.
pep *n* cherry-stone.
pepe, peep *n* chirping.
perdue *adj* driven to extremes.
perdurabil *adj* lasting.
perfit, perfite *adj* perfect. • *adv* perfectly. • *v* consummate; finish.
perish *v* dissipate; polish off.
perite *adj* skilled.
perjink *adj* fastidious, prim. • *adv* fastidiously, primly.
perk *n* clothes rail.
perlicket *n* scrap.
perlie *n* little finger.
permusted *adj* scented.
perneurious *adj* scrupulous.
pernickitie, pernickety *adj* cantankerous; touchy; precise in little things.
perpen, perple, perplin *n* partition.
perr *n* pair.
perrakit *n* chattering child.
pershittie *adj* precise.
persil *n* parsley.
perskeet *adj* unappreciative.
pest *n* plague. • *v* pester; plague.
pet[1] *v* anger; take offence.
pet[2], **pettle** *v* fondle.
peugh *interj* pshaw!
peughle *v* try feebly to do something.
peuther *v* canvass; solicit.
pewl *n* complaint. • *v* complain; **pewl at** pick at (food).
pewther *n* pewter.
pewtherer *n* worker in pewter.
pey[1] *n* pay. • *v* pay for; remunerate.
pey[2] *n* pea.
pey[3] *n* beating, punishment. • *v* punish.
pey bree *n* pea soup.
peyne *v* forge.
peyzart *adj* miserly.
philabeg *n* kilt.
photie *n* photograph.
phrase, phraise *v* wheedle, talk up. • *n* cant; delusion; gush.
phrasie *adj* effusive, fulsome, gushing.
pibroch *n* bagpipe music.
picher *n* pickle.
picht *n* pith, force.
pick[1] *n* pitch, bitumen.
pick[2] *v* pitch, hurl.
pick[3] *v* peck.
picken *adj* pungent.
pickerel *n* dunlin.
picket *adj* shrunken.
picket weer *n* barbed wire.
pickie-fingered *adj* thievish.
pickle[1] *see* **puckle**.

pickle[2] *v* commit small theft.
pickman *n* miner.
pickstaff *n* pike.
pick-thank *adj* ungrateful.
picter *n* picture.
picter hoose *n* cinema.
pie, pye *v* pry.
piece[1] *n* sandwich, packed lunch.
piece[2] *n* space.
piece box *n* packed lunch box.
piece break *n* tea break.
pie-hole *n* eyelet.
pig *n* earthenware pitcher; moneybox.
piggerie *n* earthenware pottery.
pight *adj* pierced.
pikary *n* pilfering.
pike *n* pick. • *v* pick, gather; spike.
pikie *adj* barbed, spiked.
pik-mirk *adj* pitch dark.
pilch *adj* thick.
pile[1] *n* blade.
pile[2] *v* propel.
pilget *v* quarrel.
pilgrimer *n* pilgrim.
pilin *n* fence.
pilk *v* peel, shell, husk.
pillions *npl* rags.
pilliwinks *npl* thumbscrews.
pillowbere *n* pillowcase.
pilyie *v* pillage.
pinch *v* lever.
pinchers *npl* pincers, pliers, tweezers.
pine *n* affliction, suffering.
piner *n* labourer.
pingle *v* strive.
pingle-pan *n* pan.
pinglin, pingling *adj* meticulous, toilsome. • *n* difficulty.
pink[1] *v* trickle, drip, splash.
pink[2] *n* primrose.
pinkie *n* little finger.
pin leg *n* wooden leg.
pinner *n* elaborate headdress.
pinnie *see* **peenie**.
pinnit *adj* suffering from diarrhoea.
pint *n/v* point.
pintit *adj* punctilious; punctual.
pintitlie, pintitly *adv* accurately; punctiliously; punctually.
pintle *n* penis.
pint-stoup *n* two-quart measure.
pipe[1] *n* acorn.
pipe[2] *n/v* flute.
pipe major, pipie *n* pipe-band leader.
pipe-riper *n* pipe cleaner.
piper's news *n* old news.
pipes *n* bagpipes.
pippen *n* doll, puppet.
pirl *n/v* coil, curl, eddy. • *v* roll; stir with a long rod; twirl.
pirlicue *n* conclusion.
pirlie *adj* crisp; curling, curly.
pirlie-pig *n* piggy-bank.
pirn *n* bobbin, reel.
pirr[1] *n* tern.
pirr[2] *v* flow; ooze out.
pirrie *adj* neat.
pirzie *adj* conceited.
pish *n* piss, urine. • *v* piss, urinate; **pish doon** *v* rain.
pish-pot *n* chamberpot.
Piskie *n/adj* Episcopalian.
piskie *adj* dry.
pit[1] n colliery; dungeon.
pit[2] *v* put; **pit aboot** disconcert, distress; **pit aff** waste time; **pit airms an legs tae** embellish; **pit at** proceed against, prosecute; **pit by** lay aside; make do; **pit down** murder; **pit fae** prevent, put off; **pit in yer spuin** interfere; **pit on** impress; **pit oo ane's ee** supplant; **pit ower** achieve; consume; defer; survive; sustain; swallow; **pit tae yer haun** help; **pit the brain asteep** meditate; **pit the heid on** head-butt; **pit throu hauns** investigate; **pit throu hauns o** deal with.
pital *n* rabble.
pit bing *n* pit heap.
pit-mirk *adj* pitch-dark.
pit-on *n* insincerity, pretence.
pitten-on *adj* affected, insincere.
pixie *n* fairy.
pizen *n* poison.
place *n* estate; **place o haud** retreat.
plack *n* small coin.
placket *n* placard.
plackless *adj* moneyless.
plagium *n* kidnapping.
plaid, plaidie *n* Highland outer dress.
plaidin *n* tartan.
plaig *n* toy.
plain *adj* blatant.
plaine *v* show.
plainen *n* linen.
plain loaf *n* batch loaf.

plainstane *n* pavement.
plaint *n* protest.
plaister *n* plaster. • *v* plaster; mess about.
plane tree *n* sycamore.
plank *n/v* cache. • *v* dump.
plantin *n* copse, grove, plantation, woodland.
plash[1] *n* plaice.
plash[2] *n/v* splash. • *v* cascade.
plashin *adj* soaking, squelching.
plat[1], **plet** *adj* due, direct.
plat[2] *adj* flat. • *n* cowpat.
plat[3] *n* landing.
platch *v* tread noisily.
play[1] *n* pastime, sport. • *v* amuse oneself; **play fair hornie** play fair; **play the rig wi** hoax; **play wallop** tumble over.
play[2] *v* boil hard.
play-feir *n* playfellow.
playock *n* plaything, toy.
playrife *adj* playful.
plea *n* enmity; discord.
pleat *n* pigtail, plait.
plede, plead *v* debate; quarrel.
pledge *v* toast.
pleen *n* objection.
pleep[1] *n* redshank.
pleep[2] *v* peep.
pleesure *n* pleasure. • *v* content, satisfy.
plenish *v* furnish, supply.
plenishin, plenishings, plenishment *n* furniture, furnishings.
plenteous *adj* complaining.
plenty *adj* many. • *n* proportion.
plep *n* something weak and feeble.
pleppit *adj* creased.
plesance *n* pleasure.
plet[1] *n/v* plait; pleat.
plet[2], **pletten** *v* rivet.
plet[3] *see* **plat**[1].
plettie *n* balcony.
plettiestanes *npl* pavement.
pletty *n* landing.
pleuch, pleugh *n/v* plough.
pleuchie, pleughie *n* ploughman.
pleuch-sock *n* ploughshare.
pleuch-stilt *n* plough-handle.
pleugh *see* **pleuch**.
plinkin *adj* tinkling.
pliskie *n* plight; practical joke.
plit *n* turned earth.
pliver *n* plover.
plodge *v* squelch.
plook, plouk, pluke *n* pustule, pimple.
plookie *adj* pimpled.
ploom *n* plum.
ploom damas *n* prune.
plore *v* play in mud.
plot *n* swelter. • *v* pluck; scald; swelter.
plotcock *n* devil.
plot-het *adj* scalding.
plottie *n* punch, hot drink.
plottit *adj* meagre; plucked-looking.
plouk *see* **plook**.
ploussie *adj* plump.
plout *v* splash.
plouter *v* flounder, splash noisily.
plowd *n* waddle.
plowp *n/v* plop.
plowt[1] *n* clodhopper.
plowt[2] *n* plunge. • *v* plunge; dump.
plowt[3] *n* potted meat.
plowter *n* muddy place. • *v* dabble, potter; wade.
plowterie *adj* rainy, showery.
ploy *n* action; escapade; business, enterprise, scheme, undertaking.
pludisome *adj* dogged.
pluff[1] *n* blast; puff. • *v* puff out; blast; explode; set on fire.
pluff[2] *n* pad.
pluffie *adj* fleshy, puffy.
plug *n* charge.
pluke *see* **plook**.
plum *n* deep river pool.
plumb *adj* plump.
plummer *n* pommel.
plump *n* cloudburst; cluster; plopping noise. • *v* rain.
plumper *n* plunger.
plumrock *n* primrose.
plunk[1] *n* popping noise. • *v* put down, set down.
plunk[2] *v* play truant; shirk.
plunker *n* truant.
ply[1] *n* plight, state.
ply[2] *n* fold, strand. • *adj* thickness.
plype *n* plunge. • *v* plunge; paddle; tumble in water.
poach *v* mess about; mush.
pock *see* **poke**.
pockarred *adj* pock-marked, scarred.
pockmantie *n* travelling bag.
podle *n* tadpole.

poffle *n* small piece of land; farm.
poind *n* useless person.
poinding *n* seizure.
poiner *n* digger of turves.
poinies *npl* gloves.
point *n* state of the body.
pointed *adj* exact.
pointit *adj* exacting.
poisonable *adj* poisonous.
poist *v* gorge.
poke, pock *n* bag; paper bag; pouch.
pokey hat *n* ice-cream cone.
poldach *n* flood plain, marshy ground by a river.
policy, policies *n* laid-out parkland around a house.
polis *n* police.
polisman *n* policeman.
polist *adj* artful.
polypoke *n* polythene bag.
pome *n* poem.
pomp *v* pump.
poo *n* crab.
pooch *n* pouch; pocket; finances. • *v* pocket.
poochle *adj* self-assured, self-confident.
pooer *n* power.
pook, puik *v* pull; pluck; strip.
pookit *adj* plucked; lean; threadbare.
pooks *npl* new feathers; downy feathers.
poop *n* turd.
poopit *n* pulpit.
poor *n* deluge. • *v* pour.
poorfae *adj* powerful.
poorie *n* cream/milk jug; oilcan.
poorins *npl* dregs.
poortith *n* poverty.
pooshin *n/v* poison.
pooshinable *adj* unpleasant.
pooshinous *adj* poisonous.
poot *v* pout.
poother *n/v* powder.
pootherie *adj* powdery.
pootie *adj* miserly.
pootrie *n* poultry.
Pope's eye *n* rump steak.
popil *n* poplar.
pople *v* bubble up; boil.
pork *n* prod; • *v* prod; gore.
porkepik *n* porcupine.
porridge *n* oatmeal boiled in water.
port[1] *n* gateway.
port[2] *n* tune.
portie *n* mien; behaviour.
pose *v* deposit.
posie *n* garland.
posnett *n* moneybag, skillet.
poss, pouss *v* push.
postie *n* postman.
post-sick *adj* bedridden.
pot, pott *n* pit; pond.
potch *v* toy with one's food.
potent *adj* wealthy.
poticary *n* pharmacist.
pott *see* **pot**.
potted heid, potted hoch *n* potted meat.
potterlowe *n* pulp.
pottie *n* putty; small pot.
pottle *adj* potful.
pou *n/v* pull. • *v* extract.
pouder, pouther *n* dust; powder.
poullie *n* pullet.
pound *n* pond; reservoir.
pounse *v* carve; emboss.
poupit *n* pulpit.
pour *n* rainfall.
pourie *n* jug.
pousie *n* hare; cat.
pouss[1] *n* push.
pouss[2] *see* **poss**.
poust *n* strength.
pouster *n* situation.
poustie *n* authority; control.
pout[1] *n* young partridge or fowl.
pout[2] *v* poke; start up.
pouter *v* rummage blindly.
pouther *see* **pouder**.
pouzle *v* search about; puzzle.
povereese *v* impoverish.
povie *adj* snug.
pow *v* head, poll.
powart *n* tadpole.
powe[1] *n* pothole.
powe[2] *n* skull.
powk *n/v* poke.
powl *n* crutch; pole.
pownie *n* pony.
powsowdie *n* mash; sheep's-head broth.
poy *v* work hard.
poyntal *n* pointed dagger.
praan *n* prawn.
praicious *adj* precious.
praisent *n* gift, present.
pran, prann *v* compress, pulp, hurt.

prang *n* prong.
prap *n/v* prop, support. • *n* target.
prat *n* trick. • *v* trick; **prat wi** tamper.
pratful *adj* tricksy.
prattick *see* **prottick**.
preachin *n* sermon, service.
pree *v* taste; experience; **pree the lips o** kiss.
preein *adj* tasting, sample.
preek *v* be well turned-out.
preen *n* pin; fishing hook. • *v* pin.
preenack *n* pine needle.
preen-cod *n* pincushion.
preenheid, preinheid *n* pinhead.
preese *n/v* press.
prek, prik *v* gallop.
prent *n/v* print.
prentar, prenter *n* printer.
prent-buik *n* printed book.
prentice *n/v* apprentice.
prescribe *v* lapse.
prescription *n* lapse.
preser *v* preserve.
preses, presies *n* president; spokesman; chairperson.
press *n* cabinet, cupboard.
prest *adj* ready.
prestable *adj* enforceable; payable; practicable.
pretense *n* plan.
pretty, protty, proty *adj* elegant; manly; handsome. • *v* neatly made.
pretty dancers *n* northern lights.
prevade *v* neglect.
preve *adv* privately.
prevene *v* come before.
preves *npl* proofs.
prick[1] *n* wooden skewer.
prick[2] *v* stampede.
prickie *adj* prickly. • *n* prickly feeling.
prick-ma-dentie *adj* affected, over-refined.
prideful *adj* snobbish, vain, arrogant.
prie *v* taste; **prie one's mou'** take a kiss.
prif *v* entreat.
prig *v* bargain, haggle, plead.
priggin *adj* pleading.
prik *see* **prek**.
prime[1] *v* drink heavily.
prime[1] *v* fill.
primp *n* prig. • *v* take on prudish airs.
primpie *adj* dressy.
primpit *adj* affected, elaborate.
primsie *adj* demure, old-maidish.
principal *n* original.
prink *v* deck; titivate.
prinkie[1] *adj* flamboyant.
prinkle[2] *npl* pins and needles. • *v* prickle.
prison *v* imprison.
privative *adj* exclusive.
privie, privy *n* privet.
process *npl* legal papers.
proclaim *v* publish.
procurator fiscal *n* prosecutor.
prod[1] *n* injection; prick.
prod[2] *n* waster.
proddle *v* prick.
production *n* exhibit.
profession *n* sect.
profit *n* yield.
profite *adj* proficient.
prog *n/v* poke, prick, prod; jab; puncture.
progger *n* pricker.
projeck *n/v* project.
proker *n* poker.
pron *n* bran.
prood *see* **proud**.
proop *v* fart.
prop *n* cork, plug, stopper.
propone *v* propose, suggest.
prospect *n* spyglass.
pross *v* show off.
prossie *adj* neat.
protest *v* demand.
prottick, prattick *n* undertaking, practice; dodge.
protty, proty *see* **pretty**.
proud, prood *adj* pleased; proud; higher, sticking out.
proudness *n* pride; swollenness.
provoke *n* pest.
provokshin *n* provocation; temptation.
provost *n* civic leader, mayor.
prowan *n* provender.
pruif *n* proof.
pruive *v* prove; test, try.
pry *n* trash.
ptarmigan *n* white grouse.
pu *v* pull.
public *n* inn.
publis *v* confiscate.
publisht *adj* plump.
pucker *n* perplexity.
puckle, pickle *n* small amount; grain of corn; granule.
puddin *n* pudding.

puddle *v* muddle along.
puddock *n* frog; toad.
puddock cruddles *npl* frogspawn.
puddock stuil *n* mushroom; toadstool; fungus.
pudge *n* small house.
pudget *n* short fat person.
pudgie *adj* podgy.
pudick *adj* chaste.
pug *n* monkey.
puggie[1] *n* kitty; fruit machine.
puggie[2] *n* monkey.
puggie nut *n* peanut.
puidge *n* hovel; hut, shed.
puik *see* **pook**.
puil *n* pool.
puir *adj* poor.
puir-hoose *n* workhouse.
puir-sowl *n* poor fellow.
puirtith *n* poverty.
puist[1] *adj* snug.
puist[2] *v* criticise.
pul *n/v* pull.
pulder *n* powder.
pule *n* puff of smoke. • *v* puff out smoke.
pullie *n* turkey.
pultie *n* short knife.
pump *v* fart.
pumphal *v* pen.
pumpin *n* flatulence.
pun[1], **pund** *n* pound.
pun[2] *v* pound.
punce *n* thrust.
punct *n* point.
pund[1] *v* impound.
pund[2] see **pun**[1].
pundar *n* man in charge of impounding stray cattle.
punler *n* forester.
punye, punge *v* sting; pierce.
puppie *n* poppy.
puppie show *n* puppet show.
purfelt *adj* wheezing.
purk *n* pork.
purl[1] *n* dried cow dung.
purl[2] *n* seam stitch in knitting.
purlicue *n* flourish in writing.
purlicues *npl* whims, fancies.
purpie *n* purple.
purpie-fever *n* typhus.
purpir *adj* purple.
purpose *adj* neat, exact. • *n* efficiency; tidiness.
purposelik *adj* businesslike, methodical.
pursue *v* litigate; persecute.
pursuer *n* plaintiff.
pursy *adj* short and stout.
puslick *n* dried cowpat.
putt[1] *n* jetty.
putt[2], **put** *n* recoil. • *v* pulsate; throw a heavy stone.
putt an row *n* exertion.
putt-stane *n* keystone.
pyat *n* magpie.
pyat-horse *n* piebald horse.
pye *see* **pie**.
pyke *n* prickle.
pykepurs *n* pickpocket.
pykit *adj* emaciated-looking.
pyle *n* javelin; arrow.
pyles *npl* grains.
pyne *n* pain.
pynit *adj* dried, shrunk.
pynt *v* paint, disguise.
pyotie *adj* piebald.
pyslit *see* **peisled**.
pyster *v* hoard.

Q

quaich *n* drinking bowl.
quaid *adj* evil.
quaif *n* coif, headdress.
quaik *v* quack; wheeze.
quailye *n* squall.
quair *n* book, literary work.
quaist *n* rogue.
quait *see* **quate**.
quak *v* quake.
qual *n/adj* twelve.
qualifee *v* qualify.
qualify *v* authenticate.
qualim *n* ruin.
quall *v* abate.
quantite *n* size.
quarnelt *adj* angled.
quarran *n* leather shoe.
quarrel[1] *n* stone quarry.
quarrel[2] *v* reprove.
quart *n* gallon.

quarter *n* quarter pound.
quasi-delict *n* negligent action.
quate, quat, quait *adj* calm, quiet; docile; private; free. • *adv* quietly. • *n* quiet.
quatelike *adj* calmly.
quaten *v* quieten.
quave *v* zigzag downwards.
quaw *n* marsh.
quay *imper* come away!
quean, queyn, quine *n* young woman.
queed *n* tub.
queel *v* cool.
queem *v* fit exactly.
queemly *adv* neatly.
queen o the meedow *n* meadowsweet.
queer *see* **queir**.
queerie *n* odd person.
queers *npl* odd news.
queet[1] *n* ankle.
queet[2] *n* guillemot.
queir, queer *n* choir; chorus; chancel.
queit *n* coot.
quelt *see* **kilt**.
quenry *n* abundance of bad women.
quent, queynt *n* wile. • *adj* strange; cunning.
querd *n* fish tub.
quern *n* fowl's gizzard.
quernell *adj* square.
quernie *adj* granular, granulated.
querty, quirty *adj* lively.
quey *n* young cow.
queyn *see* **quean**.
queynt *see* **quent**.
quha *pron* who.
quhaip *n* goblin.
quham *n* dale; hollow.
quhaye *n* whey.
quheef *n* fife.
quhich *v* whizz.
quhid *v* stir.
quhile *adv* at times; formerly.
quhilk *pron* which; who.
quhilom *adv* some time ago.
quhitter *v* warble.
quhow *adv* how.
quhoyne *adj* few.
quhryne *v* squeak.
quhult *n* something large.
quhyte *adj* hypocritical.
quibow *n* tree branch.
quicken *n* couch-grass.
quickenin *n* fermenting ale.
quidder *n* womb.
quietlik *adj* quiet.
quig *n* mix-up.
quile *v* rake.
quine *see* **quean**.
quinkins *npl* liquid refuse, scum.
quirk *n/v* trick.
quirkie *adj* complex, resourceful, tricky.
quirklum *n* puzzle.
quirty *see* **querty**.
quisching *n* cushion.
quitchie *adj* very hot.
quite *adj* innocent.
quither *v* quiver.
quitout *adj* cleared of debt.
quittance *n* explanation, receipt.
quo, quod *adj* said.
quoab *n* reward.
quotha *interj* forsooth.
quoy *n* enclosed land, pen.
quytcleme *v* renounce.
quyte *v* skate.

R

ra *n* roe.
raand *n* stain.
raaze *v* madden.
rabate *v* abate.
rabble *v* mob; jabber away.
rabil *n* disorderly crowd.
race *n* run.
racer *n* low woman.
rache *n* tracker dog.
rachlie *adj* dirty.
rachlin *adj* harebrained.
rachter *n* rafter.
rack[1] *n* dislócation; curling course. • *v* stretch.
rack[2] *n* shock. • *v* clear up.
rack[3], **raik** *v* reckon; care.
rackel, rackle *adj* rash.
racket[1] *n* rocket.
racket[2] *n* stroke, blow.
rackie *adj* over-anxious.
rackin *adj* driving.
rackle[1] *n* clank; chain.
rackle[2] *see* **rackel**.
rackle-handit *adj* careless.

rackless *adj* reckless.
racklessly *adv* recklessly.
rackon *v* fancy; reckon.
rackonin *n* reckoning.
rad, rade *adj* afraid.
raddour *n* fear.
rade[1] *n* sea road.
rade[2] *see* **rad**.
rade[3] *adv* rather.
radge *adj* furious; livid; obstreperous.
radgie *adj* lustful; randy.
radote *v* rave.
radoun *v* return.
rae[1] *n* cattle pen.
rae[2] *n* roe.
rael *adj* authentic; forthright; real.
raep *v* reap.
raff[1] *n* flying shower.
raff[2] *n* abundance.
raffan *adj* merry.
raffie *adj* flourishing; quick-growing; coarse.
raft *n* rafter.
rag *n* runt.
rag *v* rally.
rag *v* reproach.
ragabash, ragabuss *n* person dressed in rags, tatterdemalion.
rag-faugh, rag-fallow *n* ground prepared for cultivation.
ragger *n* ragman.
raggit *adj* ragged.
raggle[1] *n/v* wrangle.
raggle[2] *v* ruffle.
ragglish *adj* erratic.
ragman *n* long piece of script.
ragweed *n* ragwort.
raible *v* gabble.
raicent *adj* recent.
raichie *n* scolding. • *v* scold.
raid *n* foray.
raif *n* robbery.
raiglar *adj* regular.
raik[1] *n* helping; journey; rate, speed. • *v* journey; rove.
raik[2] *see* **rack**[3].
rail-e'ed *adj* wall-eyed.
raill *v* jest.
raim *n* cream.
raing[1] *n* circle; ring.
raing[2] *n* row. • *v* line up.
rainie *v* reiterate.
raip *n* rope; clothes line.
rair *n/v* roar.
raird, reard *v* bleat.
raise, raize *v* excite; madden; enrage; inflame; infuriate.
raised *adj* overexcited.
raith *n* quarter of a year.
raither *adv* quite; rather.
raition *n/v* ration.
raivel, reavel *n* tangle. • *v* bemuse; nonplus; outwit.
raivelt *adj* incoherent, muddled; tangled.
raivlins *npl* twisted threads.
raize *see* **raise**.
rak, rawk *n* eye-rheum; scum.
rake[1] *n* accumulation. • *v* glean.
rake[2] *n* wreck.
rakles *adj* heedless.
rale *v* gush out.
ralliach *adj* choppy.
rallion *n* ragged fellow.
rally *n/v* bunch.
ramagiechan *n* large, bony person; trickster.
ramballiach, rambaleugh *adj* stormy; tempestuous.
rambarre *v* repulse.
rambusk *adj* robust.
rame *n* phrase. • *v* recite; rave; shout.
ramfeezlement *n* disorder.
ramforse *v* strengthen.
ramgunshoch, rumgunshoch *adj* rugged.
rammage *adj* rash; rough.
rammaged *adj* deliriously drunk.
rammel *adj* branchy. • *n* small branches.
rammie *n* brawl; disturbance; ructions.
rammish *adj* enraged. • *v* storm about.
rammle *n* spree. • *v* ramble.
ramp[1] *adj* riotous; rank; strong.
ramp[2] *v* romp; sport; rage.
rampage *v* play.
rampageous *adj* furious.
ramplor *n* rambler; rover.
ramps *n* ramsons, wild garlic.
ramsh[1] *adj* rank.
ramsh[2] *v* guzzle.
ramshachled *adj* loose.
ramstam *adj* devil-may-care; obstreperous; precipitate; rash. • *adv* rashly; rudely; slapdash. • *n* reckless person.
ramstamphish *adj* hasty.
ramstougar *adj* hard; quarrelsome.

ran *n* strip.
rance *n* prop. • *v* brace; prop up; fill.
rancel *v* search for stolen goods.
rancie *see* **ransie**.
rand *n* stripe.
rander *n* conformity; restraint; dripping. • *v* ramble in speech.
randers *npl* idle rumours.
randie *adj* aggressive; riotous. • *n* woman; loose or quarrelsome woman.
randit *adj* streaked; striped.
randon *v* flow straight.
randy *adj* belligerent; vagrant.
randy-beggar *n* threatening beggar.
rane *n* demand. • *v* rant; repeat; **rane doun** speak ill of.
rangale, rangel *n* rabble, mob; heap.
rank *adj* strong.
rannoch *n* bracken.
rannygill *adj* bold.
ransackle *v* ransack.
ransh, runsh *v* gobble.
ransie, rancie *adj* red, ruddy.
ransoun *n* ransom.
rant *n* frolic; song; romp. • *v* revel; romp.
ranter[1] *n* order; orderliness.
ranter[2] *n* rover.
ranter[3] *v* darn; sew.
rantin *adj* roisterous; uproarious; high-spirited.
rantle-tree *n* fireplace beam.
ranty *adj* cheerful; tipsy.
rap *adj* instant.
rap *n* cheat; rake.
rap *n* rape vegetable.
rap *v* drop; **rap on** bump against.
rap an stow *adv* root and branch.
rape *adv* hastily.
raploch, raplach, raplock *adj* common; crude; undistinguished; homespun. • *n* coarse cloth.
rapple *v* grow quickly, shoot up.
rapt *n* robbery; thievery.
rapture *n* paroxysm.
rare *v* roar.
rase *v* pluck.
rash[1] *n* rush; reed.
rash[2] *adj* agile.
rashen *adj* of rushes.
rasp *n* birthmark; mole; raspberry.
rat *n/v* scratch; wrinkle; rut; groove.
ratch *v* tear roughly away.
ratch't *adj* ragged.
rate[1], **ratt** *n* file of soldiers.
rate[2] *v* beat; flog.
rath *adj* savage-seeming.
ratt *see* **rate**[1].
rattle *n* crash; chatterbox; speech burr. • *v* crash; talk volubly; **rattle up** put together.
rattle-bag *n* rumourmonger.
ratton *n* rat.
ratton-fa *n* rat-trap.
rauchan *n* grey plaid.
rauchle *adj* (person) blunt; grim.
raucie, rausie *adj* coarse.
raucking *n* harsh squeaking.
raucle *adj* stern; uncouth; unrefined.
raugh *v* reach.
rauky *adj* misty.
raun *n* fish roe.
rauner *n* female salmon.
rausie *see* **raucie**.
rave[1] *n* dream.
rave[2] *v* rape.
ravel[1] *n* balustrade; parapet; railing.
ravel[2] *v* twist thread; wander in speech.
ravels *npl* ravelled threads.
raverie *n* delirium.
ravin *adj* ravenous.
raw[1] *n* row, line, file. • *v* align.
raw[2] *adj* damp and cold; undiluted.
rawk *see* **rak**.
rawly *adj* not fully grown.
rawmou'd *adj* beardless.
rawn[1] *adj* afraid.
rawn[2] *n* fish roe.
rax *n* sprain. • *v* stretch; extend; lengthen; reach out; crane the neck; sprain; **rax oot** stretch out; **rax ower** reach over; stretch over.
raxes *npl* andirons.
ray *n* song; military array. • *v* array.
razzor *n* razor.
reable *adj* legitimate.
read *v* interpret.
readily *adv* probably.
ready *v* cook; prepare.
reak *v* rig; deck; reach. • *v* deliver; reach.
real *adj* good; true. • *adv* exceptionally.
reale *adj* royal.
real Mackay *n* genuine article.
ream, reem, reme *n* cream. • *v* cream; skim; bubble over.

ream-cheese *n* cream cheese.
reamer *n* cream dish.
reamie *adj* creamy; frothing.
reamin-dish *n* skimming dish.
reard *see* **raird**.
reason *n* right; justice.
reavel *see* **raivel**.
rebaldy *n* vulgar talk.
rebellour *n* rebel.
rebig *v* rebuild.
rebook *n/v* rebuke.
reboond *v* belch.
rebouris *adv* contrary.
rebut, reboyt *v* repulse.
receipt *n* recipe.
reck *n* course.
recoll *n* reminiscence.
recourse *v* rescue.
rector *n* headmaster, principal.
recure *n* remedy.
recusant *n* refuser.
recuse *v* refuse.
redact *v* reduce.
redcap *n* fanged spectre.
redcoal *n* horseradish.
redd[1] *n* riddance; clearance; debris; waste, refuse. • *v* advise; explain; unravel; clear; arrange; put in order; rid; solve; free; vacate; **redd up** resolve.
redd[2] *n* spawn; spawning ground. • *v* spawn.
redder *n* mediator.
redd-handit *adj* neat.
redding, reddins *n* riddance; rescue.
reddour *n* dread.
redd-up *adj* tidied.
rede[1] *n* advice; voice. • *v* advise; explain; unravel; clear; discern; construe.
rede[2] *n* kind of fairy.
redland *n* ploughed soil.
redles *adj* confused.
redound *v* refund.
redschip *n* furniture; gear.
redsman *n* rubbish clearer.
ree[1] *n* enclosure; yard; hen coop; chicken run; ship dock.
ree[2] *n* small sieve, riddle. • *v* sieve, riddle.
reebald *adj* ribald.
reed *conj* lest.
reef *n* roof.
reefort *n* radish.
reeful *adj* rueful.
reegh *n* harbour; dock.
reek, reik *n* smoke; vapour. • *v* smoke; fume.
reekie *adj* smoke-filled.
reekit *adj* begrimed; acrid; smoke-covered; smoke-cured.
reel *n* circular movement; dance. • *v* roll.
reel-fit *n* club foot.
reel-rall *adj* topsy-turvy. • *n* chaos; shambles.
reem *see* **ream**.
reemis, reimis, remish *n* din; rumble.
reenge *n* range; rinse. • *v* bustle about; rinse; clear out; explore; forage; pace; range, roam.
reepin *n* lean creature.
reese[1] *n* strong breeze.
reese[2] *n* flattery. • *v* praise.
reesie *adj* breezy.
reesk *n* rushy grass; wasteland.
reesle *n* rustle. • *v* rustle; **reesle throu** rummage.
reest[1] *n* roost.
reest[2] *v* arrest; jib; stop short.
reestie *adj* recalcitrant.
reeve *v* talk volubly.
reevin *adj* blazing; excitable.
reeze *v* fart.
reezie *adj* light-headed; tipsy.
refer *v* defer; delay; hold over.
refuise *n* refusal. • *v* refuse.
regality *n* rights of jurisdiction granted by the crown.
regent *n* university professor.
regret *n* complaint.
reibie *adj* skinny.
reid *adj/n* red. • *v* redden.
reid Rab *n* robin.
reidsett *adj* placed in order.
reik *see* **reek**.
reimis *see* **reemis**.
reird *see* **raird**.
reises *n* brushwood.
reishlin *adj* rustling.
reist[1] *n* instep.
reist[2] *v* dry in the sun.
reithe *adj* keen.
reive, ryve *v* pillage, plunder, rob.
reiver *n* robber; bandit; raider.
rejag *n* smart reply.
remainder *n* remnant.
reme *see* **ream**.

remede, remeid *n* remedy; cure. • *v* remedy; cure; redress.
remembrie *n* remembrance.
rement *v* remember.
remish *see* **reemis**.
remorse *v* repent.
renchel[1] *n* tall thin person.
renchel[2] *n/v* cudgel.
rendal *n* land division.
renounce *v* surrender.
repayre *v* return.
repeat *v* refund; retrieve; call back.
repetition *n* repayment; restitution.
repey *v* reimburse, repay.
replait *v* try again.
replenish *v* refurbish, refurnish; renovate.
repree *v* reprove.
requare *v* require.
reset, resett *v* harbour; receive stolen goods or animals.
resetter *n* entertainer; fence, receiver of stolen goods.
residenter *n* resident.
resile *v* blench; flinch from; recoil; retract; withdraw.
resolve *v* bring to an end.
ressum *n* particle.
rest *n* remnant.
retiral *n* retirement.
retour *n/v* return.
revert *v* revive.
revest *v* clothe.
revestry *n* vestry.
rew *n* repentance, rue. • *v* rue.
rewell *adj* haughty.
rewth *n* pity.
rheumatise *n* rheumatism.
rhinns *see* **rinns**.
riach *adj* brindled, dappled; drab. • *n* dun.
ribband *n* halter.
ribe *n* stalky cabbage.
ribie *adj* tall and bare.
rice *n* sprig.
richer *n/v* neigh.
richt *adj* right; accurate; authentic; just; healthy. • *adv* properly; **richt oot** bluntly; **richt-lik** equitable.
richtful *adj* rightful.
richtify *v* rectify.
richtlie *adv* rightly.
ricket *n* racket.
rickle *n* heap, pile.
rickle o banes *n* skeleton.
rickler *n* bad builder.
ricklie *adj* ramshackle.
rid *n* red. • *v* redden.
riddle *n* sieve; shaker.
ride *n* copulation. • *v* copulate with.
rid-face *n* blush.
rid-faced *adj* ashamed.
ridin time *n* breeding season.
riep *n* slovenly girl.
rifart *n* radish.
rife[1] *adj* plentiful. • *adv* plentifully.
rife[2] *n* itch.
rift[1] *n* cleft.
rift[2] *n/v* belch.
rig, rigg *n* ridge; crest; ploughed drill; back; backbone, spine.
rig-bane, riggin *n* backbone.
rigged an furred *adj* ribbed.
riggin-tree *n* rooftree.
rigwiddie, rigwoodie *adj* stubborn.
rimbursin *adj* ruptured.
rimburst *n* hernia.
rimie *adj* frosty.
rimless *adj* reckless.
rimpin *n* lean cow.
rin *n* run; channel; flow; waterfall; ford; slat. • *v* run.
rinaboot *adj* roving. • *n* gadabout.
rind[1], **rynd** *n* hoar-frost.
rind[2] *v* dissolve by heat; melt down; render.
ring *v* govern; reign; rule.
ringin *adj* domineering; imperious; out and out.
ringit *adj* wall-eyed.
ringle ee *n* wall-eye.
ringtails *npl* remnants.
rink[1] *n* course; race; team; tournament; curling game.
rink[2] *v* rattle.
rin-knot *n* slip-knot.
rinnin *n* gist; outline.
rinns, rhinns *n* headland, land between two seas.
rin-wa' *n* partition.
rip *n* osier basket.
ripe *v* search; rifle.
rippet *n* mirth; uproar.
ripple *v* comb flax.
ripples *n* diarrhoea.
ripter, ripture *v* rupture.

rise[1], **rys** *n* branch, twig.
rise[2] *n* hoax. • *v* ascend; bring about.
rising *adj* approaching.
riskish *adj* wet; boggy.
risp *n* file, rasp. • *v* file, rasp; grate; saw.
rispings *npl* filings.
rist *n/v* rest; repose.
rit *n* incision made with a spade; groove; score; scrape. • *v* score; scrape.
rither *n* rudder.
rittocks *npl* melted tallow.
rive *n* rent; rift; rip. • *v* plough; tear apart; rip; cleave; lacerate; maul; reclaim.
rizzar *n* redcurrant.
rizzle *v* rustle.
rizzon *n* reason; **rizzon or nane** *adv* obstinately.
road *n* method; route; tack.
roadie *n* path; road.
roadman *n* carter.
roar *n* noise.
roarie *adj* garish; lurid; noisy; roaring.
roarin gemm *n* curling.
roastit *adj* toasted.
Rob Sorby *n* sickle.
roch, roche *adj* rough; unshorn.
rochel, rockel *n* porch, vestibule.
rochian *n* hooligan, ruffian, thug.
rockle *n* small stone.
rocklie *adj* pebbly.
rockman *n* bird-catcher.
rod *n* road.
rodden *see* **roden**.
rodden fluke *n* turbot.
rodding *n* sheep track.
roddoch *n* wretch.
roden, rodden *n* rowan berry.
roden tree *n* mountain ash, rowan tree.
roggerowse *adj* outspoken.
roid *adj* harsh.
roif *n* rest; peace.
rois *n* rose.
roist *n* roost.
rokelay *n* short cloak.
role *v* ply the oars.
rollar *n* oarsman.
rollochin *adj* freespoken.
romour *n* disturbance.
rone[1] *n* ice sheet.
rone[2], **rone-pipe** *n* drainpipe.
ronge *n* gnawing.
ronie *adj* ice-covered.
ronk *n* moisture.
ronnet *n* rennet.
roo *v* pile up.
rood, rude *n* cross.
rook[1] *n* thick mist.
rook[2] *v* deprive; cheat.
room *n* best room, parlour, sitting room.
roon[1], **roond** *adj* circular, round; sizeable.
roon[2] *n* shred.
roon[3] *v* cough noisily.
roose *v* rouse.
rooser *n* watering can.
rooshel *v* hustle.
rooshoch *adj* coarse.
roossill *v* cudgel.
roost[1] *n* loft.
roost[2] *n* rust. • *v* corrode, rust.
roostie *adj* rusty.
root-hewn *adj* perverse.
roove, rufe *v* rivet; clinch.
roperie *n* ropeworks.
roplaw *n* young fox.
roseir *n* rose bush.
roset *n* resin; rosin.
rosettie *adj* resinous.
rosidandrum *n* rhododendron.
rosin *n* area of bushes.
rost, roust *n* strong current.
rotton *n* rat.
rouchled *adj* ruffled.
rouch-rider *n* horse-breaker.
roudes *n* crone.
roudoch *adj* sulky-looking.
rouk *n* mist.
roukie *adj* drizzly; foggy, misty, hazy.
roume *see* **rowme**.
roun *v* whisper.
roun o *n* nonentity.
roup[1] *n* auction sale. • *v* sell by auction.
roup[2] *n* huskiness; hoarseness. • *v* croak; cry out.
rouper *n* one who cries out.
roupie, roupy *adj* husky, hoarse.
roupit *adj* raucous.
rousing *adj* powerful.
roust[1], **rowst** *n/v* bellow; shout.
roust[2], **rowst** *v* arouse; rouse.
roust[3] *see* **rost**.
rout *v* bellow; strike.
routh *adj* plentiful. • *n* plenty.
rovie *n* slipper.
rowan *n* ash tree.

rowan *n* mountain ash.
rowchow *adj* mixed-up; revolving. • *v* tumble about.
rowe[1] *n* list, roll. *v* roll; lurch; waddle; wheel; wind; bandage; **row up** wind up; wrap up.
rowe[2] *v* row a boat.
rowie *n* bread roll.
rowk *n* rick.
rowkar *n* tale-bearer.
rowme[1], **roume** *adj* spacious. • *n* space, room.
rowme[2] *v* roam.
rowmil *v* scrape out.
rowsan *adj* fierce.
rowst *see* **roust**[1], **roust**[2].
rowt *adj* lowing. • *v* bray; low; snore.
rowth *adj* bountiful; plentiful; profuse. • *n* abundance, plenty; profusion.
rowthie *adj* abundant; copious.
royat *adj* unmanageable.
royster *n* freebooter.
royt *n* rover; babbler; brutish woman. • *v* behave noisily.
rub *adj* teasing. • *n* reproof.
ruband *n* ribbon.
rubbage *n* junk, rubbish.
rubber *n* scrubbing brush.
ruch *adj* abundant, luxuriant; rank; unshorn; rough; barbarous; bawdy; obscene.
ruck *n* haystack; peat stack. • *v* stack up.
ruckle o banes *n* emaciated person.
ructions *npl* trouble; hullabaloo.
rudas *adj* bold; virile.
ruddock *n* redbreast.
rude *see* **rood**.
rue *v* regret.
rufe *see* **roove**.
ruff[1] *n* roll of a drum. • *v* applaud.
ruff[2] *v* disarray.
ruffie *n* brushwood torch; ruffian.
ruffill *n* loss.
rug *n* current; tide; twinge. • *v* pull; tug; **rug and rive** seize and take away.
ruif *n* ceiling; roof.
ruil *n* wild girl.
ruinage *n* destruction, ruination.
ruint, runt *v* make a grinding noise.
ruise *n* blandishments, flattery; commendation; praise. • *v* boast; commend; praise.
ruit *n* root. • *v* poke about; rummage.
ruive *n/v* rivet.
rulesum *adj* wicked.
rullion *n* leather shoe; coarse woman.
rum *adj* excellent; ingenious.
rumgumption *n* shrewdness.
rumgunshoch *see* **ramgunshoch**.
rumlieguff *n* fool.
rummage *n* uproar.
rummle *n* rumble; impetus; ruin. • *v* rumble.
rummlegumption *n* level-headedness.
rummlin *adj* boisterous; slapdash.
rump *v* crop, cut; deprive; clean out.
rumple *n* rump; tail.
rumple-bane *n* coccyx.
rumpus *n* disturbance.
runch *n* wrench. • *v* wrench; grind one's teeth.
runchie *adj* raw-boned.
rund *n* edge.
rung *n* bludgeon; stick; truncheon. • *v* bludgeon.
runk *v* bankrupt; speak ill of; deprive.
runkit *adj* bankrupt.
runkle *n* wrinkle. • *v* crumple; ruffle; wrinkle.
runklie *adj* creased, crumpled; wrinkled.
runrig *n* adjacent field strips of varying ownership.
runsh *see* **ransh**.
runt[1] *n* tree trunk; hard stalk; old cow; hag.
runt[2] *v* bounce.
runt[3] *see* **ruint**.
ruse *v* praise.
rush *n* boil; dysentery; rash.
rush-fever *n* scarlet fever.
rusk *v* scratch; claw.
ruskie *adj* stout.
ruth *adj* kind.
ruther[1] *n* rudder.
ruther[2] *v* storm; bluster.
rutterie *n* lechery.
rynd *see* **rind**[1].
rype *v* reap.
rype-pouch *n* pickpocket.
rys *see* **rise**.
ryve *see* **reive**.

S

sa[1] *conj* so.
sa[2] *v* say.
sab *n* sob. • *v* sob; subside.
sabbin *n* sobbing.
sachless *adj* useless.
sacket *adj* short; thick.
sacrify *v* sacrifice.
sad *adj* grave; steady; distressing.
sade *n* peat sod.
sae *adv/conj* so.
saem *n* lard.
safer[1] *n* sapphire.
safer[2] *adv* insofar.
saft *adj* pleasant; moist; mild; rainy; soft.
saft-eened *adj* soft-hearted.
saften *v* soften.
saftly, saftlie *adv* softly.
sag *v* press down.
saicant *n* second.
saicret *adj/n* secret.
saidle *n/v* saddle.
saidler *n* saddler.
saikless *adj* innocent; guileless, ingenuous; harmless; inoffensive.
sail *adj* awash.
sailfish *n* basking shark.
saill *n/v* seal.
saim *n* seam.
sain, sane *n* blessing. • *v* bless; consecrate.
saip *n/v* soap.
saipie *adj* soapy.
saiprit *adj* separate. • *v* separate; sever.
sair *n* sadness; sorrow; sore. • *adj* painful, sore; sorrowful; censorious; destructive; detrimental; distressing; grievous; hard; harmful; harsh; oppressive; pathetic; strenuous. • *adv* badly; cruelly, harshly; laboriously; painfully; sorely; urgently; vehemently; **sair aff** hard-up; **sair aff** in a bad way; **sair duin** overcooked; **sair hodden doon** downtrodden; **sair made** aggrieved; **sair sought** tired out.
sairfit *n* emergency; rainy day.
sairgint *n* sergeant.
sair-heid *n* headache.
sairie, sairy, sary *adj* silly; sorry; sorrowful.
sairing *n* sufficiency.
sairless *adj* tasteless.
sairlie *adv* sorely.
sairness *n* soreness.
sairt *adj* surfeited.
sairy *see* **sairie**.
sair-yin *n* painful injury.
saison *n/v* season.
sait *n* bishop's see.
saithe *n* coalfish.
saiven *adj/n* seven.
saize *v* seize.
sake *n* blame.
sale, salle *n* palace; great room.
saler, salfatt *n* salt cellar.
salerife *adj* saleable.
salie, saulie *see* **soulie**.
salinis *n* salt pit.
salle *see* **sale**.
salss *n* sauce.
salu *n* health.
salve *n* salvo.
samelike *adj* similar.
samen, samin *adj* same. • *adv* together.
sammer *v* assort; agree.
san *n* sand.
sanct *n* saint.
sand-bunker *n* sand pit.
sandrach *n* beeswax.
sandtripper *n* sandpiper.
sane *see* **sain**.
sang *n* song; outcry.
sangshaw *n* song festival.
sangster *n* singer.
sanlaverock *n* sandpiper.
sanle *n* sand-eel.
sannie *adj* sandy.
sannie-swallow *n* sand-martin.
sannies *n* gymshoes.
sanshach, sanshauch *adj* disdainful; crafty.
sant *v* vanish.
sap *n* nourishing liquid.
sappie, sappy *adj* juicy; succulent; moist; soppy; unctuous; plump; bibulous.
sapple *v* steep.
sapples *n* lather.
sapples *npl* soapsuds.
saps *npl* sops.
sapsie *adj* effeminate; lenient; weak-willed.

sap-spail *n* sapwood.
sar *v* vex.
sard *v* rub; chafe.
sare[1] *adv* sorely.
sare[2] *v* soar; savour.
sarfe *v* serve.
sark, serk *n* shirt; shift; surplice. • *v* line.
sarkin *n* shirt cloth.
sarkless *adj* shirtless.
sary *see* **sairie**.
sasine *n* investiture with a title to land.
Sassenach *adj* English. • *n* English person; Lowlander.
sat *n* snare.
sate *n* seat.
Satterda, Saturnday *n* Saturday.
sattle *v* settle.
sattle-bed *n* divan bed.
sauch, saugh *n* willow.
sauchen, sauchin *adj* of the willow; soft; weak.
sauchning *n* reconciliation.
saucht *n* ease; quiet.
saudall *n* comrade.
sauf *adj* safe. • *v* save.
saufand *adv* except.
sauftie *n* safety.
saugh *see* **sauch**.
saul, sawle *n* courage; fortitude; mettle; soul; spirit.
saulie *see* **soulie**.
saum *n* psalm.
saumon *n* salmon.
saunt *n* saint.
sauntlie *adj* saintly.
saur *n* smallest portion; taste. • *v* savour.
saut *adj* salt; expensive. • *n* salt. • *v* salt; overcharge; snub.
saut bree *n* salt water.
saut-dish *n* salt-cellar.
sauter *n* harridan.
sautie *adj* brackish; salty.
saut-watter *n* seaside.
savendie *n* sagacity.
savie *n* know-how.
saw neb *n* goosander.
saw[1] *n* salve; ointment; saying.
saw[2] *v* sow; save.
Sawbath *n* Sunday.
sawer *n* sower.
sawins *n* sawdust.
sawin-time *n* seed time.
sawistar *n* sawyer.
sawle *see* **saul**.
Sawtan *n* Satan.
sax *adj/n* six.
saxpence *n* sixpence.
saxt *adj/n* sixth.
saxteen *adj/n* sixteen.
saxteent *adj/n* sixteenth.
saxtie, saxty *adj/n* sixty.
say *n* proverb; saying; remark; speech; story. • *v* **say awa** speak one's mind; **say ower** repeat; **say thegither** agree.
sayar *n* assayer.
saye *n* bucket.
saynd *n* message; messenger.
scab *n* gross offence; itch.
scabbit *adj* bare; scabbed.
scabble *v* scold.
scad[1] *n* gleam.
scad[2] *see* **scaud**.
scadded ale *n* beer with a meal.
scaddem *n* bad smith.
scaddow *n* shadow.
scadlips *n* hot thin broth.
scaff *n* food. • *v* sponge on; swig.
scaffie *n* refuse-collector; street-sweeper.
scag *v* go rotten.
scairth *adj* scarce.
scalbert *n* villain.
scald *see* **scaul**.
scalder *n* jellyfish.
scaldie *n* non-traveller.
scale *see* **skail**.
scallion *n* small onion.
scalp *see* **scaup**.
scam *v* scorch.
scambler *n* greedy feeder.
scamp *n* swindler.
scance, scanse *n* review; survey; gleam. • *v* reflect upon; review; survey; scan; shine.
scansin *adj* glinting.
scant *n* scarcity, dearth.
scantling *n* rough sketch.
scantlins *adv* scarcely.
scapp *see* **skep**.
scar[1] *adj* wild. • *n* scare. • *v* scare; shy away.
scar[2] *see* **scaur**.
scarcelins *adv* barely; scarcely.
scarf *n* cormorant.
scarnoch *n* large number.

scarp *see* **scorp**.
scarrie *adj* bare; rocky.
scarrow *n* faint light.
scart *n* cormorant.
scart[1] *n/v* scratch; scribble.
scart[2], **scarth** *n* cormorant.
scartle *n* rake; scraper.
scartlins, scartins *npl* scrapings.
scash *v* bicker; squabble.
scat *n* loss; damages.
scatterment *n* rout.
scatterwit *n* scatterbrain.
scatterwittit *adj* scatterbrained.
scaud *v* reprimand.
scaud *v* scald.
scaud, scad *v* scald.
scaudin *n* scalding.
scaul, scald *n* scold. • *v* censure; scold.
scauling *adj* scolding.
scaum *v* singe.
scaup *n* scalp; skull; thin soil.
scaur[1] *n* bank; crag; bare hillside; precipice.
scaur[2] *n/v* scar.
scaw'd *adj* faded.
scawt *adj* mangy; scabby; scruffy.
schachle *n* weakling.
schaife *n* sheaf of arrows.
schald *adj* shallow.
schalmer *n* flute-like instrument.
schame *n/v* plan; design; scheme.
schand *adj* elegant.
scheme *n* housing estate.
schemie *n* low-class person.
scho *adj* she.
scholage *n* teacher's fees.
scholar *n* pupil.
schoolie *n* teacher.
schout *v* shoot.
sclaff *n* open-handed blow.
sclafferin *adj* slovenly.
sclaffert *n* mumps.
sclaff-fittit *adj* flat-footed.
sclait, sclaite *see* **sclate**.
sclammer *n* clamour.
sclander *v* slander.
sclatch *n* daub; smear. • *v* huddle up; daub; anoint.
sclate, sclait, sclaite *n* slate. • *v* cover in slates.
sclater *n* slater, woodlouse.
sclatrie *n* obscenity.
sclaurie *v* splash with mud; abuse.
sclave *n* slave.
sclender *see* **sclinner**.
sclenderie *n* scree slope.
sclent *v* slope; look askance.
sclenters, sclenders, sclithers *n* scree.
sclidder *n* slither; sluggard. • *v* slide inadvertently, slither.
sclidderie *adj* icy.
sclim *v* shin.
sclinner, sclender *adj* slender.
sclithers *see* **sclenters**.
scob *n* splint. • *v* sew clumsily; gag.
scobie, scoobie *v* put down.
scodge *n* drudge. • *v* drudge; pilfer.
scodgie *n* menial; scullion; suspicious character.
scoggy *adj* shady; sheltered.
scoll, skole, skull *n* drinking bowl. • *v* drink a health.
scomfish *v* smother.
scon *v* play ducks-and-drakes.
sconce[1] *n* fine; extortion. • *v* fine; jilt.
sconce[2] *n* fire screen; screen; windbreak.
scone *n* cake cooked on a girdle; **scone o the day's baking** ordinary person.
scool *n/v* scowl.
scoonrel *n* scoundrel.
scoor *adj* scouring. • *n* rush; shower. • *v* scour; purge; box on the ear.
scoorie *adj* blustery; scruffy.
scoot[1] *n* razorbill.
scoot[2] *n* spurt; squirt; water pistol. • *v* squirt; spurt.
scoot[3] *n* loose woman.
scooter, scoot-gun *n* peashooter; syringe.
score *n* fissure; cleft; weal.
scorp, scarp *v* mock.
scorrie, scorie *n* seagull.
scoskie *n* starfish.
scot *v* pay a tax.
Scotch nightingale *n* sedge-warbler.
scotch mist *n* fine rain.
scoudrum *n* punishment.
scouff *n* philanderer.
scouk *v* skulk.
scoukin *adj* skulking.
scounge *v* hunt for food.
scoup *v* leap; jump.
scoupar *n* dancer.
scour[1] *n* diarrhoea.

scour[2] *v* whip; flog.
scourie[1] *adj* shabby.
scourie[2] *adj* squally.
scout *v* squirt; suffer from diarrhoea.
scouth *n* freedom; scope; room.
scove *v* fly smoothly.
scovie *n* foppish person.
scow[1] *n* something broken in pieces.
scow[2] *n* coracle.
scowder *n* dusting of snow. • *v* scorch.
scowe *n* barrel stave.
scowf *n* bragging.
scowmar *n* pirate.
scowth *n* opportunity; potential.
scowthie *adj* commodious.
scoy *n* ill-made thing.
scra-built *adj* made of turves.
scrae *n* worn-out shoe.
scraffle *n/v* scramble.
scraible *v* wangle; scrabble.
scraich *n* shriek; **scraich o day** dawn.
scrall *v* crawl.
scrammle *n/v* scramble.
scran *n* food. • *v* scrounge.
scrap *n/v* scrape; **scrap o the pen** scrawl.
scrapie *n* miser.
scrat[1], **scratch** *n* rut; mean-looking person; hermaphrodite.
scrat[2] *n/v* scratch.
scratty *adj* skinny.
scrauch *n/v* screech.
scrauchin *adj* screeching.
scrauchle *v* scramble on all fours.
scree[1] *n* debris of rocks on a hillside.
scree[2], **skree** *n* riddle; sieve.
screed *n* gash, slash, tear; scream; long list; prose; verse. • *v* cry; tear; defame; lie; **screed aff** recount, relate.
screenge *n* lash; rub. • *v* rub; scourge; scrub.
screeve *n* graze. • *v* tear off.
screever *n* pancake.
screw[1] *n* shrimp.
screw[2] *n* shrew.
scribble *v* tease wool.
scribe *v* write.
scriddan *n* mountain torrent.
scrieve[1] *n* letter; script. • *v* scrape; scratch; write.
scrieve[2] *v* glide.
scriever *n* scribbler; writer.
scrift *n* recitation. • *v* declaim; exaggerate.
scrim[1] *n* thin coarse cloth.
scrim[2] *v* smack, spank.
scrimp *adj* insufficient; pinched; scanty; scarce. • *v* economise.
scrimpie *adj* inadequate; mean; meagre.
scrimpit *adj* restricted; scanty; deficient; undersized.
scrimpness *n* scantiness.
scripter *n* scripture.
scrog, scrogg *n* stunted bush.
scrogs, scroggs *npl* brushwood; scrub; undergrowth.
scroggy *adj* bushy; stunted.
scroll *n* draft; notepad.
scronach *n* outcry.
scroonge *v* scrounge.
scroppit *adj* sordid.
scrow *n/v* crowd; swarm.
scrub *n* scourer for pots.
scrubble *n/v* squabble; struggle.
scrubie *n* scurvy.
scruff *n* riff-raff.
scrug *v* cock (hat); **scrug one's bonnet** cock one's bonnet.
scruif *n* crust; film; dandruff; scurf. • *v* skin; touch or scrape a surface.
scruiffin *n* paring.
scrumple *v* crease.
scrunt[1] *n* stubby branch.
scrunt[2] *v* grind; plane.
scruntit, scruntie *adj* stunted.
scry *n* noise; proclamation.
scrym *v* skirmish.
scrymmage *n* skirmish.
scubble *v* make grubby.
scud *n* stroke of a rod; sudden shower. • *v* hit with a rod.
scuddie *adj* bare, naked; penurious. • *n* bare skin.
scuddin-stane *n* skimming stone.
scuddle *v* wear out; scrub.
scuddler *n* kitchen boy; maid-of-all-work.
scuds *n* beer.
scue *v* go sidelong.
scuff *n* graze; light touch. • *v* brush off; touch; graze; tarnish.
scuffie *adj* down-at-heel; shabby; tarnished.
scug, skug *n* shade; shelter; pretext; subterfuge. • *v* screen; shelter; shade.
scuggy *adj* shady.

scugry, scugwise *adj* covert.
scuil, scuill *n* school; shoal.
scuil bairn *n* schoolchild.
scuip *n/v* scoop.
sculduderie *n* indecency.
scult *n* blow with or on the hand.
scum *n* greedy person. • *v* skim.
scum milk *n* skimmed milk.
scuncheon *n* cornerstone.
scunge *n* scrounger. • *v* scavenge.
scunger *n* prowler.
scunner *n* abhorrence; loathing; antipathy; object of dislike; pest. • *v* disgust; loathe; shrink back; sicken; surfeit.
scunnersome *adj* abhorrent; distasteful; objectionable.
scunnert *adj* fed-up.
scur[1] *n* mayfly.
scur[2] *n* scab.
scurdie *n* moor stone.
scurr[1] *n* scoundrel.
scurr[2] *v* slide.
scurrie *adj* dwarfish.
scurryvaig *n* lout; vagabond.
scush *n/v* shuffle.
scutcher *n* swingle.
scute *see* **skute**.
scuttal *n* filthy pool.
scutter *v* bungle; botch.
scutterie *adj* fiddly.
scuttle-hole *n* cesspool.
se *see* **sey**[2].
seagust *n* spume.
sea loch *n* long narrow bay of the sea.
sea maw *n* gull.
seam o teeth *n* dentures.
seannachie *n* clan bard and historian; storyteller.
sea-pyot *n* oyster-catcher.
search *v* sift.
seath, seith *n* coal-fish.
seatter *n* meadow.
seck *n* sack.
second-handit *adj* second-hand.
second-sicht *n* power of divination.
see *v* pass; **see her ain** menstruate; **see till** care for.
seed-bird *n* wagtail.
seed-fowl *n* wagtail.
seeing gless *n* mirror.
seek *v* court, woo; ask for; aspire; bid; desire; want; look for percolate; **seek tae** strive for; **seek throu** soak through; **seekto** ask to.
seek-sair *adj* bored.
seendil, seenil *adj* infrequent; rare. • *adv* seldom.
seep *n* leakage; ooze. • *v* percolate; trickle.
seepin *adj* dripping.
seerie *adj* feeble.
seeven *adj/n* seven.
seevent *adj/n* seventh.
seeventeen *adj/n* seventeenth.
seeventie *adj/n* seventy.
seg[1] *n* rush; sedge; iris.
seg[2], **seyg** *v* fall down; sink; subside.
seggie *adj* abounding in sedge.
segster *n* sexton.
sei *v* see.
seil[1], **seile, sele** *n* happiness; bliss; fortune; prosperity; success.
seil[2] *v* strain.
seildyn *adv* seldom.
seilful *adj* blissful; fortunate; propitious; successful.
seilie, seily *adj* blessed; happy.
seir, sere *adj* several.
seirie *adj* haughty.
seissle *v* confuse.
seith *see* **seath**.
sel *n/pron* self.
selchie, selcht *see* **selkie**.
selcouth *adj* strange.
sele *see* **seil**[1].
seleck *v* select.
self *adj* same; **self an same** identical; selfsame.
selkie, selchie, selcht *n* seal.
sellack, sellock *n* small fish.
sellarie *n* salary.
sellie *adj* egotistical; selfish. • *n* selfishness.
selwyn *pron* selfsame.
sely[1] *adj* wretched.
sely[2] *adv* wonderfully.
semble[1] *n* parapet.
semble[2] *v* assemble.
sembling *n* appearance.
semi *n* second-year undergraduate.
semmit *n* vest.
semple, sempill *adj* simple; low-born, vulgar.
sen[1] *v* dispatch, send.

sen[2], **sensyne** *conj* since.
send[1] *n* mission; message.
send[2] *adv* then; thereafter.
sense *n* essence; pith. • *v* scent.
sensyne *see* **sen**[2].
sentrices *npl* scaffolding.
sept *n* branch of clan.
sequestrate *v* confiscate.
ser *v* fit; satiate; serve.
sere *see* **seir**.
serge *n* taper; torch.
serk *see* **sark**.
serplins, sorplins *npl* soapy suds.
servan *n* servant.
servan chiel *n* manservant.
server *n* salver, tray.
service *adj* serving. • *n* round of drinks.
servit *n* serviette.
servitour *n* secretary; servant.
set[1] *n* attitude; build; characteristic; state; lease; trap; attack; sort, kind; seed-potato. • *v* accompany; let; lease; sit; seat; send; disgust; beset; befit; **set aff** dismiss; go away; plant out; send off; **set after** pursue; **set awa** set off; set out; **set by** put aside; substitute; **set doon** plant; **set i** lay; **set on** invade; **set oot, set out** eject; put out; **set ower** ferry; **set tae** attack; set upon; **set up** stir up; **set up yer gab** speak out.
set[2] *adj* distressed.
set-doon *n* sit-down.
set-down *n* rebuff.
set-stane *n* whetstone.
sett *n* large cobblestone.
setter *n* leasor.
setterel, settrel *adj* squat, thickset.
setting *adj* becoming; fit.
settlement *n* testament.
settlins *npl* dregs of beer.
settrel *see* **setterel**.
Seturday *n* Saturday.
Seturday penny *n* pocket money.
seuch *n* furrow. • *v* divide.
sevendle *adj* extreme.
severals *adj* several.
sewster *n* sempstress.
sey[1] *n* armhole of a dress; beef.
sey[2], **se** *n* sea.
sey[3] *n* specimen.
seyd *n* sewer; drain.
sey daisy *n* sea-pink, sea-thrift.
seyg *see* **seg**.
seyne *v* see.
seytoon *n* seaport.
shab *v* smuggle.
shable *n* crooked sword.
shach *v* distort.
shachle *n* shuffling walk. • *v* shamble; **shachle aff** shake off.
shachlin *adj* shapeless.
shackle *n* wrist.
shackle-bane *n* wristbone.
shae[1], **shee** *n* shoe. • *v* shoe.
shae[2] *pron* she.
shae pint *n* shoelace.
shaft *n* handle.
shag *n* barley chaff.
shaif *n* sheaf.
shair *adj* sure.
shairp *adj* gritty; sharp. • *n* sharpening.
shairpen *v* sharpen.
shairplie *adv* sharply.
shak *n* shake. • *v* shake; **shak a fa** wrestle; **shak a fit** dance.
shaker *n* quaking grass.
shall *n* scale; shell. • *v* shell.
shalla *adj/n* shallow.
shalloch *adj* abundant.
shalt, shaltie *see* **sheltie**.
shalter *n* shelter.
sham[1], **shaum** *n* leg.
sham[2] *v* strike.
shamble *v* stretch the limbs; writhe.
shame *n* pity.
shammle *v* dislocate.
shan *adj* no-good.
shane *v* heal.
shangie[1] *adj* meagre.
shangie[2] *n* shackle; chain; washer.
shangies *npl* handcuffs.
shank *n* leg; handle, shaft; coal pit; knitter; stalk; stem. • *v* travel on foot; dig a coal pit; knit; **shank aff** set off.
shanks' naig *n* walking.
shannach *n* Hallowe'en fire.
shantieglan *n* knife-grinder.
shap *n* shop.
shape *n* attitude; posture.
share *v* pour off; separate liquids; shear.
shargar *n* scraggy or stunted person.
sharins *npl* remains after sharing.
sharn *n* animal dung.
sharny *adj* covered with dung.

sharrachie *adj* chilly.
sharrow *adj* bitter-tasting.
shatter *v* chatter.
shaul, shawl *adj* shallow.
shaum *see* **sham**[1].
shaup *n* husk; pea pod. • *v* pod.
shaupie *adj* lank.
shave, sheave *n* slice. • *v* slice; sow.
shavie *n* trick.
shaw[1] *n* wood, copse, thicket; woodland; flat land at the base of a slope.
shaw[2] *n* show. • *v* show; display; trim.
shawl *see* **shaul**.
shaws *npl* stalks.
shear, sheer *v* reap; divide.
shearer *n* reaper.
shears *npl* clippers; sheep-shears.
sheave *see* **shave**.
sheckle *n/v* shackle.
shed *n* hair parting; division of land. • *v* divide; separate.
shedda *n/v* shadow.
shedding *n* parting of the ways.
sheddings *npl* crossroads.
shee *see* **shae**.
sheemach *n* pack-saddle.
sheen *v* shine.
sheer *see* **shear**.
sheiling *n* summer hut.
shell *n* husk. • *v* husk grain; **shell down** shell out.
sheltie, shalt, shaltie *n* small horse; Shetland pony.
shelvie *adj* shelving.
shent *adj* destroyed, ruined.
sherk *n* shark.
sherp *adj* piquant.
shethe *n* whet stick.
sheuch, sheugh *n* ditch; drain; trench; furrow. • *v* dig a ditch, etc.
shew *v* sew.
shewin *n* needlework, sewing.
shewster *n* needlewoman.
shew-up *n* closure.
shidder *n/v* shudder.
shiel *n* shield.
shiemach *adj* malevolent.
shiffle *v* shuffle.
shift *n* removal. • *v* change places.
shilcorn *n* blackhead.
shilfa *n* chaffinch.
shill[1] *adj* chilly.
shill[2] *adj* shrill.
shilped *adj* timid.
shilpie *n* timid person.
shilpit, shilped *adj* insipid; sickly-coloured; fearful, timid; emaciated; haggard; lanky; puny; sour.
shim *n* horseshoe.
shinty *n* ball and stick game; hitting stick.
shire *v* pour off; purify.
shirie *adj* watery.
shirles *npl* peat turves.
shirp *v* shrivel.
shirpet *adj* thin; tapering.
shirragh *adj* acrid.
shirrif, shirra *n* sheriff.
shirrot *n* divot.
shirrow *n* shrew; termagant, virago.
shite *n* excrement. • *v* excrete, shit.
shither *n/v* shudder.
shitten *adj* dirtied; contemptible.
shivereens *npl* smithereens.
shochle *v* stagger.
shochlin *adj* waddling.
shod *n* tag.
shoddie *n* little shoe.
shog *n* jog; sway. • *v* jog; sway; keep going.
shoggie-shoo *n* seesaw.
shooders *n* coat-hanger.
shoogieboat *n* swingboat.
shoogle[1], **shuggle** *n* ice floe; blood clot.
shoogle[2], **shuggle** *v* jolt; push; joggle; jolt. • *v* joggle; jolt; push; rock.
shooglie, shoogly *adj* shaky; unstable; wobbly.
shool *see* **shuil**.
shoon *npl* shoes.
shoot *v* push out.
shore[1] *n* jetty; pier; quay.
shore[2] *v* count; threaten; offer.
short *n* jiffy.
short an lang *adv* briefly; summarily.
shortbread *n* solid cake of flour and butter.
shortcome *n* deficiency; shortage; flaw.
shortie *n* shortbread.
short i the trot *adj* short-tempered.
shortlins *adv* shortly.
shorts *npl* flax and straw refuse.
short-set *adj* stocky.
shortsome *adj* amusing; enjoyable; entertaining.

shortsyne *adv* lately.
shot *n* plot of land; catch of a net; flow.
shot-about *adv* turn about.
shottle, shuttle *n* drawer; compartment.
shouder, shouther *n* shoulder.
shouder heid *n* shoulder joint.
shoughie *n* short, bandy-legged person.
shour *n* shower.
shout *v* birth.
shouther *see* **shouder**.
shoutin *n* childbirth.
showd *v* waddle; swing on a rope.
showers *npl* throes, pangs of childbirth.
showl *v* distort.
shreed *n* shred.
shrood *n* shroud.
shuet *n* suet.
shuggar *n* sugar.
shuggie *v* swing from side to side.
shuggle *see* **shoogle**[1], **shoogle**[2].
shuil, shool *n/v* shovel.
shuilie *adv* surely.
shuir *adj* sure.
shuit[1] *n/v* suit.
shuit[2] *n* bulge. • *v* avalanche; bulge; shoot.
shullin *n* shilling.
shunky *n* toilet bowl.
shurlin *n* new-shorn sheep.
shuts *npl* shutters.
shuttle *see* **shottle**.
shuve *v* shove.
shyle *v* make a wry face.
sib *adj* akin; alike; related by blood; similar. • *n* kin; blood relation.
sibness *n* affinity; relationship.
sic, sich *adj* such; **sic an sae** alike; **sic lik** similar; suchlike. • *adv* so; **sic lik** likewise; similarly.
siccan *adj* such kind of; certain.
siccar, sicker, sikker *adj* secure; certain.
sich[1] *n/v* sigh.
sich[2] *see* **sic**.
sicht *n* sight; scrutiny; vision; pupil. • *v* sight; scrutinise; determine sex of animal.
sichtless *adj* sightless.
sicker[1] *adj* dependable, reliable; firm, secure; stable; steady; wary. • *adv* securely. • *v* make sure; fix; secure.
sicker[2], **sikker** *see* **siccar**.
siddle *v* sidle.
side *adj* hanging low; **side for side** alongside.
sidelegs *n* sidesaddle.
sidelins *adj* sidelong; sloping. • *adv* alongside; aside; indirectly.
sidieweys *adj* sideways.
signet *n* seal.
sik *v* seek.
sike *n* stream; filter; soil. • *v* filter; soil.
sile[1] *n* ceiling.
sile[2], **syle** *v* blindfold; circumvent; strain.
sill *n* foundation beam.
siller *adj* silver.
siller *adj* silver; relating to money. • *n* silver; currency; money.
siller-fish *n* pout.
sillerless *adj* penniless.
sillert *adj* monied.
silly *adj* lean; frail; fearful; flimsy.
simmer *n* summer.
simmerset *n* somersault.
simpliciter *adv* unconditionally.
simulate *adj* pretended.
sin[1] *n* sun.
sin[2] *n* son.
sin[3] *adv/conj* since.
sinacle *n* vestige.
sincere *adj* grave.
sinder *v* diverge; divide; part; thin.
sindle *adv* seldom.
sindry *adj* assorted; various; distinct; diverse; sundry. • *adv* separately.
sing *n/v* singe.
singit-like *adj* puny.
singlar *adj* unarmed.
sink *n* mineshaft; soggy ground.
sinnen *n* sinew.
sinnerie *adv* asunder.
sinse *n* sense.
sinsyne *adv* ago; since.
sinwart *adv* sunwards.
sipe, sype *n* spring (of water); dreg. • *v* distil.
siplin *n* sapling.
sipper *n* supper.
sipple *v* sip.
sirple *v* sip; sip repeatedly.
sist *v* cite; stop.
sit *v* stop growing; shrink; sink down.
sitable *adj* suitable.
sit-doon *n* job.
site, syte *n* grief.

sithe *n* satisfaction; atonement.
sithean *n* fairy hill.
sithes *npl* chives.
sitten *adj* stewed.
sitten-doon *adj* chronic.
sitting-doon *n* marriage settlement.
sittrel *adv* peevish.
siven *n* raspberry.
siver *n* covered drain.
skaddens *n* turf.
skaenie *n* twine.
skaff, skaffie *n* small boat.
skag *n* drugs; heroin.
skaik *n* coating. • *v* force apart.
skail *adj* scattering. • *v* break up; disband; disperse; leak out; rout; scatter; spill.
skail, skaill, scale *n* skimming dish. • *adj* scattering. • *v* disperse; scatter; empty; overflow; dismiss.
skailin *n* dispersion.
skaillie *n* blue slate.
skaillie-burd *n* writing slate.
skaillie-pen *n* slate pencil.
skailwin *n* hurricane; tornado.
skainie *n* string.
skair *v* splice.
skaith *n* hurt, injury; loss; misfortune; damage; damages. • *v* damage; hurt, injure.
skaivie *adj* hare-brained.
skalk *n* morning tumbler of whisky.
skalrag *adj* dishevelled.
skarrach *n* flying shower.
skate *n* paper kite.
skavie *n* mishap.
skean, skene *n* short knife.
skean-dhu *n* stocking knife.
skean-ochle *n* armpit knife.
skech *adj* scrounging. • *n* sponger. • *v* appropriate; filch.
skechin *adj* prowling.
skee *n* small house.
skeebroch *n* very lean meat.
skeeg[1], **skig** *n* small fragment.
skeeg[2], **skeg** *v* lash; spank.
skeel *n* skill.
skeelie, skeely *adj* skilful.
skeer *adj* agitated; restive; unstable. • *v* alarm.
skeet, skeitch, sketch *n/v* skate.
skeetcher, skeitcher *n* skater.
skeg *see* **skeeg**[2].
skeich *adj* coy; ebullient. • *v* animate; shy.
skeir *adj* pure; holy.
skeitch, sketch *see* **skeet**.
skelb *see* **skelf**[1].
skeldroch *n* hoar-frost.
skelet *n* skeleton.
skelf[1], **seklb** *n* flake; scale; splinter; thin person. • *v* flake.
skelf[2] *n* shelf.
skellet, skellat *n* bell; rattle.
skellie[1] *adj* cross-eyed; slanting. • *n* squint; error. • *v* squint; look askance.
skellie[2] *n* reef.
skellie-eed *adj* squint-eyed.
skelloch[1] *n* loud cry; scream. • *v* cry out; scream.
skelloch[2] *n* charlock.
skellum *n* scamp.
skelp *n* stroke; blow; slap, smack; large portion; slab; squall. • *v* spank; beat fast; move quickly; gallop; skip along; tick.
skelpie *n* naughty child.
skelping *n* thrashing; whipping; hiding.
skelter *v* scurry; scutter; scuttle.
skelve *n/v* slice; layer.
skelvy *adj* layered.
skemmel *v* scramble; stagger.
skemmels *n* meat market.
skemmling *adj* shambling.
skene *see* **skean**.
skep, scapp *n* beehive; basket.
skep-bee *n* bee.
skerry *n* tidal rock.
sket *adv* hastily.
sketch *see* **skeitch**.
sketchers *n* saw-horse.
skeugh *see* **skew**.
skevrel *v* totter around in circles.
skew, skeugh *n* twist. • *v* twist; skew; splay; squint; differ.
skew-fittit *adj* splay footed.
skewl *v* distort; turn aside.
skeyld *n* surf.
skibe *n* mean person.
skice *v* make off; slip away.
skid *v* slide; squint.
skiddie *adj* slant.
skiddle *v* slop; slosh.
skiff, skift *v* move smoothly; skip; brush against.
skiffie *n* coal tub; flying shower.

skift *see* **skiff**.
skiftin *n* skirting board.
skig *see* **skeeg**[1].
skiggle *v* spill.
skill *n* reason; sense; approval.
skilt *v* swill.
skilting *n* drinking hard.
skimmer *v* flicker; shimmer.
skimmering *adj* glimmering.
skin *n* particle.
skink[1] *n* shin of beef; soup.
skink[2] *n* drink. • *v* decant.
skinkle[1] *n* small portion. • *v* spill.
skinkle[2] *n* shining. • *v* sparkle.
skinnymalink *n* skinny person.
skip *n* captain.
skippit *adj* peaked.
skire *adj* pure; mere.
skirgiffin *n* half-grown girl.
skirl *n* crackle; scream; shrill cry. • *v* cry shrilly; scream; shriek; **skirl up** sing loudly.
skirlie *n* flurry.
skirl-in-the-pan *n* sizzling.
skirl-nackit *adj* stark naked.
skirp *n* pellet. • *v* mock; splash.
skirrivaig *v* run about wildly.
skirt *v* elope.
skit *n* vain creature, chit. • *v* flounce; prance.
skite[1] *n* skid; jollification; ricochet. • *v* skid, slide; rebound; strike off.
skite[2] *n* excrement; nasty person. • *v* excrete forcibly.
skitter *n* diarrhoea. • *v* excrete liquid matter.
skitterful *adj* suffering from diarrhoea.
skitterie *adj* trifling.
skive *v* cut into slices; shave; transfix.
skivet *n* blacksmith's shovel.
sklaik *v* smear.
sklaitie *adj* smeared.
skleet *adj* smooth.
skleff *adj* shallow; thin; flat-chested.
sklent *adj* oblique. • *n* cant, incline; slope. • *v* slant; slope; squint; swerve.
skleter *v* scamper.
skliff *n* scuff; scree. • *v* scuff.
skliffer *n* layer.
sklinter *v* splinter.
sklout *n* cow dung.
skloy *n* slide. • *v* slide; skate.
sklyte *v* slip.
skole *see* **scoll**.
skook *n* skulking person. • *v* skulk.
skoosh *n* jet of fluid, spurt; lemonade.
skoosh-car *n* tramcar.
skoosher *n* sprinkler.
skow *n* coracle.
skrae-shankit *adj* with long thin legs.
skrank *adj* skinny.
skran-pock *n* beggar's wallet.
skree *see* **scree**[2].
skreek *n/v* screech.
skreenge *n* lash; loose woman. • *v* scourge; search for.
skreich o day, skreigh o day *n* daybreak, dawn.
skrift *n* recital from memory. • *v* make up; fib.
skrimmish *n/v* skirmish.
skrine *n* unboiled sowens.
skrinkie *adj* lank; shrivelled.
skrow *n* shrew; scroll; slight shower.
skrumpilt *adj* shrunken.
skrunkit *adj* pinched; shrivelled.
skrunkle *v* shrink.
skrunt *v* make a grating noise.
skrunty *adj* raw-boned.
skry *v* cry; proclaim.
skube *n* draught of drink.
skudler *n* master of ceremonies.
skug *see* **scug**.
skull *see* **scoll**.
skurriour *n* scout.
skute, scute *n* lout. • *v* walk flat-footedly.
sky *n* daylight; shadow; ridge of a hill; light in the sky before sunrise and after sunset. • *v* look about; look while shading the eyes; shade; **sky up** clear up.
skybald *adj* worthless. • *n* useless person; lazy horse.
skybrie *adj* bad; useless. • *n* thin light soil.
skyme *v* gleam with reflected light.
skynk *v* serve out liquor.
skype *n* worthless person.
skyrie *adj* gaudy.
skyte *n* nasty type; throwing out. • *v* throw out.
skytle *v* move from side to side.
sla *v* slay.
slab *v* eat greedily.
slabber *n* slobber; slovenly person. • *v* slaver; slobber.

slack[1] *n* opening between hills.
slack[2] *n* slackening. • *v* cease.
slackstate *n* mess.
slade, slaid *n* hollow; den.
sladge *n* slovenly person.
slae[1] *n* slow-worm.
slae[2] *n* sloe.
slae[3] *n* blackthorn.
slae-black *adj* black as the sloe.
slag *n* morass. • *v* make moist; **slag up** gobble up.
slaggie *adj* soft; thawing.
slaid *see* **slade**.
slaiger *n* mud; dollop of soft stuff. • *v* waddle in the mud.
slaik *n* lick. • *v* bedaub; lick.
slaik, slake *n* something hidden; hoard. • *v* carry off and eat in secret.
slain *n* steep wooded slope.
slaip *adj* sleek.
slaipie *n* mean person; plate-licker.
slair *v* smudge.
slairg *n* dollop of semi-sticky stuff.
slairg *v* bedaub.
slairt *v* mess about; outdo; outstrip.
slairy *v* smear.
slaister, slyster *n* messy person; slops. • *v* do in a bungling way.
slaisterie, slaistery *adj* messy; mired.
slaister-kyte *n* mucky feeder.
slait[1] *adj* sluttish.
slait[2] *v* level; abuse; maltreat.
slake[1], **slaik** *n* river weed.
slake[2] *see* **slaik**.
slam *n* share of ill-gotten gain.
slammach *v* seize.
slammikin *n* slut.
slamp *adj* pliant; supple; slim.
slanger *v* linger.
slank *adj* thin.
slap, slop *n* break; dollop; gap; narrow pass; breach in a wall.
slapper *n* large object.
slappin *adj* big; strapping.
slarry *v* besmear.
slash *n* slush. • *v* kiss wetly; work in wet or mud.
slashie *adj* slushy.
slatch *n* slattern. • *v* dabble in mire; move heavily.
slate *v* let loose.
slater *n* woodlouse.
slauchter *n* carnage; bloodshed; slaughter. • *v* slaughter.
slaukie *adj* slimy.
slaupie *adj* indolent.
slavers *n* saliva.
slaw *adj* slow.
slawlie *adv* slowly.
slay-worm *n* slow-worm.
sled *n* sledge; sledge driver.
slee, sle *adj* expert; sly; well-made; wise. • *adv* slyly. • *v* slip; steal craftily.
sleech *v* coax.
sleek *n* silt; slime; sleet. • *v* slink.
sleekie *adj* sleety; deceitful.
sleekit *adj* smooth; plausible; shining; sleek; artful; smooth-tongued; underhand; deceitful, crafty.
sleekitness *n* artfulness.
sleelie *adv* slily.
sleenge *v* lounge.
sleep *v* lapse; **sleep in** oversleep.
sleeper *n* dunlin; foundation beam.
sleeperie *adj* sleepy, somnolent.
sleesh *n* slice.
sleeth *n* sluggard.
sleif *v* slip.
slepe, slip *n* sleep.
slepery *see* **slippery**.
slerp *v* expectorate; salivate; spit.
sletch *n* slime.
sleuch *see* **slouch**.
sleuth[1] *n* sloth.
sleuth[2] *v* neglect; loiter.
slew *v* tilt.
slewit *adj* sleeved.
slibbie *adj* slippery.
slicht[1] *adj* slight; worthless.
slicht[2] *n* cunning; sleight. • *v* jilt; abandon; contrive.
slid, slide *adj* slippery.
slidder *adj* unstable. • *n* slip. • *v* defer; delay.
slidderie, sliddery *adj* disloyal; evasive; fraudulent; smooth-tongued; uncertain; unreliable; loose.
slide *see* **slid**.
slidness *n* slipperiness.
slieve-fish *n* cuttlefish.
sliggy *adj* cunning; talkative.
slike, slik *n* slime.
slim *adj* slight; naughty. • *v* work carelessly.
slimmer *adj* delicate.

sling *v* walk with long steps.
slinger *v* reel; totter.
slink *adj* long; slender; thin. • *v* deceive.
slinkie *adj* long; slender.
slinkin *adj* deceitful; creeping.
slip *n* breach; miscarriage. • *v* abort.
slip[1] *n* overdress; teenage girl.
slip[2] *see* **slepe**.
slipbody *n* camisole.
slipe *n* runner. • *v* slide; move easily.
slipper, slippar *adj* slippery. • *n* slipperiness.
slippery, slepery *adj* causing sleep.
slippie *adj* slippery.
slipshod *adj* with shoes but no stockings.
slite *v* rip apart; slit.
slitter *n* mess; messy or untidy person; dribbler. • *v* eat messily.
slitterie *adj* messy; sloppy.
slive *n* sliver.
sloan, sloun *n* envious person.
sloap *n* slut.
sloat *n* greedy person.
sloch[1] *n/v* slough.
sloch[2] *v* do something carelessly.
slochan, slocher *n* clumsy or awkward person.
slock *n* strong drink. • *v* quench; douse; moisten; extinguish; appease.
slocken, slokin *v* celebrate; allay; slake, quench.
slockener *n* thirst-quencher.
slogan, slughorn *n* war cry; rallying cry.
slogger *v* slop up with a spoon.
sloggerin *adj* slovenly; trailing.
sloggy *adj* slimy; marshy.
slogie *n* nightgown.
sloit *n* slovenly person.
slokin *see* **slocken**.
slomie *adj* distended.
slong *n* sling.
slonk *n* ditch. • *v* wade through.
sloom *v* slumber, unsettled sleep; slump; waste away decay.
sloonge *n* layabout. • *v* idle, loaf, lounge; souse.
sloonger *n* idler, loafer.
sloosh *n* dash; sluice.
sloot *n* sluttish person.
slop[1] *n* tunic.
slop[2] *see* **slap**.
slope *v* idle; shirk.
sloper *n* shirker.
slork *v* walk through slush; eat noisily.
slorp *n* slurp. • *v* slurp; lap.
slorping *adj* tawdry.
slot *n/v* bar; bolt.
slotter *v* waste one's time.
slottery *adj* drowsy; inert.
slouch, sleuch, slug *n* deep ravine.
sloum *n* scum.
sloun *see* **sloan**.
slounge *n* splash; sneaky person. • *v* fall in with a splash; lounge about hoping for food.
sloupe *n* silly person.
slubber *n* drool, slobber; sloppy food. • *v* bespatter; drool, slobber; do something carelessly.
slug *see* **slouch**.
slughorn *see* **slogan**.
slug road *n* road through a narrow pass.
slummish *v* trifle away one's time.
slump[1] *n* estimate; remnant. • *v* lump together.
slump[2] *n* marsh; dull thump.
slumpie *adj* marshy.
slung *n* tall lank dunce.
slunken *adj* lank and lean.
slurich *n* soft sloppy food.
slush *n* odd-job worker.
slutch[1] *n* hanger-on.
slutch[2] *n* sludge.
slute *n* slow lazy creature.
slutter *n* slop.
slutterie *adj* sluttish.
slutterin *adj* snoring.
sly *n* slide. • *v* come up silently.
slype *n* coarse person; wet furrow. • *v* slip; strip off.
slyster *see* **slaister**.
slyte *v* sharpen, whet; move easily.
sma *adj* small; narrow; of low station. • *n* small amount.
smachry *n* trash.
smack *v* speed.
smad *v* stain. • *n* small stain.
smaik *adj* small. • *n* puny person.
smairt *adj* alert; smart.
smalie *adj* little; puny.
smas *n* small change.
smash *v* shiver; beat hard.
smashin *adj* large; excellent.
smatchet *n* small man.

smatter *v* deal in trifling things; batter; smash.
smatters *npl* trifles.
smeddum *n* common sense; courage; drive; energy; liveliness.
smeeg *n* kiss.
smeek, smeik *n* smoke. • *v* smoke; fumigate; suffocate.
smeekie, smeikie *adj* smoky.
smeekit *adj* smoke-stained.
smeerless *adj* uninteresting.
smeerless *see* **smerghless**.
smeeth, smeth *adj* smooth.
smeik *see* **smeek**.
smelt *see* **smolt**[1].
smergh *n* marrow; vigour; vitality.
smerghless, smeerless *adj* languid; vapid; feeble.
smervy *adj* savoury.
smeth *see* **smeeth**.
smeuch *n* fumes; smoke.
smewy *adj* savoury.
smiddle *v* smuggle; work by stealth.
smiddy *n* blacksmith's shop, forge.
smikker *v* smile enticingly.
smird *v* gibe.
smirikin, smurachin *n* hearty kiss.
smirk *n/v* smile.
smirkle *n* smile; suppressed laugh.
smirl *n* trick.
smirr *n* hazy rain.
smirtle *n/v* smirk.
smit[1] *n* blemish; smudge; smut; contagion; infection. • *v* contaminate; pollute; taint.
smit[2] *n* clashing sound.
smitch *n* stain; speck; slur.
smittle, smittral, smittin *adj* infectious; contagious.
smocher *v* breathe with difficulty.
smochie *adj* stifling; stuffy; sultry.
smoit *n* obscene talker.
smolt, smelt *n* salmon fry.
smoo *n* placid smile.
smooder *v* smoulder.
smook *v* sneak-thieve.
smookie *adj* pilfering.
smool *v* secure by underhand means.
smoor *v* damp; quench; put out; smother; suppress; obscure.
smoorich *n* cuddle; kiss. • *v* caress; hug.
smoost *v* burn away gradually.
smore *v* extinguish.
smore, smure *v* smother with smoke; choke.
smot, smote *n/v* stain.
smottrit *n* stained.
smoupsie *n* stripling; lad.
smout[1] *adj* clear; mild.
smout[2] *see* **smowt**.
smoutie *adj* sooty.
smoutter *v* eat little but often.
smowt, smout *n* small person; young child; small creature.
smuchtie *adj* fuggy.
smudder *v* smother.
smuddoch *n* smoky fire.
smudge, smue *n* suppressed laugh. • *v* laugh secretly, smirk; simper.
smug *v* embrace amorously.
smugly *adj* amorous.
smuik *n* fumes.
smuik *v* smoke.
smuil *v* go sneakily.
smuir *n* cloud.
smuist *v* smoulder; smoke.
smuister *v* smother.
smuith *adj* smooth.
smuithlie *adv* smoothly.
smulachin *adj* puny-looking.
smule *v* wheedle; curry favour.
smult *v* crop short.
smurachin *see* **smirikin**.
smuragh *n* peat dust.
smure *see* **smore**.
smurr *n* drizzle.
smush[1] *n* burning smell; state of liquefaction.
smush[2] *v* bruise.
smushle *v* drizzle.
smutchack, smytch *n* impish boy.
snab *n* brow of a hill.
snabbin *n* cobbling.
snack[1] *adj* quick; acute.
snack[2] *n/v* snap.
snackie *adj* full of tricks.
snag *n* broken branch. • *v* hack off branches; chide.
snag, snagger *v* snarl.
snaggy *adj* sarcastic.
snaik *v* sneak.
snail *n* slug.
snap *adj* smart. • *n* snack; brittle biscuit. • *v* eat hurriedly.
snapper *v* stumble.

snappert *adj* tart; hasty.
snappit *adj* abrupt.
snappous *adj* quick-tempered.
snappy *adj* sharp in business.
snar *adj* tart.
snare *adj* prudent.
snarre *adj* severe.
snash *n* crude talk. • *v* talk crudely.
snash-gab *n* prating.
snashters *npl* junk food; pastries; sweets.
snauchle *v* loiter.
snaw *n/v* snow.
snaw brue *n* meltwater.
snawfleck *n* snowflake; snow bunting.
snawie *adj* snowy.
snaw-pouther *n* fine snow.
snawsel *adj* snow-covered.
snear, sneer *v* hiss; snort.
sneck[1] *n* latch; bolt. • *v* latch; bolt; shut; **sneck aff** switch off; **sneck up** lock up.
sneck[2] *n* cut; incision; notch; dip. • *v* cut into, incise; notch; prune; lop.
sneck[3] *v* snatch; steal.
sneck-drawer *n* two-faced person, deceiver.
sneck-drawing *adj* crafty; stealthy. • *n* craftiness.
snecks *npl* railway points.
sned *n* shaft of a scythe.
sned *n* cut. • *v* prune, lop; trim; truncate; castrate.
sneddins *npl* prunings.
sneel *v* snivel.
sneep *see* **snip**[1].
sneer *see* **snear**.
sneesh, snish, snush *n* snuff. • *v* sneeze.
sneeshin-mill *n* snuffbox.
sneg *v* snip; chop off; cut off; interrupt.
sneist, sneest *n* contempt; sneer; taunt. • *v* treat with disdain.
sneistie, sneisty *adj* contemptuous; sneering; uncivil.
sneith *adj* smooth; polished; refined. • *n* smoothness.
snell *adj* keen, biting; sharp; severe, austere; acrid; acrimonious; bitter; high-pitched, piercing; pungent; rigorous; sarcastic; tangy; violent. • *adv* eagerly; keenly; severely.
sneyster *v* cauterise; roast.
snib *n* bolt; door-catch; fastener. • *v* bolt; cut; geld.
snibbit *adj* cut short; trimmed.
snicher *n/v* snigger; titter.
sniffel *v* be slow in action.
snifflin *adj* procrastinating.
snift *n* sniff.
snifter *n* severe blast; tot of strong drink. • *v* sniff; snuffle; snore.
snip[1], **sneep** *n* dazzling.
snip[2] *v* stumble slightly.
snipe *n* let-down. • *v* defraud.
snippie *adj* sharp-tongued; tart.
snippit *adj* snub.
snippy *n* kettle; teapot.
snirk, snork *n* snort. • *v* snort; wrinkle one's nose.
snirl *v* sneeze.
snirt *n* snort. • *v* breathe snortingly.
snish *see* **sneesh**.
snisty *adj* saucy; rude.
snite *v* snuff; extinguish.
snivel *v* breathe hard through the nose.
snocher *n* snore.
snochter-dichter *n* handkerchief.
snocker *v* snort.
snod *adj* lopped; pruned; neat; tidy; compact; level; snug. • *v* prune; neaten.
snodge *v* walk sneakily.
snog *v* jeer.
snoick *adj* virgin; watertight.
snoit *v* blow one's nose with one's finger and thumb.
snoke, snook, snowk *v* sniff at; scent; smell; hunt.
snool *v* submit.
snoot *n* detective; snout.
snoove *v* walk or move steadily.
snoovin *adj* sneaking.
snoozle *v* nuzzle; sleep.
snork *see* **snirk**.
snorl *n* kink; difficulty; scrape; dilemma.
snorlie *adj* knotted; twisted.
snosh *adj* fat and contented.
snot, snottie *n* dunce.
snotter *n* snot. • *v* breathe congestedly through the nose.
snotterbox *n* nose.
snotterie, snottery *adj* runny-nosed.
snotters *npl* snot; melted candlewax.
snottie[1], **snotty** *adj* abrupt; brusque, curt; huffy.
snottie[2] *see* **snot**.
snouthie *adj* dark and rainy.

snowk *see* **snoke**.
snubbert *n* loose knot.
snude *see* **snuid**.
snuffie *adj* sulky.
snuffiness *n* sulkiness.
snug *n* stroke; push. • *v* push; butt.
snuid, snude *n* hairband; snood, fillet with which a woman's hair is bound up.
snuil *n* lazy person. • *v* give in; submit; rebuff.
snuk, snuke *n* small headland.
snurkle *v* knot.
snurlie *adj* knotty.
snush *see* **sneesh**.
snype *n* punch; blow. • *v* punch.
snysters *npl* cakes; titbits.
snyte *v* walk feebly.
so *v* pour oil on water.
soakie *adj* plump.
soam *see* **sowme**.
sober, sobir *adj* spare; frugal; poor; mean; weak.
soc, sock *n* right to hold a baronial court.
socher *adj* lazy. • *v* take good care of oneself.
socht *adj* exhausted; tired.
sock[1] *n* ploughshare.
sock[2] *see* **soc**.
sod[1] *n* turf of peat.
sod[2] *adj* firm steady.
sod[3] *adj* sad.
sodger *n* soldier.
sodie *n* soda.
sodie-heid *n* silly person.
soft *adj* moist; rainy.
soke *v* slacken.
solan *n* gannet.
sold[1] *n* money; ingot.
sold[2] *v* solder.
sole *n* sill; subsoil.
solid *adj* sane.
solist *adj* careful; anxious.
some *adv* some extent; somewhat.
somegait *adv* somehow.
someplace *adv* somewhere.
someway *adv* somehow.
sonce *n* prosperity.
Sonday *n* Sunday.
sonk[1] *v* talk drivel.
sonk[2] *n* grassy seat.
sonnet *n* ditty.
sonse *n* luck.
sonsie, sonsy *adj* lucky; good-humoured; pleasant-looking; attractive; buxom; capacious; lucky; sociable; substantial; appealing.
soo *n* sow[1].
soo[1] *v* smart.
soo[2] *see* **sow**.
sooch *v* swill.
soogh *n* copious draught.
sook, souk *n* flatterer; sycophant. • *v* suck; seep; breast-feed, suckle; ingratiate; **sook in wi** suck up to.
sooker *n* sucker.
sookie *adj* ingratiating; suckling. • *n* spoilt child; clover.
soom *v* swim.
soon[1] *adj* near; quick; direct.
soon[2] *adj* sound; orthodox.
soon[3] *n* noise, sound.
soon[4], **sound** *n* swoon, faint; spin.
soop *n* sweep, brush.
sooper *n* brush.
soople *adj* agile, lithe, supple. • *adv* nimbly.
soor, sour *adj* acid, bitter; sour.
soordook *n* buttermilk; yoghurt.
soor-faced *adj* sour-looking.
soor-lik bodie *n* miserable-looking person.
soormilk scone *n* buttermilk scone.
soormou'd *adj* sulky.
soorock, sourock *n* sorrel.
soor plooms *npl* sour grapes.
soosh, sush *v* beat; flog.
sooth[1] *n* south.
sooth[2], **suth** *adj* true. • *n* truth; honesty.
soother *v* calm; soothe.
soothfow *adj* honest.
soothlan *adj* southern.
sooth-moother *n* mainlander.
sop *n* crowd.
sope *v* become weary.
sord *n* crossbar in a gate.
sorn, sorne *v* billet oneself; make requisition.
sorner *n* beggar.
sornie *adj* parasitic.
sorple *v* scrub.
sorplins *see* **serplins**.
sorra *n* menace; sadness; sorrow.
sorraful *adj* sorrowful.
sort *v* adjust; arrange; fit out; equip; chastise; castrate; mend; nurse; provide for.

sosh *adj* sociable; bibulous.
soss *v* fall flat.
sot *n* fool.
sotter *n* crackle; colony of insects. • *v* cluster; saturate; simmer; sputter.
sotterie *adj* soggy.
sottle *v* make a bubbling sound.
souch, sough *adj* breathing; equable; silent; deserted. • *n* rustling; whistling sound; melody; equanimity; feeling; scandal; style; timbre. • *v* breathe heavily, especially in sleep; make a sound like the wind; rustle; drone; **souch awa** breathe your last.
soud *n* quantity.
souder, souther, sowder, sowther *v* allay; cement; confirm; endorse; patch up; strengthen; unite; solder.
soudie *n* gross, heavy person.
soudly *adj* soiled.
souf, souff *v* sleep disturbedly.
souft *adj* exhausted.
souk *see* **sook**.
soukit *adj* exhausted.
soulie, salie, saulie *n* silent mourner.
soum *n* sum; measure of pasture land.
soun *adj* smooth; level.
sound *see* **soon**[4].
soup *v* sob; grow weary; sweep.
souple *adj* flexible; pliant.
sour *see* **soor**.
sourd *n* sword.
sourock *see* **soorock**.
sourse *v* rise.
souse *adv* heavily. • *v* thrash.
souter, soutar *n* shoemaker. • *v* cobble.
souterin *n* shoemaking.
souther *see* **souder**.
southron, suthron *adj* southern; English. • *n* English; southerner; English person.
soutt *v* sob.
sover, sovir *adj* secure.
sow, soo *n* haystack. • *v* stack.
sowce *n* flummery.
sowder *see* **souder**.
sowe *n* winding sheet.
sowens, whinkens *npl* flummery.
sowff *n* sleep, slumber; wheezing.
sowlpit *adj* drenched.
sowme, soam *n* harness chain.
sowp[1] *n* rain. • *v* drench.
sowp[2] *v* sup.
sow-siller *n* hush money.
sowther *see* **souder**.
soy *n* silk.
spaad *n* spade.
space *n* pace; kind; sort.
spae *n* prediction; prophecy. • *v* forecast; foresee; predict; prophesy.
spaeman *n* seer, soothsayer.
spaewife *n* fortune-teller, soothsayer.
spag *n* paw.
spaig *n* skeleton.
spaik, spake *n* perch; spoke.
spaikit *adj* spoked.
spail, spale *n* chip; lath; taper.
spailings *npl* shavings.
spain *see* **spean**.
spaingie *n* cane.
spairge *v* dash; spatter with liquid, spray.
spait *see* **spate**.
spake *see* **spaik**.
spald *see* **spaul**.
spale[1] *v* melt.
spale[2] *see* **spail**.
spaller *v* sprawl.
span[1] *n* hand-span. • *v* grasp.
span[2] *v* harness horses to a vehicle.
spang *n* bound; leap; pace; span. • *v* flick; leap; span.
spang-new *adj* brand-new.
spank *v* sparkle; shine; move smartly; travel fast.
spanker *n* one who walks smartly.
spankering *adj* nimble.
spankie, spanky *adj* spirited; sprightly.
spar *n* rung. • *v* close with a bolt.
spare[1] *adj* barren.
spare[2] *n* slit; fly opening in trousers.
spargeon *v* plaster.
sparginer *n* plasterer.
spark *n* spot; blemish; small particle of liquid; raindrop. • *v* soil; bespatter.
sparkie *adj* quick-witted.
sparkle *n* spark.
sparpell *v* disperse.
sparragrass *n* asparagus.
spars, sparse *adj* widespread; sprawling. • *v* spread.
spartle *v* kick about; move unexpectedly; leap.
spat *n* place; spot.
spatch *n* large spot.
spate, spait *n* flood; heavy deluge; torrent; rise.

spatril *n* note.
spattle *n* small flood.
spaul, spald *n* shoulder; joint; limb.
spave *v* spay.
spaver *n* spayer, castrator.
spavie *n* spavin in horses.
spayn *v* grasp.
speak *n* comment; pronouncement; speech; statement; subject, topic; scandalmongering. • *v* order; **speak a word tae** admonish; advise; **speak back** reply, retort.
spean, spain *v* wean.
spean fae *v* separate from.
speaning *n* weaning.
specht *n* woodpecker.
speck *n* blubber.
speckie *adj* bespectacled.
spede *v* speed; be successful.
speeder *n* penny-farthing; spider.
speel[1] *n* break; spell. • substitute.
speel[2]**, spele, spiel** *n/v* climb.
speeler *n* crampon.
speendrif *n* spindrift.
speengie rose *n* peony.
speer *see* **speir**.
speerit *n* spirit.
speeritie *adj* energetic; spirited; vivacious.
speer-wundit *adj* out of breath.
speet *n* skewer; spit.
speg *n* wooden pin.
speice *n* pride.
speik *n* speech.
speir, speer, spere *n* inquiry; query; question. • *v* ask; inquire; query; interrogate; probe; consult; request; **speir at** question; **speir for** ask after; propose; **speir oot** research; trace; track down.
speiring *adj* inquisitive; questioning. • *n* interrogation; investigation; probe; proposal.
speirings *npl* tidings; news; inquiries.
spek *v* speak.
speld *v* expand; slice open; spread out.
spelder *v* pull apart; spreadeagle; thrash about.
spelding *n* dried haddock.
spele *see* **speel**[2].
spelk *n* splint. • *v* splint; splinter.
spell *n* tale. • *v* tell; narrate; blaspheme.
spence, spens *n* larder; inner part of house.
spend *n* spring jump.
spend *v* spring gallop.
spendrif *adj* extravagant.
spendrif *n* spendthrift.
spendrife *adj* prodigal.
spenn *v* button up.
spens *see* **spence**.
spentacles *npl* spectacles.
spere *see* **speir**.
sperfle *v* squander.
sperk *n/v* spark.
speshie *n* species.
speug, spilgie *n* tall, meagre person.
spice *n* blow; thwack; pepper. • *v* hit; pepper.
spice-box *n* pepperpot.
spicy *adj* peppery; proud.
spiel *see* **speel**[2].
spile[1] *n* bung; spigot.
spile[2] *v* spoil.
spilgie *see* **speug**.
spilk *v* shell peas.
spilkins *npl* split peas.
spill, spyll *v* destroy; perish.
spin *n* tale. • *v* progress.
spindle-shankit *adj* long-legged.
spink *n* pink.
spinkie *adj* slim; agile.
spinnie *n* spinning wheel; spindle.
spinnle *v* shoot out.
spintie *adj* lean; thin.
spire[1] *v* dry up; wither.
spire[2] *n* partition wall.
spirie *adj* slender.
spirl *v* rush about.
spirlie *adj* slim; spindly. • *n* slender person.
spirling *n* smelt; small trout.
spirtle *see* **spurtle**.
spiry *adj* hot and dry.
spit *n* light rain.
spite *n* vexation. • *v* provoke.
spits, spittins *npl* spittle.
spittal *n* hospice.
spitten *n* puny creature.
spitterie *adj* spurting irregularly.
spittins *see* **spits**.
spittle *n* spit.
splairge *n* splutter. • *v* splash; splatter; splutter; vilify.
splairgin *adj* spluttering.

splash fit *n* splay foot.
splatch *n* big messy thing; splodge.
splatter *adj* sprinkling. • *v* scatter; spatter, sprinkle; splash noisily.
splay *n* squabble. • *v* flay.
splechrie *n* furnishings.
spleet *n/v* split.
spleet-new *adj* new.
spleiter *n* blot.
splenner *v* stride.
spleuchan *n* purse; pouch for tobacco.
spleuter *v* burst out.
splinder *n/v* splinter.
split *n* rift.
split-new *adj* new.
sploit *v* spout; spatter.
splore *n* drinking bout; exploit; frolic; jollification; spree; rumpus. • *v* flaunt; show off.
splung *v* carry off in secret.
splunt, sproag, sprunt *v* go courting in the dark.
splute *v* exaggerate.
spoach *v* poach.
spoacher *n* poacher.
spodlin *n* toddler.
sponsible *adv* admissible.
spoonge *n* sponge; hungry hanger-on.
spoot, spout *n* spout; marshy spring. • *v* spout.
spootcher *n* bailer.
spootfish *n* razor-fish.
spoot-gun *n* popgun.
sporne *v* stumble.
sporran *n* Highlander's leather purse or pouch.
spousin *adj* of a bride.
spout *see* **spoot**.
spoutie *adj* conceited.
spoutroch *n* thin ale; bad drink.
sprachle *v* flail; sprawl.
sprack *adj* lively.
sprackle *v* clamber.
spraich *n* shriek. • *v* cry out; lament.
spraing *n* long stripe; tint. • *v* tint.
sprangle, sprattle *v* struggle free.
spreath *n* foray; raid; wreckage.
spreckelt, spreckled *adj* speckled; spotted; variegated.
spreckle *n/v* fleck; speckle.
spree *adj* sprightly; spry; trim. • *n* sport; merriment.
spreed, spreid *n* spread. • *v* spread; diffuse.
spreith *n/v* plunder.
sprend, sprent *n* leap; spring; clasp; hole. • *v* spring forward.
spreul, sprewl *n* struggle. • *v* sprawl; struggle.
sprig *n* headless nail.
spring *n* cheerful dance tune; reel.
springald *n* youth, stripling.
springall *adj* adolescent.
sproag *see* **splunt**.
sproosh, sprush *adj* brisk; spruce; neat. • *v* spruce.
sproot *n/v* sprout.
sprose *n* ostentation. • *v* make a show.
sprosie *adj* vain.
sprot *n* reed; withered stump or stalk.
sprug, spug *n* sparrow.
sprunt *see* **splunt**.
sprunt *v* sprint.
sprush[1] *n* spruce (tree).
sprush[2] *see* **sproosh**.
spudyoch *n* sputtering; sparking.
spue *v* billow.
spug *see* **sprug**.
spuile, spule *n* spool; shuttle.
spuin, spune *n* spoon.
spuinful *adj* spoonful.
spule *see* **spuile**.
spulper *n* rumour-monger.
spulyie *n* booty, loot, plunder; depredation; jetsam. • *v* devastate, lay waste; sack, plunder.
spune *see* **spuin**.
spung *n* stringed purse; fob. • *v* pick pockets.
spunk *n* spark; match; small fire; spirit. • *v* perk; **spunk oot** leak out; **spunk up** revive.
spunkie *n* will-o'-the-wisp.
spur *n* scrape.
spurdie *n* house sparrow.
spure *v* investigate.
spurtle, spirtle *n* stirring stick.
spy *v* pry.
spyauck *n* example.
spyll *see* **spill**.
spyn *v* glide.
spynner *v* run or fly swiftly.
squaich *n/v* scream.
squaik *n/v* squawk; squeak.

square-wricht *n* joiner.
squash *v* splash water.
squat *v* smack.
squatter[1] *v* squander.
squatter[2] *see* **swatter**.
squattle *v* sprawl.
squeeb *n* squib.
squeef *n* disreputable person.
squeel *n* school.
squerr *adj* square.
squibe *v* topple over.
squile *n/v* squeal.
squint *adj/adv* oblique; askew.
squirb *v* skim.
squirbile *adj* ingenious.
squirl *n* flounce; trimming.
sruif *n* surface.
sta *n* bore; stall. • *v* bore; satiate.
stab *n* stake.
stab and stow *adv* completely.
stacher *v* totter.
stack *n* column of rock; peat stack.
stacket *n* wooden wall.
staff *n* walking stick.
staffage *adj* obstinate; hard to swallow.
stage *n* informal trial; the bar. • *v* accuse without formal trial; put on trial; **stage about** saunter.
staggie *n* young stag.
staggrel *n* staggerer.
staig *n* horse; gelding; stallion.
staignant *adj* stagnant.
staik *v* accommodate.
staill *see* **stale**.
stainch, *v* stanch.
staincheon *n* stanchion.
stainyell *n* wagtail.
stair *n* staircase.
stairge *v* walk solemnly.
stairt *n* beginning; debut. • *v* begin, commence.
staive *n/v* sprain.
stake an rice *adj* sketchy.
stale, staill *n* body of armed men; prison; foundation of haystack.
stalker *n* huntsman.
stallanger *n* stallholder.
stalwart *adj* brave.
stam *v* stamp.
stame *n* steam.
stamfish *adj* sturdy.
stammagust *n* disgust at food.
stammer *v* falter; stagger; trip.
stammle *v* stumble upon.
stammygaster *v* bewilder, flabbergast; shock.
stamp *n* trap.
stan *see* **stand**.
stance *n* site; station. • *v* station.
stanch, stanche *v* assuage.
stanch-girss *n* yarrow.
stand, stan, staun *n* goal; stall; stand; water bucket. • *v* cost; stand; obey; take place; **stand o'er** remain unpaid; **stand up** hesitate.
standart *n* table leg.
standing stane *n* monolith.
stane *n* stone; millstone; testicle. • *v* stone.
stane an lime *n* masonry.
stane-cast *n* stone's throw.
stane-chack *n* wheatear.
stane-chakker *n* stonechat.
stane-clod *n* stone's throw.
stane-deid *adj* stone-dead.
stane-dumb *adj* totally silent.
stane-knapper *n* stonebreaker.
staners *n* shore gravel.
stanewark *n* stonework.
stane-wod, stane-wud *adj* stark mad.
stang[1] *n* sting; pang; wound. • *v* sting.
stang[2] *n* long pole.
stang o the trump *n* livewire.
stanie *adj* rocky; stony.
stank *n* stagnant pool; moat; open drain; swampy area. • *v* fill, satisfy.
stankie *n* water-hen.
stannerie *adj* gravelly.
stannert *n* standard.
stannin graith *n* unmovable fixtures.
stap[1] *n* stave.
stap[2] *n* stop, cessation; step; surfeit. • *v* stop; step; block, obstruct; cram; gorge; pack; plug; stuff.
stap-bairn *n* stepchild.
stap-faither *n* stepfather.
stapin *v* thrust into.
stap-mither *n* stepmother.
stappack *n* meal mixed with water.
stappil, stapple *n* stopper.
stappin *n* stuffing.
stappin-stane *n* stepping stone.
stappit *adj* stuffed.
stapple[1] *n* staple.

stapple[2] *n* pipe stem.
stapple[3] *see* **stappil**.
stare *adj* stiff.
starglint *n* shooting star.
stark *adj* strong; potent; durable. • *adv* energetically.
starn[1], **sterne** *n* star.
starn[2] *n* stern of ship.
starnie, starny *adj* starry. • *n* little star.
starnlicht *n* starlight.
starrach *adj* bleak.
start *n* moment. • *v* startle; run about wildly.
starty *adj* skittish.
stashie *see* **stushie**.
station agent *n* station master.
sta'tree *n* tethering stake.
staumrel *adj* half-witted.
staun *see* **stand**.
staup *n* long step. • *v* step.
stave *v* push; shove.
stavel *v* blunder on; stumble.
staver *v* saunter.
staw *n* aversion; surfeit. • *v* cloy; have enough of.
stawsome *adj* nauseous; wearisome.
stay, stey *v* dwell, live, reside; lodge.
stead, sted *v* place; furnish.
steading, steiding *n* farm buildings; outbuildings; building site.
steak *see* **steek**.
steamie *n* public laundry.
stech *n* heap; crowd; atmosphere. • *v* cram; confine; puff, be out of breath.
stechie *adj* stiff; stiff-jointed.
steck *n* rick; stack. • *v* stack.
sted *see* **stead**.
steek[1], **steak, steik** *v* shut, close; clench; attach.
steek[2] *n* stitch. • *v* stitch; embroider; gore.
steek[3] *n* baton; staff; stick.
steel[1] *n* steep wooded hillside; handle; stool.
steel[2] *n* steelyard.
steelie *n* ball bearing.
steelrife *adj* overbearing.
steepit *adj* sodden.
steer[1] *n* commotion, stir. • *v* stir, bestir;.
steer[2] *v* meddle with; molest; pester;.
steer[3] *see* **stere**.
steer-tree *n* plough handle.
steg[1] *n* gander.
steg[2] *v* stalk.
stegh *n* glut.
steid *n* impression; imprint; track; trail. • *v* place; track.
steiding *see* **steading**.
steik[1], **steke** *v* pierce.
steik[2] *see* **steek**[1].
stell[1] *n* covert; shelter; prop; river pool. • *v* fix; place; set up; prop; halt; load.
stell[2] *n* still. • *v* distil.
stellar *n* distiller.
sten, stend *n* bound, spring. • *v* spring; rise.
stench *adj* inflexible; rigid; uncompromising.
stend *see* **sten**.
stenloch *n* coalfish.
stennis *n* sprain.
stent[1] *adj* stretched out. • *v* stretch; extend; draw out; tauten.
stent[2] *n* levy; tax. • *v* levy; tax; assess.
stent[3] *n* fixed task. • *v* stint; stop; restrain; allocate; allot; apportion.
stenter *n* clothes prop.
step aside *v* err.
sterde, sterdy *adj* strong.
stere, steer *v* govern; plough over.
sterk *adj* stark.
sterne *see* **starn**.
stert *n* beginning; start. • *v* begin; start; stick up.
sterve *v* starve.
steug *n* thorn, prickle.
stevin *n* voice; ship's prow.
stew *n* stench, stink. • *v* stink.
stew[1] *v* rain slightly.
stew[2] *see* **stue**.
stewart, steward *n* royal deputy or representative.
stewartry *n* territory under the rule of a steward; jurisdiction.
stey[1] *adj* steep.
stey[2] *see* **stay**.
stibble *n* stubble.
stibbler *n* stubble gatherer.
stibblie, stibbly *adj* stubbly.
stichlie *adj* fibrous.
stick[1] *n* obstacle; slight hindrance; stoppage. • *v* stop in the middle; bungle; fail; **stick in** persevere; **stick up tae** confront.
stick[2] *see* **steek**[2].
stickin *adj* unsociable.

stickit *adj* embedded; failed; unfinished; unable to continue.
stickle *v* scruple.
sticks and staves *npl* rack and ruin.
sticky-fingert *adj* light-fingered.
sticky-willie *n* cleavers.
stiddie *n* anvil.
stieve *adj* firm; immobile; resolute; rigid; stiff; sturdy; thick; trusty; potent. • *adv* stably; staunchly; stiffly.
stievlie *adv* firmly.
stife *n* smoky smell.
stiffen *v* starch.
stiffenin *n* starch.
stile *v* place; set.
still *adj* morose; reserved. • still *n* pause. • *adv* nevertheless; **still an on** always; nevertheless; yet.
stilp, stilt *v* go on crutches.
stilpin *adj* striding.
stime *n* fraction; jot; vestige. • *v* peer.
stimpart *n* fourth part.
sting *n* punt pole; thatching pole.
stinge *adj* stiff; hard.
stinkin Tam *n* tansy.
stinnell *n* sharp pain.
stint *v* cease, stop; pause; droop.
stirk *n* year-old bullock.
stirkie *n* little stirk.
stirkin *adj* wounded; stricken.
stirlin *n* starling.
stirra *n* stout young person.
stitch *n* furrow, drill.
stith *adj* steady.
stitter *n/v* stutter.
stitter *v* stutter.
stivage *adj* stout; strong.
stivet *n* short stout man.
stivey *n* quantity of glutinous food.
stoan *n* suckers; stems. • *v* put out suckers.
stoater *n* beauty.
stoatin *adj* beautiful.
stob *n* splinter; stump; post, pole. • *v* fence; pierce.
stobbed, stob-feathered *adj* unfledged.
stobbie *adj* spiky.
stock *n* block. • *v* become hard; branch out.
stockie *n* cheese sandwich.
stocking *n* springing stems; livestock.
stodge *v* plod; stump.
stodger *n* plodder.
stodgie *adj* sulky.
stog[1] *n* tree stump. • *v* walk heavily.
stog[2] *n* sharp instrument; splinter. • *v* pierce.
stoggie *adj* rough.
stoich *n* bad air; smoke reek.
stoichert *adj* over-dressed.
stoit, stoiter *n/v* lurch, stagger; totter.
stok *v* thrust.
stok swerd *n* pointed sword.
stole, stowl *n* stalk of corn.
stoll *n* safe place. • *v* place in safety; ambush.
stolum *n* large broken-off piece.
stonkerd *adj* sullen.
stoo *see* **stow**.
stook *n* shock of corn. • *v* put into shocks.
stookie *n* plaster, stucco; effigy; stupid person.
stooks, stugs *npl* backward-pointing horns.
stool *n* stems from a single root.
stoom *v* frown.
stoop *n* ally, supporter; prop; post, gatepost.
stoor *see* **stour**.
stoot[1] *adj* robust; stout.
stoot[2] *v* stutter.
stoot[3] *see* **stuit**.
stooth *v* plaster.
stootherie *n* larceny, theft.
stoot-hertit *adj* stout-hearted.
stoothin *n* lathing and plastering.
stor *adj* severe.
store *n* sheep or cattle.
store farm *n* stock farm.
stormcock *n* missel-thrush.
storm window *n* projecting roof window protected by slates.
stot[1] *n* blockhead.
stot[2] *n/v* stammer.
stot[3] *n* young bull or ox.
stot[4] *v* bounce; walk bouncily; bustle; rebound; stumble; stop.
stotter *n* totter. • *v* stumble.
stoun, stound[1] *n* period; instant; while; ache; pang; throb. • *v* ache; throb.
stoun, stound[2] *n* stunned state, stupor. • *v* resound.
stoun, stound[3] *v* astound, bewilder.
stoup *n* pot, pitcher, tankard.
stoup an roup *adv* lock, stock and barrel; completely.
stour[1], **stoor** *n* agitation; commotion; bat-

tle; strife; flying dust; spray; gush; blizzard, snowstorm. • *v* gush; spray; rise in foam; rush; **stour aboot** move quickly.
stour[2] *adj* stern.
stourie *adj* dusty.
stourie-fit *n* incomer.
stourie lungs *n* pneumoconiosis; silicosis.
stourreen *n* warm drink of beer and oatmeal.
stouth *n* theft.
stouth and routh *n* abundance.
stouthrie *n* provision; furnishing.
stove *n* stew. • *v* steam; stew.
stow, stoo *v* crop; lop.
stowe *v* feed; stow.
stowed *adj* crowded; packed.
stowen *n* glutton.
stowfie *adj* dumpy.
stowl *see* **stole**.
stowlins, stownlins *adv* furtively, stealthily.
stown *adj* stolen.
stowp *n* flagon.
stra, straa, stray *n* straw; trifling thing.
strabble *n* dangling object.
stracht, straucht *adj* straight. • *adv* straight; straightaway. • *n* straight road. • *v* smooth out; straighten.
stracht-forrit *adj* straightforward.
strack *adj* strict.
strae *n* straw.
strae daith *n* natural death.
straik *n* excursion; seizure; streak; stripe. • *v* stroke; anoint; level; streak; stripe; **straik hands** join hands.
strait *adj* close-fitting; tense. • *v* straighten; tighten.
strake *adj* struck.
stramash *n* disturbance; brawl; clamour; accident; disaster; fury; uproar; wreckage.
strammel *n* straw.
stramp *adj* trampling. • *n* stamp; tread. • *v* stamp; tramp, tread; stump along; trample on; beat down.
stramullion *n* strong masculine woman.
strand *n* coast, shore.
strang *adj* strong; virulent.
strange *adj* self-conscious.
stranglie *adv* strongly.
strap *v* string together.
strapper *n* groom.
strath *n* wide river valley; dale.
strathspey *n* dance and tune.
straucht *see* **stracht**.
stravaig *n* roaming. • *v* amble; roam, wander; ramble idly; gad, gallivant.
stravaiger *n* aimless wanderer.
strawn *n* gutter.
stray *see* **stra**.
streamer *v* streak.
streamers *npl* aurora borealis.
streek, streik *n* speed; exertion. • *v* stretch, stretch out; lay out; question; **streek doun** lie flat.
streekit *adj* stretched.
streel, strule *v* urinate forcibly.
streen *n/v* strain.
streend *see* **streind**.
streetch *n/v* stretch.
streich *adj* stiff; affected.
streik *see* **streek**.
streikin *adj* tall; agile.
streind, streend *n/v* sprain.
strenie *adj* lazy.
strenth *n* stamina; strength.
stress *v* put to inconvenience.
striak *n* sound of the trumpet.
strick[1] *adj* rapid. • *n* rapid part of a stream.
strick[2] *adj* strict.
strick[3] *v* strike.
stricklie *adv* strictly.
striddle *n* stride. • *v* bestride, straddle; stride.
stride-legs, stridelins, stridlins *adv* astride.
striffin *n* membrane.
strik *n* infestation.
strin, strind *n* descent.
strin[2], **strinn** *n* stream; running water.
string *v* hang by the neck.
stringin *n* lace.
strinkle, strinkil *v* strew; sprinkle.
strinn sse **strin**[2].
strintle *n* rivulet.
strip[1] *n* belt of trees; chevron.
strip[2] *see* **strype**.
strip[3] *n* stirrup.
strippings *npl* last of a cow's milk.
strippit *adj* striped.
stritchie *adj* sluggish.
striven *adj* on bad terms; at loggerheads.
strodd, strodge *v* stride out.
stron *n* beach; shore.
stronachie *n* stickleback.
strone *n* urination. • *v* spout; piddle, urinate.

strood *n* worn-out shoe.
stroonge *adj* gruff.
stroop *n* water tap.
strooshie *n* squabble.
stroot *adj* stuffed full.
stroozle *v* struggle.
strop *n* treacle.
stroul *n* fibre found in food.
strounge *adj* harsh-tasting.
stroup *n* spout of pump or kettle.
stroupag *n* pot of tea.
stroupie *n* small penis.
strouth *n* force; violence. • *v* compel.
strow *n* shrew.
strowbil *adj* stubborn.
strowd *n* silly song.
strucken *adj* stricken.
strucken up *adj* turned to stone.
strule *see* **streel**.
strum[1] *n* fuse.
strum[2] *n/v* sulk.
strumming *n* giddy feeling; loud murmuring noise.
strungie *adj* sullen.
strunt[1] *n* strong drink.
strunt[2] *v* affront; strut, swagger.
strunt[3] *n* spar.
struntit *adj* offended; piqued.
strunty *adj* shrunk.
stry *v* overcome.
strynd, strynde *n* kindred; spring.
strype, strip *n* stream.
stubblin *adj* short and thickset.
stubie *n* bucket.
study, stuthie *n* anvil.
stue, stew *n* dust.
stuff[1] *n* corn, grain; vigour, mettle.
stuff[2] *v* become breathless; supply.
stuffet *n* lackey.
stuffie *adj* game, plucky.
stug[1] *n* thorn; stump; rawboned woman.
stug[2] *n* spike; stab. • *v* stab.
stuggen *n* obstinate person.
stuggy *n* uneven stubble.
stugs *see* **stooks**.
stuil *n* stool.
stuir *n* penny.
stuit, stoot, stut *v* prop; support.
stult *n* stilt.
stumfish *adj* strong-growing.
stummle *n/v* stumble.
stump *n* blockhead. • *v* walk on one leg.
stumpie *adj* one-legged.
stumpit *adj* stumpy.
stunk *n* stake.
stunks *n* ill-humour.
stunner *n* large foolish man.
stupit *adj* dense, stupid.
stuppie *n* wooden bucket.
sture *adj* hefty; strong; rough.
sture at *v* be annoyed with.
sturken *v* recuperate.
sturne *n* trouble.
sturoch *n* mixed milk and meal.
sturt *n* annoyance. • *v* molest; vex.
sturty *adj* troublesome.
stushie, stashie *n* fuss; commotion, hubbub; uproar; quarrel, row; turbulence; tumult;.
stut[1] *n/v* stammer, stutter.
stut[2] *see* **stuit**.
stuthie *see* **study**.
styan *n* stye.
stye *v* climb.
styme *n* glimpse. • *v* see indistinctly.
stymie *n* short-sighted person.
styte *n* nonsense.
subfeu *v* sublease.
subite *adj* sudden.
subject *n* property.
subset *n/v* sublease, sublet.
subsist *v* stop.
substancious *adj* powerful.
succar, succur *n* sugar.
succre *v* sweeten with sugar.
sucken *adj* legally bound.
suckies *npl* clover blossoms.
suckler *adj* suckling.
suddard *n* soldier.
suddart *adv* southwards.
suddent *adj* sudden.
suddentlie *adv* suddenly.
suddenty *n* suddenness.
suddle, suddil *v* soil, sully.
Sudreys *n* Hebrides.
suenyng *n* dreaming.
suerd, swerd *n* sword.
suffer *v* delay; be patient.
sufficient *adj* substantial.
suffrage *n* prayer for the dead.
sugarallie *n* liquorice sugar.
sugg *v* move heavily.
suggan *n* heavy coverlet.
suggie *n* young sow.

suggyre *v* suggest.
suilk *see* **swilk**.
suin *adj* imminent. • *adv* soon; **suin or syne** sooner or later.
suinest *adj* quickest.
suit[1] *n* soot.
suit[2] *n* bevel. • *v* sue for.
suith *adj* honest.
suithfast, suthfast *adj* true; trustworthy.
sukert *n* sweet.
sulk it *v* be sulky.
sullige *n* soil.
sully *adj* silly.
sulyeart *adj* bright; clear.
sum *adj* some.
sumdell *adv* somewhat.
sumhin *pron* something.
summer *v* pasture cattle in summer.
summer-coutts *npl* heat shimmerings.
summer-sob *n* summer storm.
summons *n* writ.
sump *n* mine shaft.
sumped *n* soaked.
sumph *n* half-witted person, oaf. • *v* be in a stupor.
sumphish *n* doltish.
sunblink *n* sunbeam.
sundoon *n* sunset.
sunk *n* turf seat.
sunkan *adj* sullen.
sunket *n* delicacy; lazy person.
sunkets *npl* provisions.
sunkie *n* low stool.
sunyie[1] *n* excuse; delay.
sunyie[2] *v* care.
sup *n* small quantity of liquid; beverage; dram. • *v* booze; eat with a spoon.
superior *n* landlord.
supersault *n* somersault.
supir *v* sigh.
suppable *adj* palatable.
supplie *v* supplicate.
suppois *adv* although.
suppoist *n* supporter.
suppone *v* suppose; hope.
suppowall *n* support.
suppriss *n* oppression. • *v* suppress.
surcoat *n* under-waistcoat.
surfeit *adj* immoderate; intemperate; over-priced.
surpeclaithe, surples *n* surplice.
surprise *v* be surprised.
sush *see* **soosh**.
suskit *adj* threadbare.
sussie *adj* careful. • *n* care. • *v* trouble.
sute[1] *n* sweat.
sute[2] *adj* sweet.
suth *see* **sooth**.
suthfast *see* **suithfast**.
suthron *see* **southron**.
sutten *adj* stunted.
suwen *v* wait upon; follow.
swa *n* sway.
swabble *n* long stick; tall thin person. • *v* thrash.
swabblin stick *n* cudgel.
swack[1] *adj* plentiful. • *n* large quantity. • *v* drink deep; blow hard.
swack[2] *adj* agile; lithe; pliant.
swacken *v* make pliant.
swackin *adj* tall; clever; active.
swad *n* swede.
swag *v* sag; swing.
swage *v* quiet.
swagger *v* stagger.
swaible *n* swab. • *v* mop; swab.
swaif *n* kiss.
swaip *adj* slanting.
swaird *n* sward.
swaish *adj* full-faced; benign.
swaits *see* **swats**.
swak awa *v* decay; wither.
swale *adj* plump.
swall[1] *v* distend; inflate; swell.
swall[2]**, swally** *v* swallow; devour.
swallen *adj* swollen.
swallin *adj* swelling.
swalme *n* tumour.
swalter *v* flounder.
swam *n* large quantity.
swamp *adj* thin.
swampie *n* tall thin person.
swander *v* swoon.
swane, swayn *n* young person.
swank *n* slender.
swankin *adj* athletic.
swankle *v* make a slurping sound.
swanky *adj* active; celver.
swap[1]**, swaup** *n* pod of young peas.
swap[2] *v* draw; throw; strike. • *adv* forcibly.
swap[3] *n* cast of features.
swar *n* snare.
sware, swire *n* neck; saddle between hills.
swarf, swerf *v* faint; stupefy.

swarm *v* abound.
swarrach *n* disorderly heap.
swartback *n* great black-backed gull.
swarth *n* fainting fit; sward; exchange.
swarve *v* incline to one side.
swash *adj* broad-built; fuddled. • *n* fat person; swagger. • *v* swell.
swashy *adj* broad-built; fuddled.
swatch *adj* cursory. • *n* excerpt; pattern; specimen.
swathel *n* strong man.
swats, swaits *n* new ale; beer.
swatter, squatter *v* move quickly through water.
swattle *v* cudgel.
swaukin *adj* hesitant.
swaul *v* swell.
swaup *see* **swap**[1].
swaver *v* walk feebly.
swaw *n* ripple; wave; billow. • *v* make waves; ripple.
sway[1] *n* chimney rack for pot-hooks.
sway[2] *v* tilt.
sway[3] *n* swathe of grass.
swayl, sweal *v* swaddle.
swayn *see* **swane**.
sweal[1] *n* twist; whirl. • *v* twist; whirl round; melt away.
sweal[2] *see* **swayl**.
sweart *see* **sweir**.
swech *n* trumpet.
swechan *n* rushing of water.
swecher, swescher *n* trumpeter.
swecht *n* momentum.
swedge *n* blacksmith's chisel.
swedgin *n* violence.
swee *n* inclination to one side; pot-hanger. • *v* move something aside.
sweeg *see* **sweig**.
sweek *v* do properly.
sweel *n* swill. • *v* swill; swathe; wash in a stream; wash down; swallow.
sweem *n/v* swim.
sweer[1] *n* expletive; swear word. • *v* swear.
sweer[2] *see* **sweir**.
sweerie *n* swear word.
sweerie-words *n* swear words.
sweet *n* stress; sweat. • *v* perspire; sweat.
sweetie *n* sweet, sweetmeat, confection; sweetheart.
sweetie bottle *n* sweet-jar.
sweetieman *n* confectioner.
sweetie poke *n* bag of sweets.
sweeties *npl* confectionery.
sweetie shop *n* sweet shop.
sweetie-stan *n* sweet-stall.
sweetiewife *n* confectioner; gossipy person.
sweetin *adj* sweaty.
sweet pan drop *n* peppermint.
sweg *n* large quantity.
sweig, sweeg *n* guttering candle.
sweill *n* swivel. • *v* move in a circular direction.
sweirt, sweart, sweert *adj* lazy, workshy; slow; difficult; hesitant; hovering; irresolute; loath; reluctant; unwilling.
sweirtie *n* indolence, lethargy, sloth; disinclination; reluctance.
swelch, swelchie *n* seal; whirlpool.
swell *n* bog.
swelly *v* swallow.
swelt *v* die; swoon.
swelth *adj* voracious.
sweltrie *adj* sweltering.
swerd *see* **suerd**.
swerf *see* **swarf**.
swey *n/v* sway; swerve.
swick *adj* clear of. • *n* deception; fraud; trick; charlatan, swindler. • *v* bluff; cheat; deceive; swindle.
swickerie *adj* swindling. • *n* trickery.
swicky *adj* deceitful.
swidder *v* hesitate.
swiff *n/v* whizz.
swig *v* turn suddenly.
swilk, suilk *adj* such.
swill *v* swaddle.
swine arnit *n* oat-grass.
swine-mait *n* pigswill.
swine's-saim *n* hog's lard.
swing *n* stroke.
swinge *n* clash.
swingle *v* separate flax.
swingler *n* flax beater.
swing-rope *n* hawser.
swink *v* toil; work hard.
swipe *v* move circularly; give a swinging stroke.
swipper *adj* nimble.
swire *see* **sware**.
swirk *v* spring up.
swirl *n* twirl.
swirlie *adj* contorted; frizzy; knobby; knotty. • *n* frizz. • *v* frizz.

swith, swyth *adj* swift. • *adv* as soon as; swiftly, quickly, speedily; **swith wi virr** *adj* vehement.
swither *n* hesitation; indecision; perplexity; quandary. • *v* be hesitant; fluctuate; vacillate.
swither[2] *n/v* swelter.
swithering *adj* vacillating; hesitant.
swithnes *n* speed.
swordsliper *n* sword-maker.
sworl *n* swirl.
swuff *v* breathe whistlingly.
swurd *n* sword.
swurl *n/v* swirl.
swyke *v* make to stumble.
swypes *n* yeasty beer.
swyth *see* **swith**.
sybie *n* spring onion.
sye *n/v* filter.
syle *see* **sile**[2].
sylin *n* ceiling.
syll *v* cover.
syllab *n* syllable.
synd[1] *n* appearance.
synd[2] *v* rinse; wash; drink.
syndings *npl* slops.
syndrely *adv* afterwards; since; severally. • *conj* seeing.
syne[1] *adv* afterwards; ago; directly after; thence; thereafter; therefore; thereupon. • *conj* since.
syne[2] *n* rinse. • *v* rinse; **syne oot** wash out.
syneteen *n/adj* seventeen.
syning-glass *n* looking glass.
sype[1] *v* drip-dry.
sype[2] *see* **sipe**.
sypins *npl* oozings.
syre *n* sewer.
syte *see* **site**.
syth *n* strainer.
sythens *adv* although.

T

ta *adj* this.
ta and fra *adv* to and fro.
taave *v* toughen.
taavin, tawin *n* wrestling.
taberner *n* innkeeper.
tabetless, tapetless *adj* benumbed; heedless.
tabets, teppits *npl* bodily feelings.
tablet[1] *n* reliquary.
tablet[2] *see* **taiblet**.
tabrach *n* rotting animal food.
tach, tatch *v* arrest.
tacht, taght *adj* tight; taut.
tack[1] *n* lease.
tack[2] *n* loose grip.
tacket *n* boot or shoe nail; hobnail.
tackety *n* hobnailed.
tackie *adj* blundering, clumsy.
tackle *n* arrow.
tacksman *n* lease-holder; senior tenant.
taddy *n* tadpole.
tade *see* **taid**.
tae[1] *prep* to. • *adv* too; **tae the fore** *adj* surviving.
tae[2] *n* toe; prong, tine; tea.
taen[1] *adj* embarrassed; surprised.
taen[2] *v pt* took; *pp* taken; **taen doun** emaciated; **taen up wi** preoccupied.
taen[3], **tane** *n* the one contrasted with the other.
taen-awa *n* changeling.
taenhauf *n* one half.
taff *n* toff; ostentatious person.
taff-dyke *n* turf dyke.
tafferel *adj* thoughtless.
taffie *n* toffee, treacle toffee.
taffil *n* table.
taffle *v* tire.
tag *n* shoe fastening; lace. • *v* wane; tie.
tag an rag *n* every bit.
taggit *adj* white-tailed.
tagglit *adj* harassed.
taght *see* **tacht**.
taibetless *adj* numb.
taiblet, tablet *n* sugar toffee., fudge.
taickle *n/v* tackle.
taid[1], **tade, taud** *n* sheep tick; toad; small child.
taid[2], **taud** *v* manure.
taidrel *n* puny creature.
taidstule *n* mushroom.
taigle *v* bamboozle, confuse; detain; delay; entangle; hamper; mix up.
taiglesome *adj* hindering; tedious; time-consuming; tiring.
taik *v* tack (in sailing).

taiken *n* token.
taikning *n* signal.
tail, tale *n* account; reckoning; retinue; end; backside.
tail-toddle *n* sex.
tailye *n* bond. • *v* entail.
taing, tang *adj* straight; tight. • *n* handle slot; prong, tine; tongue of land.
taint *n* proof.
taip *n* tapestry.
tair *v* bray.
taird *n* contemptible creature; taunt.
tairge *v* scold severely.
tairm *n* term.
tairt *n* tart.
taissle *v* blow about; stir up.
taist[1] *n* sample.
taist[2] *v* grope about.
taistrill *n* grubby girl.
tait, tate *n* small piece; lock of hair.
taith *see* **tath**.
taiver *v* wander.
taivers *npl* tatters.
taiversum *adj* tiresome.
taivert *adj* wearied.
tak *n* capture; catch; disposition; prize. • *v* take; pledge; lease; **tak a lend of** make a fool of; **tak aff** drink up; **tak doon** debilitate, weaken; dilute; **tak in aboot** take control of; **tak in** leak; meet; **tak leg** bail; retreat; decamp; run away; **tak o** resemble; **tak on** affect; chaff, joke; **tak on haun** undertake; **tak oot** enrol; **tak tellin** need reminding; **tak tent** notice; **tak tent o** beware of; watch; **tak the gate** set off home; **tak the road** set off, set out; **tak up** comprehend; reopen; rise; **tak wi** acknowledge; allow; admit.
take *n* state of mind.
takie *adj* long-lasting.
takin *n* pinch.
talbert *n* sleeveless garment.
tale *see* **tail**.
talent *n* desire; purpose.
talla *n* tallow.
tallie lamp *n* miner's lamp.
tallon talloun *n* tallow. • *v* pitch; caulk.
tammachless *adj* eating little.
tammie *n* beret.
Tammie norrie *n* puffin.
tammil *v* scatter.
tammock *n* hillock.
tammy-nid-nod *n* chrysalis.
Tam o Shanter *n* beret.
tandle *n* bonfire.
tane *see* **taen**.
tang *see* **taing**.
tanghal *n* bag.
tangis *see* **tangs**.
tangit *adj* iron-rimmed.
tangle[1] *n* icicle.
tangle[2] *n* seaweed.
tangle[3] *adj* tall; feeble.
tanglewise *adj* slender.
tangs, tangis *npl* tongs.
tannle *see* **tawnle**.
tantersome *adj* exasperating.
tantrums *npl* high airs.
tap *adj* excellent; first-rate. • *n* top; crest; forelock; tip. • *v* beg, cadge.
tap-coat *n* topcoat.
tape *v* use sparingly.
taper-tail *adj* topsy-turvy.
tapetis *n* tapestry.
tapetless *see* **tabetless**.
tapisht *adj* lurking.
taploch *n* wild girl.
tappietoorie *n* turret.
tappin *n* crest; top.
tappit *adj* crested; topped; tufted.
tappit-hen *n* quart measure; large wine bottle.
tapsalteerie *adj/adv* topsy-turvy; upside down; higgledy-piggledy.
tapsman *n* drover; foreman.
taptaes *npl* tiptoes.
taptee *n* eager anticipation.
tapthrawn *adj* stubborn.
tar-buist *n* tar box.
tardie *adj* peevish.
targat *n* tatter; tassel. • *v* edge with tassels.
targe *n* harridan. • *v* beat; reprehend.
targed *adj* shabby.
tarlies *n* lattice.
tarloch *adj* weak; peevish; eating little. • *n* troublesome woman.
tarmanick *n* turmeric.
tarrow *v* delay; haggle.
tarry-breaks, tarry-breeks *n* sailor.
tarry-fingered *adj* thievish.
tartan *adj* of the tartan. • *n* striped and check-patterned cloth.
tartle, tertle *v* recognise; discern; **tartle at** look at in surprise.

tartuffish *adj* sulky.
tarveal *v* fatigue.
tary *v* distress.
tash *n* discredit; dishonour; stigma; stain. • *v* soil, stain; injure; upbraid; discredit; dishonour; fatigue; **tash about** throw carelessly.
tashful *adj* dishonourable.
tashie *adj* unkempt, untidy.
task *n* angel; spirit.
tasker *n* pieceworker.
taskit *adj* wearied.
tassie, tass *n* cup, goblet.
taste *v* tipple.
tatch[1] *n* fringe; fastening.
tatch[2], **tach** *v* fix lightly.
tatch[3] *see* **tach**[1].
tate *see* **tait**.
tath, taith *n* animal dung; luxuriant grass. • *v* apply manure.
tatshie *adj* ill-dressed.
tattie, tawtie *n* potato.
tattie bannock *n* potato cake.
tattie bing *n* potato clamp.
tattiebogle *n* ragamuffin; scarecrow; scruff.
tattie bree *n* potato soup.
tattie-champer *n* potato masher.
tattie-creel *n* potato basket.
tattie-deevil *n* potato digger.
tattie-howker *n* potato gatherer.
tattie-howkin, tattie-liftin *n* potato harvest.
tattie-pairk *n* potato field.
tattie-parer *n* potato peeler.
tattie-peelin *n* potato skin.
tattie-pit *n* potato pit.
tattie-ploom *n* potato seedbox.
tattie-poke *n* potato bag.
tattie-scone *n* potato scone.
tattieshaws *n* potato leaves.
tattrel *n* rag.
taucht *n* melted tallow.
tauchy *adj* greasy.
taud *see* **taid**[1], **taid**[2].
taulch, taugh *n* tallow.
taupie, tawpie *n* foolish woman.
taupin *n* tap root.
taur *n/v* tar.
taurie *adj* tarry.
taut *v* mat; tangle.
tautit *adj* matted; shaggy.
taw[1] *n* fibre.
taw[2] *n* rolling marble; difficulty. • *v* suck hard; make tough.
tawan *n* reluctance.
tawbern *n* tabor.
tawie *adj* tame.
tawin *see* **taavin**.
tawm *n* fit of ill humour.
tawnle, tannle *n* balefire, bonfire.
tawpy *adj* slovenly.
tawse, taws, taz *n* punishment strap; whip. • *v* whip.
taxatour *n* assessor.
taxt *n* tax.
taynt, taint *v* convict.
tayntour *n* witness in law.
taz *see* **tawse**.
tazie *n* playful girl.
teal[1], **teil** *n* busybody.
teal[2], **tole** *v* wheedle.
tealer *n* wheedler.
tea-haun *n* tea-drinker.
tear *n* comic; wag. • *v* gust; labour hard; **tear intae** assault, attack.
tearin *adj* energetic.
tea-skiddle *n* tea party.
teaz *n* golf tee.
teazle *v* tease; vex.
tedd *adj* ravelled.
tedder *n* tether, tethering rope. • *v* tether.
tee[1] *n* peg or little heap of sand on which golfers set the ball for the first stroke. • *v* set up a golf ball.
tee[2] *adv* too.
teedle *n* make mouth music.
teedy *adj* ill-humoured.
teeger *n* tiger.
teel *v* cultivate; till.
teem *v* deluge; gush; stream.
teen *n* chagrin; grief. • *v* provoke.
teename *n* nickname.
teenge *n* colic; tinge. • *v* tinge.
teep *n* category; type.
teepid *adj* tepid.
teepit *adj* kept on short allowance.
teeple *n* light touch. • *v* touch lightly.
teesie *n* fit of passion.
teet, tete *n* stolen glance. • *v* peep.
teethache *n* toothache.
teethrife *adj* toothsome.
teethy *adj* crabbed.
teicher, ticher *n* tiny drop. • *v* ooze slightly.

teight *adj* tired.
teil[1], **tele** *v* cultivate the soil.
teil[2] *see* **teal**[1].
teind, tyne *n* spark; tithe. • *v* kindle.
teinds *npl* tithes.
teir *adj* tiresome. • *n* fatigue.
teirful *adj* exhausted.
teist *n* handful.
tele *see* **teil**[1].
teleland *n* arable land.
telisman *n* farmer.
tell *v* count.
teller *n* accountant cashier.
telling *n* admonition; warning.
telt *v* told.
temp *v* tempt.
temper *v* put into order.
tenchis *npl* taunts.
tend[1] *v* attend; support.
tend[2] *see* **tent**[3].
tender *adj* sickly, poorly; beloved. • *adv* weakly.
tenement *n* house incorporating several dwellings, flats.
ten-hours'-bite *see* **hauf-yoking**.
tenon *n* tendon.
tenor *n* tenon.
tent[1] *adj* watchful. • *n* attention; care; heed; notice. • *v* attend; observe; heed; pay attention; tend; stretch out.
tent[2] *n* field pulpit.
tent[3], **tend** *adj/n* tenth.
tentie *adj* attentive; heedful; observant; watchful.
tentily *adv* carefully.
tentless *adj* careless; heedless; inattentive.
teppits *see* **tabets**.
terce *n* third part.
tercian *n* cask.
tere *adj* tender.
teribus *interj* war cry of Hawick.
term day *n* quarter day.
terne *adj* fierce.
ternish *v* tarnish.
terr *v* tear.
terrel *adj* terrible.
terrible *adv* extremely.
terrie *n* terrier.
terrification *n* terror.
terse *n* debate.
tersel *n* table companion.
tert *n* tart.
tertiam *n* third part of a butt of wine.
tertian *n* third-year undergraduate.
tertle *see* **tartle**.
testificate *n* passport; testimonial.
testit *adj* bequeathed.
testoon *n* silver coin.
testor *n* bedcover.
tete *see* **teet**.
teth *n* temper.
tether *v* confine; restrain; tie.
tetherfaced *adj* cross-looking.
teuch[1] *n* draught of liquor.
teuch[2] *adj* tough; dry.
teuchit, teuchat *n* lapwing.
teuchter *n* country person; boor; Highlander.
teud *n* tooth.
teudle *n* tooth of a rake. • *v* insert a tooth.
teug, tug *n* rope; halter; tug. • *v* tug.
teuk, took *n* aftertaste.
teukin *adj* quarrelsome.
tew *v* toughen; fatigue; overpower.
tewel *n* tool.
teym *v* empty.
teyne *adj* furious. • *n* rage. • *v* irritate.
tha, they *pron* these.
thack *n/v* thatch.
thack an raip *n* comforts.
thacker *n* thatcher.
thackit biggin *n* thatched cottage.
thackless *adj* roofless.
thae *adj/pron* these, those.
thaft *n* rowing bench, thwart.
thaim *pron* them.
thaimsels *pron* themselves.
thain *see* **thane**[2].
thairm *n* belly; gut.
thairm-band *n* catgut string.
thairms *npl* intestines.
thame *see* **theme**.
than *adv/conj* then.
thane[1] *n* noble; provincial leader.
thane[2], **thain** *adj* undercooked, rare.
thankful *adj* praiseworthy.
thankrif *adj* grateful.
tharf *v* need.
that *adv* so.
the[1] *adj* this.
the[2] *v* prosper.
the[3] *see* **thee**.
thede *n* nation.
thee, the, they *n* thigh.

theedle, theevle *n* stirring stick.
theek *v* thatch.
theeking *n* thatch.
theevle *see* **theedle**.
thegither *adj* concerted. • *adv* together.
theik, thek *v* cover; roof.
theme, thame *n* bonded servant.
then *conj* than.
thenk *v* thank.
thereaway *adv* thereabouts, about there.
there-ben *adv* in there.
therefrae *adv* from there.
therein *adv* indoors.
thereout *adv* outside.
theretill *adv* thither.
therteen *adj/n* thirteen; thirteenth.
thesaure *n* treasure.
thesaurer *n* treasurer.
thetes, theads *npl* drawing ropes.
thew *n* custom; manner; quality.
thewit *adj* disciplined.
thewles *see* **thowless**.
they *see* **tha**; **thee**.
thick *adj* intimate; thickset.
thiefie *adj* disreputable; furtive.
thig, thigg *v* ask; beg; plagiarise.
thiger, thiggar *n* parasite; beggar.
thigging *n* begging.
thight *adj* watertight.
thilse *adv* else.
thimber *adj* gross; heavy.
thin *adj* annoyed; unfriendly.
thine, thyne *adv* thence.
thinefurth *adv* henceforth.
thing *n* amount; public meeting; affairs of state.
think on *v* devise.
thir *pron* these.
thirdsman *n* arbitrator; referee.
thirl *n* hole. • *v* perforate; drill, bore; pierce; bind; thrill; tingle; furl; enslave.
thirlage, thirldome *n* thraldom.
thirled tae *adj* obsessed.
thirling *adj* very cold.
tho *adv* then; at that time.
thocht[1] *n* belief; care; thought; disquiet, unease; tiny amount.
thocht[2] *conj* although.
thochtbane *n* wishbone.
thochtie, thochty *adj* anxious; attentive; grave; thoughtful.
tholance *n* toleration.
thole *n* endurance; patience; tolerance. • *v* suffer, bear, endure, put up with; tolerate; **thole throu** pull through.
tholeable *adj* bearable, tolerable.
tholemoodie, tholmude *adj* patient.
tholesum *adj* bearable.
tholnie *n* toll.
thon *adv* yon, yonder. • *pron* that; those; yon.
thonder *adj/adv* yonder.
thoom, thoomb *see* **thoum**.
thoosan *adj/n* thousand.
thor *n* imprisonment.
thorough *adv* through.
thorow *adj* thorough. • *v* clean.
thorrows *npl* troubles.
thort *adj* transverse. • *adv* athwart; transversely.
thorter, thortour *prep/adv* across. • *v* contravene; oppose; thwart.
thoum, thoom, thoomb, thowm *n* thumb; **aside yer thoum** fumblingly.
thout *v* sob.
thowe, thow *n/v* thaw.
thowl, thowel *n* rowlock.
thowless, thewles *adj* inactive; inert; lethargic; sluggish; unprofitable; useless; tasteless.
thowlessnes *n* inactivity.
thowm *see* **thoum**.
thra, thro, throuch *adj* eager; brave; obstinate. • *n* eagerness.
thrab *n/v* throb.
thrae *adj* backward; reluctant; stiff.
thraft *adj* surly.
thrain *v* go on about something.
thraip *v* thrive.
thrait *n* threat. • *v* threaten.
thram *v* prosper, thrive.
thrammel *n* binding rope. • *v* wind; reel.
thrang *adj* crowded; numerous; close; familiar with; busy; active. • *n* crowd; throng; busyness. • *v* throng; press.
thrangitie *n* pressure.
thrapple *n* windpipe; throat; Adam's apple. • *v* strangle; throttle.
thrash[1] *n* rush.
thrash[2] *v* thresh.
thrashel *n* threshold.
thratch *v* grasp convulsively.
thrave *n* twenty-four sheaves of corn; considerable quantity.

thraw *n* anger; brief moment; pang; contortion; convulsion; distortion; drawback; perversity; quarrel; setback; stubbornness; throe; throw; tilt. • *v* wreath; wrench; oppose; throw; contort; defy; discolour; pervert; purse; quarrel; sling; snag; twist; wring; **thraw up** grow quickly.
thrawart *adj* forward; perverse; adverse; cross-grained; stubborn, obstinate; distorted; intractable; perverse; pigheaded; reluctant; self-willed; stubborn; twisted; wry.
thrawn-gabbit *adj* peevish.
thrawn-mou'd *adj* wry-mouthed.
thrawnness *n* perversity; stubbornness.
threap *n* affirmation; argument; controversy; dispute; quarrel; row; swingletree; tradition. • *v* affirm; allege; argue; assert; browbeat; carp; dispute; exhort; harp; insist; nag at; quarrel; reiterate; row; **threap at** urge.
threapin *n* insistence.
threapment *n* assertion.
three-neukit *adj* three-cornered.
threep, threpe *n* firm belief.
threeple *adj/v* treble; triple.
threeplet *n* triplet.
three-taed *adj* three-pronged.
threft *adj* reluctant; perverse.
threid *n* thread.
threne *n* popular saying.
threpe *see* **threep**.
threswald, threshwart *n* threshold.
threte *n/v* throng; crowd.
threttene *adj/n* thirteen.
threttie, thretty *adj/n* thirty.
thrid *see* **trid**.
thrie *adj/n* three.
thriest *n* constraint.
thrieveless *adj* negligent; thriftless.
thrife *n* prosperity.
thrifite *n* moneybox.
thrift *n* employment; work.
thriftless *adj* profitless.
thrimle *v* press; squeeze; wrestle.
thrimp *v* press.
thring *n* hoist; shrug. • *v* hoist; press.
thrinter *n* three year-old beast.
thrissil *n* thistle.
thrissle cock *n* missel thrush.
thrissly *adj* irritable.
thrist[1] *n/v* thirst.
thrist[2] *n* thurst; pressure; difficulty. • *v* thrust; spin; trust.
thrister *n* thirsty person.
thristy *adj* thirsty.
thrive *n* success.
thro *see* **thra**.
throch[1] *n* sheet of paper; short book.
throch[2] *adv* through.
throck *n/v* crowd.
throll *n* hole.
throstle *n* song thrush. • *v* warble.
throu, throwe *prep* across; during; through; by; by authority of.
throuch[1] *n* faith; credit.
throuch[2] *v* carry through; pierce.
throuch[3] *see* **thra**.
throu-come *n* ordeal.
througang *n* thoroughfare.
through-gawn *adj* persevering; enterprising; go-ahead.
through *adj* thorough.
throughal *adj* frugal.
throughbearin *n* livelihood.
throughither *adj* disorderly; disorganised.
through-pit *n* activity; capacity; production; output.
through-pittin *n* cross-examination.
throuither, through-other *adj* all over the place.
throuitherness *n* inefficiency; muddleheadedness.
throw *v* twist.
throwder *adj* chaotic; unmethodical.
throwe *see* **throu**.
thruch-stane *n* grave slab.
thrum[1] *n* thread; perverse streak.
thrum[2] *v* purr.
thrummer *n* poor musician.
thrump *v* press; push.
thrunland *adj* rolling.
thrush *n* rush. • *v* fall; tumble; cleave.
thrustle *n* thistle.
thry *adj* cross; perverse.
thryft *v* thrive.
thud *n* wheedling. • *v* wheedle.
thummle *n* thimble.
thummles *npl* raspberries.
thumper *n* large individual.
thumpin *adj* great.
thunner *n* thunder.

thunner-an-lichtenin *n* lungwort.
thunner-plump *n* thunder shower.
thus-gate *adv* in this way.
thwankin *adj* overcast; cloudy.
thyne *see* **thine**.
tice, tise, tyse *v* attract; entice; coax.
tichel *n* quantity; something kept in secret.
ticher[1] *v* snigger.
ticher[2] *see* **teicher**.
tichle *v* join hands.
ticht *adj* able; competent; hard-up; parsimonious; tight. • *adv* neatly, tidily; tightly. • *v* shut tight.
tichten *v* tighten.
tick *n* grain, granule.
ticker *n* dot; point.
ticket *n* shabby or untidy person.
tickle *v* puzzle.
tickler *n* problem; puzzle.
ticklie, tickly *adj* puzzling.
tid *n* occasion; season; proper time.
tiddie *adj* cross-tempered.
tide *n* ocean, sea.
tidie *see* **tydie**.
tie *n* trick.
tied *adj* inevitable.
tiend-free *adj* free of tithes.
tiff *v* spit out.
tift[1] *n* state, condition. • *v* arrange.
tift[2] *n* quarrel.
tift[3] *v* drink down.
tifter *n* quandary.
tiftie, tifty *adj* petulant; touchy; quarrelsome.
tig *n* touch; light tap; game of tag; fit of ill humour. • *v* touch lightly; dally.
tiggy *adj* pettish.
tigher *v* titter; ooze out.
tig-taggin *n* haggling.
tig-tire *n* suspense.
tike[1], **tyke** *n* dog, mongrel; boor, churl.
tike[2] *n* ticking for bed.
till[1], **til** *prep* to; until; while.
till[2] *n* clay.
till[3] *v* entice.
tillie[1] *adj* clayey.
tillie[2] *n* ship's tiller.
tillie-clay *n* unproductive clayey soil.
tillie-pan *n* pan, skilled.
tilt *adj* snatched.
timeaboot, timeabout *adv* alternately.
timeous *adj* opportune.
timetaker *n* plotter; lier in wait.
timmer[1] *adj* bashful.
timmer[2] *adj* tuneless, unmusical; wooden. • *n* timber. • *v* beat; **timmer up** get on briskly with.
timmerman *n* carpenter.
timming *n* coarse woollen cloth.
timorsome, timorsoum *adj* fearful; nervous; timid, timorous.
timpan *see* **tympan**.
tin *n* accent.
tinchel *n* closing circle of hunters.
tindle *n* tinder.
tine *see* **tyne**.
tingle *n* jingle. • *v* jingle; ring; tinkle.
tink[1], **tinker, tinkler** *n* itinerant trader; gipsy; tinker.
tink[2] *v* rivet.
tinnel *n* watermark.
tinnie *n* can; small bowl; tinsmith.
tinsal *see* **tynsaill**.
tint *n* indication.
tip[1] *v* tap.
tip[2] *see* **tup**.
tipper *v* walk on tiptoe.
tipper-tapper *v* totter.
tipperty *adj* unstable.
tippet *n* halter; small fragment.
tippie, tippy *adj* fashionable, stylish.
tire *n* fatigue; tiredness; weariness.
tirl[1] *n* breeze. • *v* veer.
tirl[2] *n* sharp stroke on a musical instrument.
tirl[3] *v* uncover; strip; undress.
tirless *n* grating; grill; lattice; trellis; turnstile.
tirlie *n* winding path.
tirr[1] *v* tear; snarl.
tirr[2] *adj* crabbed. • *n* bad-tempered child.
tirr[3] *v* denude, strip, undress.
tirran, tyrane *adj* tyrannical. • *n* despot, tyrant.
tirrivee, tirravee *n* fury, rage; tantrum.
tische *n* girdle.
tise *see* **tice**.
tishie *n* tissue.
tissle *n/v* tussle.
tit[1] *n/v* jerk.
tit[2] *n* nipple; teat.
tither *adj* additional. • *n* other.
tithing *n* tidings.
titlin *n* runt.

titly *adv* speedily.
tittie, titty *n* sister.
titup *n* trigger.
tizzle *v* stir up.
to *adj* shut.
toalie *n* round bannock.
toam *v* rope.
toath *see* **toth**.
tobacco fleuk *n* sole.
toby *n* valve.
tocher *n* dowry. • *v* bestow a dowry.
tocherless *n* without a dowry.
tocum *n* approach.
tod *n* fox; ivy bush.
toddle, todle *n* unsteady walk; stroll; child. • *v* walk unsteadily; totter; stroll; waggle; ripple.
toddy *n* hot whisky and water.
todgie *n* small cake.
tod-hunt *n* foxhunt.
tod's turn *n* dirty trick.
to-fa *n* close; end.
tofall *n* lean-to.
tofore *adv/prep* before.
to-gang *n* meeting.
togersum *adj* tedious.
toighal *n* parcel.
toir[1] *v* beat.
toit[2] *n* fit of illness or temper.
tokie *n* small child.
tolbooth *n* jailhouse; town hall.
toldour *n* cloth of gold.
tole *see* **teal**[2].
toll, toll-bar *n* turnpike.
tollie *n* toll-keeper.
to-look *n* prospect.
tolor *n* state; condition.
tolter *adj* precarious; unstable. • *v* totter.
tome[1], **tom** *n* fishing line.
tome[2] *v* draw out.
tommack *n* hillock.
tomshee *n* fairy hillock.
to-name *n* additional name.
tongue *v* chide.
tongue-be-trusht *adj* outspoken.
tongue-ferdy *adj* talkative.
tongue-raik, tongue-rake *n* loquacity; fluency.
tongue-tackit *adj* dumb; tongue-tied.
tonnoched *adj* wrapped in a plaid.
tontine *n* annuity shared by several subscribers.
toober[1] *n* quarrel.
toober[2] *v* beat; strike.
tooch *n* shot.
toog *n* tussock.
toohoo *n* insipid person.
took *see* **teuk**.
tool *n* towel.
toolyie *n* brawl. • *v* fight.
toom *adj* empty; vain; unprofitable.
toom-skinn'd *adj* hungry.
toon *n* hamlet.
toon *n* town.
toon hoose *n* town hall.
toonsers *npl* townspeople.
toon yett *n* main street.
toop *see* **tup**.
toopikin, toopick *n* pinnacle.
toor *n* tower.
toorie *n* pompom; tassel; topknot.
toosh *n* bedgown.
toosht *n* tuft.
tooshtie *n* bunch.
toot[1] *interj* pooh.
toot[2] *n* tippler. • *v* drink up.
toot[3] *v* trumpet.
tooter *n* horn; trumpet.
toothful *n* mouthful.
toottie *n* drunkard.
toottle *v* mutter.
top *v* tap.
tope *v* oppose.
topper *n* something excellent.
topster *n* tapster.
to-put *n* addition; add-on.
to-putter *n* taskmaster.
tore *n* saddle pommel.
torett *n* muffler.
torfeir *n* hardship.
torfel *v* pine away.
torie, tory *n* grubworm; contemptible small person.
tork *v* torture.
torne *n* tower.
torpit *n* turpentine.
torter *n/v* torture.
tortie *n* tortoise.
tory *see* **torie**.
tosh *n* neat; trim. • *v* tidy; smarten; **tosh up** dress up.
tosie, tousy *adj* tipsy; warm; snug.
tosiness *n* snugness.
tost *v* tease; vex.

tot[1] *n* aggregate.
tot[2] *n* toddler. • *v* totter.
total *adj* teetotal.
totch *n* jerk. • *v* toss; rock.
toth, toath *n/v* manure.
tother *adj* other.
toth-fauld *n* dung pit.
tottie *n* toddler, tot. • *v* take tottering steps.
tottle *v* bubble; toddle.
touch *v* apply the assent to an act of Parliament; **touch up** remark on.
touchbell *n* earwig.
touk[1] *n* stroke; drumbeat.
touk[2] *n* tuck; protective wall. • *v* tuck.
toun *n* town; farm buildings.
tounder *n* tinder.
toun-gate *n* street.
toun-raw *n* town's rights.
toup *n* dolt.
tour[1], **toure** *n* turn.
tour[2] *v* speed.
tour-aboot *adv* alternately.
touse *v* dishevel; rumple; knock about; pull about; tease.
tousie *adj* disordered; rough; rowdy. • *n* contest. • *v* rumple; handle roughly.
touslie *adj* ruffled.
touss *v* confuse.
toustie *adj* testy.
tousy *see* **tosie**.
tout *n* copious draught of drink. • *v* drink; drink up, empty.
touther *v* put into disorder.
toutherie *adj* disordered.
toutle *v* tipple.
tove *v* issue; stream out; soar; smoke strongly; talk easily.
tovie *adj* tipsy; babbling.
tovise *v* flatter.
tow[1] *n* hemp; flax.
tow[2] *n* cable, rope, cord; cage.
tow[3] *v* give way; perish; fail.
towar *n* rope-maker.
towdy *n* backside.
towerick *n* summit; eminence.
towerist *n* tourist.
towin *v* toss about.
towl *n* toll. • *v* clang; knell; toll.
towt *n* indisposition.
towtherie *adj* dishevelled.
toxie, tozie *adj* tipsy.
toy *n* woman's headdress.
trachelt *adj* harassed; overwhelmed; overworked; troubled.
trachle, trauchle *n* drudgery; nuisance; exertion; mess; encumbrance. • *v* afflict; drudge, toil; draggle; trail; dishevel, bedraggle; encumber, burden.
trachlesome *adj* exhausting.
track[1] *n* feature; trait; tract.
track[2] *n* trench. • *v* break in.
track-boat *n* canal boat.
trackit, trakit *adj* tired out.
trackpot, truckpot *n* teapot.
trad *n* track; course.
trade *n* corporation.
tradesman *n* handicraftsman.
trae[1] *adj* stubborn; hard to teach.
trae[2] *see* **tray**.
traffeck *n* trade; dealings; intercourse; communication; traffic. • *v* trade; deal; traffic.
trag *n* trash.
traget, trigget *n* trick.
tragullion *see* **tregallion**.
traicherous *adj* treacherous.
traicle *n* molasses; treacle.
traik *n* wanderer; trudge; mutton. • *v* wander idly; tramp; straggle; be in declining health.
traikit *adj* fatigued.
traison *n* treachery; treason.
traissle *v* tread down.
traist, trest *adj* loyal; faithful. • *n* trust. • *v* trust.
traisty *adj* loyal; faithful.
traisure *n* treasure.
tram *n* shaft of a cart; beam; leg.
tramort *n* corpse.
tramp *n* stamp. • *v* stamp; tread down; **tramp claes** wash clothes by treading.
tramper *n* vagrant.
trams *npl* legs.
trance *n* aisle; corridor; lane.
trance door *n* inner door.
tranont, trawynt *v* march fast in secret.
transack *n* negotiation; transaction. • *v* transact.
translate *v* transfer.
transport *v* move a minister from one charge to another.
trantle *n* deep rut.
trantle-hole *n* dumping hole.
trantles *npl* small things; toys.
trap *n* ladder.

trappin *n* edging; ribbon, tape; trimming.
trash *v* maltreat.
trash o' weet *n* heavy rainfall.
trashy *adj* rainy.
trat *n* crone.
tratour *n* traitor.
trattil, trattle *v* babble.
trauchle *see* **trachle**.
traveller *n* roving tinker.
travise *n* stable.
travish *v* sail backwards and forwards.
trawart *adj* perverse.
trawynt *see* **tranont**.
tray, trae *n* trouble.
treat *v* regale.
tred *n* trade. • *v* track; trail; trade.
tree *n* barrel.
tree-clout *n* wooden heel on shoe.
treeple *v* beat time.
treesh *v* coax.
treeshin *n* courting.
tree-speeler *n* tree-creeper.
tregallion, tragullion *n* assortment.
treilie *adj* chequered.
trein *adj* of wood.
treit, trete *v* entreat.
trek *adj* diseased; dying.
tremmle *v* quaver; tremble.
tremmlin tree *n* aspen.
trenkets *see* **cuddie heels**.
tress[1] *n* trace.
tress[2] *n* trestle.
trest *adj* trusty.
tret *adj* long; well-proportioned.
trete *see* **treit**.
trevaille *n* retinue.
trew *v* believe; trust.
trewbut, trewage *n* tribute.
trews *npl* long narrow trousers.
tribble *n* ailment; disease; tribulation; trouble.
tribblesome *adj* troublesome.
tricker *n* trigger.
tricky *adj* artful.
trid. thrid *adj* third. • *n* third part. • *v* divide in three.
trie *n* stick.
triffle[1] *n* trefoil.
triffle[2] *n* trifle.
trift *n* industry; thrift.
trig *adj* active; dapper, neat, trim; orderly; tidy; well-made. • *v* neaten.
trigget *see* **traget**.
triggin *n* decking out.
trigle *v* trickle.
trigness *n* neatness.
trim *v* thrash.
trimmer, trimmie *n* low woman.
trindle *v* trundle.
trine *n* drinking match.
tring *n* series.
trink *n* channel; gutter; drain; runnel; rut; sea-filled pool.
trinket *adj* rutted.
trinkle *v* tingle.
trinnle *n* wheel.
trip *n* flock.
trist *adj* sad.
trive *v* thrive.
troch *n* trough.
trock, trog *n* barter; small talk; rubbish; old clothes; worthless stuff.
trocker *n* small trader.
trod *n* footstep.
troddle, trootle, trutle *v* trot, canter.
trodge *v* trudge.
trog *see* **trock**.
trogger *n* old-clothes dealer.
troke *n* odds and ends; association; bargain; barter; deal; chore, task; merchandise; pedlar's wares; trash; truck. • *v* associate; transact dubious business; bargain, barter; hobnob; truck.
troker *n* bargainer; dealer.
trokes *npl* trinkets.
troll[1] *n* goblin.
troll[2] *n* horse dung.
tron *n* marketplace.
trone *see* **trowan**.
troon *adj* absent. • *n* truant. • *v* play truant.
troosers *npl* trousers.
troot *n* trout.
trootle *see* **troddle**.
tross, trouss *v* pack up; truss.
troth *n* verity.
trotters *npl* sheep's feet.
trottles *npl* sheep dung.
trouss *see* **tross**.
trove *n* turf.
trow[1] *n* river vale; conduit, channel; troll; devil.
trow[2] *v* believe.
trowan, trone *n* mason's trowel.
trowie *adj* sickly.

trowless *adj* faithless.
trowth *n* truth.
truaghan *n* down-and-out.
truan *n* trowel.
truckpot *see* **trackpot**.
trudder *n* lumber, junk.
trudge-back *n* hunchback.
trudget *n* trick; soldering paste.
truelins *adv* truly.
truff *n* trick. • *v* steal.
truff dyke *n* turf wall.
truist *n* trust.
trullion *n* crupper; silly fool.
trum *n* trim; order; thread.
trump *n* Jew's harp.
trump *v* fling; march; blow the trumpet.
trumpe *n* valueless object.
trumph *n* trump card.
trumpherie *adj* trumpery.
trumposie *adj* guileful.
trumpour *n* deceiver.
truncher *n* trencher.
trunnle *v* trundle.
trustful *adj* trustworthy.
trustre *n* butter.
truthfae *adj* truthful.
trutle *see* **troddle**.
try *v* vex; annoy.
trying *adj* distressing.
trykle *n* syrup.
tryne *n* stratagem; retinue.
trypal *n* ill-made person.
tryst *n* agreement to meet; appointment; assignation; date; covenant. • *v* agree to meet; meet; convene; betroth.
trysting place *n* meeting place.
trystit *adj* engaged.
tuack, tuach *n* small hillock.
tucht *n* vigour.
tuck *n* riverside jetty.
tuckie *adj* disabled.
tue, tued *adj* tired.
tuff *n* tuft.
tuffing *n* tow; oakum.
tuffle *v* ruffle.
tug *see* **teug**.
tuggle *v* pull jerkily.
tuigh *n* suspicion.
tuil *n* tool; utensil.
tuilyie *see* **tulyie**.
tuim, tume *adj* empty; unoccupied; vacant; idling; lean; vain; unprofitable. • *n* void; midden. • *v* empty; pour out; drain; evacuate.
tuim-handit *n* empty-handed.
tuim-heidit *n* empty-headed.
tuin *n* tune.
tuip *see* **tup**.
tuird *n* turd.
tuith *n* tooth.
tuithie *adj* acrimonious; critical.
tuive *v* swell; rise.
tuke *n* tug.
tulchan *n* straw-stuffed calfskin; figurehead.
tulloch *n* mound.
tullyie *v* scuffle.
tulshie *n* ill-favoured person.
tulyie, tuilyie *n* quarrel; brawl; toil; trouble. • *v* quarrel; brawl.
tumbler *n* light cart.
tumbus *n* large thing or person.
tume *see* **tuim**.
tumfie *n* dolt.
tummle *n/v* tumble.
tummock *n* hummock.
tunch *n/v* nudge.
tune *n* accent; intonation; dialect; disposition; temper; mood; twang. • *v* adjust.
tunie *adj* moody.
tup, tip, toop, tuip *n* ram.
turbot *n* halibut.
turchie *adj* short; thick.
turcume *n* matted dirt.
tures *npl* turfs.
turf *n* peat.
turk *adj* truculent.
turkas, turkes *npl* pincers.
turken *v* harden.
turlie *n* whirligig.
turn *n* duty; piece of work; rebuff. • *v* become.
turnscrew *n* screwdriver.
turntail *n* fugitive.
turr *n* turf.
turs, turss *v* pack up in a bundle.
tursable *adj* portable.
turse *n* bale; truss. • *v* adjust; bale; truss.
tush *v* pooh-pooh.
tushilago *n* coltsfoot.
tushlach *n* dried cowpat.
tusk at *v* pull at.
tusker, tuskar *n* peat cutter.
tute *n* projection.

tutie *n* drunken woman.
tutor *n* guardian.
tutory, tutorie *n* tutelage; tutorship; guardianship.
twa *adj* two.
twa faul *adj* dual.
twa *n* two.
twa, twae *n* two.
twa-beddit *adj* twin-bedded.
twa-eed steak *n* kipper.
twa-fangelt *adj* indecisive.
twa-fauld *adj* two-fold; double.
twa-handit crack *n* dialogue.
twal *adj/n* twelve.
twalmonth *n* twelvemonth.
twaloors *n* midday, twelve o'clock; midday meal.
twalt, twelt *adj* twelfth.
twang *n* twinge.
twasome, twasum *n* pair; two in company.
twa-three *n* few.
tweddle *n* tweed cloth.
tweed *n/v* twill.
tweedle *v* twiddle.
tweel[1] *n* tweed cloth. • *v* weave.
tweel[2] *adv* truly.
tweelie *n* quarrel.
tween hauns *n* meantime, meanwhile.
tweenwhiles *npl* intervals.
tweesh *prep* between.
tweeter *v* twitter.
tweetle *v* sing.
twelt *see* **twalt**.
twicet *adj* twice.
twidle *v* circumvent.
twig *n* twitch; short pull. • *v* cut the skin in shearing; pull hastily.
twilt *n/v* quilt.
twin, twine[1] *v* separate; diverge; deprive.
twine[2] *v* writhe.
twingle *v* twine round.
twinter *n* two-year-old beast.
twintie *adj/n* twenty.
twirk *n* twitch.
twist *n* twig.
twitch *v* touch.
twittery *adj* slender.
tyce *v* move slowly.
tydie, tidie *adj* neat; plump.
tyke *see* **tike**[1].
tyke-tulyie *n* dogfight.
tyld *n/v* cover.
tylor *n* tailor.
tymber *n* helmet crest.
tymbrit *adj* crested.
tympan, timpan *n* raised central section of a house.
tynd *n* spark.
tyne, tine *v* lose; miss; forfeit; be lost; perish.
tyner *n* loser.
tyning *n* losing.
tynsaill, tinsal *n* forfeiture.
tynt *adj* lost.
typin *adj* laborious.
tyrane *see* **tirran**.
tyrement *n* interment.
tyse *see* **tice**.
Tyseday *n* Tuesday.
tyte[1] *n* quick pull. • *v* totter; snatch; pull.
tyte[2] *adj* direct.
tyttar *adv* rather; sooner.

U

ubit *adj* dwarfish.
udal *adj* held by succession; without charter.
udaller *n* land-holder.
ug *v* abhor, loathe; exasperate.
ugertfow *adj* squeamish.
uggit *adj* upset.
ugin *adj* maddening.
ugsome, ugsum *adj* grisly, gruesome, horrible.
uilie, ule, ulie *n/v* oil.
uilie pig *n* oil jar.
ulk *n* week.
ull *adj* ill.
umast, umaist *adv* uppermost.
umbersorrow *adj* hardy, rugged.
umbeschew *v* to avoid.
umbeset *v* surround on all sides.
umbre *n* shade.
umost *adj* uppermost.
umquhile *adj* deceased, former, late. • *adv* sometimes; former.
umrage *n* umbrage.
undauntit *adj* undaunted.
unalik *adj* different, unlike.
unawaurs *adv* unawares.

unball *v* unpack.
unbauld *adj* humble.
unbekent *adj* unknown.
unbesit *n* monster.
unbiddable *adj* uncounsellable.
unboding *adj* unpromising.
unbowsome *adj* implacable, obstinate.
uncairdly *adv* carelessly.
uncanny, uncannand, wancanny *adj* dangerous; malignant, mischievous; ominous; supernatural. • *n* danger.
unce *n* ounce.
unchance *n* mischance.
unchancie, unchancy, wanchancie *adj* dangerous, risky; inauspicious, ill-fated, unlucky.
unco[1], **unclie,** *adv* extremely, very.
unco[2] *adj* eccentric; odd; strange.
unco fowk *n* strangers.
uncoft *adj* unbought.
unco guid *n* moral persons.
uncoist *n* expense.
uncolins *adv* oddly.
uncome *adj* not arrived.
unconess *n* eccentricity, strangeness.
uncos *npl* news; rarities.
uncouthy *adj* dreary, inhospitable.
unct *v* anoint.
unction *n* auction.
undecent *adj* indecent.
undeemous *adj* immense; incalculable.
undegest *adj* rash, premature.
underly *v* undergo.
undighted *adj* (cloth) not dressed.
undo *v* cut off.
undoch *n* puny creature, runt.
unegall *adj* unequal.
uneith *adv* with difficulty.
unerdit *adj* unburied.
unfandrum *adj* bulky.
unfankle *v* disentangle.
unfarran, unfarrant *adj* unmannerly; unsophisticated; senseless; stupid.
unfeil *adj* uncomfortable.
unfeiroch *adj* feeble.
unfleggit *adj* unafraid.
unforlatit *adj* unforsaken, not afraid.
unforsain'd *adj* undeserved.
unfree *adj* without liberties of a burgess.
unfreelie *adj* cumbersome.
unfreen *n* enemy, opponent.
unfreenship *n* animosity, ill-will.
unfrugal *adj* lavish.
ungand *adj* unbecoming.
ungeir'd *adj* naked.
ungrate *adj* ungrateful.
unhanty *adj* inconvenient.
unhearty *adj* uncomortable.
unheild *v* uncover.
unhele *n* pain.
unhertsome *adj* cheerless; melancholy.
unhine, unhyne *adj* extraordinary.
unhit *adj* unnamed.
unhonest *adj* dishonest.
unhyne *see* **unhine**.
unkennin *adj* ignorant.
unkensome *adj* unknowable.
unkent *adj* unfamiliar, unknown, unobserved.
unlach *n* crime.
unlatit *adj* undisciplined.
unlaw *n* crime. • *v* fine.
unleif *adj* unpleasant.
unleill *adj* dishonest.
unlo'esome, wanliesome *adj* unlovely.
unmensefu *adj* without manners.
unmoderly *adj* unkindly.
unnest *v* dislodge.
unoorament *adj* uncomfortable, unpleasant.
unplenished *adj* unfurnished.
unpurpose *adj* awkward.
unquart *n* sadness.
unraivel *v* unravel.
unreason *n* injustice, iniquity.
unrede *adj* cruel.
unricht *adj* unjust. • *n* injustice.
unrude *adj* impure.
unrufe *n* trouble, toil.
unsaucht *adj* disturbed.
unsiccar *adj* insecure.
unsnarre *adj* blunt.
unsneck *v* unlatch.
unsned *adj* unpruned.
unsonsie *adj* unlucky.
unswack *adj* stiff.
untented *adj* unwatched.
untenty *adj* inattentive.
unthrifty *adj* unfriendly.
untill *adv* unto.
untimeous *adj* unseasonable.
untowtherlie *adj* unwieldy.
untraist *adj* unexpected.
untraisty *adj* faithless.

untrig *adj* slovenly.
untrowable *adj* incredible.
untynt *adj* not lost.
unwar *adj* unwary, unawares.
unwashen *adj* unwashed.
unweel *adj* ailing, sickly.
unweelness *n* ill-health, sickness.
unwerd, unweird *n* unlucky fate.
unwicelike *adj* indiscreet, imprudent.
unwinne *adj* extreme.
unwittins *adv* inadvertently.
up *adj* excited; grown-up. • *adv* open.
upbig *v* build up.
upbrak *n* dispersal.
upbring *n* training.
upbuller *v* boil up.
upby *adv* upstairs, up the hill.
upcast *n* taunt. • *v* be overcast, cloud up.
upcome *n* outcome; promising appearance; growth; upshot.
updaw *v* dawn.
upfessin *n* upbringing.
upfuirdays *adj* up before sunrise.
upgang *n* ascent.
uphaud *n* maintenance. • *v* guarantee; hold up; uphold, vouch for; support.
uplands *adj* of the country, rustic.
uplif *n* elation.
uplift *v* collect.
upliftit *adj* elated.
upmak *n* compensation; composition; fabrication; invention. • *v* atone; supply a want; compensate.
upmakar *n* storyteller; composer.
uppil *v* clear up.
uppil aboon *adj* clear overhead.
uppins *adv* little way up.
uppish *adj* aspiring.
uppittin, upputting *n* accomodation, lodging, quarters; erection.
upricht *adj* upright.
upset[1] *n* admission to trades guild.
upset[2] *v* refund; repair; recover from.
upset price *n* minimum price at auction.
upsetting *adj* uppish.
upsides *adv* on equal footing with.
upsittin, upsitten *adj* callous; indifferent; listless.
upstannin *adj* basic.
upsteer *v* hearten.
upsteerin *n* stimulation.
upstirring *n* excitement.
upsun *adv* after sunrise.
uptak *n* apprehension; understanding. • *v* collect.
uptaking *n* exaltation.
upthrou *adj* upland. • *n* inland.
upthrough *adv* higher up; upwards.
upwart *adj* upward.
upwith *adv* upwards.
up wi, up with *adv* even with; as good as.
ure[1] *n* heat; haze; mist; sweat.
ure[2] *n* ore; clay soil; reddish colour.
urf *n* stunted child.
urisum *adj* frightful.
urluch *adj* frail.
urn *v* torture.
ury *adj* furred, clammy.
us *pron* me.
usche *v* issue.
use *n* interest; usury; occasion. • *v* frequent; be accustomed to.
useless *adj* unable.
uterance *n* extremity.
utmaist *adj* utmost.
uz *pron* us.

V

vaick *v* attend to.
vaig *n* wandering; travel. • *v* wander.
vaiger *n* mercenary soldier.
vaigin, vaiging *adj* vagrant. • *n* idle strolling.
vail *v* bow down.
vailye *n* value. • *v* appraise; value.
vairriage *n* carriage.
vairty *see* **verty**.
vairye *see* **vary**.
vake *v* watch.
valabil *adj* available; valuable.
vale[1] *n* worth.
vale[2] *v* descend.
valient *n* value of a property.
valise *n* saddlebag.
valour *n* value.
vamper *v* show off.
vandie *adj* proud. • *n* conceited person.
vane *n* vein.
vanit *adj* veined.
vant *v* want.

vantose *n* cupping glass.
variant *adj* variable.
varlot *n* servant, minion.
vary, vairye *v* rave.
vassalage *n* great achievement; valour.
vauce *v* stab; kill.
vaudie *adj* vain; gaudy.
vauntie *adj* proud; boastful.
vawse *n* vase.
veage *n* jaunt, outing, voyage.
veef *adj* brisk.
veem *n* heavy sweat; trance.
veir, ver *n* spring.
vele, veyl *n* whirlpool; strong current.
velvous *n* velvet.
venesum *adj* venomous.
vennel, wynell *n* alley.
vent *n* flue; speed. • *v* sell; emit.
venust *adj* beautiful; pleasant.
vera *see* **verra**.
vere *n* goblet.
vergelt, wergelt *n* ransom.
verger *n* orchard.
verilies *adv* verily.
verra, vera *adv* very.
verrayment *n* truth.
verter *n* virtue; medicinal power.
vertesit *n* virtue; virginity.
vertue *n* thrift.
verty, vairty *adj* early.
vesie, visie *v* visit; take aim.
vetcher *n* suspicious character.
veug *n* sexual intercourse.
vex, wex *v* be sorry; aggrieve.
veyl *see* **vele**.
vice *n* voice. • *v* voice.
viciat *adj* defective.
victual *n* grain.
victualler *n* corn factor.
vieve *adj* vivid.
vilcous *adj* immoral.
vilipend *v* slight; vilify.
vindict *n* vengeance.
violer *n* violinist.
vire *n* arrow.
virl *n* ferrule.
virr *n* force; momentum.
virrock *n* corn on foot.
vise *n* fracture.
visie *see* **vesie**.
vision *n* nonentity; thin person.
visite *v* examine; survey.
vitious *adj* fierce; fiery.
vivers *npl* food.
vivual *adj* alive.
vizzy *n* view.
voar *n* spring.
vodder *n* weather.
vode *adj* empty.
voe *n* fjord, long narrow inlet.
vogie, vokie *adj* proud; vain; jolly.
voice *n* vote.
voicer *n* voter.
vokie *see* **vogie**.
volage *adj* giddy.
volish *v* vaunt.
volt *see* **vult**.
vome *v* puke.
vomiter *n* emetic.
voo *v* vow.
voostie *adv* proudly.
vote *n* vow. • *v* devote.
vourak *n* wreck.
voust *n/v* boast.
vouth *n* prosecution.
vouthman *n* outlaw.
vowt *n* countenance; vault; cellar. • *v* vault.
vult, volt *n* aspect.
vung *v* move with a buzzing sound.

W

wa[1] *adv* away.
wa[2] *n* wall, dyke.
waal *v* weld.
waasp *n* wasp.
waat, waut *n* weal.
wab *n* web.
wabbit *adj* careworn; exhausted; weary; wan; weak.
wabble *v* wobble.
wabblie *adj* watery.
wab-fittit *adj* web-footed.
wabster *see* **webster**.
wace *n* wax.
wachle *n* wobble. • *v* move to and fro.
wacht[1] *n* watch; sight.
wacht[2] *n* swig. • *v* drink, quaff.
wack, wak *adj* moist.
wad[1], wed *n* pledge, security; wager, bet;

forfeit. • *adj* wedded. • *v* pledge; wager, bet; wed.
wad[2] *n* black lead; graphite.
wad[3] *n* cotton wool.
wad[4] *v* wade. • *adj* wading.
wad[5] *see* **wald**[2].
wadd *n* woad.
wadder *n* weather.
waddin *n* wedding.
waddin braws *npl* wedding clothes, trousseau.
wadge[1] *n* wedge. • *v* wedge, chock.
wadge[2] *v* brandish.
wadset *n* handing over of land rights to a creditor. • *v* alienate heritable property.
wadsetter *n* holder of property under wadset.
wady *adj* vain.
wae *n* woe; **wae's me** *interj* alas, woe is me.
waebegane *adj* woebegone.
waeful *adj* woeful.
waese *n* bundle of straw.
waesome *adj* woeful.
waff, waif[1] *n* aroma, odour; ailment; wave; whiff. • *v* blow; flap; fan; wave; shake.
waff, waif[2] *adj* low-class; stray; strayed. • *n* waif.
waffie *adj* rascally; vagrant. • *n* vagabond.
waffinger *n* vagabond.
waffle *adj* inert; pliable. • *v* rumple; shilly-shally; waver.
wafflie *adj* volatile.
waff-like *adj* shabby.
waft *n* weft.
wag *v* beckon; brandish; **wag awa** carry on.
wa-gang, wa-gaun *n* leave-taking; departure. • *adj* departing.
wag-at-the-wa' *n* clock with an open pendulum.
wage *n* pledge; pawn. • *v* wield.
waggle *n* bog.
waghorn *n* liar.
wa-girse *n* watercress.
waible *v* walk unsteadly.
waide *v* infuriate.
waiggle *n/v* waggle; waddle.
waik[1] *adj* weak.
waik[2] *n/v* watch.
waile *n* wand; rod.
waim *see* **wame**.
wain *n* wagon.
waingle *v* flutter; wave.
wainscot *n* felled oak.
waint[1] *n* glimpse.
waint[2] *v* turn sour.
waintit *n* soured.
wair[1] *n* pillow slip.
wair[2] *v* spend.
wairn *v* warn.
wait on *v* await.
waite *v* blame.
waiter *n* gatekeeper.
waith[1] *n* clothing.
waith[2], **wayth** *n* wandering; hunting.
waithman *n* hunter.
wak *see* **wack**.
wake *v* wander; be idle.
wakness *n* damp; humidity.
wakrif *adj* sleepless.
walcome *n/v* welcome.
wald[1] *n* plain; ground.
wald[2], **wad** *v* would.
wald[3] *v* wield; govern.
wald[4] *see* **well**[2].
wale *n* choosing; choice; veil. • *v* choose; select.
waler *n* selector.
walgan *n* wallet.
walie, waly *adj* excellent. • *n* good fortune.
walin *n* selection.
wall *n* well; spring of water; whirlpool. • *v* well up; **wall up** boil up.
wallach *v* talk in a roundabout way.
wallae *n/v* wallow.
wallan *adj* drooping; withered. • *v* wither.
waller *n* moving crows.
wallidrag *n* feeble person; weakest nestling.
wallie[1], **wally** *adj* beautiful; strong; made of china; ornamental; tiled. • *n* porcelain; glazed tile.
wallie[2], **wally, wallet** *n* valet.
wallie dug *n* china dog.
wallies *npl* false teeth; intestines; finery.
wallie tile *n* tile.
walloch *n* vigorous dance.
wallock *n* lapwing.
wallop *n* heartbeat. • *v* gallop; move fast.
wallow *v* fade; wither.
wally *see* **wallie**[1]; **wallie**[2].
walsh, welsche *adj* insipid; tasteless.

walt[1] *n* welt.
walt[2] *v* thump.
walter, wolter *n* welter; upset. • *v* welter; wallow; overturn.
walth *n* plenty; wealth.
waly[1], **wawlie** *n* toy.
waly[2] *see* **walie**.
walycoat *n* under-petticoat.
wamb *see* **wame**.
wamble *v* move unsteadily.
wamblin *n* puny child.
wame, wamb, waim, weam *n* belly, stomach; womb.
wameful *n* bellyful.
wame-ill *n* bellyache.
wamfle *adj* limp. • *v* flap, flutter.
wamfler *n* lecher.
wamie *adj* portly.
waminess *n* corpulence.
wammle, wample *n* wallow. • *v* coil; undulate; wallow; wriggle.
wampish *v* fluctuate; move to and fro; wave.
wamyt *adj* big-bellied; pregnant.
wan[1] *n* one.
wan[2] *adj* deficient; dark, gloomy; tin.
wan[3] *see* **wand**.
wan-bane *n* cheekbone.
wancanny *see* **uncanny**.
wanchance *n* peril.
wanchancie *see* **unchancy**.
wand, wan *n* fishing rod; switch, rod; sceptre; wicker. • *adj* made of wicker.
wand-bed *n* wicker bed.
wandocht *adj* base; despicable. • *n* puny creature.
wandrethe *n* misfortune.
wane *see* **want**.
wangrace *n* wickedness.
wanhap, wanhope, wanhowp *n* misfortune; despair.
wankill, wankle *adj* unstable.
wankish *v* twist.
wanlas *n* mistake.
wanliesome *see* **unlo'esome**.
wannis *npl* scars.
wannle *adj* agile.
wanrest *n* anxiety; uneasiness; unrest.
wanrestful *adj* unsettled.
wanrufe *n* unease.
wansonsy *adj* mischievous.
want, wane *v* defect; lack. • *v* lack; need.
wanter *n* bachelor.
wanthrift *n* extravagance; prodigality; thriftlessness.
wantin *adj* lacking; simple-minded. • *prep* without.
wanton *n* girth.
wanwordie *adj* unworthy.
wanworth *adj* valueless. • *n* price.
wanwuth *n* surprise.
wanyoch *adj* pale.
wap[1] *n* blow. • *v* throw; wrestle; fling.
wap[2], **wup** *n* bundle of straw. • *v* envelop, wrap; splice.
wapinschaw *n* weaponry display.
wap-it *v* put away.
wapnit *adj* armed.
wappen *n* weapon.
wappin *adj* enormous, gigantic, huge; monstrous.
wappit *adj* enveloped.
war[1], **ware** *adj* aware, conscious; wary.
war[2] *see* **wair**.
warand, warrand *n* surety; protection. • *v* protect.
warble *v* wriggle.
ward *n* confinement; imprisonment. • *v* imprison.
wardlie *adj* worldly.
wardour *n* prisoner; guard.
ware[1] *n* price. • *v* expend; spend.
ware[2] *see* **war**[1].
warehoose *n* warehouse.
waretime *n* springtime.
warf *n* dwarf.
warison *n* reward.
wark, werk, wirk *n* work; fortification. • *v* work; ache; purge; **wark on** influence.
warker *n* worker.
warkly *adj* diligent.
warld *n* world.
warldlie *adj* temporal.
warld's gear *n* worldly goods.
warliest *adj* most wary.
warlo *adj* evil. • *n* wicked person.
warlock *n* magician, sorcerer, wizard.
warne *v* refuse.
warnin *n* omen; portent.
warp *v* throw open; surround; weave, plait.
warple *v* intertwine; struggle through.
warrach[1] *n* knotted stick.
warrach[2] *v* scold.

warrachie *adj* rough; knotted.
warran *n/v* warrant.
warrand *see* **warand**.
warrandice *n* guarantee.
warray *adj* true; real.
warren *adj* of the pine tree.
warsche *see* **wersh**.
warse *adj* worse.
warsle, warsell, worsle *v* wrestle; writhe; labour; subjugate; **warsle on** struggle on; **warsle throu** get by.
warslin *adj* hard-working; struggling.
warst *adj/adv* worst.
warth *n* apparition.
warwolf *n* werewolf.
wary *v* defend; curse; execrate.
warying *n* curse.
wash, weshe *n* bevelled edge; stale urine; lye.
wash-doon *v* bevel.
washerwife, washerwifie *n* washer-woman, laundress.
washtub *n* tub for lye.
wasie *adj* sagacious.
waspit *adj* thin-waisted.
wast *n* west; left.
wastell *n* oatmeal cake.
waster[1], **wester** *adj* western.
waster[2], **wester** *n* three-pronged fish spear.
waster[3] *v* squander.
wasterful *adj* destructive.
wasting *n* consumption (tuberculosis).
wastland, wastlins *adv* westwards.
wastle *adj* west of. • *adv* westwards.
wastmost *adj* westernmost.
wastrie *n* prodigal person.
wastrif, wastrife *adj* prodigal; wasteful.
wat[1] *v* know.
wat[2], **wate** *see* **weet**.
watchie *n* watchmaker.
watermeggie *n* dipper.
water *see* **watter**.
wath *n* ford.
wather *n* weather.
watshod *adj* with wet feet.
watter, water *n* river; water. • *v* water.
watter-brash *n* heartburn.
watter-cow *n* river spirit.
watter-craw *n* water ousel.
watter-dog *n* water rat.
watterfall *n* watershed.
wattergang *n* mill race.
wattergaw, weathergaw *n* rainbow or part of one.
watterie *n* lavatory, toilet.
watter-kelpie *n* water spirit.
watter-mouth *n* estuary.
watter-stoup *n* bucket.
wattery pox *n* chickenpox.
wattie *n* eel.
wattle *n* billet of wood.
wauch *n* wall.
wauchie *adj* sallow; swampy.
wauchle *v* shamble.
waucht *n* large draught of drink. • *v* quaff heartily.
wauge *n* wage.
wauger *n/v* wager.
waugh, wouch *adj* unpleasant-tasting.
wauk[1] *v* wake; watch.
wauk[2] *see* **waulk**.
waukened *adj* awake.
waukenin *n* awakening; dressing-down, reproof.
waukfere *adj* able to walk.
waukit *adj* callous.
waukrif, waukrife *adj* insomniac, wakeful; vigilant, watchful.
waul *v* look wild.
waulie *adj* nimble.
waulk, wauk *v* tread cloth, full; shrink.
waulker *n* fuller.
waulkmill *n* fulling mill.
waumish *adj* squeamish.
wauner *v* wander.
waunert *adj* wandering.
waunnerin fowk *npl* vagrants.
waur[1] *adj* worse.
waur[2] *v* overcome.
waut[1] *n* border; selvedge.
waut[2] *see* **waat**.
wavel *v* move to and fro; wave.
waver *v* wander.
waw[1] *n* sea wave.
waw[2] *v* wail; caterwaul.
waxcloth *n* linoleum; oilcloth.
wayff *n* wife.
wayganging *n* departure.
waygate *n* space; room.
wayn *n* plenty.
waynd *v* change; swerve; care.
wayne *n* help; relief.
wayth *see* **waith**.

waywart *adj* wayward.
weam *see* **wame**.
wean *n* baby; child; infant; offspring.
weariful *adj* troublesome.
weary *adj* dispiriting; feeble.
weary fa' *interj* curse upon.
weary for *v* long for.
weather *n* storm.
weatherful, wedderful *adj* inclement; stormy.
weathergaw *see* **wattergaw**.
weave *v* knit stockings.
webster, wabster *n* weaver; spider.
weche *n* witch.
wecht[1] *n* weight. • *v* weigh.
wecht[2] *n* winnow; sieve. • *v* winnow.
wechtie *adj* weighty.
wechts *npl* scales.
wechty *adj* expensive; weighty.
wed *see* **wad**[1].
wedder *n* wether.
wedder *see* **wether**.
wedderful *see* **weatherful**.
wede, weid *v* rage.
wede-awa *adj* extinct.
wedgie *n* strange person.
weehoose *n* privy.
weescuil *n* infant school.
wee, wie *adj* little, small, tiny.
weed[1] *n* mastitis.
weed[2] *v* thin out.
weeds *npl* thinnings.
weegletie-waggletie *adj* wavering.
weeglie *adj* waggling; unstable.
week *see* **weik**.
weel[1], **weil, weill** *adj* well; healthy. • *adv* well; very. • *interj* well! • *n* prosperity.
weel[2] *n* eddy.
weel-daein *adj* affluent; well-off; proud.
weel-faured *adj* handsome.
weel-hained *adj* well-preserved.
weel-happit *adj* well-protected.
weel is me *interj* happy am I.
weel-kent *adj* widely known.
weel-plenisht *adj* well-stocked.
weel-put-on *adj* well-dressed.
weel-seen *adj* evident.
weel tae be seen *adj* presentable.
weel-tochert *adj* well-endowed.
weel-waled *adj* well-chosen.
weel-wared *adj* well-deserved; well-earned; well-spent.
weel-willie *adj* generous; well-meaning.
weem *n* cave.
ween *v* suspect; suppose.
weeness *n* smallness.
weeng *n* wing.
weeock *n* little while.
weepers *npl* mourning dress.
weer *n* wire.
weese *see* **weeze**.
weeshie-washie *n* procrastination.
weest *adj* depressed.
weet, wat, wate *adj* wet. • *n* rain. • *v* wet.
weet-ma-fit *n* corncrake.
weetness *n* wet weather.
weet yer thrapple *n* booze. • *v* booze; quench one's thirst.
weeze, weese *v* ooze.
weffil *adj* pliant.
weid *see* **wede**.
weif *v* weave.
weigh-bauk *n* balance.
weik, week *n* corner; angle.
weil, weill *see* **weel**[1].
wein *n* stain.
weir[1] *n* war; force. • *v* defend; deflect.
weir[2] *n* hedge. • *v* herd, drive carefully; keep in; stop; **weir in** pass; **weir intil** approach.
weir[3] *v* wear; **weir roon** prevail upon, win over.
weird *n* destiny, fate; prediction. • *v* destine; predict, divine.
weirdful *adj* fateful.
weirdless *adj* improvident; incapable; unlucky; worthless.
weirdlie, weirdly *adj* sinister; happy.
weird wife *n* female prophet.
weiriegills *npl* quarrels.
weirlie, weirlik *adj* bellicose; warlike.
weirs *npl* wares.
weise *v* achieve by art or policy; direct.
weit *v* inquire.
welany *n* disgrace.
weld *v* possess.
well[1] *n* tap.
well[2], **wald** *n/v* weld.
well-grass *n* watercress.
well-head *n* spring (water).
wellit *adj* drowned.
welsche *see* **walsh**.
welt *v* throw.
welter *v* roll.

wem *n* stain.
wemeless *adj* blameless.
wemmyt *adj* scarred.
wendin *v* wane.
wergelt *see* **vergelt**.
werk *see* **wark**.
wernour *n* miser.
werray *v* make war on.
werrock *n* bunion; corn; verruca.
wersh, warsche *adj* acid, bitter; bland, insipid, tasteless.
wery *v* curse.
wesar *n* visor.
weschell *n* crockery.
wesely *adv* cautiously.
wesh *n/v* wash.
weshe *see* **wash**.
weskit *n* waistcoat.
wester *see* **waster**[1], **waster**[2].
wether, wedder *n* neutered ram.
weting *n* knowledge.
wevil *v* wriggle.
wex *see* **vex**.
wey[1] *n* way.
wey[2] *v* weigh.
weyes *n* weighing balance.
wez *pron* us.
wha, whae *pron* what; who.
whaak *v* quack.
wha-but-he *n* one and only; self-important person.
whack *n* cut; incision.
whae *see* **wha**.
whaisle, wheasle *v* wheeze.
whalp *n/v* whelp; pup.
wham[1] *pron* whom.
wham[2] *n* wide level glen.
whamble *see* **whummle**.
whan *adv/conj* when.
whan a' be *adv* notwithstanding.
whang *n* thong; slice; boot lace; penis; whiplash. • *v* hack in slices.
whang-bit *n* bridle.
whank *n* thump; blow. • *v* beat; flog.
whanker, whapper, whilper *n* something unusually large.
whapp *see* **whaup**[1].
whar *see* **whaur**.
whase *pron* whose.
whasomever *pron* whoever.
what *v* whet.
whaten, whatten *adv* what sort of.
whatfor *adv* for what reason.
what-like *adj* like what.
whatsomever *pron* whatever.
whatten *see* **whaten**.
whauk *n/v* whack.
whaul *n* whale.
whaum, wham *n* blow.
whaup *n* curlew.
whaup-nebbit *adj* long-nosed.
whaup[1], **whaap** *n* curlew.
whaup[2] *n* pod. • *v* pod out.
whaur, whar *adv* where.
whaur fae *adv* whence.
whaurivver *adv* wherever.
whaur till *adv* whither.
wheak, week *v* squeak.
wheasel *n* weasel.
wheasle *see* **whaisle**.
wheech *n* swipe; *n* whisk. • *v* swipe; whizz; **wheech awa** snatch away.
wheecher *n* coalman.
wheel *v* bid; pirouette.
wheem *n* caprice; fancy.
wheemer *v* mutter complaints.
wheen *n* number; quantity.
wheenge *v* whinge.
wheep *v* whistle; squeak.
wheeple *v* call like a curlew.
wheerikins *npl* buttocks.
wheerum, wheerim *n* toy; insignificant thing.
wheesht *adj* hushed. • *interj* hush! • *v* silence.
wheesk *n* gentle creak. • *v* creak gently.
wheetie *adj* mean; low.
wheetle[1] *n* duckling. • *v* cheep.
wheetle[2] *v* wheedle.
wheezie *v* blaze and crackle.
wheezle *n* wheeze; wheezing. • *v* wheeze.
wheezles *npl* asthma; bronchitis.
whew *v* whistle shrilly.
whey-bird *n* woodlark.
whey-whullions *npl* mixed oats and whey.
whickie *adj* crafty.
whid[1] *n* exaggeration. • *v* fib.
whid[2] *v* scud.
whidder *n* gust of wind; whirlwind.
whiddie *n* hare.
whiddle *v* walk lightly.
whiddy *adj* shifting.
whiff *v* blow out.

whig[1], **wigg, wyg** *n* clear liquid under sour cream; tea bread.
whig[2] *v* jog easily.
whig[3], **whigamore** *n* Presbyterian dissenter.
whiggery *n* Presbyterianism.
whiggle *v* wriggle.
whigmaleerie *adj* gimcrack. • *n* drinking game; whim; fantastic ornament, knick-knack, trinket.
whigmaleeries *npl* frippery.
while *adv/conj/prep* until.
whiles *adv* at times; now and then; sometimes.
whilk *adj/pron* which.
whill *conj* while.
whilly, whillie *v* gull, cheat; hoax, trick.
whillybaloo *n* hullabaloo.
whillygoleerie *n* hypocrite; wheedler.
whillywha *n* wheedler; *n* wheedling.
whillywhally *v* coax; dally, loiter.
whillywhaw *adj* undependable.
whilock *n* short while.
whilper *see* **whanker**.
whiltie-whaltie *adj* in palpitation.
whimmer *v* whimper.
whimwham *n* whimsy.
whin *n* furze; gorse.
whinge *v* whine.
whinger, whinyard *n* short sword.
whink *v* bark.
whinkens *see* **sowens**.
whinner *v* whizz by.
whinnerin *adj* very dry.
whinny *adj* covered by furze or whins.
whinstane *see* **whunstane**.
whinyard *see* **whinger**.
whippert *adj* hasty.
whippy *adj* slight; contemptible.
whir, whirr *v* fly up with a whirring sound.
whirlie *n* contraption; gadget.
whirligig *n* symbol.
whirliwaw *n* whirligig.
whirret *n* blow; smack.
whish *n* whoosh; whisper. • *v* hush.
whisker *n* feather duster; broom.
whisky *n* spirit distilled from malt or grain.
whistle-binkie *n* non-payer at a penny wedding; bench-sitter.
whit *pron* what.
white *adj* unploughed. • *n* wheat. • *v* flatter; cut, pare; whittle.
white-airn *n* tinplate.
whitelie, whitely *adj* whitish; pale.
whitelip *n* flatterer.
whitemeal *n* oatmeal.
white pudding *n* pudding of meal, suet and onion.
whiter *n* whittler.
white siller *n* silver money.
whither[1] *conj* whether.
whither[2] *n* stroke; blow. • *v* beat.
whitie *n* whiting.
whitrat *n* stoat; weasel.
whitter *n* thing of weak growth; draught of liquor. • *v* move lightly; fritter away; speak low; patter.
whitter-whatter *n* chattering.
whittie-whattie *n* prevarication. • *v* prevaricate.
whittle *n* knife.
whittle-bealin *n* whitlow.
whon *n* worthless character.
whorle *n* small wheel.
whorle-bane *n* hipbone.
whosle *v* breathe hard.
whud *n* fib, lie.
whudder *v* make a rushing sound.
whuff *n* whiff.
whullup *v* curry favour.
whully *v* cheat.
whult *n* blow; something large.
whulter *n* whopper.
whummle, whamble *n* avalanche; downfall; upset. • *v* overturn; invert; bowl over; stir round; upset.
whumpie *n* large wooden plate.
whun *n* whin.
whun-chacker *n* whinchat.
whunlintie, whinlintie *n* red linnet.
whinstane, whunstane *n* ragstone. • *adj* hard-hearted.
whup *n/v* whip.
whuram *n* crotchet; trills and quavers.
whurken *v* strangle.
whurl *n* wheel; flywheel; whirl; whorl. • *v* whirl.
whurr *n/v* whirr.
whush *n/v* whish.
whuskie *n* whisky.
whusper *n/v* whisper.
whustle *n* siren; whistle. • *v* whistle.
whuther *conj* whether.
wi *conj* owing to. • *prep* with.

wice *adj* clever; knowing; well-informed; wise. • *v* lead; lure; manoeuvre; persuade.
wicelik *adj* becoming, seemly, fitting; proper; reasonable; rational; sagacious; sane. • *adv* sensibly.
wice-sayin *n* proverb.
wicht *adj* brave, courageous; valiant.
wicht *n* spirit.
wicht, wight[1] *adj* strong; active; clever.
wicht, wight[2] *n* man person.
wichty *adj* powerful.
wick[1] *n* naughty child.
wick[2] *n* open bay.
wicker *n* twig; short switch.
wickers *n* wickerwork.
wickit *adj* iniquitous, wicked.
widder *v* rush about.
widdershins *adv* anticlockwise; contrariwise.
widdie, woodie *n* rope made of willow; hangman's rope; gallows, gibbet.
widdle[1] *v* waddle.
widdle[2], **wuddle** *v* make shift without great effort.
wie *see* **wee**.
wife *n* matron; woman.
wife-carle *n* house-husband.
wiffin *n* moment.
wifie *n* wife; woman.
wiflie *adj* feminine.
wifock *n* little woman.
wig *n* wall; partition.
wigg *see* **whig**[1].
wight *see* **wicht**.
wi'in *adv* within.
wild *adj* strong-tasting.
wild cotton *n* cotton-grass.
wildfire, willfire *n* marsh marigold; firedamp.
wile[1] *adj* vile.
wile[2], **wyle** *v* beguile; lure; win over by coaxing.
wilful *adj* willing.
wilie-coat *n* winter vest.
wilk *n* whelk.
will[1] *adj* erring; wild.
will[2] *n* desire.
will[3] *v* shall.
willcat *see* **wullcat**.
willcorn *n* wild oats.
willfire *see* **wildfire**.
willgate, wullgate *adv* misdirectedly.
willick *n* puffin.
willie *n* willow.
willie-jack *n* go-between.
willie-muff *n* willow warbler.
willie-wagtail *n* pied wagtail; water-wagtail.
willie wand *n* willow wand.
Willie Winkie *n* sandman.
willin-sweert *adj* half-willing.
willintlie *adv* intentionally.
willsome, wilsum, wullsome *adj* wilful.
willyart *adj* wild; shy.
willywha *n* cajolery.
wilshoch *adj* perverse.
wilsome *adj* desolate.
wilsum, wullsome *see* **willsome**.
wimble *n* auger.
wimble-bore *n* auger-hole.
wimple *n* complication; convolution; curl; wave; meander; ruse; wile. • *v* enfold; go in wavelets; meander, wind; squirm.
win[1] *n* wind. • *v* dry; dry in the wind; dry out; winnow.
win[2] *v* dwell.
win[3] *n* earnings; wealth. • *v* earn; gain; give; go; come; reach, attain, arrive; **win aboon** be the first; **win aff** get off; **win ahin** outsmart; **win awa** get away; go off; die, pass away; **win by** get past; **win forrit** advance; **win free** get away; **win o'er** get across; **win oot** escape; get out; **win over** surmount; **win ower** pass over; recover; **winthrow** get through; **winup** get up; stand up.
winch[1] *v* court.
winch[2] *v* wince.
winchin *adj* courting.
wind *v* exaggerate; tell stories.
winda, windae *n* window.
windae-broad *n* shutter.
windae-sole *n* window-sill.
windcuffer *n* kestrel.
winder *n* storyteller.
windle *v* walk into the wind.
windlen *n* straw bottle.
windrow *see* **winraw**.
wind-skew *n* chimney cowl.
windus *n* windlass.
windy *adj* ostentatious.
windy-wallets *n* one who farts.

wineberry *n* currant.
wingel *n* tumour.
wingle *v* wag; walk laboriously.
wink *n* moment.
winkers *npl* eyelashes.
winkit *adj* turning (milk).
winmull *n* windmill.
winning *n* pit.
winnings *npl* mineworkings.
winraw, windrow *n* long pile of drying hay or peat.
winsome *adj* merry.
wint *n* want.
winter *v* pasture animals through winter.
winter-dyke *n* clothes horse.
winterling *n* year-old cow or ox.
wintle *v* stagger.
wintrous *adj* wintry.
winze *n* curse.
wi'oot *prep* without.
wip, wyp *v* bind.
wippen *n* wrap-round binding.
wir *pron* our.
wird *n* word.
wirdie *adj* weighty.
wire *n* knitting needle.
wire *n* needle.
wirk[1] *v* herd.
wirk[2] *see* **wark**.
wirl *n* small person or creature.
wirlie *adj* wrinkly.
wirm *n* worm.
wirr *v* growl.
wirricow, wirriecarl *n* demon; scarecrow.
wirry *n/v* worry.
wirs, wirses *pron* ours.
wirsels *pron* ourselves.
wirth *n* worth.
wis *v* know.
wisen *v* wizen.
wisk *v* whisk.
wiss *n/v* wish.
wissel *v* exchange.
wit *n* sagacity, wisdom; sanity.
withershins *adv* anticlockwise.
wither-wecht *n* counterweight.
within eild *adj* under-age.
witter *v* inform; fight.
witterin *n* information.
wittert *adj* barbed.
wiz *pron* us.
wizzen *n* throat; trachea; life.
wizzent *adj* shrivelled.
wobat *adj* feeble.
wod[1] *adj* mad.
wod[2], **wode** *n* wood; woad.
Wodensday *n* Wednesday.
wodman *n* madman.
wodness *n* madness.
woll *n* wool.
wolroun *n* eunuch.
wolter *see* **walter**.
wolvin *adj* woven.
wolwat *n* velvet.
womple *see* **wymple**.
won *v* be able; dwell; dry.
woo *n* wool.
woodie *see* **widdie**.
woodrum *see* **wuddrum**.
wooerbab *n* lovers' knot.
woolster *n* wool stapler.
wooster *n* suitor.
wooy *adj* woolly.
wop *n* binding thread.
word *n* character; reputation.
wordie *adj* worthy.
work *v* sprain; trouble; **work wi** employ.
worl, worlin *n* puny creature.
worm *n* serpent.
worm-etten *adj* discontented.
worm-i-the-cheek *n* toothache.
worm-web *n* spider's web.
worp *n/v* warp.
worry *v* choke.
worschip *n* great deed; honour.
worset *n* worsted.
worsing *n* injury.
worsle *see* **warsell**.
worsum, woursum *n* purulence.
wort *v* waste.
worth *v* wax; become.
worts *n* part-distilled liquor.
woslie, wozlie *adj* shrivelled up.
wot *n* information.
wotlink *n* wench.
wouch[1] *v* bark.
wouch[2] *see* **waugh**.
woud *v* void; excrete.
wouf *n* wolf.
woursum *see* **worsum**.
wow[1] *n/v* bark; howl.
wow[2] *v* wave.
wowf *adj* agitated; half-mad, crazed.
wown *n* wont; custom.

wozlie *see* **woslie**.
wra *n* hiding place.
wrable *v* wriggle.
wrach *n* wraith.
wrack, wrak *n* algae; driftwood; flotsam; trash; ruin; shipwreck; wreck. • *v* demolish; ruin; wreck.
wraigh *adj* strange.
wraik *n* revenge; destruction.
wraith[1] *n* provision; food.
wraith[2] *adj* angry; wrathful.
wrak *see* **wrack**.
wramp *v* sprain.
wrang *adj* deformed; incorrect, wrong; unjust; improper. • *n* wrong. • *v* wrong.
wrangous *adj* ill-gotten; wrongful.
wrangouslie *adv* improperly; wrongfully.
wrangways *adv* incorrectly.
wrannie *n* wren.
wrap *n* smock.
wraple *v* entangle.
wrapper *n* dressing gown.
wrat *n* wart.
wratack *n* dwarf.
wratch *n* wretch. • *v* behave in a miserly fashion.
wrattie *adj* warty.
wread, wreath *n* cow pen.
wreak *n/v* wreck.
wreat *v* write.
wreath *n* drift; snowdrift.
wrede, wride *n* wreath.
wree *v* writhe.
wreil *v* twist; wriggle.
wreist *v* sprain.
wreth *n* wrath.
wrett *n* writing.
wreuch *n* wretchedness.
wrible *n* quaver; warble.
wricht *n* carpenter, joiner.
wride *see* **wrede**.
wrig *n* runt.
wriggle *v* wrestle.
wrik *v* wreak.
wring *n* deformity.
wrink *n* turning; trick.
wrinklit *adj* intricate.
wristie *n* muff.
writ *n* record; writing.
writer *n* attorney, lawyer, notary, solicitor.
wroken *adj* revenged.
wrongous *adj* illegal.
wrunch *n* winch.
wry *v* turn; twist.
wud *see* **wuid**.
wudden *adj* wooden.
wuddie *adj* woody.
wuddle *see* **widdle**[2].
wuddrum, woodrum *n* state of confusion.
wudlins *adv* eagerly.
wudscud *n* wild boy or girl.
wuggle *n* bog.
wuid, wud[1] *adj* rabid.
wuid, wud[2] *n* wood.
wuiddrim *n* brainstorm.
wulk *n* periwinkle; whelk.
wull[1], **wuld** *adj* wild.
wull[2] *n/v* will.
wullcat, willcat *n* wild cat.
wullgate *see* **willgate**.
wullint *adj* willing.
wullshoch *adj* timid in courting.
wullsome *see* **wilsum**.
wult *v* wilt.
wumman *n* wife; woman.
wumman-body *n* adult.
wummle *n* gimlet.
wummle-bore *n* cleft palette.
wun[1] *n* wind.
wun[2] *v* win.
wunda-swalla *n* house martin.
wungall *n* sore on the foot.
wunner *v* wonder.
wunnerfae *adj* wonderful.
wunnersome *adv* wonderfully.
wunter *n* winter.
wup[1] *n* earring.
wup[2] *see* **wap**[2].
wuppit *v* winding.
wurl *n* dwarfish person.
wurlie *adj* small; insignificant.
wurp *n* fretful person. • *v* fret; complain.
wurr *v* snarl.
wush *n/v* wish.
wusp *n* wisp.
wuss *n* juice.
wut *n* wit.
wutch *n* sorceress, witch.
wuther *v* wither.
wutness *n* witness.
wuzzent *adj* wizzened.
wy, wye *n* man.
wyde *n* dress; void.
wyders *n* waders.

wyg *see* **whig**[1].
wyle *see* **wile**[2].
wyme *n* abdomen.
wynd[1] *n* alley; lane.
wynd[2] *v* turn left; separate chaff.
wyne *n* end of a furrow.
wynell *see* **vennel**.
wype *n* wreath; accidental blow.
wyr *n* arrow.
wyrrie *v* strangle.
wyte *n* blame; fault; reproach; wait. • *v* accuse; blame; wait; **wyte on** wait for.
wyve *v* entwine; knit; weave.
wyvin *n* knitting.

Y

yaal *n* yawl.
yaave *n* awe.
yab *n* lump of bad coal.
yabber, yabble *v* gabble.
yabblin *adj* gabbling.
yabbock *n* chatterer.
yable *adj* able.
yack *v* gabble.
yackety *adj* chattering.
yad[1] *n* piece of stony coal.
yad[2] *see* **yaud**.
yaddle *v* contend.
yae-time *adj* former.
yaff *v* bark; prate.
yagger *n* hawker.
yaik *v* ache.
yaip *see* **yape**.
yair, yare *n* fish trap.
yaird *n* farmyard, yard.
yairdie *n* small garden.
yairn *n* yarn.
yaised *adj* accustomed.
yald *v* yield.
yallacrack *n* altercation.
yalloch *n* shout.
yaltie *adv* slowly.
yammer, yawmer, yomer *adj* jabbering; • *v* jabber; shriek.
yammering *n* crying.
yamph *v* bark.
yan, yan't *adj* puny, undergrown.
yank *n* thump, sudden blow.
yanker *n* agile person.
yankin *adj* active.
yan't *see* **yan**.
yap *v* harp, nark.
yape, yaip *adj* hungry. • *v* be hungry.
yapish *adj* keen.
yaply *adv* keenly.
yare[1] *adj* ready, alert, prompt.
yare[2] *see* **yair**.
yark *n* blow. • *v* beat.
yarne *adv* eagerly.
yarp *v* whine; moan.
yarpha *n* fibrous woody peat.
yarr *v* snarl.
yarrow *v* earn.
yatt *n* yacht, boat.
yatter *v* fret.
yattering *n* chattering.
yattle *adj* stone-strewn. • *n* strength, fortitude.
yaud *n* nag, tired-out old mare.
yaul *v* yell.
yaul-cuted *adj* strong-ankled for running.
yauld *adj* alert.
yaumer *v* murmur.
yaup[1] *v* yelp.
yaup[2], **yawp** *adj* hungry.
yauping *adj* peevish.
yaupit *n* titmouse.
yauvins *see* **awns**.
yavil *adj* prone, flat.
yawmer *see* **yammer**.
yawp *see* **yaup**[2].
yaws *n* syphilis, pox.
ye *pron* you.
yea *adv* yes.
yeald, yeld *adj* barren, infertile.
yeald nurse *n* dry nurse.
yearaul *n* yearling.
yearn *v* coagulate.
yearock *n* year-old hen.
yeattle *v* grumble.
yeck *v* hiccup.
yed *n* falsehood. • *v* fib.
yeddle *adj* thick; muddy.
Yeel *see* **Yule**.
yeild *see* **eild**.
yeildins *see* **eildins**.
yeisk *v* hiccup; belch.
yeld *see* **yeald**.
yelder-e'ed *adj* evil-eyed.

yeldrick *n* yellow-hammer.
yell *v* roll (ship).
yella, yellae, yellie *adj* yellow.
yella gowan *n* buttercup; marigold.
yella lintie *n* yellowhammer.
yelloch *v* scream.
yellyhooin *adj* screaming.
yemar *n* keeper.
yeme *v* care for.
yemsell *n* keeping; custody.
yepie *n* blow.
yer *pron* your.
yerb *n* herb.
yerd *see* **yird**.
yerk *n/v* jerk. • *v* bind tightly; beat; **yerk aff** strike up.
yerker *n* heavy blow.
yerl *n* earl.
yern-bliter *n* snipe.
yersel, yerself *pron* yourself; oneself.
yester[1] *adj* last.
yester[2] *v* disturb.
yestermorn *n/adv* last morning.
yestreen *n/adv* yesterday; last night.
yet *adv* still.
yett[1] *n* gate.
yett[2] *v* pour.
yett-cheek *n* doorpost.
yettlin *n* cast iron.
yeuk, youk *n/v* itch.
yeukie[1] *adj* avid; itchy.
yevery *n* doorpost.
yield *n* compensation.
yiff-yaff *n* empty-headed talker.
yill *n* ale, beer. • *v* ply with ale.
yill-boat *n* ale barrel.
yill-cap *n* ale cup.
yill-hoose *n* ale house.
yill-wife *n* ale-wife.
yim *n* particle.
yin *adj/n* one.
yince *adv* once.
ying *adj* young.
yirb *n* herb.
yird, yerd *n* depth; earth. • *adj* stuck in the ground.
yirdfast, yerdfast *adj* deep-rooted; earthy.
yird-hungry *adj* voracious.
yirdin *n* thunder.
yirdit *adj* buried.
yirdlins *adv* along the ground.
yirlich *adj* wild.
yirm *v* whine; moan.
yirn *v* earn.
yirnin *n* rennet.
yisk *v* hiccup.
yit *conj* yet.
yivverie *adj* desirous.
yiz *pron* you.
yochel *n* bumpkin, yokel.
yock *n* yoke.
yoke *v* plough in pairs; **yoke tae** set to, engage in a dispute; start a job.
yokin *n* bout, shift, stint.
yolk *n* opaque roundel in window glass.
yoller *v* talk loudly but indistinctly.
yolpin *n* unfledged bird; young child.
yomer *see* **yammer**.
yomf *v* strike.
yon, yond *pron* those; these.
yond[1] *adv* beyond.
yond[2] *see* **yon**.
yondmost *adv* farthest.
yonner *adj* yonder. • *adv* yonder.
yont *adv* along; beyond.
yonter *adv* farther.
yontermost *adv* farthest.
yore *adj* ready, alert.
yorlin *n* yellowhammer.
youd *n* youth.
youden *adj* yielded.
youden-drift *n* wind-blown snow.
youdful *adj* youthful.
youdlin *n* young lad.
youfat *adj* small, puny.
youk *see* **yeuk**.
youlring *n* yellow-hammer.
yound *adj* opposite.
young man *n* best man.
youngsome *adj* youthful.
younker *n* nestling; youngster.
youp *n* scream.
youse, youze, youzyins *pron* (*pl*) you.
youst *n* idle chatter. • *v* talk idly.
youster *n* putrefaction.
yout *n/v* cry.
youthheid *n* youth, adolescence.
youthie, youthy *adj* youthful, juvenile, young, childish.
yove *v* talk freely, chat.
yow[1] *n* cone.
yow[2]**, yowe** *n* ewe; sheep
yowdendrift *n* blizzard, snowstorm.
yowdlin *adj* dilatory.

yowe *see* **yow**[1].
yowf *n/v* bark.
yowk *n* yolk.
yowl *n/v* wail, yell, yelp.
yowt *n/v* cry.
yowther *n* strong, bad smell.
Yule, Yeel *n* Christmas.
yule *v* observe Yuletide.
yule brose *n* fat brose.
Yule Day *n* Christmas Day.
Yule E'en *n* Christmas Eve, eve of Yule.
yuman *n* yeoman; peasant.
yunk *v* buck.
yurn *n* rennet.

English-Scots Dictionary

A

a *art* ae, ane.
abandon *v* forhoo, gie ower.
abashed *adj* abaisit, hingin-luggit.
abate *v* quall.
abattoir *n* butch-hoose.
abdomen *n* painch, wyme.
abhorrence *n* scunner.
abhorrent *adj* laithlie, scunnersome.
abide *v* bide, thole.
ability *adj* abeelitie.
abject *adj* sleekit.
ablaze *adj* ableeze.
able *adj* yable, ticht.
able-bodied *adj* hail.
abnormal *adj* no richt, orra.
abode *n* abaid.
abolish *v* elide.
abort *v* slip.
abound *v* swarm.
abounding *adj* hoatchin.
about *prep* aboot, anent.
above *prep* abuin, abune.
above-mentioned *adj* foresaid.
abreast *adv* abreist.
abroad *adv* abreed, abraid.
abrupt *adj* snappit, snottie.
abscess *n* income, bealin.
absent *adj* troon.
absent-minded *adj* forgettle, nae in.
absolute *adj* fair, black.
absorbed *adj* oot ower the lugs.
abstain *v* gae frae.
abstemious *adj* canny.
abstract *adj* abstrack.
abundance *n* rowth, feck.
abundant *adj* rowthie, ruch.
abuse *v* abuise, abeese.
abusive *adj* ill-mou'd, ill-tonguit, flyting.
accelerate *v* gie.
accent *n* tune, tin.
accept *v* accep.
access *n* ingate, ingang.
accident *n* stramash, amshach.
accidental *adj* casual.
accomodation *n* up-pittin.
accompany *v* convoy, set.
accomplish *v* get roon.
accomplished *adj* far seen.
accord *n* cord.
account *n* account, line.
accrue *v* accrese.
accumulate *v* hudge.
accumulation *n* rake, hirst.
accurate *adj* richt.
accurately *adv* pintitlie.
accuse *v* wyte, faut.
accused *n* panel.
accustom *v* brither.
accustomed *adj* yaised, heftit.
ace *n* ess.
ace of spades *n* furl o birse.
ache *n* stoun, gowp.
achieve *v* get roon, pit ower.
achievement *n* dirdum.
acid *adj* wersh, soor.
acknowledge *v* awn, lat licht, tak wi.
acorn *n* pipe.
acquaint *v* acquant, acquent.
acquaintance *n* acquantance, acquentance.
acquire *v* git.
acquit *v* free, assoilzie.
acre *n* acker, ackre.
acrid *adj* reekit, snell.
acrimonious *adj* tuithie, snell.
acrimony *n* nip-lug.
across *prep* athort, throu, thorter.
act *n/v* ack.
action *n* ploy.
active *adj* acteeve, feerie, trig, swack.
activity *n* through-pit.
actually *adv* ackwallie.
acute *adj* gleg, snack, fell.
Adam's apple *n* thrapple.
adamant *adj* positeeve.
adapt *v* adap.
adaptable *adj* handie.
add *v* eik.
addicted *adj* addikit.
addition *n* addeetion.
additional *adj* tither.
address *n/v* back, backin.

adept *adj* fell, kittle.
adequate *adj* eneuch, anew.
adhere *v* clap.
adhesive *adj* claggy, clarty.
adjoin *v* mairch wi.
adjust *v* tune, turse, sort.
admirable *adj* braw.
admit *v* awn.
admonish *v* speak a word tae.
admonition *n* telling.
ado *n* adae.
adolescence *n* youthheid.
adolescent *adj/n* (a) halflin.
adorn *v* munt, busk, mense.
adroit *adj* cannie, knackie, gleg.
adult *n* man-body, wumman-body.
advance *v* forder, win forrit.
advancement *n* forder.
advantage *n* better, nip.
adventurous *adj* aunterous.
adverse *adj* thrawart, conter.
advertise *v* adverteese.
advertisement *n* adverteesement.
advice *n* advisement.
advise *v* speak a word tae.
adze *n* eetch, hack.
affable *adj* couthie, crackie.
affair *n* maitter.
affect *v* affeck, tak on.
affected *adj* mim, pitten-on, prick-madentie.
affection *n* hert-likin, fainness.
affectionate *adj* lithesome, innerlie.
affinity *n* sibness.
affirm *n* threap, uphaud.
affirmation *n* threap.
afflict *v* hash, trachle.
afflicted *adj* afflickit.
affliction *n* pine.
affluent *adj* weel-daein.
afford *v* affoord.
affront *n/v* heelie.
afloat *adv* aswim.
afoot *adv* afit, agate.
aforementioned *adj* foresaid.
afraid *adj* feart, afeared.
aft *n* eft.
after *prep* efter, ahint, back o.
afterbirth *n* cleanin.
aftermath *n* eftercome, eftercast.
afternoon *n* aifternune, efternuin.
aftertaste *n* guff.
afterwards *adv* efterwards, syne.
again *adv* agane.
against *prep* agin, gin, conter.
age *v* get up in years.
aged *adj* eildit.
agent *n* factor.
aggregate *n* tot.
aggressive *adj* randie.
aggrieved *adj* sair made.
aghast *adj* dumfoonert.
agile *adj* lichtsome, soople, swack, kibble.
agitate *v* fluffer, flocht.
agitated *adj* wowf, skeer.
agitation *n* carfuffle, jabble.
ago *adv* syne, sinsyne, abye.
agony *n* bide.
agree *v* gree, say thegither.
agreeable *adj* couthie, greeable.
agreeably *adv* condinglie.
agreement *n* greement, greeance.
ahead *prep* aheid.
aid *n* forder.
aid *v* pit tae yer haun.
ailing *adj* no weel, dowie.
ailment *n* tribble, waff.
aim *n* gley, airch. • *v* ettle.
aimless *adj* knotless, paidlin.
air *n* oam.
aisle *n* trance, pass.
ajar *adj* ajee.
akin *adj* sib, freens.
alarm *n* alairm, fleg. • *v* alairm, skeer, flichter, fleg.
alas *interj* wae's me, ochone.
alcoholic *adj* drouthie.
alcove *n* bole, neuk.
alder *n* aller, arn.
ale *n* yill, nappy.
alehouse *n* howf.
alert *adj* gleg, smairt.
algae *n* wrack.
alien *adj* fremmit, ootlin. • *n* ootrel.
alight[1] *adj* alow.
alight[2] *v* lowp aff.
align *v* raw.
alike *adj* sic an sae, sib, after ane.
alive *adj* alist, abune the muild.
all *adj* a, aw; **all kinds** orra. **all and sundry** ilk ane. **all the** the hail. **all told** at a slump.
allay *v* souder.
allege *v* threap.

allegation *n* alleadgance.
allegiance *n* lealtie.
alleviate *v* lichten, souder.
alley *n* close, entry, wynd, vennel.
allocate *v* stent.
allot *v* stent.
allotment *adj* paffle.
allow *v* alloo, lat.
allude *v* mint.
ally *n* stoop.
almighty *adv* amichtie.
almost *adv* amaist, near.
alms *n* awmous.
aloft *adv* alaft.
alone *adj* alane, aleen.
along *adv* alang, yont.
alongside *adv* sidelins. • *prep* anent.
aloof *adj* freff, aback, abeigh. • *adv* aback
aloofness *n* abstractness
aloud *adv* alood.
already *adv* aready, areddies.
also *adv* an a, forby.
alter *v* cheenge.
alternately *adv* time aboot, tour aboot.
although *conj* albuist, alpuist.
altitude *n* heicht, hicht.
altogether *adv* athegither.
always *adv* aye, ayeways, still an on.
amalgamate *v* mell.
amaze *v* dumfooner.
amber *n* lammer.
ambition *n* ettle.
ambitious *adj* high-bendit.
amble *v* dander, dauner, stravaig.
amenable *adj* handie.
amends *n* mends.
amiable *adj* douce, couthy.
among *prep* amang.
amorous *adj* fain.
amount *n* amoont, thing.
ample *adj* lucky, fouthie.
amuse *v* haud oot o langer.
amusement *n* ploy, divert.
amusing *adj* pawky, shortsome.
ancestor *n* forebear.
ancient *adj* auncient.
and *conj* an.
anecdote *n* crack.
anger *n* birse, corruption. • *v* pet, fash.
angry *adj* wraith, atterlie.
anglicise *v* englify.
anguish *n* fash.
animal *n* beast.
animate *v* skeich.
animosity *n* unfreenship.
ankle *n* cuit, ancleth.
announce *v* annoonce.
annoy *v* fash.
annoyance *n* fasherie.
annoyed *adj* thin, mad.
annoying *adj* fashious, angersome.
annual *adj* ilka year.
annul *v* elide.
anoint *v* sclatch, cleester, straik.
another *adj* anither.
ant *n* eemock, emmit.
anticipate *v* ettle.
anticlockwise *adv* withershins, widdershins.
antics *npl* cantrips.
antipathy *n* scunner.
antique *n* auld-warld.
antiquity *n* eild.
anvil *n* stiddie.
anxiety *n* anxeeitie, hert's care.
anxious *adj* thochtie, on hecklepins.
any *adj* ony.
anybody *n* oniebodie.
anyhow *adv* onieways, onie road.
anyone *adj* onieane, onie yin.
anything *pron* oniething, ocht, owt.
anywhere *adv* oniewey.
apart *adv* apairt.
apartment *n* hoose, hoosie.
apathetic *adj* cauldrife, cauld-watter.
apex *n* peen.
apiece *adv* the piece.
apothecary *n* droggist, droggie.
appal *v* gliff.
appalling *adj* awesome.
apparatus *n* graith.
apparent *adj* kenable.
apparently *adv* appearinlie.
apparition *n* foregang, ghaist.
appealing *adj* sonsie.
appear *v* kythe.
appearance *n* cast.
appease *v* slock.
appetising *adj* gustie.
appetite *n* appeteet, cut.
applaud *v* ruff.
apple *n* aipple.
appoint *v* tryst
appointment *n* tryst.

apportion *v* stent.
appraise *v* vailye.
appreciate *v* apprise.
apprehension *n* kennin, ill dreid.
apprehensive *adj* eerie.
apprentice *n/v* prentice.
approach *n* oncome. • *v* weir intil.
approaching *adj* rising.
appropriate *adj* lik. • *v* skech.
approve *v* appruve.
approximately *adv* lik.
April *n* Aprile.
April fool *n* gowk.
apron *n* awpron, peenie, brat.
apt *adj* lik.
arbitrator *n* arbiter, thirdsman.
arch *n* erch, airch.
argue *v* argie, argufy, threap.
argument *n* airgument, argie-bargie, threap, thraw.
aright *adv* aricht.
aristocrat *n* laird.
aristocratic *adj* lairdly.
arithmetic *n* coonts.
arm *n* airm, erm.
armful *n* oxterfu.
armpit *n* oxter.
aroma *n* oam, waff.
around *prep* aroon.
arouse *v* roust, kittle.
arrange *v* redd, sort.
arrangement *n* ootset.
array *n* ootrig, onpit.
arrears *npl* by-rins.
arrest *v* reest, lift.
arrive *v* win.
arrival *n* income.
arrogant *adj* heely, pridefu, heich-heidit.
arrow *n* arrae, arra.
arson *n* fire-raising.
art *n* airt.
artful *adj* sleekit, gleg, airtie.
artfully *adv* airtily.
artfulness *n* airtiness.
articulate *v* mou-ban.
artificial *adj* mim.
as *conj* is, alse.
ascend *v* rise.
ascribe *v* ascrive.
ash *n* ase, ass.
ashamed *adj* rid faced.
ash bucket *n* ase-backet, baikie.
ashen *adj* gash.
ashlar *n* aislar, ashiler.
ashpit *n* midden, ase-midden.
ash tree *n* esh.
aside *adv* sidelins.
ask *v* speir, ax; **ask after** ask for, speir for; **ask for** seek; **ask to** seek to.
askance *adj/adv* asklent.
askew *adj/adv* squint, asklent.
aslant *adj/adv* asklent, asclent.
asleep *adv* awa.
aspect *n* cast.
aspen *n* esp, tremmlin tree.
aspersion *n* ill-speakin.
aspire *v* seek, ettle.
aspiring *adj* ambeetious.
ass *n* cuddy.
assail *v* invade.
assault *v* invade, tear intae.
assemble *v* forgaither.
assembly *n* forgaitherin.
assent *n* greement.
assert *v* threap.
assertion *n* threapment.
assess *v* pruive, ettle.
assiduous *adj* eydent.
assignation *n* tryst.
assist *v* pit tae yer haun.
assistance *n* cast, heeze.
assistant *n* helpender.
associate *v* troke, frequent, forgaither.
association *n* troke.
assorted *adj* sindry.
assortment *n* hatter.
assure *v* asseer.
assurance *n* asseerance.
assured *adj* croose.
assuredly *adv* atweel.
astern *adv* astarn.
asthma *n* wheezles.
asthmatic *adj* pechie.
astir *adv* asteer.
astonish *v* dumfooner, bumbaze, ca the feet frae.
astonishment *n* maze.
astound *v* stoun.
astray *adv* aglee, agley.
astride *adv* stridlins, stride-legs.
astute *adj* cannie, pawkie, fell.
asunder *adv* sinnerie, abreed.
at *prep* it.
at all *adj* awa.

athletic *adj* swankin, leish, lish.
athwart *adv* thort, awkart.
atmosphere *n* oam, stech.
atone *v* mend, upmak.
atrocious *adj* awfu.
attach *v* steek.
attack *n* onding. • *v* invade, set tae, tear intae.
attain *v* win.
attempt *n/v* ettle, mint.
attend *v* tend, tent.
attendance *n* onwaiting.
attendant *n* ghillie.
attention *n* tent.
attentive *adj* tentie, eydent, thochtie.
attire *n* claes, cleedin.
attitude *n* set, shape.
attorney *n* lawer.
attract *v* tice.
attractive *adj* bonnie, sonsie.
auction *n* roup, unction.
audacious *adj* bauld.
audience *n* owdience.
auger *n* aeger, wimble.
auger-hole *n* wimble-bore.
augment *v* eik.
augur *n* fore-go.
august *adj* lairdlie.
aunt *n* aunty.
aurora borealis *n* merry dancers.
auspicious *adj* canny.
austere *adj* austerne, dour, snell.
authentic *adj* richt, rael.
authenticate *v* qualify.
author *n* owthor.
authority *n* poustie.
autocrat *n* maister an mair.
autumn *n* back-en.
auxiliary *adj* helpender.
available *adj* open tae.
avalanche *n* whummle. • *v* shuit.
avarice *n* grippiness.
avaricious *adj* grippitt, grisk, nippit.
avenue *n* inlat, entry.
averse *adj* ill-willed.
aversion *n* scunner, staw.
avid *adj* hyte, yeukie.
avoid *v* evite, miss, haud wide o.
await *v* wait on, bide.
awake *adj* waukened.
awakening *n* waukenin.
aware *adj* awaur, war.
awash *adj* sail.
away *adv* awa, wa, aback.
awe *n* dare.
awful *adj* awfie, awfu.
awkward *adj* ackwart, gawkit.
awl *n* elsh.
awn *n* baird.
awry *adv* aglee, agley, aclite.
axe *n* bullace, aix.
axle *n* aix-tree.

B

baa *n/v* maa, mae.
babble *n* blethers, haivers. • *v* blether, babble, haiver.
babbler *n* bletherskite.
baby *n* babby, bairnie, wean.
baby clothes *npl* babie-clouts.
bachelor *n* bacheleer, bachie, boy.
back *n* hin, hinneren, rig. • *adj* hin.
backbiting *n* nip-lug.
backbone *n* rig, riggin.
backdraught *n* blawdoon.
back garden *n* kailyard.
backside *n* dowp, hurdies.
backstairs *n* back.
backward *adj* backart, hint-the-haun, glaikit.
backwards *adv* back-rans, hintside fore-maist.
backyard *n* back coort, green.
bacon *n* ham.
bad *adj* baud.
badger *n* burran.
bad habit *n* ill-gate.
badly *adv* baud, sair, ill.
badly behaved *adj* ill-contrivit.
badly nourished *adj* ill-thriven.
badly off *adj* ill-aff.
bad manners *npl* ill-laits.
badness *n* ill.
bad-temper *n* crabbitness.
baffle *v* pall.
bag *n* poke, polypoke.
bagpipes *n* pipes.
bail[1] *n* caution.
bail[2] *v* owse, lave.
bailer *n* spootcher.

bait *n* brammel.
bake *v* byaak.
baked *adj* beukit.
baker *n* baxter, bapper.
baking plate *n* girdle.
balance *n* equal-aqual.
balcony *n* plettie.
bald *adj* bell, beld.
balderdash *n* clytach.
bale *n/v* turse.
balk *n* bauk.
ball *n* ba.
ballad *n* ballant.
ballast *n* ballish.
balmy *adj* leesome, baumy.
balustrade *n* ravel.
bamboozle *v* bumbaze, taigle.
banana *n* bananie.
band *n/v* baun.
bandmaster *n* pipe major, pipie.
bandage *n* cloot. • *v* rowe.
bandit *n* reiver, cateran.
bandy *v* giff-gaff.
bandy-legged *adj* bowlie, bowlie-leggit.
bang *n* blaff. • *v* dunner.
banish *v* bainish.
bank[1] *n* baunk.
bank[2] *n* baunk, hag, scaur.
bankrupt *adj* brokken, runkit. • *n* bank-rout, dyvour. • *v* runk, bank-rape.
bankruptcy *n* brak.
banns *n* cries.
banquet *n* eat.
bantam *n* buntin.
banter *n/v* jamph.
bar *n* baur.
barb *n* prog.
barbed *adj* pikie, wittert.
barbarous *adj* ruch, coorse.
barbed wire *n* picket weer.
barber *n* baurber.
bare *adj* scabbit, scuddie.
barefoot *adj* barefit.
bare feet *n* baries.
barely *adv* scarcelins, barelies.
bare patch *n* blain.
bare skin *n* scuddie, skuddie.
bargain *n* block, troke, paction.• *v* troke, niffer, prig.
bargainer *n* troker.
barge *n* bairge. • *v* brainge.
bark *n/v* bouch, wow, yowf.
barley *n* bere, bigg.
barn *n* granzie.
barnacle *n* claik.
barometer *n* mercury.
barrel *n* bowie.
barrel hoop *n* gird.
barrel stave *n* scowe.
barren *adj* yeald, lea, dour, scabbit.
barrister *n* advocate.
barrow *n* barra, hurlie.
barter *n/v* troke, niffer.
base[1] *n* foond, larach.
base[2] *adj* dirten, wandocht.
basement *n* dunnie, laich.
bash *v* bate, ding, dunt.
bashful *adj* baushfae, blate, timmer.
basic *adj* upstannin.
basin *n* bowl, bowlie.
basis *n* grun.
bask *v* beek.
basket *n* skep, creel.
bastard *n* luve-bairn, by-start, get.
baste *v* baiss.
bat *n* backie.
batch loaf *n* plain loaf.
bath *n* dook.
bathe *v* dook.
baton *n* steek.
batter *v* lewder, massacker.
battered *adj* dashelt.
battle *n* stour, fecht.
battle-cry *n* slogan.
bauble *n* whigmaleerie.
bawdy *adj* coorse, ruch.
bawl *v* goller, yowl.
bay[1] *n* inlat.
bay[2] *v* bowf.
beach *n* stron.
beak *n* neb, gob, gab.
beaker *n* bicker.
beam *n* bauk, caber, blink, leam.
bear *v* beir, thole, bide.
bearable *adj* tholeable.
beard *n* baird.
bearded *adj* bairdie.
bearing *n* cast.
beast *n* baist.
beat *v* bate, ding, gub, dunt, bash.
beat down *v* patter, stramp.
beating *n* clearin, gubbing, badgeran.
beat time *v* treeple.
beautiful *adj* braw, bonnie, stoatin.

beautiful things *npl* braws.
beauty *n* brawness, stoater.
because *conj* cause, kis.
beckon *v* wag.
become *v* turn, get.
becoming *adj* setting, wicelik.
bed *n* lair, lie.
bedaub *v* clart, slaik.
bedeck *v* bedink.
bedevil *v* murther.
bedfellow *n* neibour.
bedraggle *v* draigle, trachle.
bedridden *adj* bedfast.
bedroom *n* chaumer.
bee *n* skep-bee, bumbee.
beech *n* buck.
beehive *n* skep, byke.
beef *n* sey.
beer *n* yill, swats, scuds.
beetle *n* clock.
beetroot *n* beetraw.
befall *v* befa, come ower.
before *conj/prep* afore, or, gin, till.
befoul *v* nestie, fyle.
befuddle *v* get fou.
beg *v* cadge, tap, beseik, prig.
beggar *n* thiger, sorner, gaberlunzie.
begin *v* stert, stairt.
beginning *n* stert, stairt.
begrimed *adj* reekit.
beguile *v* wile, begowk.
behave *v* guide yersel.
behaviour *n* laits, ongauns.
behead *v* heid.
behind *adv/prep* behin, ahint.
behindhand *adv* back, hint-haun.
behold *v* behaud, leuk till.
beholden *adj* behauden, bunsucken.
being *n* body.
belch *n/v* rift, boak.
belief *n* thocht.
believe *v* trew.
bell *n* skellet.
belladonna *n* Jacob's ladder.
bellicose *adj* weirlik.
belligerent *adj* randy.
bellow *n* buller. • *v* bellie.
bellows *n* bellies.
bell-rope *n* bell-towe.
belly *n* wame, painch.
bellyful *n* wameful.
bellyflop *n* gutser.
belong, belong to *v* belang.
belongings *npl* graith, goods an gear.
beloved *n lief*.
below *adv/prep* alow, ablow.
belt *n* tawse.
bemuse *v* confeese, raivel.
bench *n* bink.
bend *n/v* boo, fauld.
beneath *adv/prep* aneath.
benediction *n* blissin.
beneficial *adj* cannie.
benevolent *adj* lairge, furthie.
benighted *adj* benichtit.
benign *adj* guid-willie.
bent *adj* bowlie, bachled.
bequest *n* bequeyst.
berate *v* scaul.
beret *n* Tam o' Shanter, tammie.
berry-picking *v* be at the berries.
beseech *v* beseik, prig.
beside *prep* aside, forby.
besides *adv* forby, an a.
besiege *v* bely.
beslobber *v* slabber.
besmear *v* blyter, slarry.
besotted *adj* fond, begottit.
bespatter *v* slubber.
bespectacled *adj* speckie.
besprinkle *v* besplatter.
bestir *v* steer.
best man *n* young man.
bestride *v* striddle.
best room *n* room.
bet *n/v* bate, wad.
betide *v* befa.
betray *v* begowk.
betroth *v* tryst.
betrothal *n* hanfasting.
better-class *adj* bettermais.
better-looking *adj* better-faured.
betting slip *n* line.
between *prep* atween, atwix.
bevel *n* suit. • *v* wash doon.
bevelled edge *n* wash.
beverage *n* sup.
bewail *v* mak murn fur.
beware *v* bewaur.
beware of *v* tak tent o.
bewilder *v* stoun, stammygaster.
bewildered *adj* dumfoonert, bumbazed.
bewilderment *n* jabble.
bewitch *v* blink.

bewitched *adj* forespoken.
beyond *prep* ayont, beyont, ootwith.
beyond belief *adj* past a.
bib *n* brat, daidle.
Bible *n* the Buik.
bicker *v* scash.
bid *n* bod. • *v* seek, wheel.
bide *v* hing on.
bier *n* buird.
big *adj* muckle, meikle, sonsie.
bigot *n* begot.
bigoted *adj* begotted, nairra-nebbit.
bilberry *n* blaeberry.
bile *n* ga.
bill *n* (for drink) lawin; (on a bird) neb.
billow *v* spue.
bin *n* bucket, midden.
bind *v* bin, thirl.
birch *n* birk.
bird *v* burd.
birth *v/n* cleck, shout.
birthmark *n* rasp.
birthplace *n* cauf kintra, birth-grun.
biscuit *n* bake.
bisect *v* hauf.
bit *n* bittie; **bits and pieces** *npl* orrals.
bitch *n* bick.
bite *n/v* gnap.
biting *adj* snell, nithering.
bitter[1] *adj* wersh, snell, ill-scrapit.
bitter[2] *n* heavy (beer).
bittern *n* bog-bluiter.
bitter person *n* nippy-sweety.
bitumen *n* pick.
bizarre *adj* nae wicelik.
blab *v* clipe.
black *adj* bleck, mirk, glog. • *v* bleck
black and white *adj* chauve.
blackberry *n* bramble, brammel.
blackbird *n* blackie.
blackcurrant *n* blackberry.
blacken *v* to blecken.
black eye *n* keeker.
blackguard *n* bleckguaird.
blackhead *n* shilcorn.
blacking *n* bleck.
black lead *n* wad.
black pudding *n* bluidie puddin.
black sheep *n* ooterlin.
blacksmith *n* bruntie, gow.
blackthorn *n* slae.
bladder *n* blather.
blade *n* mou, pile.
blame *n/v* wyte.
blameless *adj* saikless.
bland *adj* wersh.
blandishments *n* ruise.
blanket *n* hap.
blaspheme *v* spell.
blast *n* pluff.
blatant *adj* plain, kenable.
blaze *n/v* bleeze.
blazing *adj* reevin.
bleach *v* haizer.
bleak *adj* dreich, dour, starrach.
bleat *v* blae, blare, maa.
bleed *v* bluid.
blemish *n* smit. • *v* mank.
blench *v* resile.
blend *v* bland, mell.
bless *v* sain.
blessed *adj* seilie.
blessing *n* sain.
blight *n/v* blicht.
blind *n/v* blin.
blink *v* blent.
blinkers *npl* blinners.
bliss *n* seil.
blissful *adj* seilful.
blister *n/v* blush.
blithe *adj* blide.
blizzard *n* stour, yowdendrift.
bloated *adj* fosie, brosie.
blob *n* blab.
block *n* stock. • *v* stap.
blockhead *n* stot, neepheid.
blood *n* bluid.
bloodshed *n* slauhter.
bloodshot *adj* bluidshed.
bloody *adj* bluidie.
bloody nose *n* jeelie neb.
bloom *n/v* blume.
blossom *n/v* flourish.
blot *n* spleiter. • *v* blotch.
blotch *n* tash.
blotchy *adj* measelt.
blot out *v* blotch out.
blotting pad *n* blad.
blotting paper *n* blot sheet.
blouse *n* carsackie.
blow *n* bla, chap, cloot. • *v* bla, waff; **blow out** whiff.
blown about *adj* jachelt.
blown up *adj* hoven.

blubber *v* bubble.
blubbering *adj* bubblie.
bludgeon *n/v* (to) rung.
blue *n* bew.
bluebell *n* harebell, blawort.
bluebottle *n* blue-fly.
bluetit *n* blue bunnet.
bluff[1] *n* ness.
bluff[2] *v* swick, blaflum.
bluish *adj* blae.
blunder *v* bummle.
blunder on *v* stavel.
blundering *adj* tackie, gawkit.
blunt[1] *adj* bauch (implement). • *v* fluise.
blunt[2] *adj* rauchle (person).
bluntly *adv* richt oot.
blurred *adj* blebbit.
blurt *v* blooter.
blush *n* rid face, beamer.
bluster *n/v* blouster.
blustery *adj* scoorie.
boar *n* gaut.
board *n/v* boord, buird.
boast *n/v* blaw.
boaster *n* bum, blouster.
boastful *adj* great, massie.
boat *n* bait, yatt.
boat-hook *n* bottick.
bob[1] *n* boab.
bob[2] *v* hobble.
bobbin *n* pirn.
bodice *n* jumpie.
body *n* buddie, buck.
body-snatcher *n* corp-lifter.
bog *n* moss, buggle.
bog oak *n* moss aik.
boggy *adj* mossie.
boggy ground *n* moss.
bogy *n* bogle.
bogyman *n* bowsieman.
boil[1] *n* bile, bogan.
boil[2] *v* bile.
boil up *v* bummle.
boiled sweet *n* bilin.
boiler *n* biler.
boisterous *adj* rummlin.
bold *adj* bardach, gallus.
bollard *n* pall.
bolster *n* bouster.
bolt *n/v* bowt, snib, slot.
bombastic *adj* braggie.
bond *n* band.
bone *n* bane.
bonfire *n* ball-fire.
bonnet *n* bunnet.
bonus *n* bountith.
bony *adj* beeny.
book *n* buik.
book-board *n* brod.
book-learning *n* buik-lair.
bookshelf *n* buik-buird.
boor *n* cowt, tike.
boorish *adj* menseless, coorse.
boot *n* buit.
booth *n* buith.
boot lace *n* whang.
bootnail *n* tacket.
booty *n* spulyie.
booze *n/v* sup, weet yer thrapple.
border *n* mairch.
bore *n* sta. • *v* thirl, sta.
bored *adj* seek-sair.
boredom *n* langour.
boring *adj* dreich.
borough *n* burgh.
borrow *v* get a len o.
bosom *n* bosie.
boss *n* maister, high heid yin.
botch *v* bootch.
both *pron* baith.
bother *v* bather, fash.
bottle-stand *n* gantry.
bottom *n* boddom.
bottom drawer *n* hope kist.
bough *n* beuch.
bought *v* bocht.
boulder *n* booder.
bounce *v* bunce, stot.
bound *v* boon, lowp. • *n* spang, stend.
boundary *n* mairch, meiths.
boundary-marker *n* meith.
boundary-wall *n* mairch dyke.
bountiful *adj* rowth.
bounty *n* boontie.
bouquet *n* bob, bow-pot.
bourgeois *n* haif-knab.
bout *n* yokin.
bow[1] *n* doss (eg. ribbon).
bow[2] *n/v* boo, beck.
bow-tie *n* made tie.
bowels *n* painches.
bower *n* bour.
bowl *n* bowlie, bicker, luggie.
bowl along *v* hurl.

bowl over *v* whummle.
bowsprit *n* bowsplit.
box[1] *n* buist.
box[2] *v* scoor (e.g. on the ear).
boy *n* lad, laddie, loon.
boyfriend *n* lad, cleck.
brace *v* rance.
braces *npl* galluses.
bracing *adj* caller.
bracken *n* breckan, rannoch.
brackish *adj* sautie.
bradawl *n* brog.
brag *v* blaw.
braggart *n* blouster, bletherskite.
braid *n* passments.
brain *n* harn.
brainless *adj* harnless.
brainstorm *n* wuiddrim.
brainy *adj* heidy.
bran *n* pron.
branch *n* rise, sept.
brand *n* kenmairk, buist. • *v* buist.
brand-new *adj* brent-new.
brandish *v* wag.
brash *adj* frush.
brass *n* bress.
brat *n* get.
bravado *n* braverie.
brave *adj* campie, wicht, thra.
brawl *n* rammie. • *v* tulyie.
bray *v* rowt.
brazen *adj* hard-neckit.
breach *n* slip.
bread *n* breid.
bread roll *n* bap.
breadth *n* brenth, breeth.
break *n* slap, speel. • *v* brak, brek; **break in** track; **break out** brainyell; **break up** skail.
breakdown *n fooner.*
breaker *n jaup*
breakfast *n* brakfast.
breakwater *n fleetdyke*.
break wind *v* let aff, rift.
bream *n braze*.
breast *n breist*.
breast-feed *v* sook.
breast-milk *n* pap-milk.
breast-pocket *n* oxter-pooch.
breasts *npl* bubbies, paps.
breath *n* braith.
breathe *v* pech; **breathe your last** souch awa.
breathing *adj* souch.
breathless *adj* pechin.
breeches *n* breeks.
breed *v* cleck.
breeding season *n* ridin time.
breeze *n* tirl.
breezy *adj* blowstrie.
brew *v* mask.
brewer *n* brewster, browster.
brewing *n*browst, maskin.
briar *n* breer.
briar pipe *n* gun.
bribe *v* buy, creesh a luif.
bridesmaid *n* bestmaid.
bridge *n* brig.
bridle *n* branks.
brief *n* instructions.
briefly *adv* short an lang.
brigand *n* briganer, cateran.
bright *adj* bricht, licht.
brighten *v* lichten.
brill *n* bonnet flook.
brilliance *n* glister.
brim *n* flype.
brimming *adj* jaupin fou.
brindled *adj* riach, branit.
brine *n* brime.
bring about *v* rise.
bring in *v* inbring.
bring up *v* fess.
brink *n* lip.
brisk *adj* sproosh, gleg.
briskly *adv* gleglie.
bristle *n*/*v* birstle.
brittle *adj* brickle.
broach *v* mint.
broad *adj* braid.
broil *v* brile, bruilyie.
broken *adj* bracken.
broken-down *adj* fair duin.
broker *n* cowper.
bronchitis *n* wheezles.
brood *n* brod. • *v* clock.
broody *adj* clockin.
broody hen *n* clocker.
brook *n* burn, beck.
broom *n* brume, besom.
broth *n* bree.
brothel *n* bordel hoose.
brother *n* brither.
brother-in-law *n* guid-brither.
brought *v* brocht, brang.

brow *n* brae.
browbeat *v* threap.
brown *n* broon.
browse *v* brooze.
bruise *n/v* birse, breeze.
brush *n* sooper. • *v* soop.
brush against *v* skiff.
brush off *v* scuff.
brushwood *n* scrogs.
brusque *adj* nippit, snottie.
brute *n* bruit.
bubble *n/v* bibble; **bubble over** ream; **bubble up** papple.
buck *v* yunk.
bucket *n* bowie, cog.
budge *v* jee.
buffet *v* buff.
buffoon *n* fuil.
bug *n* bog.
bugbear *n* murmichan.
bugle *n* deidman's bellows.
build *n* set. • *v* big.
building *n* biggin.
building site *n* steading.
built *v* biggit.
bulge *n* bumfle. • *v* shuit.
bulging *adj* bumflie.
bulk *n/v* bouk.
bulky *adj* bouky.
bull *n* bill, boo.
bullfinch *n* bullie.
bullock *n* stirk.
bully *n* bangster. • *v* ool.
bullying *adj* bangstrie.
bulrush *n* bulwand.
bumble *v* bummle.
bumblebee *n* bumbee.
bump *n* dunch, dunt. • *v* dunt, dird; **bump about** hotter; **bump against** rap on.
bumper *n* caulker.
bumpkin *n* yochel, teuchter.
bumpy *adj* knappie.
bun *n* cookie.
bunch *n* tooshtie. • *v* rally.
bundle *n/v* bunnel, boytach.
bung *n* spile.
bungle *v* blooter, brogle.
bungler *n* fouter.
bungling *adj* fouterie.
bunion *n* werrock.
buoy *n* bowe.
buoyant *adj* gawsie.
burden *n* birn. • *v* trachle.
burdened *adj* burdenous.
burdensome *adj* burdenable.
burial *n* bural, hame-gaun.
burial ground *n* howf.
burial plot *n* lair.
buried *adj* yirdit.
burly *adj* buirdlie.
burn *n/v* birn, brenn.
burnt *adj* brunt.
burr *n* rattle.
burrow *n* bourie.
burst *n/v* brust; **burst open** leap; **burst out** spleuter.
bury *v* beerie.
bush *n* buss.
bushy *adj* bussie.
business *n* ploy.
businesslike *adj* purposelik.
bustle *n* fizz. • *v* bummle, stot.
bustling *adj* breengin.
busy *adj* thrang.
busybody *n* clishmaclaiver.
but *conj* bit.
butcher *n* flesher. • *v* butch.
butt *n* bowie. • *v* buck, dunch.
butter *n* freet.
buttercup *n* yella gowan.
butterfly *n* butterie.
buttermilk *n* soor dook.
buttocks *n* hurdies, dowp.
button *n* gornal.
buxom *adj* sonsie.
buy *v* coff.
buyer *n* merchant.
buzz *n* bum. • *v* bizz.
buzzard *n* gled.
by *prep* be, gin throu.
bygone *adj* bygane.
byway *n* bygate.

C

cab *n* noddy.
cabbage *n* kail, cabbitch.
cabbage leaf *n* kail blade.
cabin *n* caibin.

cabinet *n* aumrie, press.
cabinet-maker *n* caibe.
cable *n* tow.
cache *n/v* plank.
cackle *v* caak, keckle.
cadaver *n* corp.
cadet *n* caddie.
cadge *v* tap.
cage *n* tow.
cajole *v* fleetch.
cajolery *n* willywha.
cake *n* kyaak.
caked *adj* clottert.
cakes *npl* snysters.
calamity *n* amshack.
calculate *v* coont.
calf *n* cauf.
call *v* ca, cry; **call in** cry in; **call on** cry on.
calipers *npl* Jennies.
callous *adj* upsittin.
callus *n* hauch.
calm *adj* quate, lown. • *n* lown. • *v* soother; **calm down** come to.
calmly *adj* quatelike.
calumny *n* ill-speakin.
camisole *n* slip-body.
camomile *n* carmovine.
camp-follower *n* ligger-lassie.
campion *n* coo-cracker.
can *n* tinnie.
canal *n* canaul.
cancel *v* elide.
candid *adj* fair oot.
candle *n* caunle.
candle-end *n* caunle-dowp.
candlestick *n* carle.
cane *n* spaingie.
caning *n* hazel oil.
canister *n* mull.
cannonball *n* bool.
cant *n* phrase, sklent.
cantankerous *adj* pernickitie, cankry, carnaptious.
canter *v* troddle.
canvas *n* canass.
canvass *v* peuther.
cap *n* kep, bunnet.
capable *adj* feckful.
capacity *n* through-pit.
capacious *adj* sonsie.
cape *n* clock.
caper *n/v* flisk, caiper.
capers *npl* jigs.
caprice *n* wheem.
capricious *adj* flichtie.
capsize *v* coup.
captain *n* skip, mannie.
capture *n* tak. • *v* fang, grip.
car *n* caur.
carafe *n* cruet.
caraway *n* carvie.
carcass *n* carcidge, bouk.
card *n* caird (card used to comb cotton). • *v* caird.
card-playing *n* cairtin.
cards *n* cairds, deil's picter buiks.
card-trick *n* lift.
care *npl* thocht, tent. • *v* fash; **care for** keep.
carefree *adj* lichtsome.
careful *adj* cannie.
carefully *adv* graithlie.
careless *adj* hashie, tentless.
carelessly *adv* owerlie.
caress *v* daut, smoorich.
caretaker *n* janitor, jannie.
careworn *adj* wabbit.
carnage *n* slauchter.
carouse *v* gilravage, bend the bicker.
carp *v* threap, carb.
carpenter *n* wricht.
carpet *n* cairpet.
carriage *n* vairriage.
carrier *n* cadger.
carrion *n* ket.
carrion crow *n* huide, corbie.
carry *v* cairry, convoy, cadge; **carry on** wag awa.
cart *n/v* cairt.
carter *n* cairter.
carthorse *n* aiver.
cartilage *n* girsle.
cart-load *n* cairt-draucht.
cart-shaft *n* tram.
cascade *v* plash.
cash *n* clink.
cask *n* bowie.
cast[1] *n* swap (of someone's features).
cast[2] *v* kest.
cast iron *n* yettlin.
castanets *n* crackers.
castrate *v* lib, sort.
casual *adj* happenin.
casually *adv* owerlie.

cat *n* cheat, gib.
catgut *n* thairm.
catapult *n* guttie.
cataract *n* linn, catsherd.
catarrh *n* defluction.
catastrophe *n* stramash.
catch *n* kep, tak, sneck. • *v* nick, nip.
catechism *n* catechis.
category *n* teep.
cater *v* mait.
caterwaul *v* waw.
cattle *n* kye, baists.
cattle dung *n* sharn.
cattle man *n* herd.
cattle-shed *n* byre.
cattle-stall *n* boose.
cauldron *n* caudron.
cause *v* gar.
causeway *n* calsay.
caustic *n* cowstick.
cauterise *v* sneyster.
cautious *adj* cowshus, cannie.
cave *n* cove, gloup.
cavern *n* cove, clift.
cavil *v* cangle.
cavity *n* howe.
cavort *v* brank.
caw *v* croup.
cease *v* lat be, stint.
cede *v* gie ower.
ceiling *n* ruif.
celebrate *v* handsel, slocken.
celebration *n* foy.
cellar *n* laich room.
cement *v* souder.
cemetery *n* howf.
censorious *adj* sair.
censure *v* scaul.
centipede *n* Jennie-hunner-legs.
centre *n* mids.
certain *adj* certaint, siccar.
certainly *adv* certie.
certificate *n* brief, lines.
cessation *n* stap.
cesspool *n* scuttle-hole.
chafe *v* chaff, freet.
chaff[1] *n* caff.
chaff[2] *v* tak on (to joke).
chaffinch *n* chye.
chagrin *n* teen. • *v* chaw.
chain *n/v* cheen, chine.
chair *n* cheer.
chairperson *n* preses.
chalk *n/v* caulk.
challenge *n* brag.
chamber *n* chaumber.
chamberpot *n* chanty, pish-pot.
champ *v* hanch.
champion *n* kemp.
chance *adj* antrin. • *n* kep, likly.
chancel *n* queir.
chandelier *n* gasoliere.
change *n/v* chynge; **change places** shift.
changeling *n* taen-awa.
channel *n* trink, rin.
chant *v* chaunt.
char *n* cudding.
chaos *n* reel-rall.
chaotic *adj* throwder, tapsalterie.
chapel *n* chaipel.
character *n* farran, word, fushion.
characteristic *n* set.
charge *n* plug. • *v* chairge.
charlatan *n* swick.
charlock *n* skelloch.
chart *n* caird.
chase *v* chasie.
chasm *n* cleugh.
chaste *adj* leal.
chastise *v* chaistifie.
chat *n/v* crack, blether.
chatter *n* blethers, gab. • *v* shatter, chitter.
chatterbox *n* blether, chantie-beak.
chatty *adj* gabbie, bletherin.
cheap *adj* chape.
cheat *v* chate, begowk.
cheating *adj* chaterie.
check *n/v* chack.
cheek *n* impidence, gash,
cheekbone *n* chaft-blade.
cheeks *npl* chowks.
cheeky *adj* facie.
cheep *n/v* peek.
cheer *v* lift.
cheerful *adj* cheerisome, blithesome.
cheerfully *adv* cantily.
cheering *adj* lichtsome.
cheerless *adj* unhertsome.
cheers! *interj* here's tae ye.
cheese *n* kebbock.
cheese-paring *adj* nippit.
cheese-press *n* chessart.
chemise *n* sark.
chequered *adj* chackert.

cherish *v* mak o.
cherry *n* gean, chirrie.
chessboard *n* diceboard.
chest *n* kist, buist.
chestnut *n* chessie, cheggie.
chevron *n* strip.
chew *n/v* chow, cham.
chewing gum *n* chuggie, chuddue.
chick *n* chuckie.
chicken *n* chucken, chookie.
chicken run *n* ree.
chickenpox *n* watery pox.
chickweed *n* chickenwort.
chide *v* tongue.
chief *adj* heidmaist. • *n* laird, chieftain, himsel.
chilblain *n* mool.
child *n* bairn, wean.
childbirth *n* shoutin.
childhood *n* bairnheid.
childish *adj* bairnie.
childlike *adj* bairn-lik.
children *npl* childer.
chill *n* jeel. • *v* jeel, to daver.
chilling *adj* cauldrid.
chilly *adj* shill, chilpie.
chimney *n* lum.
chimney-corner *n* ingle-neuk.
chimney *n* lum.
chin *n* chinkie, chirle.
china *n* cheeny.
china dog *n* wallie dug.
chink *n* jink.
chip *n* spail. • *v* lip (e.g. a blade).
chirp *v* cheetle.
chisel *n* crove, cloorer.
chitchat *n* clishmaclaver.
chivalrous *adj* gentie.
chives *npl* sithes.
chock *v* wadge.
choice *n* chice. • *adj* han-waled.
choir *n* ban, queir.
choke *v* chowk.
choose *v* choice.
chop *v* champ, hack.
chop off *v* sneg.
choppiness *n* chap.
chopping block *n* hack stock.
choppy *adj* ralliach.
chops *npl* chowks.
chore *n* troke.
chortle *v* keckle.
chorus *n* queir.
christen *v* kirsten, gie a name.
Christendom *n* Christendie.
christening *n* kirstenin.
Christian name *n* given name.
Christmas *n* Christenmas, Yule.
Christmas Day *n* Yule Day.
Christmas Eve *n* Yule Een.
chronic *adj* sitten-doon.
chrysalis *n* tammy-nid-nod.
chub *n* skelly.
chubby *adj* chibbie, chuffie.
chubby-cheeked *adj* chuffie-cheekit.
chuckle *n* keckle.
chum *n* freen.
chunk *n* junk.
church *n* kirk.
churchgoer *n* hearer.
churchyard *n* kirkyaird.
churl *n* tike.
churlish *adj* carlage, nabal.
churn *n/v* kirn.
cigarette butt *n* dowt, dottle.
cinder *n* cinner.
cinema *n* picter hoose, peepy-show.
cinnamon *n* cannel.
cipher *n* ceepher.
circle *n* raing.
circular *adj* roon.
circumspect *adj* canny.
cirrus *n* gait's hair.
cistern *n* cistren.
cite *v* sist.
claim *v* awn.
clamber *v* clammer.
clammy *adj* clam.
clamour *n* stramash, sclammer.
clamorous *adj* clammersome.
clamp *n* glaun.
clandestine *adj* hidlins.
clang *v* towl.
clank *n* rackle.
clannish *adj* hing-thegither.
clapboard *n* knappel.
claptrap *n* palaver.
clash *n* swinge.
clasp *n/v* clesp, hesp.
clasp knife *n* jockteleg.
class *n* cless.
clatter *n/v* brattle.
claw *n/v* cleuk.
clay *n* cley.

clean *adj* claen. • *v* thorow, muck.
clear *adj* clair. • *v* redd.
clearance *n* redd.
clear-sighted *adj* gleg.
cleave *v* rive.
cleavers *n* sticky-willie.
cleft *n* clift, rift.
cleft palette *n* wummle-bore.
clench *v* steek.
clergyman *n* meenister, black coat.
clerk *n* clark.
clever *adj* cliver, wice.
cleverly *adv* clean-fung.
cleverness *adv* cliveralitie.
click *n/v* knick.
cliff *n* clift, craig, heuch.
climb *n* speel. • *v* clim, speel.
clinch *v* nail.
cling *v* clap.
clinging *adj* glaikit.
clinkers *npl* danders.
clip *v* cowe, dock.
clipped *adj* dockit.
clippers *npl* shears.
cloak *n* clock, hap.
clock *n* cloak.
clod *n* claut, clat.
clodhopper *n* plowt.
clog *v* clag.
clogs *npl* clampers.
cloister *n* closter.
close[1] *adj* nar, lunk.
close[2] *v* steek. • *n* hinmaist (conclusion).
close by *prep* nar.
close-fitting *adj* strait.
closure *n* shew-up.
clot *n* clat. • *v* lapper.
cloth *n* claith, cloot.
clothe *v* cleed, hap.
clothes *npl* cleas, cloots.
clothes horse *n* winter-dyke.
clothes line *n* raip.
clothes prop *n* stenter.
clothes rail *n* perk.
clothing *n* cleedin, claith.
cloud *n* clud, smuir.
cloudberry *n* knot, noop.
cloudburst *n* plump.
cloudy *adj* drumlie, cluddy.
clove *n* clowe.
cloven *adj* clowen.
cloven hoof *n* cloot.
clover *n* claver, sookie.
clown *n* hallion. • *v* noise.
cloy *v* staw.
cloying *adj* fousome.
club *n* mell.
club foot *n* reel fit.
cluck *n/v* clock.
clump *n* buss.
clumsy *adj* tackie, ill-settin.
clumsy person *n* bachle, gawk.
cluster *v* boorach.
clutch *v* claut, cleek.
clutches *npl* cleuks.
clutter *n/v* muck.
coach *n* noddy.
coagulate *v* claut.
coal *n* coll.
coal-bucket *n* baikie.
coal-cellar *n* coal-neuk.
coal-dust *n* dross, coom.
coalfish *n* saithe.
coalman *n* wheecher.
coalmine *n* heuch.
coal-seam *n* lift.
coarse *adj* coorse.
coast *n* strand.
coat *n* cot.
coat-hanger *n* shooders.
coating *n* skaik.
coax *v* fleetch.
coaxing *adj* coxy, fraikie.
cobble *v* souter.
cobbler *n* souter.
cobbling *n* snabbin.
cobblestone *n* causey stane.
cobweb *n* moose wab.
coccyx *n* rumple-bane.
cock[1] *n* cockieleerie (chicken).
cock[2] *v* scrug (a hat).
cocky *adj* croose.
cockade *n* hackle.
cockroach *n* clocker.
cocksure *adj* poochle.
codfish *n* block.
coddle *v* cuiter.
codicil *n* eik.
coerce *v* gar.
coffer *n* kist.
coffin *n* deid-kist, cauld-bark.
cognac *n* cony.
cohabitee *n* bidie-in.
coil *n* lap, pirl. • *v* pirl, wammle.

coin *n* cunyie, cross-and-pile.
coincide *v* complouter.
cold *n* cald. • *adj* coolriff, haarie.
colewort *n* curly kail.
colic *n* teenge.
collaborate *v* complouter.
collapse *v* fooner, come in.
collar *n* neck.
collarbone *n* hausebane.
collect *v* lift.
collection *n* mengie.
collection plate *n* brod.
collide *v* bairge.
collier *n* pickman.
collusion *n* paction.
colour *v* lit.
colourless *adj* fauchie, peely-wally.
colt *n* cowt, clip.
coltsfoot *n* tushilago.
columbine *n* grannie's mutch.
comb *n/v* kaim.
combat *n* fecht. • *v* kemp.
combine *v* gae thegither.
come *v* win; **come in** come by; **come together** *v* gae thegither. • **come back soon!** *interj* haste ye back!; **come on!** come awa!
comely *adj* sonsie.
comfort *n* easdom.
comforts *npl* thack an raip.
comfortable *adj* codgie, cantie.
comic *n* divert, tear.
command *n* biddin.
commence *v* stairt.
commend *v* ruise.
commendation *n* ruise.
comment *n* speak.
commerce *v/n* mercat, traffeck.
commodious *adj* scowthie.
commodity *n* gear.
common *adj* cowmon, raploch. • *n* muir.
commoner *n* carle.
commonly *adj* for common.
common sense *n* mense, smeddum.
commotion *n* stushie, stour.
communication *n* traffeck.
Communion *n* the table.
compact *adj* snod, nacketie.
companion *n* compaingen, marrow.
company *n* gaitherin, clamjamphry.
compare *v* even.
comparison *n* compare.
compartment *n* shottle.
compass *n* diacle.
compassion *n* hert-peetie.
compassionate *adj* innerlie.
compel *v* gar, dwang.
compensate *v* assyth.
compensation *n* mends, upmak.
compete *v* kemp.
competent *adj* likly, ticht.
complacent *adj* kirr, bien.
complain *v* murn.
complaint *n* mane, pewl.
complete *v* feenish. • *adj* hail, fair.
completely *adv* fair, black, deid.
complex *adj* quirkie.
compliant *adj* bowsome.
complicated *adj* misred.
complication *n* wimple.
complicity *n* assession.
compliment *v* blaw up.
comply *v* complouter, come tae.
compose *v* clark, clink.
composed *adj* cannie.
composer *n* upmakar.
composition *n* upmak.
compost heap *n* midden.
comprehend *v* tak up.
comprehension *n* ken.
compress *v* pran.
compressed *adj* panged.
compromise *n* mids.
comrade *n* marrow, compaingen.
concave *adj* howe.
conceal *v* dern.
conceit *n* consait.
conceited *adj* big, conceitie.
conceive *v* cleck.
concern *n* fittininment.
concerning *prep* anent.
concerted *adj* thegither.
concession *n* conformity, inlat.
conciliate *v* gree.
conclude *v* en.
conclusion *n* pirlicue.
concoction *n* mixter-maxter.
concord *n* greement.
concubine *n* bidie-in, limmer.
concur *v* gree.
condemn *v* doom.
condensation *n* oam, gum.
condescending *adj* heich-heidit.
conduct *n* gate. • *v* conduck, convoy.

conduit *n* cundie.
cone *n* yow.
confectioner *n* sweetie-man, sweetie-wife (*see* **gossip**).
confectionery *n* sweeties.
conference *n* collogue.
confess *v* awn.
confident *adj* croose.
confidential *n* parteeclar.
confidently *adv* heid-heich.
confine *v* tether.
confinement *n* ward, inlyin.
confirm *v* souder.
confiscate *v* sequestrate.
conflict *n/v* fecht.
conformity *n* rander.
confound *v* confoon.
confront *v* stick up tae.
confuse *v* confeese, taigle.
confusion *n* mixter-maxter.
confutation *n* improbation.
congeal *v* jeel.
congenial *adj* kindly, couthie.
conger-eel *n* haivel.
congestion *n* closin.
congregate *v* forgaither.
congregation *n* kirk-fowk.
conjecture *v* jalouse.
connect *v* conneck.
conscientious *adj* eydent.
conscious *n* war.
consecrate *v* sain.
consecutive *adj* efter ither.
consent *v* gree.
consequence *n* eftercast.
consequences *n* efterins.
conserve *v* hain.
consider *v* consither.
considerable *adj* gey, bonnie, braw.
considerably *adv* gey.
considerate *n* considerin.
considering *prep* confeerin.
console *v* mane.
consolation *n* consolement.
consort *v* intromit, mell. • *n* marrow.
conspicuous *adj* kenspeckle.
conspire *v* collogue.
conspiracy *n* pack.
constable *n* polis.
constant *adj* close, leal.
constantly *adv* ivverlie, aye.
constipation *n* dry darn.
constrain *v* dwang.
constrict *v* nip.
construe *v* rede.
consult *v* inquire at, speir.
consume *v* pit ower.
consummate *v* perfit.
consumption *n* consumpt.
contact *v* awn.
contagion *n* smit.
contagious *adj* smittle.
contain *v* haud.
container *n* hauder.
contaminate *v* smit.
contemplate *v* lay the brain asteep.
contemporary *adj* eildins wi.
contempt *n* sneist.
contemptuous *adj* sneistie.
contend *v* kemp.
content *v* pleesure.
contented *adj* cantie, codgie.
contention *n* crinkie-winkie, airgument.
contest *n* tousle.
continually *adv* ivver an on.
continuous *adj* eend on.
continuously *adv* even on.
contort *v* thraw.
contortion *n* thraw.
contract *n/v* contrack.
contractor *n* cork.
contradict *v* conter, contrair.
contradiction *n* na-say.
contradictory *adj* ill-contrivit.
contraption *n* whirlie.
contrary *adj/n* conter, contrair.
contravene *v* thorter.
contribution *n* inpit.
contrive *v* ettle.
control *n* poustie. • *v* guide, maun.
controversy *n* threap, collieshangie.
conundrum *n* guess.
convene *v* tryst, forgaither.
convenient *adj* hantie.
converse *v* crack, confabble.
convert *v* cheenge.
convey *v* convoy, cairry.
convict *v* convick.
convince *v* insense.
convolution *n* wimple.
convolvulus *n* binwood.
convulsion *n* thraw.
cook *n* cuik. • *v* cuik, ready.
cooking pot *n* kettle.

cool *adj/v* cuil.
coop *n* ree, crib.
cooperate *v* complouter.
cope *v* manish.
coping *n* caip.
coping stone *n* caipstane.
copious *adj* lairge, rowthie.
copse *n* plantin, shaw.
copulate *v* mow.
coquettish *adj* pawky.
coracle *n* currach.
cord *n* tow.
cordial *adj* curmud, sonsie.
coriander *n* corrydander.
cork *n* prop.
cormorant *n* scart, scarf.
corn *n* stuff, werrock.
corncrake *n* craik, weet-ma-fit.
corn dolly *n* maiden, cailleach.
corner *n* cantlin, cunyie, neuk.
cornerstone *n* scuncheon.
cornflower *n* blawort.
corporation *n* trade.
corpse *n* corp, bouk.
corpulent *adj* guttie, gurthie.
correspond *v* gree.
corresponding *adj* confeerin.
corridor *n* passage, trance.
corroborate *v* homologate.
corrode *v* roost.
corrupt *adj* mankit.
cosset *v* couter, daut.
cost *n* chairge. • *v* stan.
costume *n* outrig, onpit.
cosy *adj* bien, cosh, couthy.
cot *n* beddie.
cottage *n* bothy, cot, biggin.
cottager *n* cottar.
cotton-grass *n* cat tails, bog-cotton.
cotton wool *n* wad.
cough *n* hoast. • *v* coaf; **cough up** hask.
coulter *n* cooter.
count *n/v* coont.
countenance *n* gizz.
counter *n* coonter.
counteract *v* conter.
counterfeit *adj* fause, ill.
counterpart *n* neibour.
counterweight *n* wither-wecht.
countless *adj* deemless.
country *n* kintra.
country girl *n* Jennie.
countryman *n* Jockie, heather-louper.
country person *n* teuchter.
county *n* coontie.
couple *n* cupple, kipple.
courage *n* smeddum, saul.
courageous *adj* croose, wicht.
course *n* coorse.
court[1] *n* coort.
court[2] *v* winch, gae thegither.
courteous *adj* hamelie, menseful.
courtesy *n* mense.
courting *adj* winchin.
courtyard *n* close.
cousin *n* kizzen.
cove *n* inlat.
covenant *n* paction, tryst.
cover *n* hap.
covering *n* hap, huil.
covet *v* hae an ee in.
covetous *adj* grabbie.
cow[1] *n* coo, baist.
cow[2] *v* coonger.
coward *n* feartie, cooard.
cowardice *n* cooardiness.
cowardly *adj* coordie, hen-hertit.
cowberries *n* brawlins.
cow dung *n* sharn.
cower *v* coor, jouk.
cowl *n* cool.
cowpat *n* coopat.
cowrie *n* groatie buckie.
cowshed *n* byre.
cowslip *n* lady's fingers.
coy *adj* skeich.
crab *n* partan.
crab-apple *n* craw's aipple.
crabbed *adj* crabbit.
crack *n/v* creck.
cracked *adj* hackit, chappit.
crackle *n* sotter, skirl. • *v* crunkle, graisle.
crackly *adj* crumpie, crumshie.
cradle *n* beddie.
crafty *adj* sleekit, gleg.
craftiness *n* sneck-drawin.
crag *n* scaur, craig, carrick.
cram *v* pang, stap.
cramp *n* cleeks.
cramped *adj* hamperit.
crampon *n* speeler.
cranberry *n* crawberry.
crane[1] *n* cran (bird and machine).
crane[2] *v* rax (the neck).

crane fly *n* Jennie-langlegs.
cranium *n* pan.
cranny *n* jink.
crash *n/v* rattle.
cravat *n* gravat.
crave *v* green for.
craven *adj* coordie.
craving *n* greenin.
crawl *v* crowl.
crayon *n* keel.
crazed *n* aff the knot, wowf.
crazy *adj* daft, doited.
creak *n* jirg. • *v* jirg, craik, cheep.
cream *n* ream, raim.
cream dish *n* reamer.
cream jug *n* poorie.
creamy *adj* reamie.
crease *n/v* cress, lirk.
creased *adj* runklie.
creature *n* craitur, baist.
credit *n* mense (honour). • *v* hae (believe/ think).
credulous *adj* bluff.
creek *n* gote, geo.
creel *n* creil.
creep *v* grue.
cress *n* girse.
crest *n* tap, rig.
crested *adj* tappit.
crestfallen *n* hingin-luggit.
crevice *n* lirk, bore.
crib *n* beddie.
cricket *n* charker.
crimson *n* cramasie.
cringe *v* creenge, coorie.
cringing *adj* coorie.
crinkle *v* crunkle.
crisp *adj* crumpie, crumshie.
criss-crossed *adj* lozent.
critical *adj* tuithie.
criticise *v* puist.
criticism *n* heckle.
croak *n* craik. • *v* roup, craik, crock.
croaking *adj* croupit.
crochet-hook *n* cleek.
crockery *n* piggerie.
croft *n* craft.
crony *n* cronnie.
crook *n* nibbie.
crooked *adj* camshack, neukit.
croon *v* croodle.
crop *n* crap. • *v* rump.
cross[1] *adj* canshie.
cross[2] *n/v* corse.
crossbar *n* knewel.
crossbeam *n* bougar.
crossbred *adj* hauf-bred.
cross-examine *v* cross-speir.
cross-examination *n* thru-pittin.
cross-eyed *adj* skellie, gley-eed.
crossroads *npl* sheddings.
crotch *n* forkin, clift.
crotchet *n* whuram.
crouch *v* crock, coorie doon.
croup *n* chock.
crow *n* corbie, craw. • *v* craw, blaw.
crowbar *n* gavelock.
crowberry *n* crawberry.
crowd *n* crood, thrang. • *v* clamjamfrie.
crowded *adj* thrang, stowed.
crown *n/v* croon.
crow's feet *n* craw-taes.
crowsteps *n* corbie stanes.
crude *adj* coorse, raploch.
cruel *adj* ill, ill-kindit.
cruelly *adv* sair.
crumb *n* crottle, mealock.
crumble *v* crummle.
crumbly *adj* frush, bruckle.
crumpet *n* crimpet.
crumple *v* runkle, fumple.
crumpled *adj* runklie.
crunch *v* crinch, crump.
crunchy *adj* crinchie.
crupper *n* curple.
crush *v* grush.
crust *n* scruif.
crustacean *n* croy.
crusty *adj* crabbit.
crutch *n* powl.
cry *n/v* greet, yowt.
crystal *n* kirstal.
cuckold *v* cockle.
cuckoo *n* gowk.
cuckoo-spit *n* gowk-spit.
cud *n* cood.
cuddle *n* smoorich. • *v* coorie, knuse.
cudgel *n* rung.
cuff *n* han-ban, fung. • *v* fung, cloor.
cultivate *v* teel.
cultivated *adj* biggit.
culvert *n* cundie.
cumbersome *adj* unfreelie.
cunning *adj* sleekit, sliggy. • *n* slicht.

cup *n* tassie, bicker.
cupboard *n* aumrie, press.
cupboard love *n* cat-kindness.
cur *n* tike.
curb *n/v* crub.
curd *n* crud.
curdle *v* lapper.
curdled *adj* cruddie.
cure *n/v* cuir.
curio *n* ferlie.
curl *n/v* pirl.
curlew *n* whaup.
curling *n* roarin gemm.
curling game *n* rink.
curling match *n* bonspiel.
curling rink *n* rack.
curling stone *n* channel-stane.
curly *adj* pirlie.
currant *n* curran.
currency *n* siller.
current *n* rug, birth.
curse *n* butchach. • *v* ban.
cursory *adj* swatch.
curt *adj* snottie, nippit.
curtail *v* jimp.
curtain *n* hinger.
curtsy *n/v* beck, jouk.
curve *n/v* boo.
cushion *n* cushin.
custom *n* cant, haunt.
customer *n* mairchant.
cut *n* sned, whack. • *v* coll, snib, chib; **cut down** hag; **cut into** sneck; **cut off** nick, sneg; **cut up** hack. • **cut short** *adj* snibbit.
cuttlefish *n* ink-fish.

D

dab *n/v* daub, pap.
dabble *v* dauble, plowter.
dad *n* dadie.
daddy-longlegs *n* Jennie-langlegs.
daffodil *n* daffins.
daft *adj* glaikit, gyte.
dagger *n* bittock, dirk.
dainties *n* fancy breid.
dainty *adj* gentie.
dairy *n* milk-hoose.
dairymaid *n* dey.
daisy *n* gowan.
dale *n* glen, strath.
dally *v* tig.
dam *n* caul, minnie. • *v* dem.
damage *n/v* skaith, disabuse.
damaged *adj* chippit.
damages *npl* skaith, mends.
dame *n* deem.
damn *n/v* dang.
damn-all *n* deil a haet.
damned *adj* dazent.
damp *adj/n* dunk. • *v* smoor.
damsel *n* damishell.
damson *n* damasee.
dance *n* bob. • *v* birl.
dance tune *n* spring.
dancing *n* jiggin.
dancing master *n* dancie.
dandelion *n* daintie-lion, pee-the-bed.
dandle *v* daidle.
dandruff *n* scruif.
danger *n* uncanny.
dangerous *adj* uncanny, unchancie.
dangle *v* dannle, drotch.
dapper *adj* trig.
dappled *adj* riach.
dare *n* hen. • *v* daur.
daring *adj* derf. • *n* daur.
dark *n* mirk, murky. • *adj* daurk.
darken *v* mirken.
darling *n* dautie, doo.
darn *v* ranter.
dart *n/v* dairt.
darts *n* arras.
dash *n* sloosh. • *v* dad, ding.
dashing *adj* baul-daur.
date *n* tryst.
daub *n/v* sclatch.
daughter *n* dochter.
daughter-in-law *n* guid-dochter.
daunt *v* dant.
dawdle *v* daidle.
dawdler *n* jotter.
dawn *n* daakenin. • *v* daaken.
daybreak *n* daw, skreich o day.
daydream *n* dwam.
daydreaming *adj* nae in.
daylight *n* sky, daylicht.
daze *v* donner, dazzle.

dazed *adj* bumbazit.
dazzle *v* daizzle.
dazzling *adj* dazzly.
dead *adj* deid.
deadly *adj* deidlie.
deadly nightshade *n* Jacob's ladder.
dead of night *n* how-dumb-deid.
deaf *n* deef.
deafen *v* deave.
deal *n* dale, troke. • *v* dale, traffeck; **deal with** mird wi, pit throu hauns o.
dealer *n* dailer, troker.
dealings *n* traffeck.
dear *n* dautie. • *adj* lief; saut (price).
dear me! *interj* lovanentie!
dearth *n* scant.
death *n* daith, hame-gaun.
death rattle *n* hurl.
death throes *npl* deid thraws.
death-watch beetle *n* chackie mill.
debate *n/v* flyte.
debauch *v* debosh.
debauched *adj* blearit.
debilitate *v* tak doon.
debris *n* redd.
debtor *n* dyvour.
debut *n* stairt.
decade *n* daiken.
decamp *v* tak leg.
decant *v* skink.
decanter *n* cruet.
decapitate *v* heid.
decay *v* moolder, moot.
decayed *adj* mozie.
decease *v* dee.
deceased *n* corp. • *adj* umquhile.
deceit *n* deceiverie, joukerie.
deceitful *adj* sleekit.
deceive *v* jouk, swick.
deceiver *n* jouker, sneck-drawer.
decency *n* honesty.
decent *adj* dacent.
deception *n* swick, geg.
deck *v* busk, dink.
declaim *v* scrift.
declare *v* depone.
decline *n/v* dwine.
declivity *n* doonfa.
decompose *v* chynge.
decorate *v* daiker, busk.
decoration *n* decorement.
decorous *adj* douce, menseful.
decorum *n* mense, honesty.
decree *v* decern.
decrepit *adj* decrippit.
decry *v* misca.
deduce *v* jalouse.
deduction *n* afftak.
deed *n* ack.
deep *adj* howe.
deep-rooted *adj* yirdfast.
deep-set *adj* howe.
deface *v* hash.
defame *v* blad, bleck.
defeat *v* defait.
defeated *adj* defait, bate.
defecate *v* drite, keech.
defence *n* fend.
defend *v* fend, weir.
defendant *n* defender, panel.
defer *v* pit ower.
deferential *adj* patientfu.
defiant *adj* forritsome.
deficiency *n* shortcome.
deficient *n* scrimpit.
defile *n* hause. • *v* fyle.
deflated *adj* little-boukit.
deflect *v* weir.
deformed *adj* pailie, wrang.
defraud *v* snipe.
deft *adj* gleg, knackie.
defy *v* thraw.
degradation *n* doon-tak, come-doon.
degrade *v* bemean.
dejected *adj* disjeckit, hingin-luggit.
delay *n* aff-pit. • *v* dring, taigle.
delectable *adj* lichtsome.
deliberate *adj* canny, delyver.
delicacy *n* sunket.
delicate *adj* dowie.
delight *n/v* delicht.
delighted *adj* hert-glad.
delightful *adj* delichtsome.
delirious *adj* deleerit.
delirium *n* raverie.
deliver *v* len, reak.
delude *v* swick.
deluded *adj* misleard.
deluge *n* poor. • *v* teem.
delusion *n* phrase.
demand *n* rane. • *v* protest.
demean *v* demain.
demeanour *n* cast.
demented *adj* gyte.

demolish *v* wrack.
demon *n* wirricow.
demonstrate *v* kythe.
demoralise *v* bemean.
demure *adj* mim.
den *n* bourie.
denial *n* na-say.
denote *v* bear.
denounce *v* misca.
dense *adj* thrang, stupit.
dent *n/v* dunt.
dentures *n* seam o teeth.
denude *v* tirr.
deny *v* na-say.
depart *v* depairt.
departing *adj* wa-gaun.
departure *n* wa-gaun.
depend *v* lippen.
dependable *adj* sicker.
deportment *n* cast.
deposit *v* pose.
depraved *adj* ill.
deprecate *v* lichtlifie.
depredation *n* spulyie.
depressed *adj* disjaskit.
depressing *adj* dreich.
depression *n* howe, glooms.
deprive *v* twin.
depth *n* yird, deepens.
deputy *n* depute.
deranged *adj* gyte.
deride *v* jamph, lant.
descend *v* gang doon.
descent *n* strin.
desecrate *v* fyle.
desert *v* gie ower.
deserter *n* fugie.
deserts *n* fairin.
deserve *v* fa.
design *v* schame.
designing *adj* sleekit.
desire *n* will, ettle. • *v* seek, hae an ee till.
desirous *adj* yivverie.
desk *n* dask.
desolate *adj* gowstie, wilsome.
despair *n* wanhowp.
despatch *see* **dispatch**.
despicable *adj* wandocht.
despise *v* lichtlie.
despite *prep* maugre.
despoil *v* spulyie.
despondent *adj* disjeckit, hingin-luggit.
despot *n* tirran.
destine *v* weird, ordeen.
destiny *n* weird.
destitution *n* puirtith.
destroy *v* hash.
destroyed *adj* shent.
destruction *n* ruinage.
destructive *adj* sair.
detach *v* lowse.
detail *n* particularity. • *v* condescend.
details *n pl* eeriorums.
detect *v* airt oot.
detective *n* snoot.
detention *n* keepie-in.
deteriorate *v* gae back.
determined *adj* dour, contermit.
detest *v* laith.
detestable *adj* laithsome, scunnersome.
detestation *n* scunner.
detriment *n* hairm.
detrimental *adj* sair.
devastate *v* spulyie.
develop *v* growe.
development *n* oncome.
deviate *v* devol.
devil *n* deil, Clootie.
devil-may-care *adj* ramstam.
devilry *n* deviltry.
devise *v* think on.
devoted *adj* browden.
devout *adj* gracie.
dew *n* dyow.
dexterous *adj* knackie.
dialect *n* tune.
dialogue *n* twa-handit crack.
diarrhoea *n* skitter, ripples.
diary *n* diet-book.
dibble *n/v* dimple.
die *v* dee, depairt; **die down** lowden.
diet *n* mait.
differ *v* skew.
different *adj* unalik.
difficult *adj* defeeckwalt.
difficulties *npl* adeas.
diffident *adj* blate.
diffuse *v* spreed.
dig *n/v* howk.
digger *n* howker.
digest *v* disgeest.
dignified *adj* pretty.
dignify *v* heeze.
dignity *n* mense.

dilapidated *adj* disjaskit.
dilatory *adj* aff-puttin.
dilemma *n* snorl.
diligent *adj* eydent.
dilute *v* tak doon.
diminish *v* nirl.
din *n* reemis.
dine *v* denner.
dingy *adj* din.
dinner *n* denner, kail.
dip *n* dook, sneck. • *v* dook.
dipper *n* water meggie, essock.
dire *adj* awfu.
direct *adj/v* direck.
direction *n* airt.
directly *adv* direck.
directly after *adv* syne.
director *n* maister.
dirge *n* mane, coronach.
dirt *n* defenn.
dirty *adj* clarty. • *v* clart.
disabled *adj* tuckie.
disabling *adj* commandin.
disadvantage *n* mar, affset.
disagree *v* cast oot.
disagreeable *adj* clattie.
disagreement *n* disagreeance.
disappear *v* mizzle.
disappoint *v* begeck.
disappointment *n* dashing.
disarrange *v* malagrooze.
disarranged *adj* camshachelt.
disarray *v* carfuffle.
disaster *n* stramash, mishanter.
disband *v* skail.
disbelieve *v* misdoubt.
discard *v* jeck.
discern *v* tartle.
discerning *adj* canny.
discharge *n/v* dischairge, delash.
discolour *v* thraw.
discoloured *adj* ill-colourit.
disconcert *v* pit aboot.
disconcerted *adj* taẹn.
disconsolate *adj* dowie.
discontented *adj* drum, worm-etten.
discord *n* plea.
discourage *v* danton.
discouraged *adj* hertless.
discouraging *adj* hertless.
discourteous *adj* ill-faured.
discover *v* fin.
discredit *n/v* tash.
discreet *adj* canny, mensefu.
discretion *n* mense.
discussion *n* communin.
disdainful *adj* heelie, sanshach.
disdainfully *adv* heich.
disease *n* tribble.
disembowel *v* gralloch.
disentangle *v* unfankle, redd.
disfavour *n* ill-will.
disgrace *n* tash.
disgraceful *adj* michtie.
disguise *v* guise.
disgust *n/v* scunner.
disgusting *adj* scunnersome. • *v* laithful.
dish *n* bowlie.
dishcloth *n* dish-cloot.
dishearten *v* disherten.
disheartened *adj* hertless.
dishevelled *adj* towtherie.
dishonest *adj* unhonest, lowse.
dishonour *n/v* tash.
dishonourable *adj* tashful.
disinclination *n* sweirtie.
disintegrate *v* murl.
disjoint *v* lith.
dislike *v* ug.
dislocate *v* shammle.
dislocation *n* rack.
disloyal *adj* slidderie.
dismal *adj* dowie, dreich.
dismiss *v* demit, skail.
dismissal *n* leave.
dismount *v* lowp aff.
disobedient *adj* coorse, ill-contriven.
disobey *v* misanswer.
disobliging *adj* ill-set.
disorder *n/v* carfuffle, dirray.
disorderly *adj* camsteerie, throughither, touther.
disorganised *adj* throughither.
disparage *v* misca.
disparagement *n* doon-tak.
dispatch, despatch *v* sen.
dispel *v* boost.
dispense *v* get by wi.
dispersal *n* upbrak.
disperse *v* skail.
dispirited *adj* dowie.
dispiriting *adj* weary.
displace *v* jee.
display *n* ootset. • *v* shaw.

displease *v* miscomfit.
dispose *v* redd.
disposition *n* tak, tune.
dispossess *v* herrie oot.
disproof *n* improbation.
dispute *n/v* arggie-bargie, threap.
disquiet *n* thocht.
disrepute *n* ill-name.
disreputable *adj* thiefie, coorse.
disrupt *v* skail.
dissatisfied *adj* miscontentit.
dissemble *v* jouk.
dissent *n/v* differ.
dissipate *v* perish.
dissipated *adj* ill-dain.
dissolve *v* mouten.
distance *n* lenth.
distant *n* adreigh, awa.
distaste *n* scunner.
distasteful *adj* scunnersome.
distend *v* swall.
distinct *adj* sindry.
distinguishable *adj* kenspeckle.
distinguished *adj* markit.
distort *v* bauchle, showl.
distorted *adj* bauchelt, thrawn.
distortion *n* thraw.
distract *v* distrack.
distracted *adj* distrackit.
distraction *n* fry.
distraught *n* hattert.
distress *n* harm. • *v* pit aboot.
distressing *adj* sair, sad.
district *n* kintra.
distrust *v* mislippen, diffide.
disturb *v* amow, distrubil.
disturbed *adj* ajee.
disturbance *n* stushie, rammie, stramash.
ditch *n* sheuch, gote.
dither *v* swither.
ditherer *n* switherer.
dithering *adj* fouterie.
ditty *n* sonnet.
divan bed *n* sattle-bed.
dive *v* dook.
diver *n* loom.
diving board *n* dale.
diverge *v* sinder, twin.
diverse *adj* sindry.
diversion *n* divert.
divert *v* enterteen.
diverting *adj* shortsome.
divide *v* depert, sinder.
divine *adj* heavenlie.
division *n/v* hauf.
divulge *v* moot, lat ken.
dizziness *n* mirligoes.
dizzy *adj* licht.
do *v* dae.
docile *adj* quate.
dock *n* docken plant, panel.
doctrine *n* lair.
dodder *v* dotter, hochle.
dodge *n* prottick, evite. • *v* jouk, jink.
doe *n* dae.
dog *n* dug.
dogfight *n* collieshangie.
dogfish *n* blin ee.
dogged *adj* dour, pludisome.
doggerel *n* crambo-clink.
dogma *n* lair.
dog-tired *adj* fair duin.
dole *n* broo.
doleful *adj* dowie, doolsome.
dole money *n* broo money.
doll *n* dall.
dollop *n* slap.
dolphin *n* dunter.
dolt *n* dult.
doltish *adj* donnert.
domestic *adj* hamelie, hameart.
domicile *n* hoose.
dominate *v* owergang, maugre.
domineering *adj* ringin.
dominion *n* owerance.
donation *n* compliment.
donkey *n* cuddie.
doom *n* weird.
doomsday *n* deem's day.
door-catch *n* sneck, snib.
door-handle *n* hannle.
door-key *n* check.
door-knocker *n* chapper.
doormat *n* bass.
doorstep *n* doorstane.
doorway *n* entry, door-cheek.
dot *n* minute.
dotage *n* dottle.
dotard *n* dotterel.
dote *v* daut.
doting *adj* daft, fond.
double *v* dooble.
double-dealing *n* joukerie.
doubt *n/v* dout.

doubtful *adj* doutsome.
doubtless *adv* doutless.
dough *n* daich.
doughty *adj* douchtie.
doughy *adj* daichie.
douse *v* slock.
dove *n* doo.
dovecot *n* doocot.
down *n* doon.
down-and-out *n* truaghan.
down-at-heel *adj* scuffie.
downcast *adj* disjaskit.
downfall *n* whummle.
downhill *adv* doonwi.
downpour *n* on-ding.
downright *adj* doon-richteous.
downstairs *adv* doon the stair.
down-to-earth *adj* fair oot.
downtrodden *adj* sair hodden doon.
downwards *adv* doonwi, doon-brae.
dowerless *adj* tocherless.
dowry *n* tocher.
doze *n/v* dute.
dozen *n* dizzen.
dozing *adj* nid-noddin.
drab *adj* dreich, riach.
draft *n* scroll.
drag *n/v* harl.
dragon *n* draigon.
dragonfly *n* deil's darnin needle.
drain *n* sheuch, cundy. • *v* tuim, dreep.
drainpipe *n* rone-pipe.
dram *n* sup, droppie.
drape *v* hap.
draught *n* waff, glut.
draughts *npl* dams.
draw *v* rug (to pull/tug at sth.).
draw out *v* stent.
drawback *n* thraw.
drawer *n* shottle.
drawl *n/v* drant.
dread *n* dreid.
dream *n/v* drame.
dreamy *adj* dwawmy.
dreary *adj* dreich.
dredge *n/v* dreg.
dregs *n* poorins.
drench *v* drook.
dress *n* ootrig. • *v* hap; **dress up** tosh up.
dresser *n* bink.
dressing-down *n* waukenin.
dressing gown *n* wrapper.
dressmaker *n* mantie-maker.
dressy *adj* primpie, fussy.
dribble *n/v* dreeble.
dribbler *n* slitter.
drift *n* wreath. • *v* pander.
driftwood *n* wrack.
drill *n* furr. • *v* dreel, thirl.
drink *n* deuch, dyoch. • *v* deuch, wacht.
drinker *n* drouth.
drinking bout *n* splore.
drip *n/v* dreep.
drip-dry *v* sype.
dripping *n* rander. • *adj* seepin, droop.
drive *n* hurl, smeddum. • *v* ca, hurl.
driven *adj* drien.
driving *adj* rackin.
drivel *n* haivers, gyter.
driveller *n* gyter.
drizzle *n/v* dreezle.
drizzly *adj* roukie.
droll *adj* pawky, auld-farran.
drone *n* hum, burden. • *v* bum, souch.
drool *n/v* slubber.
droop *v* stint, penge.
drooping *adj* wallan.
drop *n* drap, blob. • *v* rap, lat doon.
droppings *n* doldies.
dross *n* drush.
drought *n* drouth.
drover *n* tapsman.
drown *v* droon.
drowned *adj* droondit.
drowse *v* dover.
drowsy *adj* droosie.
drub *v* bate.
drubbing *n* bating.
drudge *n/v* scodge.
drudgery *n* trachle.
drug *n/v* drog.
druggist *n* droggie.
drumbeat *n* ruff.
drunk *adj* fou, blootered, bevvied.
drunkard *n* drouth, drunkart.
drunkenness *n* drouthieness.
dry *adj* drouthie. • *v* dicht, win; **dry out** win; **dry up** spire, gizzen.
dryish *adj* dryachtie.
drystone wall *n* dry dyke.
dry weather *n* drouth.
dual *adj* twa faul.
dubious *adj* jubish.
duck *n* deuk, quackie. • *v* jouk, deuk.

duck pond *n* deuk's dub.
due *adj* plat.
dull *adj* dreich, dowie, dolly.
dullness *n* doufness.
dulse *n* dilse.
dumb *adj* tongue-tackit.
dumbfound *v* dumfooner.
dump *n* coup. • *v* plowt, plank.
dumpling *n* hodgel.
dumpy *adj* stowfie.
dun *n* riach. • *v* crave.
dunce *n* dobbie.
dunderhead *n* eejit.
dunes *n* links.
dung *n* muck, sharn.
dung-fly *n* muck flee.
dungeon *n* massymore.
dunghill *n* midden.
dunlin *n* pickerel.
dupe *v* jouk.
duplicate *n* dooble.
duplicity *n* joukerie.
durability *n* docher.
durable *adj* stark.
duress *n* force and fear.
during *prep* in, throu.
dusk *n* gloamin.
dust *n/v* dist. • *n* stour.
dustbin *n* bucket.
dustbin man *n* scaffie.
dusty *adj* disty, stourie.
duty *n* turn.
dwarf *n* droch, ablach.
dwarfish *adj* drochlin.
dwell *v* bide, dwall.
dwelling *n* dwallion.
dwindle *v* dreedle.
dye *n/v* lit.
dyer *n* dyester.
dyke *n* wa.
dynamic *adj* feckful, forcie.
dysentery *n* rush.

E

each *pron* ilka.
eager *adj* aiger.
eagerly *adv* snell.
eagle *n* aigle, ern.
ear *n* lug, icker.
earmark *n/v* lug-mairk.
earring *n* wup.
earwig *n* horny goloch.
earl *n* yerl.
early *adj* airlie, verty. • *adv* air, ear.
earn *v* yirn, win.
earnings *n* penny-fee.
earth *n* erd, yird.
earthenware *n* lame, pig.
earthward *adv* erthlins.
earthy *adj* yirdfast.
ease *n* easement.
easily *adv* eithlie.
east *n* aist.
easterly *adj* eastlin.
eastern *adj* easter.
eastwards *adv* eastlins.
Easter *n* Pace.
Easter egg *n* Pace egg.
easy *adj* eth.
easy-going *adj* jack-easy.
eat *v* aet.
eater *n* aeter.
eating *n* intak.
eaves *n* easin.
eavesdrop *v* hearken.
ebbing *adj* outgaun.
ebullient *adj* skeich.
eccentric *n* jeeger. • *adj* orra, unco.
eccentricity *n* unconess.
economical *adj* canny.
economise *v* scrimp.
economy *n* hainin.
ecstasy tablets *npl* eckies.
eddy *n/v* pirl.
edge *n* lip, laggin.
edging *n* trappin.
eerie *adj* oorie.
effect *n* effeck.
effective *adj* feckful.
effects *n* gear, graith.
effectual *adj* effecwal.
effeminate *adj* sapsie.
effervescence *n* fuzziness.
effervescent *adj* fuzzy.
efficiency *n* purpose.
efficient *adj* feckful, eident.
effigy *n* stookie.
effluent *n* midden bree.

effort *n* fend, ettle.
effrontery *n* hard neck.
effusive *adj* phrasie.
egotistical *adj* sellie.
eight *adj/n* aucht, echt.
eighteen *adj/n* auchteen.
eighteenth *adj* auchteenth.
eighth *adj* aucht, echt.
eighty *adj/n* auchtie.
eject *v* gie the door, set oot.
elaborate *adj* primpit.
elapse *v* owergae.
elastic *adj* elaskit.
elated *adj* made up, upliftit.
elation *n* uplif.
elbow *n* elbuck. • *v* oxter.
elder *n* eller, bourtree.
elderly *adj* eldren.
elect *v* eleck.
elegant *adj* gentie, pretty.
elegy *n* lament.
elevate *v* heeze.
elevation *n* heicht.
eleven *adj/n* eleevin.
eleventh *adj* eleevint.
elf *n* eemock.
eliminate *v* elide.
elongate *v* rax.
elope *v* skirt.
eloquent *adj* glib.
else *adv* ense.
elsewhere *adv* itherwhere.
elude *v* jouk.
emaciated *adj* shilpit.
emaciated person *n* ruckle o banes.
embankment *n* mote.
embarrass *v* gie a riddie.
embarrassed *adj* taen.
embedded *adj* stickit.
embellish *v* pit airms an legs tae.
ember *n* gleed.
embezzle *v* pauchle.
embolden *v* herten.
embrace *n* bosie. • *v* neck.
embroider *v* flourish, steek.
embroidery *n* flourishin.
emerald *n* emerant.
emergence *n* ootcome.
emergency *n* sair fit.
emigrate *v* lowp the kintra.
eminence *n* heich.
eminent *adj* markit.
emit *v* ootpit.
emphatic *adj* evendoon.
employ *v* work wi.
employees *n* fowk.
employer *n* cork.
employment *n* thrift.
empty *adj/v* tuim, oot.
empty-handed *n* tuim-handit.
empty-headed *n* tuim-heidit.
enamoured *adj* browden.
enchant *v* blink.
enchantment *n* glamour.
enclose *v* fauld.
enclosure *n* cru, fauld.
encounter *v* kep.
encourage *v* gie a lift tae.
encouragement *n* hertenin, lift.
encouraging *adj* hertsome.
encrust *v* barken.
encrusted *adj* barkenit.
encumber *v* birn, trachle.
encumbrance *n* trachle.
end *n/v* en, eyn.
endorse *v* souder.
end product *n* ootcome.
endurance *n* thole, endurement.
endure *v* thole.
enemy *n* fae, unfreen.
energetic *adj* speeritie.
energetically *adv* stark, fell.
energy *n* birr, smeddum.
enervated *adj* forfochen.
enfeebled *adj* fordwibelt.
enfold *v* wimple.
enforceable *adj* prestable.
engage *v* fee.
engaged *adj* trystit.
engaging *adj* sonsie.
engine *n* ingine.
English *adj/n* southron, Sassenach.
English person *n* southron, Sassenach.
enjoyable *adj* shortsome.
enlarge *v* eik.
enlighten *v* enlicht.
enlightenment *n* licht.
enlist *v* list.
enliven *v* kittle.
enlivening *adj* lichtsome.
enmesh *v* mask.
enmity *n* plea, unfreenship.
enormous *adj* wappin.
enough *adj/adv* eneuch.

enrage *v* raise.
enraged *adj* hyte.
enrol *v* tak oot.
ensnare *v* cleek.
ensuing *adj* incoming.
ensure *v* mak siccar.
entail *v* tailye.
entangle *v* fankle, taigle.
entanglement *n* mink.
enter *v* intil.
enterprise *n* ontakkin, ploy.
enterprising *adj* thru-gaun.
entertaining *adj* shortsome.
entertainment *n* divert.
enthral *v* blink.
enthusiasm *n* birr.
enthusiastic *adj* keen.
entice *v* tice.
entire *adj* hail.
entirely *adv* black, fair.
entourage *n* tail.
entrails *n* painches.
entrance[1] *n* ingang, ingaun.
entrance[2] *v* blink.
entreat *v* prif, fleetch.
entrust *v* lippen.
entry *n* ingang.
entwine *v* wyve.
envelop *v* wap, hap.
envious *adj*jeelous.
environment *n* heft.
enwrap *v* wap.
Episcopalian *n* piskie.
equable *adj* souch.
equal *adj/n* aqual. • *v* peel
equally *adj* aqual, equal-aqual.
equanimity *n* souch, evenliness.
equip *v* busk.
equipment *n* graith.
equitable *adj* richt-lik.
equivocate *v* parry.
erect *adj* staunin. • *v* ereck, cantle.
ermine *n* coat-weasel.
err *v* step aside.
erratic *adj* ragglish.
erring *adj* will.
erroneous *adj* mislearnit.
error *n* skellie.
errand *n* eeran.
errand boy *n* message boy, eeran-loon.
errands *npl* messages.
erudite *adj* far I the buik.
erudition *n* buik-lair.
eruption *n* ootstrikin.
escape *n* ootcome. • *v* win oot, miss.
escapade *n* ploy.
escort *n/v* convoy.
especially *adv* earest, maistly.
essence *n* sense.
essential *adj* necessar.
estate *n* gear, place, scheme.
estimable *adj* honest.
estimate *n* slump. • *v* pruive.
estranged *adj* hither-an-yon.
estuary *n* firth.
et cetera *n* an siclike.
eternally *adv* for aye.
eternity *n* month o muins.
etiquette *n* mense.
evacuate *v* tuim.
evade *v* evite, jouk.
evaluate *v* comprise.
evasion *n* joukerie.
evasive *adj* slidderie.
even *adj* e'en, eyven.
evening *n* e'en, e'enin.
event *n* han.
ever *adv* aye, ivver.
every *adj* ilka, ivverie.
everybody *n* ilk ane, abodie.
everything *n* athings.
everywhere *adv* a wey, aroads.
evict *v* herrie oot.
evidence *n* evident.
evident *adj* weel seen.
evil *adj/n* ill.
evil eye *n* ill-ee.
evildoer *n* ill-daer.
ewe *n* yowe.
exact *adj* nate.
exacting *adj* pointit.
exaggerate *v* blaw.
exaggeration *n* whid.
exalt *v* heeze.
examination *n* examin.
examine *v* exemin, exem.
exasperate *v* fash, ug.
exasperated *adv* hert-roastit.
exasperating *adj* tantersome.
excavate *v* howk.
exceed *v* owergang, bear the gree.
exceedingly *adv* unco.
excel *v* bang.
excellent *adj* braw, gran, boon.

except *prep* excep, binna.
exceptional *adj* by-ornar, parteeclar.
excerpt *n* swatch.
excessive *adj* odious.
excessively *adv* ower.
exchange *n/v* niffer.
exciseman *n* gauger.
excite *v* fluffer.
excitable *adj* reevin.
excited *adj* up.
excitement *n* go.
exclamation *n* exclaim.
exclude *v* haud oot.
exclusive *adj* privative.
excrement *n* keech, drite, cack, geing.
excursion *n* straik.
executioner *n* hangie.
exempt *v* exemp.
exemption *n* exemp.
exercise book *n* jotter.
exert *v* fash.
exertion *n* putt an row.
exhaust *v* exoust.
exhausted *adj* wabbit, forfochen.
exhausting *adj* trachlesome.
exhibit *n* production.
exhort *v* threap.
exit *n* ootgang.
exonerate *v* free.
exotic *adj* ootlan.
expand *v* hove, come.
expect *v* expeck.
expectation *n* lippenin.
expectorate *v* slerp.
expedition *n* expedeetion.
expel *v* herrie oot.
expend *v* ware.
expense *n* chairge, ootgang.
experiment *n* prattick.
expert *n* deacon. • *adj* slee, canny.
expire *v* dee.
expiry *n* ish.
explain *v* expoon, rede.
explanation *n* quittance.
expletive *n* sweer.
explode *v* pluff.
explosion *n* flist.
exploit *n* splore, ploy.
exploration *n* explore.
explore *v* reenge.
exposed *adj* fusslebare.
expound *v* expoon.
extend *v* stent.
extension *n* eik, ootshot.
extent *n* boon.
extinct *adj* wede awa.
extinguish *v* slock, smore.
extol *v* heeze.
extort *v* herrie.
extortionate *adj* menseless.
extra *adj* extrae.
extract *v* pou.
extraction *n* kin.
extraordinary *adj* by-ornar.
extraordinarily *adv* forby.
extravagance *n* wanthrift.
extravagant *adj* spendrif, expensive.
extreme *adj* sevendle.
extremely *adv* unco, terrible.
extricate *v* howk.
exuberant *adj* croose, cadgie.
eye *n* ee.
eyebrow *n* broo, ee-bree.
eyelash *n* ee-breer.
eyelid *n* eelid.
eyelet *n* pie-hole.
eyesight *n* eesicht.
eyesore *n* derbel.

F

fabricate *v* feingle.
fabrication *n* upmak.
face *n* neb, face-plate.
facetious *adj* knackie.
facile *adj* owerlie.
facing *prep* forenent.
faculty *n* ingine.
fad *n* freit.
fade *v* dwine, wallow.
faded *adj* casten.
faeces *n* keech, drite, cack.
fag *v* deave, pingle.
faggot *n* faggald.
fail *v* miss, misgae.
failed *adj* stickit.
failure *n* failzie.
faint *n/v* dwam, fent, fant. • *adj* dwamie.
faint-hearted *adj* fushionless.

fair *adj* jonick.
fairies *n* guid fowk.
fairly *adv* middlin.
fair play *n* jonick.
fair-sized *adj* dentie.
fairy *n* ferter, eemock.
fairy hill *n* sithean.
fairyland *n* Elfin.
fairy-ring *n* elf-ring.
faithful *adj* aefauld, feal.
fake *adj* fause.
fall *n/v* fa.
fallen *adj* faan.
fall out *v* cast oot.
fall over *v* coup.
fallow *adj* lea, ley. • *v* fauch.
false *adj* fause.
falsehood *n* fausehood.
falseness *n* pit-on.
false teeth *npl* wallies.
falter *v* stammer.
familiar *adj* kenspeckle.
famish *v* hunger.
famished *adj* howe.
famous *adj* namlie.
fan *n* faffer. • *v* waff, faff.
fancy *adj* fantoosh. • *n* wheem. • *v* lik.
fantastic *adj* pawky.
far *adv* faur.
far away *adj* hyne-awa.
far-sighted *adj* faur-seen.
fare *n* fairin. • *v* fa.
farewell *n* fareweel.
farm *n/v* ferm.
farmer *n* fermer, guidman.
farmhouse *n* ha.
farmland *n* grun.
farmworker *n* joskin.
farmyard *n* yaird.
farrier *n* ferrier.
farrow *n/v* ferry
farther *adv* faurer.
farthest *adj* farrest.
farthing *n* farden.
fashion *n* fasson.
fashionable *adj* tippie.
fast *adj/adv/n* fest.
fastener *n* snib.
fastening *n* hiddin.
fastidious *adj* perjink.
fastidiously *adv* perjink.
fat *adj* creeshie. • *n* creesh.
fatal *adj* deedlie.
fate *n* fatality, weird.
fateful *adj* weirdfu.
father *n/v* faither.
father-in-law *n* guid-faither.
fathom *n/v* faddom.
fatigue *n* tire. • *v* tash, jaup.
fatigued *adj* traikit.
fatten *v* mend.
faucet *n* stroop.
fault *n* faut.
faultless *adj* perfit.
favour *n* obleegement. • *v* nae see by.
favourable *adj* canny.
fawn *v* beenge.
fawning *adj* lick lip.
fear *n* dree.
fearful *adj* timorsome, frichtsome.
fearless *adj* frichtless.
feasible *adj* faisible.
feast *n* eat. • *v* gilravage.
feat *n* kittle, henner.
featherbrain *n* sodie-heid.
feathery *adj* fuzzy.
feature *n* track, meith.
February *n* Februar.
feckless *adj* haveless.
fed-up *adj* scunnert.
feeble *adj* fecklish.
feed *v* mait, stowe.
feel *n/v* fin.
feeling *n* souch.
feet *npl* lyomons.
feign *v* fengie.
feint *n/v* mint.
felicity *n* seil.
fell[1] *adj* bang.
fell[2] *v* fooner (strike down); hag (a tree).
fellow *n* fella, chiel.
femur *n* hunker-bane.
fence *n* pilin, resetter (person). • *v* stob.
fend *v* fen.
ferment *v* barm.
fermenting *adj* het.
fern *n* firn.
ferocious *adj* fell, bang.
ferret *n* futret, foumart.
ferrule *n* virl.
ferry *n* bait. • *v* set ower.
ferry-boat *n* coble.
fertile *adj* growthie.
fertilise *v* mainner.

fertiliser *n* mainner.
fertility *n* growthieness.
fervent *adj* aiger.
fester *v* etter.
festering *adj* atterie.
festive *adj* blithe.
fetch *v* fesh.
fetid *adj* humphed.
fetlock *n* cuit.
fetter *n/v* hapshackle.
fettle *n* kilter.
feud *n* feid.
fever *n* fivver.
few *adj* fyow.
fewer *adj* less.
fib *n/v* lee.
fibre *n* taw.
fickle *adj* kittle.
fiddle *n* pauchle. • *v* to diddle.
fiddler *n* fiddlie.
fiddly *adj* fouterie, scutterie.
fidget *v* fidge, fyke.
fidgety *adj* fykie.
field *n* feedle, park.
fieldfare *n* feltie.
fiend *n* fien.
fierce *adj* fell, bang.
fiery *adj* het-skinnt.
fifteen *adj/n* feifteen.
fifteenth *adj* feifteent.
fifth *adj* fift.
fifty *adj/n* fufty.
fig *n* feg.
fight *n* /v fecht, faucht.
fighter *n* fechter.
figure *v* jalouse.
figurehead *n* tulchan.
filch *v* skech.
file *n* raw, risp. • *v* risp.
fill *n* fou. • *v* prime, fou.
filling *adj* fousome.
filly *n* fillock.
film *n* scruif.
filter *n/v* sye, sile.
filth *n* fulyie.
filthy *adj* maukit.
fin *n* lug.
final *adj* hinmaist.
finally *adv* hinmaist.
finances *npl* pooch.
find *v* fin, get.
fine *adj* braw.
finery *n* braws.
finger *v* pawt.
fingertip *n* finger neb.
finicky *adj* fykie.
fiord *n* sea loch, voe.
fir cone *n* firyowe.
fire *n* lowe.
firearm *n* firework.
firedamp *n* wildfire.
fire engine *n* the butts.
fireplace *n* chimley.
fire screen *n* sconce.
fireside *n* ingle, ingle-neuk.
firewood *n* browl.
firm *adj* sicker, stieve.
firmly *adv* hard, stievlie.
first *adj* firsten, forehand.
first-rate *adj* tap.
fish *n/v* fush.
fish and chips *n* fish supper.
fish, chips and peas *n* buster.
fisherman *n* fisher.
fishing hook *n* preen.
fishing net *n* buird.
fishing rod *n* wan, gad.
fissure *n* clift.
fist *n* nieve.
fistful *n* nieveful.
fisticuffs *npl* nieves.
fit[1] *adj* setting.
fit[2] *v* ser.
fitful *adj* flichtrif.
fitting *adj* wicelik.
fittings *npl* munts.
fix *v* stell, sicker.
fizz *v* bizz.
fizzing *adj* fuzzy.
fizzy *adj* fuzzy.
fjord *n* sea loch, voe.
flabbergast *v* stammygaster.
flabbiness *adv* foziness.
flabby *adj* fozie.
flag *v* fag.
flagon *n* stowp.
flail *n* frail. • *v* sprachle.
flake *n* flichan, skelf. • *v* skelf.
flamboyant *adj* prinkie.
flame *n* flam, lowe.
flange *n* lug.
flank *n* lisk.
flannel *n* flannen.
flap *n* lug, waff. • *v* flaff, waff.

flare *v* bleeze, lowe.
flash *n* gliff, glisk. • *v* glent.
flashy *adj* fantoosh.
flat *adj* plat. • *adv* flatlins. • house.
flat-chested *adj* skleff.
flat-footed *adj* sclaff-fittit.
flats *npl* tenement.
flatten *v* flet.
flatter *v* flansh.
flatterer *n* sook.
flattering *adj* buttery-lippit.
flattery *n* reese, ruise.
flatulence *n* pumpin.
flatulent *adj* heftit.
flaunt *v* flird, splore.
flavour *n* gust. • *v* kitchen.
flaw *n* mote, shortcome.
flax *n* lint.
flea *n* flech, flaich.
fleck *n/v* spreckle.
fledgling *n* gorlin.
flee *v* flicht.
fleece *n* fleesh.
fleeting *adj* fleetful.
flesh *n* mait.
fleshy *adj* pluffie.
flexible *adj* dwaible.
flick *n* flisk. • *v* spang.
flicker *v* flaughter.
flight *n* flocht. **flight (to take to)** *v* flicht.
flighty *adj* flichty.
flimsy *adj* silly.
flinch *v* fotch, jouk.
fling *v* hove, wap.
flipper *n* meg.
flirt *n* flirdoch, jillet. • *v* gallant, glaik.
flirtation *n* dafferie, pawky.
flirtatious *adj* pawky.
flirting *adj* flindrikin.
float *n* pallet. • *v* fleet.
flock *n* paircel, hirsel. • *v* hirsel.
flog *v* flag.
flood *n/v* flude.
flooded *adj* flodden.
floor *n/v* flair.
flop *v* clap, flype.
flotsam *n* wrack.
flounce *n* squirl. • *v* flunce.
flourish *v* blume.
flourishing *adj* raffie, guid-gaun.
flout *v* hoot.
flow *n* rin, shot. • *v* fleet, pirr.
flower *n* flooer. • *v* blume.
flowerbed *n* knot.
flu *n* haingles.
fluctuate *v* swither.
flue *n* vent.
fluency *n* tongue-raik.
fluent *adj* gabbie.
fluff *n* oos.
fluffy *adj* oosie, fuzzy.
fluid *n* bree.
flurry *n* skirlie.
flush *v* reenge.
fluster *n* swither.
flustered *adj* hattert.
flute *v* pipe.
flutter *n* flaff, flichter. • *v* fluther, flichter.
fly *n/v* flee.
fly-fishing *n* fleeing.
flying *adj* fleeing.
flywheel *n* whurl.
foal *n* foichel.
foam *n/v* faem.
foaming *adj* nappy.
fob *n* spung. • *v* jank.
fodder *n/v* fother.
foe *n* fae.
fog *n* loom, haar, rouk.
foggy *adj* haarie, roukie.
foist *v* pawn.
fold *n/v* fauld.
folk *n* fowk.
follow *v* fallow.
folly *n* madderam.
fond *adj* fain.
fondle *v* culyie, daut.
food *n* fuid, scran.
fool *n* fuil, daftie.
foolish *adj* fuil-like, daft.
foolishness *n* daftness.
foot *n* fit, fuit.
football *n* fitba.
foothold *n* fit.
footling *adj* fouterie.
footpath *n* fit-road.
footprint *n* fit-dint.
footstep *n* fit-stap.
footstool *n* creepie.
foppish *adj* fussie, figgleligee.
for *prep* fir.
forage *v* reenge.
foray *n* raid, spreath.
forbearance *n* thole.

force *n* bensel. • *v* gar, dwang.
forceful *adj* forcie, fell.
forcibly *adv* swap.
ford *n/v* foord.
forearm *n* gardie.
forebear *n* forebeir.
foreboding *n* bodement.
forecast *v* spae.
forecastle *n* den.
forefinger *n* coorag.
forefront *n* forebreist.
forehead *n* foreheid, broo.
foreign *adj* furrin, elenge.
foreigner *n* ootlin.
foreknowledge *n* moyen.
forelock *n* tap.
foreman *n* foresman.
foremost *adj* foremaist.
forenoon *n* forenuin.
foresee *v* spae.
foreshore *n* ebb.
foresight *n* foresicht.
forestall *v* foresta.
forester *n* punler.
foretell *v* spae.
forethought *n* forethocht.
forever *adv* aye.
forewarning *n* moyen.
forfeit *n* wad. • *v* tyne.
forfeiture *n* forfeitry.
forge *n* smiddy. • *v* feignyie.
forgery *n* falsehood.
forget *v* foryet.
forgetful *adj* forgettle.
forgetfulness *n* forget.
forgive *v* forgie.
fork *n/v* graip.
forlorn *adj* disjaskit.
form *n/v* firm.
former *adj* yae-time, umquhile.
fornication *n* houghmagandie.
forsake *v* furhow, foreleit.
forswear *v* forsweer.
fort *n* dun, broch.
forth *adv* furth.
forthright *adj* rael.
forthrightly *adv* even oot.
forthwith *adv* the noo, ivnoo.
fortitude *n* saul.
fortnight *n* fortnicht.
fortress *n* dun, broch.
fortunate *adj* seilful.
fortune *n* forten, seil.
fortune-teller *n* spaewife.
forward[1] *adj* forritsome. • *adv* forrit. • *v* forat.
forward[2] *adj* foritsome
foster-mother *n* nourice.
foul *adj* laithlie. • *v* nestie, befyle.
foul-mouthed *adj* ill-gabbit, ruch.
found *v* foon.
foundation *n* foond.
founder *v* fooner.
fountain *n* funtain.
four *adj/n* fower.
fourteen *adj/n* fowerteen.
fourth *adj* fowert.
fowl *n* fool.
fox *n* tod, lowrie. • *v* quirk.
foxglove *n* lady's thummles.
foxhunt *n* tod-hunt.
fracas *n* fraca.
fraction *n* stime.
fractious *adj* fashious.
fracture *n* vise.
fragile *adj* bruckle.
fragment *n* nip, murlin.
fragments *npl* flinders.
fragrance *n* fume.
frail *adj* dwaiblie, silly.
frank *adj* fair-spoken.
frankly *adv* fair.
frankness *n* forthiness.
frantic *adj* dancin mad.
fraud *n* cheatrie, fausehood.
fraudulent *adj* slidderie.
fray[1] *n* fecht.
fray[2] *v* faize.
frayed *adj* chattert.
freak *n* dandrum.
freckle *n* fernitickle.
freckled *adj* fernitickelt.
free *adj* quat. • *v* redd.
freedom *n* scouth.
freeze *v* jeel.
frenzy *n* frainesie.
frequent *v* howf.
frequently *adv* afen.
fresh *adj* caller.
freshen *v* caller.
fret *adj* freet. • *v* freak.
fretful *adj* fretty.
friable *adj* frush.
friar *n* freir.

Friday *n* Fraiday.
friend *n* freen, fere.
friendless *adj* freenless.
friendliness *n* freenliness.
friendly *adj* freenlie.
friendship *n* fraca.
fright *n* fear. • *v* fricht.
frighten *v* frichten, fleg, fear.
frightened *adj* frichtit.
frightening *adj* frichtsome.
frightful *adj* awfu.
frigid *adj* freff.
frill *n* frull.
fringe *n* freenge.
frippery *n* whigmaleeries.
frisk *v* flisk.
frisky *adj* hippertie-skippertie.
fritter *v* moot.
frivolity *n* dafferie.
frizz *n/v* swirlie.
frizzy *adj* swirlie.
frog *n* puddock.
frogspawn *n* puddock cruddles.
frolic *n* cantrip. • *v* daff.
frolicsome *adj* kim.
from *prep* frae, fae.
front *n* foreside.
frontier *n* mairch.
frost *n* freest.
frostiness *n* jeel.
frosty *adj* rimie, gordy.
froth *n/v* fro, fraith.
frothing *adj* reamie.
frown *n/v* froon.
frozen *adj* frozent.
frugal *adj* canny, throughal.
fruit-machine *n* puggie.
fruit-slice *n* fly cemetery.
frustrate *v* pall.
frustrated *adj* hummed.
fry *v* fryth.
fuddled *adj* mixit.
fudge *n* taiblet.
fuel *n* fire, eldin.
fuggy *adj* smuchtie.
fugitive *adj* foreloppen. • *n* fugie.
fulcrum *n* pall.
fulfilment *n* implement.
full[1] *adj* fou.
full[2] *v* waulk (cloth).
full-bodied *adj* maumie.
fullness *n* fouth.
fully *adv* fou, fullie.
fulmar *n* mallduck.
fulsome *adj* phrasie.
fumble *v* fummle
fumbling *n* fummle. • *adj* hanless.
fumblingly *adv* aside yer thoum.
fume *v* feem, reek.
fumes *n* smuik.
fumigate *v* smeek.
fun *n* dafferie, daffin.
fund *n* foon.
funeral *n* beerial.
funfair *n* the shows.
fungus *n* puddock stuil.
funnel *n* lum, filler.
funny *adj* knackie.
funny-bone *n* dirlie-bane.
furious *adj* radge.
furnish *v* plenish.
furniture *n* plenishin.
furrow *n/v* furr.
furry *adj* oosie.
further *adj/adv/v* faurer, forder.
furthermore *adv* forby.
furtive *adj* thiefie.
furtively *adv* stowlins.
fury *n* stramash, tirrivee.
furze *n* whin.
fuse *n* strum.
fuss *n* stushie, carfuffle. • *v* fizz, gae on.
fussiness *n* fykerie.
fussy *adj* fykie.
fustiness *n* foost.
fusty *adj* foostie.
futile *adj* knotless.

G

gab *v* blether.
gabble *v* yabber, raible.
gabbling *adj* yabblin.
gable *n* gavel, hoose-en.
gad *v* stravaig, traik.
gadabout *n* rinaboot.
gadfly *n* cleg.
gadget *n* whirlie.

Gaelic *adj/n* Hielan, Erse.
gaff *n* clep, gaad.
gag *n* baur.
gaiety *n* galliardness.
gain *v* win.
gait *n* ling, gang.
gaiters *n* leggums.
gale *n* gell, gurl.
gall *n/v* ga.
gallant *adj* pretty.
galley *n* gaillie.
galling *adj* chawsome.
gallivant *v* stravaig, traik.
gallon *n* quart.
gallop *v* wallop, skelp.
gallows *n* widdie.
galore *adj* rowth.
galoshes *npl* galashes.
gamble *v* gammel.
gambol *v* flisk.
game *adj* stuffie. • *n* gemm.
gamekeeper *n* gamie, ghillie.
gander *n* gainer.
ganglion *n* luppen sinnon.
gangster *n* limmer.
gannet *n* gant.
gaol *n* jile.
gap *n* slap, open.
gape *v* gowp.
gaping *adj* gawpin.
garb *n* ootrig.
garbage *n* hinneren.
garden *n* gairden.
gardener *n* gairdner.
garish *adj* roarie.
garment *n* cleedin.
garret *n* gaillie.
garrulous *adj* bletherin.
garter *n/v* gairten.
gash *n* screed. • *v* gulliegaw.
gasp *n/v* pech.
gate *n* yett.
gatepost *n* stoop.
gateway *n* gate-slap, port.
gather *v* gaither.
gathering *n* gaithering.
gaudy *adj* skyrie.
gaunt *adj* clappit.
gawky *adj* ackwart.
gawp *v* gowp.
gaze *n/v* glower, gove.
gear *n* graith.
geld *v* lib, sort.
gelding *n* staig.
gender *n* gener.
generous *adj* furthie, lairge.
genial *adj* lithesome, hertie.
genitals *npl* doddles (male), fud (female).
genius *n* genie.
genteel *adj* gentie.
gentian *n* bad money.
gentility *n* gentrie.
gentle *adj* lithe, douce.
gently *adv* huilie.
gentry *n* gentrice.
genuine *adj* genivin, jonick.
genuine article *n* real Mackay.
germinate *v* brere.
gesture *v* gester.
get *v* git; **get at** ettle at; **get away** win awa; **get by** warsle throu; **get off** win aff; **get on** mak weel; **get out** win oot; **get over** git abuin; **get through** get by; **get up** win up.
get-up *n* paraffin.
ghastly *adj* gashlie.
ghost *n* ghaist.
ghostly *adj* eldritch.
giant *n* etin.
gibber *v* gabber.
gibberish *n* blethers.
gibbet *n* widdie.
gibe *n* geeg, dunt. • *v* gleek, jamph.
giblets *n* harigals.
giddy *adj* glinkit..
gift *n* compliment, praisent.
gift-horse *n* gien-horse.
gigantic *adj* wappin.
gild *v* gilt.
gilded *adj* giltit.
gill *n* gillock.
gills *npl* ginnles.
gimlet *n* wummle.
ginger *n* ginge.
gingerbread *n* gingebreid, gibbery.
gipsy, gypsy *n* Jockie, tink.
girdle *n* girl.
girl *n* lass, lassie, quine.
girlfriend *n* lassie, cleek, tairt, lumber.
girlish *adj* lass-like, cissie.
girth *n* grist.
gist *n* rinnin.
give *v* gie. **give in** to snuil; **give up** quat; **give way** knuckle.

given *adj* gien.
gizzard *n* gizen.
glad *adj* blithe.
gladly *adv* blithe.
gladness *n* blitheness.
glamour *n* glamourie.
glance *n/v* glent, glisk.
glare *n* gliff. • *v* glower (expression).
glaring *adj* glairie-fairie.
Glasgow *n* Glesca.
glass *n/v* gless.
glasses *npl* glesses.
glass-work *n* glassin.
glassy *adj* glazie.
glaze *v* glaize.
glazed *adj* lozenit.
glazier *n* glasin-wricht, glasser.
gleam *n* glim, leam. • *v* glaim, leam.
gleaming *adj* blinterin.
glean *v* rake.
glebe *n* glybe.
glebe land *n* glybe.
glib *adj* gleg-tonguit.
glide *v* scrieve.
glimmer *n* glim, stime. • *v* blinter.
glimmering *adj* skimmering.
glimpse *n* glim, glaff. • *v* get a sicht o.
glint *n/v* glent.
glinting *adj* scansin.
glisten *v* glister.
glistening *n* gleet.
glitter *n/v* glent.
glittering *adj* glaizie.
globe *n* pallet.
gloom *n* mirk; • *v* gloum.
gloomy *adj* mirksome.
glory *n* glore.
gloss *n* glaize.
glossy *adj* glaizie.
glove *n* gloove.
glow *n/v* glowe, leam.
glower *v* froon.
glue *n* batter.
glum *adj* dowie, drum.
glut *n* galore, stegh.
glutinous *adj* claggie.
glutton *n* guts, gorb.
gluttonous *adj* gutsie.
gluttony *n* gutsiness.
gnarled *adj* gurlie.
gnash *v* chirk.
gnat *n* midge, midgie.
gnaw *n/v* gnyauve.
gneiss *n* haithen.
go *v* gae, gang. • *n* smeddum; **go astray** gang agley; **go away** haud awa; **go off** chynge; **go with** hae wi.
goad *n* gaud, brod. • *v* brod.
go-ahead *adj* through-gaun.
goal *n* dale.
goat *n* gait.
gobbet *n* gabbit.
gobble *v* gammal, hanch.
goblet *n* tassie.
goblin *n* blackman.
gobstopper *n* opo-pogo-eye.
god *n* goad, gweed.
God-forsaken *adj* God-left.
godforsaken *adj* dreich.
godly *adj* gidlie.
godmother *n* cummer.
goings-on *npl* ongauns.
gold *n* goud.
goldcrest *n* muin.
golden *adj* gouden.
goldfinch *n* goldie.
golf *n* gowf.
golfball *n* gowfba.
golf club *n* gowfstick.
golfer *n* gowfer.
good *adj* guid, barrie.
good breeding *n* govance.
good-for-nothing *n* dae-na-guid.
good-humoured, goodly *adj* guidlie.
goodliness *n* guidliheid.
goodness! *interj* fegs.
goods *n* graith.
goosander *n* saw neb.
goose *n* guse.
gooseberry *n* grosset.
gooseberry bush *n* grosset-bush.
gooseflesh *n* caul creeps.
goose-grease *n* goose-seam.
gore[1] *n* gushet.
gore[2] *v* stick, pork.
gorge[1] *n* cleuch.
gorge[2] *v* stap.
gorgeous *adj* braw.
gorse *n* whin.
gosh! *interj* goshens!
goshawk *n* gos.
gosling *n* gaislin.
gossip *n* clavers, clack; (person) a sweetie-wife. • *v* blether, clatter.

gossipy *adj* glib-gabbit.
gouge *n/v* gudge.
gout *n* gut.
govern *v* guide, ring.
gown *n* goon.
grab *n/v* grabble.
grace *n* bethankit. • *v* mense.
graceful *adj* gentie.
gracious *adj* couthy.
gradation *n* grie.
graduate *n* gradawa.
grain *n* tick, stuff.
grammar *n* gremmar.
grampus *n* herrin hog.
granary *n* garnel.
grand *adj* gran.
grandchild *n* gran-bairn, gran-wean.
granddaughter *n* grandochter.
grandeur *n* grandery.
grandfather *n* granfaither, geetsher.
grandmother *n* granmither.
grandson *n* nevoy.
grant *v* gie.
granular *adj* quernie.
granule *n* tick.
graphite *n* wad.
grapple *v* graipple.
grasp *n/v* gresp.
grasping *adj* nabal, menseless. • *n* grabble.
graspingly *adv* gramlochlie.
grass *n* girse.
grasshopper *n* gerslowper.
grassland *n* meedow, ley.
grassy *adj* girsie.
grate[1] *n* chimley.
grate[2] *v* risp, chirk.
grateful *adj* thankrif.
gratified *adj* prood.
grating *n* tirless.
gratuitous *adj* gratis.
gratuity *n* maggs.
grave[1] *n* graff, lair.
grave[2] *adj* thochtie.
gravedigger *n* beadle.
gravelly *adj* chinglie.
gravestone *n* lairstane.
graveyard *n* graveyaird, kirkyaird.
gravy *n* bree.
graze *n* scuff, screeve. • *v* scuff.
grazing *n* girsin.
grease *n/v* creesh.
greasy *adj* creeshie.
great *adj* grit, gret, aul.
greatcoat *n* big coat, bavarie.
great-grandchild *n* ieroe.
great-grandfather *n* gransher.
great-grandson *n* nevoy.
greatly *adj* unco.
greed *n* gutsiness.
greedy *adj* gutsie.
green *adj* haw, hielan.
greenfinch *n* green lintie.
greengrocer *n* kailwife.
greenish *adj* greenichie.
greet *v* goam.
greeting *n* ca.
grey *adj* gray.
greyhound *n* grew.
griddle *n* girdle.
gridiron *n* brander.
grief *n* teen, dool.
grief-stricken *adj* hert-sair.
grievance *n* eelist.
grieve *v* fyke.
grievous *adj* sair.
grill *n* tirless. • *v* brander.
grim *adj* rauchle, dour.
grimace *n/v* girn.
grime *n* clart.
grimy *adj* brookie.
grin *n/v* girn.
grind *v* runch, scrunt.
grind-stone *n* grun-stane.
grip *n/v* grup.
grisly *adj* ugsome.
grist *n* girst.
gristle *n* girstle.
gristly *adj* girslie.
grit *n* grush. • *v* cramsh.
gritty *adj* shairp.
grizzled *adj* lyart.
grizzly *adj* grugous.
groan *n/v* grain.
groin *n* lisk.
groom *n* strapper.
groove *n* rit. • *v* rat.
grope *v* glaamer, growp.
gross *adj* guttie.
ground *n* grun.
groundsel *n* grunsel.
group *n* boorach, paircel.
grouse[1] *n* groose (bird).
grouse[2] *v* girn.

grove *n* plantin.
grovel *v* grafel.
grow *v* growe.
growl *n/v* gurr.
grown-up *adj* up.
growth *n* growthe.
grub *v* muddle.
grudge *n* grummle.
grudging *adj* ill-willie.
gruel *n* blearie.
gruesome *adj* ugsome.
grudge *n* ga.
gruff *adj* stroonge.
grumble *v* grummle, girn.
grumbler *n* growl, grumph.
grumbling *adj* grumlie. • *n* girn.
grumpy *adj* grumphie.
grunt *n/v* grumph.
guarantee *n* warrandice. • *v* uphaud.
guard *n/v* gaird.
guardian *n* tutor, curator.
guess *v* ettle, jalouse.
guffaw *n/v* gaff.
guidance *n* guideship.
guide *v* airt, ettle.
guile *n* pawkery.
guileless *adj* saikless.
guillemot *n* marrot, queet.
guillotine *n* maiden.
guiltless *adj* ill-less.
guilty *adj* guiltful.
gull[1] *n* goo (bird).
gull[2] *v* whillie (hoax/trick).
gullet *n* thrapple.
gullible *adj* fond.
gully *n* gullet, gill.
gulp *n/v* gowp, glaip.
gum *n* gam, goom.
gumboil *n* gumbile.
gunshot *n* brattle.
gurgle *n/v* gurl.
gurgling *adj* gurlie.
gurnard *n* crooner.
gush *n* stour; phrase. • *v* stour, teem; phrase.
gushing *adj* phrasie.
gusset *n* gushet.
gust *n* gowst. • *v* dad, tear.
gusty *adj* gowstie.
gut *n* thairm. • *v* gip.
gutter *n* gitter, trink.
guttersnipe *n* gutterbluid.
guttural *adj* howe.
guzzle *v* guttle, gilravage.
gymshoes *n* sannies.
gypsy *see* **gypsy.**

H

habit *n* haunt, kick.
habitable *adj* biglie.
habitation *n* inn.
habits *n* gates.
hack *n/v* hawk.
hackle *n* heckle.
haddock *n* haddie.
haft *n* heft.
hag *n* runt.
haggard *adj* shilpit.
haggle *v* haigle, argie-bargie.
hail *v* hoy
hailstone *n* hailstane.
hailstorm *n* blatter.
hair *n* herr.
hairband *n* snuid.
haircut *n* cowe.
hairy *adj* birsie.
hake *n* herrin hake.
half *adj/n* hauf. • *adv* halflins.
half-grown *adj* halflin.
half-light *n* hauf licht, gloamin.
halfpenny *n* bawbee.
halfway *adj* hauf-roads.
halfwit *n* daftie, halflins.
halfwitted *adj* hauf-jackit.
halibut *n* turbot.
hall *n* ha.
hallow *v* sain.
halo *n* broch.
halt *n/v* haut.
halter *n/v* helter
halve *v* hauf.
hams *n* hunkers.
hamstring *n* hoch.
hamlet *n* toon, clachan.
hammer *n/v* haimmer.
hamper *v* taigle.
hand *n* han, haun.
handful *n* haunfae.

handicap *n* doon-haud.
handkerchief *n* naipkin, snochter-dichter.
handle *n* hannle, haunle. • *v* guide.
handsome *adj* braw, weel-faured.
handwriting *n* hanwrite.
handy *adj* hantie.
hang *v* hing.
hangings *npl* hingers.
hangman *n* hangie.
hank *n* hesp.
hanker *v* ettle.
haphazard *adj* antrin.
hapless *adj* donsie.
happen *v* come.
happenings *npl* ongauns.
happily *adv* blithe.
happiness *n* seil.
happy *adj* blithe.
harangue *n* lay-aff.
harass *v* hash.
harassed *adj* trachelt.
harbour *n* herbour, hine.
hard *adj* sair, coorse, dour.
hard cash *n* dry siller.
hard-hearted *adj* whunstane.
hardly *adv* hardlins.
hard-pressed *adj* ill-pit.
hardship *n* hard.
hard-up *adj* ticht, sair aff.
hard-working *adj* warslin.
hardy *adj* derf.
hare *n* bawd, donie.
harebell *n* bluebell.
hare-brained *adj* cat-wittit.
harelip *n* hareshaw.
hark *v* herk.
harm *n/v* hairm.
harmful *adj* ill, sair.
harmless *adj* saikless.
harmonious *adj* greeable.
harmonise *v* cord.
harmony *n* greement.
harness *n* herness. • *v* graith.
harnessed *adj* drachtit.
harp[1] *n* hairp.
harp[2] *v* yap, threap.
harridan *n* targe, sauter.
harrow *n/v* harra.
harrowing *adj* sair.
harry *v* herrie.
harsh *adj* sair.
harshly *v* sair.
harvest *n/v* hairst.
harvester *n* hairster.
hasp *n* hesp.
haste *n* heist, hist.
hasten *v* heist, hist.
hasty *adj* heestie.
hat *n* hot.
hatch *v* cleck.
hatchet *n* aix.
hatching *adj* cleckin.
hate *v* ill-will.
hateful *adj* hatesome.
hatred *n* ill-will.
haughtily *adv* heich.
haughty *adj* heich.
haul *n* drave. • *v* hale.
haunches *n* hainches, hunkers.
haunt *n/v* hant.
haunted *adj* boglie.
have *v* hae, ha, hiv.
haven *n* hine.
havoc *n* dirdum.
hawk[1] *n* gled.
hawk[2] *v* clocher (cough); cadge (peddle wares).
hawker *n* cadger.
hawser *n* swing-rope.
hawthorn *n* chaw.
hay *n* hey.
haycock *n* cole.
hayfork *n* hey-fowk.
haystack *n* ruck.
hazardous *adj* unchancie.
haze *n* loom.
hazel *n* hissel.
hazelnut *n* cracker nut.
hazy *adj* roukie, haarie.
he *pron* e, ei.
head *n* heid.
head-butt *v* pit the heid on, gie a Glesca kiss.
headache *n* sair heid.
header *n* heider.
headland *n* ness.
headlong *adv* haliket.
headmaster *n* rector.
head off *v* kep.
headstone *n* lairstane.
headstrong *adj* heidie.
heady *adj* nappy.
heal *v* hail.
health *n* halth.
healthy *adj* hail.

heap *n/v* haip.
hear *v* hearken.
hearse *n* pail.
heart *n* hert, hairt.
heartache *n* hert-scaud.
heartbeat *n* wallop.
heartburn *n* watter-brash.
hearten *v* hert, upsteer.
hearth *n* hairth.
heartily *adv* hertilie.
hearty *adj* hertie.
heat *n/v* hait.
heath *n* muir.
heathen *n* haithen.
heather *n* hedder.
heathery *adj* hedderie.
heave *n* hoy. • *v* have.
heaven *n* heiven, the land o the leal.
heavenly *adj* heivenlie.
heavily *adv* souse.
heavy *adj* hivvie.
hector *v* hatter.
hedge *n* dyke.
hedgehog *n* hedger.
heed *n/v* tent.
heedful *adj* tentie.
heedless *adj* tentless.
heedlessly *adv* blinlins.
hefty *adj* sture.
heifer *n* heefer.
height *n* heicht, lenth.
heighten *v* heicht.
hell *n* the ill place.
help *n* cast. • *v* pit tae yer haun.
helpful *adj* helplie.
helping *n* raik.
helpless *adj* mauchless, doless.
helter-skelter *adv* ding-dang.
hem *n* bord.
hemlock *n* humlock.
hen *n* chookie.
hence *adv* hyne.
hen-coop *n* ree.
hen-harrier *n* gled.
her *pron* hir.
herb *n* yerb.
herd *n* paircel. • *v* wirk.
herdsman *n* herd.
hereabouts *adv* hereawa.
hermaphrodite *n* scrat.
hernia *n* rimburst.
heron *n* hern.
herring *n* herrin.
herring fishing *n* drave.
herself *pron* hersel.
hesitate *v* swither.
hesitant *adj* sweirt.
hesitation *n* swither.
heterogeneous *adj* mixter-maxter.
hew *v* howk.
hiccup *n/v* hick.
hide[1] *n* leather.
hide[2] *v* hod, dern.
hide-and-seek *n* hidie.
hideous *adj* laithlie.
hiding *n* skelping.
hiding place *n* hidie-hole.
higgledy-piggledy *adj* tapsalterie.
high *adj* heich.
high-born *adj* gentie.
higher *adj* prood.
highest *adj* heichmaist.
Highland *adj* Hielan.
Highlander *n* Hielander, teuchter.
Highlands *n* Hielans.
highly *adv* unco.
high-minded *adj* major-mindit.
high-pitched *adj* snell.
high-rise flat *n* multi.
hilarious *adj* glorious.
hilarity *n* madderam.
hill *n* hull, hope, ben, law, pen.
hillock *n* cairney, knab.
hillside *n* brae.
hilltop *n* hillheid.
hilly *adj* hill-run.
himself *pron* himsel.
hind *adj* hint.
hinder *v* hinner, block.
hindering *adj* taiglesome.
hindmost *adj* hinmaist.
hindquarters *n* hinneren.
hindrance *n* hinnerance.
hinge *n* hiddin.
hint *n* moot. • *v* mint.
hinterland *n* erse.
hip *n* hap, hurdy.
hire *n* fraucht. • *v* fee.
his *pron* heez.
hiss *n* fuff. • *v* bizz.
hissing *adj* fuzzy.
hit *n/v* gowff.
hitch *n/v* hotch.
hither *adv* hereawa.

hive *n* byke, skep.
hoard *n/v* huird.
hoarder *n* gear-gaitherer.
hoar-frost *n* haar, cranreuch.
hoarse *adj* hairse.
hoarseness *n* roup.
hoary *adj* hair.
hoax *n* rise. • *v* play the rig wi.
hob *n* bink.
hobble *n* langle. • *v* hirple, langle.
hobby-horse *n* habbie-horse.
hobgoblin *n* bockie.
hobnail *n* tacket.
hobnob *v* troke, frequent.
hock *n* hoch.
hod *n* hudd.
hoe *n/v* howe.
hog *n* gaut.
hogshead *n* hogget, hoggie.
hogweed *n* humlock.
hoist *n/v* hyste, thring.
hold *n* haud. • *v* haud; **hold back** dachle; **hold forth** lay aff; **hold off** haud aff; **hold on** behaud; **hold out** laist; **hold over** refer; **hold up** uphaud.
holding *n* haudin
hole *n* thirl.
holiday *n* hoaliday.
hollow *n* hallow, haw. • *v* hallow, howk.
holly *n* hollin.
holy *adj* halie.
home *n* hame.
home farm *n* mains.
home-grown *adj* hameart.
home-loving *adj* hame-drachtit.
homely *adj* hamelie.
homesick *adj* hame-drachtit.
homespun *adj* raploch.
homestead *n* steading, fermtoon.
homeward *adv* hamewith.
honest *adj* jonick.
honestly *adv* aefauldlie.
honesty *n* aefauld.
honey *n* hinnie.
honeysuckle *n* hinniesickle.
honour *n* honesty, mense.
honourable *adj* honest.
hood *n* huid.
hooded *adj* huidit.
hoodwink *v* swick.
hoof *n* huif.
hook *n/v* cleek.
hooligan *n* rochian.
hoop *n* gird.
hoot *v* hoo.
hop *n/v* hap, hip.
hopper *n* happer.
hopscotch *n* peevers, beds.
hope *n/v* howp.
hopeful *adj* howpful.
horde *n* fleesh.
horizon *n* easin.
horizontally *adv* flatlins.
horn *n* tooter.
hornless *adj* doddy.
horrible *adj* ugsome, grue, laithful.
horror *n* grue.
horse *n* cuddie, naig.
horsefly *n* cleg.
hospitable *adj* cadgie, hielan.
hospital *n* hoaspital.
hospitality *n* mense.
host *n* thrang.
hostile *adj* ill-kindit, awkwart.
hot *n* het.
hotchpotch *n* mixter-maxter.
hotel *n* hottle.
hothouse *n* hothoose.
hot-tempered *adj* birsie.
hound *n/v* hun.
hour *n* oor.
house *n/v* hoose.
housebound *n* hoosefast.
householder *n* hoosehadder.
housekeeping *n* hoosehaddin.
house martin *n* wunda-swalla.
house-warming *adj* hoose-heat.
housewife *n* guidwife.
hovel *n* puidge.
hover *v* swither.
hovering *adj* sweirt.
how *adv* hoo.
however *adv* hooivver.
howl *n/v* gowl.
hoyden *n* hallockit.
hubbub *n* stushie.
huddle *n/v* hiddle.
huff *n* dort, fung.
huffy *adj* snottie.
hug *n* chirt. • *v* smoorich.
huge *adj* wappin, muckle big.
hulk *n* houk.
hull *n/v* huil.
hullabaloo *n* whillybaloo.

hum *n/v* bum.
human being *n* bodie.
humane *adj* cannie, couthie.
humanity *n* fowk.
human race *n* Jock Tamson's bairns.
humble *adj/v* hummle.
humbug *n* pit-on.
humdrum *adj* ornar.
humid *adj* growthie.
humiliate *v* bemean.
humiliation *n* doon-tak.
humour *n* eemir.
humourless *adj* dour.
humorous *adj* humoursome.
hump *n* humph.
humpback *n* humph.
hunchback *n* hunchie.
hunched *adj* humphed.
hundred *adj/n* hunder.
hundredth *adj* hunder.
hungry *adj* hungert.
hunk *n* knoit.
hunt *n* fork. • *v* snoke.
hurdle *n* let, flake.
hurl *v* pick.
hurly-burly *n* fizz.
hurricane *n* skailwin.
hurry *n* chase. • *v* lick, hoy.
hurried *adj* hushlochy.
hurriedly *adv* fiercelins.
hurt *n/v* skaith.
hurtful *adj* hurtsome.
hurtle *v* hurl.
husband *n* maun.
hush *n* lown. • *v* ba.
hushed *adj* wheesht.
husk *n/v* huil.
huskiness *n* roup.
husky *adj* roupie.
hussy *n* besom, limmer.
hustle *v* dreel, rooshel.
hustling *adj* forcie.
hut *n* puidge, bothy.
hydrangea *n* hedder-reenge.
hygienic *adj* parteeclar.
hymn *n* hime.

I

I *pron* aw.
ice *n* frost.
ice-cream cone *n* pokey hat.
icicle *n* tangle.
icy *adj* sclidderie.
identical *adj* self an same.
idiosyncrasy *n* particularity.
idiot *n* daftie.
idle *adj* idleset. • *v* sloonge, slope.
idleness *n* idleset.
idler *n* slooonger.
idling *adj* tuim.
idol *n* eedol.
if *conj* gin, an.
ignite *v* kennle.
ignoble *adj* foutie.
ignominy *n* tash.
ignorant *adj* far back, unkennin.
ill *adj* ull.
ill-assorted *adj* mismarrowed.
ill-bred *adj* menseless.
ill-disposed *adj* ill-intendit.
illegal *adj* wrongous.
illegitimate *adj* ill-come, ill-gotten.
ill-fated *adj* unchancie.
ill-favoured *adj* ill-faured.
ill-gotten *adj* wrangous.
ill-health *n* unweelness.
ill-humour *n* canker.
ill-looking *adj* peely-wally.
ill-mannered *adj* ill-faured.
ill-natured *adj* grumphie.
illness *n* ill.
ill-spent *adj* ill-waured.
ill-tempered *adj* crabbit.
ill-treat *v* ool.
illustrious *adj* markit.
ill-will *n* unfreenship.
imagination *n* fantice.
imagine *v* jalouse.
imbecile *adj* wantin. • *n* daftie.
immature *adj* bairnlik.
immediate *adj* immedant.
immediately *adv* immedantly.
immense *adj* undeemous.
immerse *v* dook.
immersion *n* dookin.
imminent *adj* suin.
immobile *adj* stieve.
immoderate *adj* surfeit.

immodest *adj* heich-kilted.
immoral *adj* lowse.
impact *n* dunt.
impartial *adj* jonick.
impatient *adj* fuffie.
impeccable *adj* evendoon.
impecunious *n* ill-aff.
impede *v* dachle.
impediment *n* mant.
imperious *adj* ringin.
impertinence *n* impidence.
impertinent *adj* impident.
impetuous *adj* heidie.
impetuously *adv* fiercelins.
impetus *n* rummle.
implacable *adj* unbowsome.
implement *n* luim.
implicate *v* insnorl.
impolite *adj* ill-mou'd.
import *v* inbring.
importune *v* prig.
imposing *adj* gawsie.
impostor *n* mak-on.
impound *v* pund.
impoverish *v* povereese.
impregnate *v* bairn.
impress *v* pit on.
impression *n* steid.
imprint *n* steid.
imprison *v* prison.
imprisonment *n* ward.
impromptu *adj* affluif.
improper *adj* misbehadden.
improperly *adv* wrangouslie.
improvement *n* betterness.
improvident *adj* weirdless, daeless.
imprudent *adj* unwicelike.
impudence *n* impidence.
impudent *adj* impident.
impulsive *adj* furthie.
in *prep* i.
inactive *adj* thowless.
inadequate *adj* scrimpie.
inadmissible *adj* inhabile.
inadvertently *adv* unwittins.
inattentive *adj* tentless.
inaugurate *v* handsel.
inauguration *n* handsellin.
inauspicious *adj* unchancie.
incalculable *adj* undeemous.
incapable *adj* weirdless.
incapacitate *v* lay by.
incessantly *adv* even on.
incise *v* sneck.
incision *n* sneck, whack.
incite *v* airt.
inclement *adj* coorse, weatherful.
inclination *n* inklin.
incline *n* sklent.
incoherent *adj* raivelt.
incomer *n* ootrel, stourie-fit, sooth-moother.
incomparable *adj* marrowless.
incompatible *adj* ill-yokit.
incompetent *adj* haunless.
incompetence *n* haunlessness.
incomprehensible *adj* haithen.
inconceivable *adj* haithen.
inconvenience *n/v* disconvenience.
inconvenient *adj* disconvenient.
incorrect *adj* wrang.
incorrectly *adv* wrangways.
incorrigible *adj* past mendin.
increase *n/v* eik.
indebted *adj* behauden.
indecent *adj* undecent, foutie.
indecency *n* sculduderie.
indecision *n* swither.
indecisive *adj* twa-fangelt.
indeed *adv* deed.
indentation *n* dunt.
independent *adj* on fur yersel.
index finger *n* coorag.
indicate *v* lat see.
indication *n* tint.
indict *v* indick.
indictment *n* libel.
indifferent *adj* cauld-watter, jeck-easy.
indigenous *adj* hamelt.
indigent *adj* needfu.
indigestion *n* indisgestion.
indignant *adj* mad.
indignation *n* fashery.
indirectly *adv* sidelins.
indiscreet *adj* unwicelike.
indiscreetly *adv* braid.
indiscriminately *adv* han ower heid.
indisposed *n* nae weel.
indisposition *n* towt..
indistinct *adj* gummle.
indolence *n* sweirtie.
indolent *adj* sweirt.
indoors *adv* inby, therein.
indubitably *adv* dootless.
induce *v* moyen.

indulge *v* cuiter, cock.
industrious *adj* eydent.
industry *n* trift.
inebriated *adj* fou.
ineffective *adj* knotless, ill.
ineffectual *adj* fushionless.
inefficiency *n* throuitherness.
inefficient *adj* hanless.
inept *adj* fouterie, weirdless.
ineptly *adv* aside yer thoum.
inert *adj* waffle.
inevitable *adj* tied.
infamous *adj* ill.
infant *n* bairn, wean.
infant school *n* wee scuil.
infatuated *adj* fond, daft.
infected *adj* atterie.
infection *n* smit.
infectious *adj* smittle.
inferior *adj* laich, duffie.
infertile *adj* yeld, lea.
infest *v* owergae.
infestation *n* strik.
infested *adj* hoatchin.
infirm *adj* dwaiblie, failed.
inflame *v* raise.
inflamed *adj* gyte.
inflate *v* swall.
inflexible *adj* stench.
influence *n* hank. • *v* wark on.
influenza *n* haingles.
inform *v* witter.
informant *n* author.
information *n* witterin.
infrequent *adj* seendil.
infuriate *v* raise.
infuriated *adj* hyte.
infuse *v* mask.
ingenious *adj* knackie.
ingenuity *n* ingine.
ingenuous *adj* saikless.
ingoing *adj* ingaan.
ingratiate *v* sook.
ingratiating *adj* sookie.
inhabit *v* bide in.
inhabitant *n* indwaller.
inheritance *n* heirship.
inhuman *adj* ill-kindit.
iniquitous *adj* wickit, ill.
initiate *v* brother.
injection *n* prod, jag.
injunction *n* interdict.
injure *v* skaith.
injured *adj* bemangt.
injurious *adj* hurtsome.
injury *n* ill, skaith.
inland *n* upthrou.
in-law *adj* guid.
inlet *n* inlat.
inn *n* howf.
inner *adj* inby.
innermost *adj* benmaist.
innkeeper *n* hostler.
innocent *adj* ill-less.
innocuous *adj* saikless.
innovation *n* newfangle.
innumerable *adj* lairge.
inoculation *n* jag.
inoffensive *adj* saikless.
inquest *n* injuiry.
inquire *v* speir.
inquisitive *adj* speering.
insane *adj* daft, gyte.
insanity *n* madderam.
insect *n* beastie.
insecure *adj* eemis, crankie.
insensitive *adj* dowf.
inside *adv/prep* inower.
inside out *adj* backside foremaist.
insidious *adj* sleekit.
insignificant *adj* little-boukit.
insignificant-looking *adj* shilpit.
insincere *adj* pitten-on.
insincerity *n* pit on.
insinuate *v* moot, mint.
insinuation *n* moot.
insipid *adj* wersh, fushionless.
insipid person *n* toohoo.
insist *v* threap.
insistence *n* threapin.
insist on *v* insist for.
insolence *n* clack.
insolent *adj* ill-mould.
insolvent *adj* astarn.
insomniac *adj* waukrif.
inspect *v* leuk.
inspector *n* owersman.
install *v* induct.
instant *adj* gliff. • *n* rap.
instead *prep* insteid.
instil *v* insense intae.
instruct *v* learn.
instrument *n* luim.
insubordinate *adj* camstairie.

insufficient *adj* scrimp.
insult *n* dunt. • *v* injure.
integrity *n* mense.
intelligence *n* mense.
intelligent *adj* menseful, heidie.
intemperate *adj* surfeit.
intend *v* mint, ettle.
intense *adj* howe, odious.
intensely *adv* unco.
intent *adj* eident.
intentionally *adv* willintlie.
inter *v* beerie.
intercept *v* kep.
intercourse *n* traffeck; tail-toddle (sex).
interfere *v* middle, pit in yer spuin.
interference *n* fittininment.
intermediate *adj* hauflin.
intermittently *adv* aff an on.
internal organs *n* harigals, intimmers.
interpret *v* read.
interrogate *v* speir.
interrogation *n* speiring.
intertwine *v* warple.
intervals *npl* tweenwhiles.
interview *n* collogue.
intestines *npl* ingangs, thairms.
intimate *adj* far ben. • *n* freen.
intimation *n* burial letter.
intimidate *v* coonger.
into *prep* intae, intil.
intolerable *adj* past a.
intonation *n* tune.
intoxicate *v* fill fou.
intoxicated *adj* fou.
intoxication *n* drouthieness.
intractable *adj* thrawn, dour.
intrepid *adj* campie.
intricacy *n* wimple.
intricate *adj* kittle.
intriguer *n* mowdiewort.
introduction *n* innin.
intruder *n* incomer.
intuition *n* glent, inklin.
inundate *v* flude.
inure *v* brither.
invade *v* set on.
inveigle *v* insnorl.
invent *v* cleck.
invention *n* upmak.
invert *v* whummle.
invest *v* infeft.
investigate *v* pit throu hauns.
investigation *n* speiring.
investiture *n* infeftment.
invitation *n* invite.
invite *v* inveet.
invocation *n* sain.
involve *v* insnorl.
inward *adj* inwey.
irascible *adj* crabbit.
ire *n* birse.
iris *n* seg.
Irishman *n* Irisher.
irksome *adj* fashious.
iron *n* airn. • *v* dress.
ironing *n* airnin.
irregular *adj* orra.
irregularity *n* gley.
irreparable *adj* past mendin.
irresolute *adj* sweirt.
irresponsible *adj* glaikit.
irritable *adj* crabbit.
irritate *v* fash.
irritation *n* birse.
island *n* inch.
issue *n* heid. • *v* tove.
it *pron* hit, hut.
Italian *adj* Idalian.
itch *n/v* yeuk.
itching *n* fidgin.
itchy *adj* yeukie.
item *n* eetim.
itinerant *adj* gaun-aboot.
itself *pron* itsel.

J

jab *n/v* job, prog.
jabber *v* yammer.
jabbering *adj* yammer.
jackdaw *n* cay, jaikie.
jacket *n* jaicket.
jaded *adj* forjeskit.
jagged *adj* pikie.
jail *n/v* jile.
jailer *n* jiler.
jam *n* jeelie.
jam and bread *n* jeelie piece.
jamb *n* cheek.

jamjar *n* jeelie-jaur.
jangle *v* jing.
January *n* Januar.
jar[1] *n* jaur.
jar[2] *n/v* dirl
jaundice *n* jandies.
jaunt *n* veage.
jaunty *adj* croose.
jaw *n* chaft.
jawbone *n* chaft-blade.
jealous *adj* jeelous.
jeer *n* afftak, jamph. • *v* lant, jamph.
jelly *n* jeelie.
jellyfish *n* scalder.
jerk *n/v* yerk.
jersey *n* gansey.
jest *n/v* jeest.
jet *n* skoosh, jeet.
jetsam *n* spulyie.
jetty *n* shore, putt.
jewel *n* jowel.
jib *v* reest.
jibe *n* dunt.
jiffy *n* short.
jig *n/v* jeeg.
jilt *v* begunk.
jingle *n/v* jing, tingle.
job *n* ontak, sit-doon.
jocular *adj* jokie.
jog *n/v* shog, jundie.
joggle *n/v* joogle, shoogle.
join *n/v* jine.
joiner *n* jiner.
join in *v* hing tae.
joint *n* jint.
joint venture *n* pairtsay.
joist *n* jeest.
joke *n* baur. • *v* bourd.
jollification *n* skite, splore.
jolly *adj* sonsie.
jolt *n* shoogle. • *v* hotter.
jolting *n* hotter.
jostle *v* oxter.
jot *n* stime.
journey *n/v* raik.
jovial *adj* hertie.
jowl *n* choller.
joyful *adj* blithe.
judge *n/v* jeedge.
judgement *n* decree.
Judgement Day *n* hinmaist day.
jug *n/v* joug.
juggle *v* joogle.
juice *n* joice.
juicy *adj* sappie.
jumble *n/v* jummle.
jump *n/v* lowp.
jumper *n* gansey.
junction *n* infa.
June *n* Juin.
junk *n* rubbage, clamjamfry.
junk food *n* snashters.
jurisdiction *n* stewartry.
jury *n* assize.
just[1] *adj* jonick.
just[2] *adv* jist.
justice *n* jonick, justrie.
juvenile *adj* youthie.

K

keel *v* coup.
keen *adj* hyte, gleg, snell.
keen-edged *adj* gleg.
keen-eyed *adj* gleg-eed.
keenly *adv* snell.
keenness *n* glegness.
keep[1] *n* brose.
keep[2] *v* kep, haud; **keep going** shog; **keep off** haud aff; **keep out** haud oot; **keep up** haud on.
keepsake *n* minding.
keg *n* cag.
kerb *n* crib.
kerchief *n* curch.
kernel *n* kirnel.
kestrel *n* keelie.
kettle *n* snippy.
key *n* check.
keystone *n* putt-stane.
kick *n* fung. • *v* dump.
kick about *v* spartle.
kicker *n* funker.
kid *n* bairn, wean.
kidnapping *n* plagium.
kidney *n* neir.
kill *v* en, fell.
killer *n* murtherer.
kiln *n* kill.

kiln fire *n* kilogie.
kilt *n* philabeg.
kin *n* sib.
kind[1] *adj* couthy, canny.
kind[2] *n* kin, keind.
kindle *v* to kennle.
kindling *n* kennlin.
kindly *adj* hamelie.
kindred *adj* kinred.
kingdom *n* kinrick.
kink *n* snorl.
kipper *n* twa-eed steak.
kiss *n* smoorich. • *v* pree the lips o.
kitchen *n* keitchin.
kitchen garden *n* kailyard.
kite *n* draigon, gled.
kitten *n* kittlin.
kittiwake *n* kittie.
kitty *n* puggie.
knack *n* swick.
knave *n* dyvour, pam.
kneecap *n* knap.
kneel *v* cruik yer hochs.
knell *v* towl.
knick-knack *n* whigmaleerie.
knife *n* chib, whittle. • *v* chib.
knife-grinder *n* shantieglan.
knight *n* knicht.
knit *v* wyve, shank.
knitter *n* shank.
knitting *n* wyvin.
knitting needle *n* wire.
knob *n* knurl.
knobby *adj* swirlie.
knock *n* chap, dunt.• *v* chap, dunt; **knock about** touse; **knock down** ca doon; **knock off** lowse.
knocker *n* chapper.
knock-kneed *adj* in-kneed.
knoll *n* knowe.
knot *n* boucht. • *v* snurkle.
knotted *adj* snorlie.
knotty *adj* swirlie.
know *v* ken.
knowing *adj* wice.
knowledge *n* ken.
known *adj* kent.
knuckle *n* nickle.

L

laborious *adj* typin.
laboriously *adv* sair.
labour *n* dwang, lawbor. • *v* lawbor, warsle.
labourer *n* piner.
laburnum *n* hoburn sauch.
lace *n* stringin, pearlins.
lacerate *v* rive.
lack *n* inlaik. • *v* want.
lad *n* chiel, loon.
ladle *n* divider.
lady *n* leddy.
ladybird *n* leddy launners.
ladylike *adj* leddiness.
lag *v* daggle.
lair *n* bourie.
lake *n* loch, lochan.
lake-dwelling *n* crannog.
lamb *n* lammie.
lame *adj* hippitie, cripple.
lamely *adv* hippitie.
lameness *n* hainch.
lament *n* croon, coronach. • *v* greet.
lamentable *adj* awfu.
lamentation *n* greetin.
lamp *n* leerie.
lamplighter *n* leerie.
lamprey *n* lamper eel.
lancet *n* lance.
land *n* lan.
landing *n* plat, pletty.
landlady *n* guidwife.
landlord *n* superior.
landmark *n* meith.
landowner *n* laird.
lane *n* trance, loanin, vennel.
language *n* leid.
languid *adj* smerghless.
languish *v* dwine.
lanky *adj* shilpit.
lantern *n* bouet.
lantern-jawed *adj* lang-chaftit.
lap *v* laip, slorp.
lapse *n* prescription. • *v* sleep, prescribe.
lapwing *n* peewee, teuchit.
larceny *n* stootherie.
larch *n* larick.
lard *n* saem.

larder *n* spence, aumrie.
large *adj* muckle, lairge.
largely *adv* maistlie.
lark *n* laverock. • *v* daff.
larynx *n* thrapple.
lash *n* screenge. • *v* leash.
lass *n* lassie, quine.
last [1]*adj/adv/n* (the) laist, lest (final).
last 2 *v* laist, lest (endure).
last [3] *n* iron fit (in shoemaking).
last night *n* yestreen.
last part *n* hineren.
last year *n* fernyear.
latch *n/v* sneck.
late *adj* ahin, umquhile. • *adv* hyne.
later *adv* gain.
lath *n* spail.
lathe *n* lay.
lather *n* sapples. • *v* freith.
latter *adj* hinner.
lattice *n* tirless.
laugh *n/v* lach.
laughing stock *n* moniment.
laughter *n* lachter.
launch *v* lanch.
laundress *n* washerwifie.
laurel *n* larie.
lavatory *n* cludgie, watterie, wee hoose.
lavish *adj* lairge.
law *n* laa.
law-abiding *adj* leal.
lawbreaker *n* brakker.
lawless *adj* lowse.
lawsuit *n* law-plea.
lawyer *n* writer, lawer.
lax *adj* lither.
lay *v* set i; **lay aside** pit by; **lay out** streek.
layabout *n* sloonge.
layer *n* dass, skliffer, scruif.
layout *n* ootset.
laziness *n* idleset.
lazy *adj* sweirt, daeless.
lazy person *n* snuil, brochle.
lea *n* ley.
lead[1] *n* leid.
lead[2] *v* wice.
leader *n* heidsman, high heid yin.
leaf *n* blade, lid.
leak *v* leck, laik.
leakage *n* seep.
leak out *v* skail, spunk oot.
leaky *adj* gizzen.
lean[1] *adj* pookit, tuim.
lean[2] *v* heeld. • *n* hing.
leap *v* lowp.
learn *v* lairn.
learned *adj* far i the buik.
learning *n* lair, buik-lair.
lease *n* less. • *v* tak.
leather *n* ledder.
leave *n* freedom. • *v* lea, quat.
leave-taking *n* wa-gang.
leavings *npl* hinneren.
lecher *n* dyke-louper, loon.
lecture *n* lecter.
ledge *n* cantle.
lee *n* lithe.
leech *n* gell.
leek *n* foos.
lees *npl* gruns.
left *adj* car, ker. • *adv* wast.
left-hand *n* ketach.
left-handed *adj* car, ker-haundit.
left-handed person *n* corrie-fister.
leftovers *n* orts, orras.
leg *n* sham.
legal papers *n* process.
legend *n* leegen.
leggings *npl* leggums.
legs *n* trams.
leg-up *v* hainch.
leisure *n* leesure.
leisure-time *n* by-time.
lemon *n* leemon.
lemonade *n* skoosh.
lend *v* len.
length *n* lenth.
lengthen *v* rax.
lengthwise *adv* enlang.
lenient *adj* sapsie.
lest *conj* least.
let *v* lat, set; **let down** misgie; **let fly** lat gird; **let go** lowse.
let-down *n* snipe.
lethargic *adj* thowless.
lethargy *n* sweirtie.
letter *n* scrieve.
level *adj* snod, evenlie. • *n* mine. • *v* straik.
level-headedness *n* rummlegumption.
lever *n* lewer. • *v* pinch.
levy *n/v* stent.
lewd *adj* ruch.
liar *n* waghorn.
liberal *adj* hertie.

liberate *v* leeberate.
libertine *n* loon, dyke-louper.
liberty *n* leebertie.
library *n* leebrarie.
lice *npl* cattle, loosies.
licence *n/v* leeshence.
licentious *adj* lowse, ill-daein.
lichen *n* hazelraw.
lick *n/v* slaik.
lie *n/v* lee, lig.
lie-in *n* long lie.
lieutenant *n* lieutenand.
life *n* wizzen.
lifeless *adj* deid as a mauk.
lift *n/v* heeze.
light *adj* licht. • *n* licht, leam. • *v* lichten.
lighten *v* lichten.
light-fingered *adj* sticky-fingert.
light-headed *adj* reezie.
light-hearted *adj* licht-hertit.
lightly *adv* lichtlie.
lightning *n* foudrie, fireflacht.
like *adj/v* lik.
likeable *adj* fine, innerlie.
likelihood *n* likly.
likely *adj* lik.
likeness *n* limn.
likewise *adv* siclik.
liking *n* goo.
lilac *n* laylock.
limekiln *n* likewark.
limestone *n* limestane.
limit *n/v* leemit.
limp[1] *adj* wamfle.
limp[2] *n/v* hirple.
limpet *n* lempit.
limping *adj* hippitie. • *n* haut.
linchpin *n* lin-pin.
line[1] *n* mairch.
line[2] *v* sark.
lineage *n* kin.
linen *n* plainen, harn.
linen cupboard *n* naperie press.
ling *n* hedder.
linger *v* hinder.
lingering *adj* lag.
linnet *n* lintie.
linoleum *n* waxcloth.
linseed *n* linget.
lip *n* mull.
liquid *n* broo, bree.
liquor *n* bree, bevvy.
liquorice *n* lickerie.
list *n* leet.
listen *v* hark, hearken.
listener *n* hearkener.
listless *adj* fushionless.
listlessly *adv* davielie.
literary work *n* quair.
lithe *adj* soople, swack.
litigate *v* pursue.
litter *n* brod. • *v* ferry.
little *adj* wee, peedie, peerie. • *n* bittock, thocht.
little finger *n* pinkie.
little girl *n* lassock.
little man *n* mannie.
live *v* leeve, stay; **live in** kitchie; **live on** leeve aff.
livelihood *n* brose.
liveliness *n* lifieness, smeddum.
livelong *adj* leelang.
lively *adj* forcie, gleg.
livestock *n* gear.
livewire *n* stang o the trump.
livid *adj* blae, radge.
living *n* brose.
lizard *n* heather-ask.
loach *n* bairdie.
load *n/v* laid.
loaf[1] *n* laif, breid.
loaf[2] *v* sloonge, mump.
loafer *n* sloonger.
loan *n* len.
loath *adj* sweirt.
loathe *v* ug, laith.
loathing *n* laith.
loathsome *adj* laithlie, scunnersome.
lobby *n* entry.
lobster *n* lapster.
lobster pot *n* creel.
local *n* howff.
locality *n* airt.
lock *n* flacht. • *v* key; **lock up** *v* sneck up.
lock and key *n* lockfast.
lockjaw *n* jaw-lock.
lock, stock and barrel *n* stoup an roup.
lodge *n/v* ludge.
lodger *n* ludger.
lodging *n* ludgin.
loft *n* laft.
lofty *adj* heich.
log *n* clog.
loin *n* backsey.

loiter *v* lyter.
loiterer *n* jotter.
lonely *adj* lanelie.
long[1] *adj* lang.
long[2] *v* green for, glagger.
long ago *adv* lang syne.
longing *adj* awid. • *n* ill-ee.
long-legged *adj* lang-shankit.
long-suffering *adj* patientfu.
long time *adv* guid bit.
long-winded *adj* enless.
look *n/v* leuk; **look about** sky; **look after** leuk ower, lippen; **look at** leuk till; **look for** seek, **look like** *v* mak for.
look here! *interj* leuk see!
look out! *interj* min yersel!
loom *n* luim.
loop *n* kinch. • *v* hank.
loose *adj* lowse.
loose-fitting *adj* lowse.
loosen *v* lowsen.
loose woman *n* limmer, randie.
loot *n* spulyie.
lop *v* sneck.
lope *v* lowp.
lopsided *adj* lab-sidit.
loquacious *adj* gabbie.
loquacious person *n* blether.
loquacity *n* tongue-raik.
lord *n* laird.
lordly *adj* lairdlie.
lorry *n* larrie.
lose *v* loss; **lose ground** gae back.
loss *n* miss.
lot *n* awfie, awfu.
lottery *n* luck pock.
loud *adj* lood, fell.
loudly *adv* heich.
loud-mouthed *adj* glowsterin.
lounge *v* sloonge.
lounger *n* haiverel.
louse *n* loose.
lout *n* scurryvaig, filsh.
loutish *adj* coorse, miraculous.
love *n/v* luve.
lovable *adj* loosome.
love-child *n* luve-bairn.
lovely *adj* bonny, loosome.
lover *n* lovie, jo.
lovesick *n* gyte.
loving *adj* fain.
loving look *n* luve-blink.
lovingly *adv* condinglie.
low[1] *adj* laich, law.
low[2] *v* belloch, rowt.
low-class *adj* main, waff.
low-class person *n* keelie, schemie.
lower *adj* nether. • *v* laich.
lowering *adj* cankert.
lowest *adj* nethmaist.
lowing *adj* rowt.
lowland *n* lallan.
low-lying *adj* inby.
low-spirited *adj* disjaskit.
low tide *n* grun-ebb.
loyal *adj* leal.
loyally *adv* leal.
loyalty *n* lealtie.
lubricate *v* creesh.
luck *n* sonse.
luckless *adj* misfortunate.
lucky *adj* sonsie, canny.
lucky dip *n* lucky poke.
lug *v* humph.
lukewarm *adj* lew.
lull *n* daak. • *v* ba.
lullaby *n* hushie-ba.
lumbago *n* lumbagie.
lumber[1] *n* troke (odds and ends).
lumber[2] *v* trachle.
lump *n* dad, claut. • *v* knot.
lump together *v* slump.
lumpy *adj* knottie.
lunatic *n* bammer, gyte.
lung *n* buff.
lungwort *n* thunner-an-lichtenin.
lurch *n* stoit. • *v* rowe.
lure *v* wice, wile.
lurid *adj* roarie.
lurk *v* lirk.
luscious *adj* maumie.
lush *adj* growthie.
lustful *adj* radgie.
luxuriant *adj* growthie, ruch.

M

machine *n* ingine, graith.
machinery *n* graith.
mad *adj* gyte, daft.
madam *n* mem.
madden *v* raise.
maddening *adj* fashious, ugin.
madness *n* madderam.
mad person *n* gyte, bammer.
maggot *n* mauk.
maggoty *adj* meithie, maukit.
magic *n* glamour, cantrip.
magician *n* warlock.
magistrate *n* baillie.
magpie *n* maggie.
maid *n* lass, quine, servin lass.
maiden *n* dame, deem.
maid-of-all-work *n* scuddler.
maim *v* mank, mishannle.
main *adj* feck.
mainlander *n* ferry-louper, sooth-moother.
mainly *adv* fecklie.
main street *n* toon yett.
maintain *v* haud, fend.
maintenance *n* uphaud.
major *adj* maist.
majority *n* feck.
make *v* mak; **make believe** mak-on; **make do** pit by; **make for** airt for; **make much of** daut; **make off** skice; **make up to** chim.
makeshift *n* by-pit.
male *n* he.
malediction *n* malison.
malefactor *n* ill-daer.
malevolent *adj* ill-hertit.
malice *n* ill, ill-will.
malicious person *n* keek.
malignant *adj* uncanny.
malinger *v* fraik.
mallard *n* mire-duck.
mallet *n* bittle.
mallow *n* maw.
malt *n/v* maut.
maltster *n* mautman.
man *n* he, carle, chiel.
manage *v* manish.
manageable *adj* fleet.
manager *n* guider, factor, heid bummer.
managing *adj* fendie.
manger *n* foresta.
mangle *v* mishannle, massacker.
mangy *adj* scawt.
manhood *n* manheid.
manifest *v* kythe.
manifestation *n* kythin.
manifold *adj* moniplied.
manipulate *v* pauchle.
mankind *n* fowk, Jock Tamson's bairns.
manly *adj* pretty.
manner *n* mainner.
mannerism *n* ginkum.
mannerly *adj* menseful, mainnerlie.
manners *npl* mainners.
manoeuvre *v* airt, wice.
manservant *n* servan chiel.
mansion *n* ha, big hoose.
manslaughter *n* culpable homicide.
mantelpiece *n* lintel.
mantle *n* manteel.
manure *n/v* mainner.
many *adj* monie, plenty.
map *n* caird.
mar *v* mank, spulyie.
maraud *v* spulyie.
marble *n* bool, chippie.
march *n/v* mairch.
March *n* Mairch.
mare *n* mear.
marigold *n* yella gowan.
mark *n/v* merk.
marker *n* prap, cairn.
market *n* mercat.
market garden *n* mail gairden.
marketplace *n* tron.
marriage *n* mairriage.
marriage bond *n* band.
marriage partner *n* marrow.
marriage settlement *n* tocher, sitting-doon.
marrow *n* mergh
marry *v* mairry.
marsh *n* gullion.
marshal *n/v* marischal.
marshland *n* moss.
marsh marigold *n* wildfire.
marshy *adj* marish.
martin *n* mairtin.
martyr *n* mairtyr.
marvel *n/v* ferlie.

mash *n* powsowdie. • *v* champ, chap.
mashed potatoes *n* champit tatties.
masher *n* bittle.
mason *n* dorbie.
masonry *n* stane an lime.
masquerade *n* guise.
masquerader *n* guiser.
mass *n* haip, hulk.
mast *n* most.
master *n* maister. • *v* maugre.
mastery *n* poustie, grip.
mastitis *n* weed.
mat *n* hap. • *v* taut.
match[1] *n* lunt, spunk.
match[2] *n/v* marrow (equal).
matchless *adj* marrowless, maikless.
mate *n* marrow, neibour.
matrimony *n* mairriage, mink.
matron *n* wife, guidwife.
matted *adj* tautit.
matter *n/v* maitter.
mature *adj* muckle.
maul *v* massacker, rive.
maunder *v* maunner.
may *v* mith.
May *n* Mey.
maybe *adv* mebbe.
mayfly *n* scur.
mayor *n* provost.
me *pron* iz, us.
meadow *n* mede.
meadowsweet *n* queen o the mede.
meagre *adj* scrimpit.
meal *n* diet.
meal-chest *n* male-kist.
mealtime *n* diet-oor.
mealy-mouthed *adj* mim.
mean[1] *v* ettle, bear.
mean[2] *adj* grippie, scrimpit, foutie.
meander *n* jouk, wimple. • *v* wimple.
meaningless *adj* haiveless.
meanness *n* grippiness.
mean person *n* nipscart.
meantime *n* tween hauns.
meanwhile *n* tween hauns.
measles *n* mirls.
measure *n* mett, mizzer. • *v* mizzer.
measurement *n* mett.
measuring rod *n* ellwan.
meat *n* mait, flesh.
meat market *n* skemmels.
mechanism *n* intimmers.
meddle *v* middle.
meddlesome *adj* inbearing.
mediation *n* moyen.
medicinal *adj* hailsome.
medicine *n* graith.
meditate *v* pit the brain asteep.
meditative *adj* pensefu.
medium *adj* middlin.
meek *adj* patientfu.
meet *v* kep, tryst, forgaither.
meeting *n* forgaitherin, tryst, sederunt.
meeting place *n* trysting place.
melancholy *adj* dowie, unhertsome.
mellow *adj* maumie.
melody *n* souch.
melt *v* molten, spale; **melt away** mizzle; **melt down** rind.
membrane *n* striffin.
memento *n* minding.
memorandum *n* jottin.
memorial stones *n* cairn.
memory *n* minding.
menace *n* sorra. • *v* mint.
mend *v* fettle, sort.
menial *n* scodgie.
menstruate *v* see her ain.
mention *v* mou, mint.
merchandise *n* troke.
merchant *n* merchan.
mercy *n* merciment.
merge *v* gae thegither.
merit *n* mense.
mermaid *n* marmaid.
merrily *adv* mirkie.
merry *adj* blithesome, croose.
merry-making *n* daffin.
mesh *n* mask.
mess *n* guddle, slackstate, carfuffle.
mess about *v* plaister, poach.
messy *adj* slitterie, slaisterie.
messy person *n* slitter, slaister.
messy work *n* kirn.
meteor *n* fire-flacht.
method *n* road.
methodical *adj* purposelik.
methylated spirit *n* feek.
meticulous *adj* pinglin.
mettle *n* saul.
mettlesome *adj* mettle.
mew *n/v* maw.
miaow *n/v* maw.
midday *n* twaloors.

midday meal *n* twaloors.
midden *n* coup, tuim.
middle *adj* mids.
middle-aged *adj* auld-young.
midge *n* midgie, mudge.
midnight *n* midnicht, dumb-deid.
midst *n/prep* mid.
Midsummer Day *n* Johnsmass.
midway *adv* hauf-roads.
midwife *n* howdie.
midwifery *n* howdyin.
midwinter *n* howe o winter.
might *n* micht.
mighty *adj* michtie.
mignonette *n* minnonette.
mild *adj* saft, lithesome.
mildew *n* foost.
milk *n* mulk. • *v* draw, mulk.
milking stool *n* mulkin steel.
milking time *n* kye time.
milk jug *n* poorie.
milk pail *n* bowie, hannie.
mill *n* mull.
mill around *v* kirn.
miller *n* millart.
millrace *n* lade.
millstone *n* stane.
milt *n* melt.
mimic *n* afftak.
mince *v* minch.
minced meat *n* minch, mince.
mincing *adj* mim-mou'd.
mine[1] *n* heuch.• *v* howk.
mine[2] *pron* mines.
miner *n* pickman.
miner's lamp *n* tallie lamp.
mineshaft *n* sink.
mineworkings *npl* winnings.
minister's house *n* manse.
minnow *n* minnon.
minstrel *n* bard.
mint *n* lamb's tongues.
mint imperial *n* pan drop.
minute[1] *adj* peerie-weerie.
minute[2] *n* meenit.
mire *n* clart.
mirror *n* seein gless.
mirth *n* hirdum-dirdum.
misapprehension *n* mistak.
misbehave *v* gae ower the score.
miscall *v* miscaw.
miscarriage *n* slip.
miscarry *v* miscairry, misgae.
miscellaneous *adj* orra.
mischief *n* ill, cantrip, hule.
mischievous *adj* ill-deedie, mischievious.
mischievousness *n* ill-gates.
mischievous person *n* limb o the deil.
misconduct *n* ill-daein.
misdemeanour *n* ill-daein.
miser *n* misert, nabal.
miserable-looking *adj* oorie.
miserable-looking person *n* soor-lik bodie.
miserly *adj* grippie, misert.
misfortune *n* mischief, mishanter.
misgivings *npl* doots.
mishandle *v* misguide.
mishap *n* skavie, mishanter.
misinform *v* mistell.
misinformed *adj* mislearit.
mislay *v* loss.
mismanage *v* misguide, blunk.
mismanaged *adj* ill-guidit.
mispronounce *v* misca.
miss *v* misgae, tyne; **miss something** miss yersel.
missel-thrush *n* storm-cock.
misshapen *adj* camshachelt, bachelt.
missing *adj* amissin.
mist *n* rouk, haar, reek.
mistake *n/v* mistak.
mistaken *adj* mistaen.
mistress *n* guidwife, hersel (head of house); limmer (abusive), bidie-in (lover).
mistrust *v* misdoubt.
misty *adj* roukie, haarie, reekie.
misunderstood *adj* mistaen.
misuse *v* disabuse.
mitigate *v* licht.
mitten *n* pawkie.
mix *v* mell; **mix up** *v* taigle.
mixture *n* mixter-maxter.
mix-up *n* snorl.
mixed up *adj* row-chow.
moan *n/v* complain.
moaning *adj* greetin-faced.
mob *n* canallie.
mock *v* jamph, lant.
mockery *n* afftakin, jamph.
mocking *adj* afftakin.
mocking remark *n* afftak.
moderate *adj* middlin. • *v* lowden.
moderately *adv* middlins.

moderation *n* mense.
modern *n* modren.
modest *adj* blate.
moist *adj* sappie.
moisten *v* slock.
moisture *n* moister.
molar *n* aisle-tuith.
molasses *n* traicle.
mole *n* mowdieworp, rasp.
mole-catcher *n* mowdie.
molehill *n* mowdiehill.
moleskin *n* mowdieskin.
molest *v* sturt, steer.
mollycoddle *v* daut, fraik.
moment *n* blink.
momentum *n* virr.
Monday *n* Monanday.
money *n* siller, bawbies.
moneybox *n* pig, thrifite.
monied *adj* sillert.
mongrel *n* tike.
monkey *n* pug.
monotonous *adj* dreich.
monotonously *adv* dreichlie.
monster *n* cleisher.
monstrous *adj* wappin.
month *n* muin.
monument *n* moniment.
mood *n* muid, tune.
moody *adj* tunie.
moon *n* muin.
moor *n* muir, moss.
mooring post *n* pall.
mop *v* swaible.
mope *v* mump.
moral person *n* unco guid.
morass *n* slag, flow.
more *adj/adv* mair.
moreover *adv* mair.
morning *n* forenoon.
morose *adj* still.
morsel *n* bittock.
mortal illness *n* deid ill.
mortar *n* lime.
mortgage *n* hypothec. • *v* hypothecate.
mortuary *n* deid-hoose.
moss *n* fog, flow.
moss-covered *adj* fogged.
mossy *adj* foggie.
most *adj* maist.
mostly *adv* maistlie.
most of *adj* feck o.
moth *n* moch.
moth-eaten *adj* mochie.
mother *n* mither.
mother-in-law *n* guid-mither.
motion *n* mudge.
mottled *adj* marlie.
motley *adj* mixter-maxter.
mould *n* foost, mool.
moulder *v* moolder.
moulding *n* mooldin.
mouldy *adj* foostie.
mouldy smell *n* foost.
moult *n/v* moot.
mound *n* moond, tulloch.
mount[1] *n* munt. • *v* munt, lowp on.
mount[2] *n* muntain.
mountain *n* muntain, ben.
mountain ash *n* rowan.
mountain pass *n* bealach.
mounting-stone *n* lowpin-on stane.
mourn *v* murn, croon.
mourner *n* soulie.
mournful *adj* dowie.
mournfully *adv* dowielie.
mournful sound *n* mane.
mourning *n* murning.
mourning clothes *npl* blacks, murnings.
mouse *n* moose.
mousetrap *n* moose-fa.
moustache *n* mouser.
mouth *n* mou, mooth.
mouth-organ *n* moothie.
move *v* muve; **move along** hirsel yont; **move house** flit; **move to and fro** wampish.
movement *n* mudge.
movements *npl* mudgins.
mow *v* maw.
mower *n* mawer.
Mrs *n* Mistress.
much *adv* muckle, meikle.
much alike *adj* neibours, eeksy-peeksy.
much less *adv* forby.
muck *n* clart.
muck-rake *n* hack.
mucus *n* goor, glit.
mud *n* glaur, clart.
muddle *n* fankle.
muddle along *v* puddle.
muddled *adj* raivelt.
muddle-headed *adj* bumbazed.
muddle-headedness *n* throuitherness.

muddy *adj* clarty. • *v* glaur.
muddy place *n* plowter.
muff *n* wristie.
muffler *n* gravat.
mug *n* moog.
muggy *adj* mochie.
mugwort *n* muggart.
mullet *n* pelcher.
multicoloured *adj* lyart.
multitude *n* crood.
mum *n* mam, mammie, maw.
mumble *v* mump, mummle.
mummer *n* guiser.
mummy *n* mammie.
mumps *n* branks.
munch *v* hash.
murder *n/v* murther, malky.
murderer *n* murtherer.
murk *n* mirk.
murky *adj* mirksome.
murmur *n* curmurrin, murmuration. • *v* croon, hummer.
murmuring *adj* corrieneuchin.
mush *n* powsowdie. • *v* poach.
mushroom *n* puddock stuil.
musician *n* musicker.
mussel *n* clabbydhu.
mussel-bed *n* mussel scaup.
must *v* maun.
mustard *n* mustart.
musty *adj* foostie.
mute *n* dummie.
mutilate *v* mar, massacker.
mutilated *adj* mankit.
mutter *v* mump.
mutton *n* traik.
mutual assistance *n* giff-gaff.
muzzle *n/v* mizzle.
my *pron* ma, mi.
my own *pron* mine ain.
myself *pron* masel.
mysterious *adj* eldritch.

N

nag[1] *n* jaud, yaud.
nag[2] *v* natter; **nag at** threap.
nagging *adj* natter.
nail *n* caddle.
naive *adj* hielan.
naked *adj* scuddie, in the scud.
nakedness *n* bare scud.
name *n/v* nem.
nap *n* dover. • *v* dwam.
nape *n* cuff, howe.
napkin *n* naipkin.
nappy *n* cloot, hippin.
narcissus *n* lily.
nark *v* yap.
narrow *adj* sma.
narrowly *adv* near.
narrow-minded *adj* nippit.
narrow part *n* hause.
nasty *adj* naistie, nestie.
nasty-minded *adj* ill-thochit.
nasty person *n* skite.
native *adj* hameart, kin.
native district *n* cauf kintra.
natural *adj* kindly, naitral.
natural death *n* strae daith.
nature *n* naitur.
naught *n* nocht.
naughty *adj* coorse.
naughty child *n* wick.
nausea *n* scunner.
nauseate *v* scunner.
nauseating *adj* scunnersome.
nauseous *adj* stawsome.
navel *n* nyle.
navelwort *n* maid-in-the-mist.
navvy *n* cley davy.
near *adj* nar, nearhan. • *adv* nar, aside. • *prep* nar, nearaboot.
nearby *adj* narby.
nearer *adv/prep* narrer.
nearest *adv/prep* narrest.
nearly *adv* nar, near.
neat *adj* nate, dink.
neaten *v* snod, trig.
neatly *adv* ticht.
neatly-made *v* pretty.
necessaries *npl* necessars.
necessary *adj* necessar.
necessitate *v* necessitat.
neck *n* craig, hause.
necktie *n* owerlay.
needle *n* wire.
needlecase *n* hussie.
needlewoman *n* shewster.

needlework *n* shewin.
needy *adj* needful.
ne'er-do-well *n* dae-na-guid.
neglect *n* negleck. • *v* negleck, mislippen.
neglected *adj* brookit.
negligent *adj* thrieveless.
negligent action *n* quasi-delict.
negotiation *n* transack.
negro *n* bleck.
neice *n* brither-dochter
neigh *n/v* nicher.
neighbour *n* neibour.
neighbourhood *n* neibourheid.
neighbouring *adj* nearhan.
neighbourliness *n* neipert.
neighbourly *adj* neibourlik.
neither *conj* naither.
nephew *n* nevoy.
nervous *adj* nervish, timorsome.
nervousness *n* swither.
nest *n* est.
nestle *v* coorie in.
nestling *n* younker.
nets *n* fleet.
nettle *n* jennie-nettle.
neuter *v* lib, dress, sort.
never *adv* niver.
never mind *adv* nivver heed.
nevertheless *adv* still an on.
new *adj* split-new, spleet-new.
newcomer *n* ootrel.
newfangled *adj* new-farran.
newly *adv* newlins.
news *npl* newings, speirings, uncos.
newt *n* ask.
New Year gift *n* Ne'erday.
New Year's Day *n* Ne'erday.
New Year's Eve *n* Hogmanay.
New Year visitor *n* first fit.
next *adj* nixt, neist.
next but one *adj* next.
nib *n* neb.
nibble *v* mowp.
nice *adj* cliver.
nickname *n* teename.
nick of time *n* clippin time.
niggard *n* nipscart, niggar.
niggardly *adj* nippit
night *n* nicht.
night before last *n* erethestreen.
nightcap *n* nicht mutch.
nightfall *n* mirkin, dayligaun.
nightgown *n* goonie.
nightingale *n* nichtingale.
nightjar *n* fern owl.
nimble *adj* nimmle, knackie.
nimbly *adv* soople.
nineteenth *adj* nineteent.
ninepins *npl* kyles.
ninth *adj* nint.
nip *n* nib. • *v* chack, sneck.
nipple *n* tit.
nippy *adj* nebbie.
nit *n* neet.
no *adj/adv* nae.
noble *n* thane.
nobody *pron* naebodie.
nodding *adj* nid-noddin.
node *n* knot.
nod off *v* dover.
noise *n* soon, roar.
noisy *adj* roarie.
nominate *v* leet.
nondescript *adj* orra.
none *pron* nane.
nonentity *n* vision, roun o.
nonplus *v* raivel.
nonsense *n* blethers.
nonsensical *adj* haiverin.
non-traveller *n* scaldie.
nook *n* neuk.
nooks and crannies *n* creeks an corners.
noon *n* nuin.
noose *n* mink, kinch.
normal *adj* kindly.
normally *adv* for ordinar.
north *n* nor.
northerly *adj* norlin.
northern *adj* norlan.
northerner *n* norlander.
northern lights *n* merry dancers, pretty dancers.
northernmost *adj* normost.
northwards *adv* northart.
nose *n* neb, snotterbox. • *v* snoke.
nosebag *n* mou-poke.
nostril *n* nosethirl.
nosy *adj* nebbie.
nosy person *n* neb.
not *adv* nae, no.
notable *adj* markit, namelie.
not any *pron* nae, nane.
notary *n* writer.
notch *n* nitch, natch. • *v* sneck, natch.

note *n* line, spatril. • *v* mark.
notebook *n* jotter.
noted *adj* namelie.
notepad *n* scroll.
noteworthy *adj* parteeclar.
nothing *n* naethin, nocht.
nothing at all *n* deil a haet.
notice *n* tent. • *v* tak tent.
notion *n* norie.
notorious *adj* notour.
notwithstanding *prep* neithers.
nought *n* naet.
nourish *v* nourice.
nourishment *n* fushion.
novel *adj* new-farran.
novelty *n* newin.
now *adv* noo, the noo.
nowadays *n* nooadays.
now and again *adv* ilka sae lang.
now and then *adv* whiles.
nowhere *adv* nae place.
noxious *adj* ill, hurtsome.
nude *adj* nakit.
nudge *n/v* nidge, nodge.
nuisance *n* fash.
nullification *n* irritancy.
nullify *v* irritate.
numb *adj* taibetless.
number *n/v* nummer.
numerous *adj* lairge, thrang.
nurse *n* nourice. • *v* cuiter, sort.
nurture *v* fess up.
nut *n* nit.
nuzzle *v* snoozle.

O

oaf *n* sumph.
oak *n* axik.
oar *n* air.
oatcake *n* bannock, aitcake.
oatcakes *npl* breid.
oaten *adj* aiten.
oat-grass *n* swine arnit.
oatmeal *n* meal, male.
oatmeal pudding *n* mealie pudding, brose.
oath *n* aith.
oats *n* aits, corn.
obedient *adj* bowsome.
obey *v* obtemper.
object *n/v* objeck.
objection *n* pleen.
objectionable *adj* scunnersome.
obligation *n* obleegement.
obliging *adj* bowsome, helplie.
oblique *adj* sklent, squint.
obliquely *adv* agley, asklent.
obliterate *v* disannul.
obnoxious *adj* ill-faured.
obscene *adj* ruch, groff.
obscenity *n* sclatrie.
obscure *adj* dern, mirk. • *v* smoor.
obsequious *adj* sleekit.
observant *adj* tentie.
observation *n* observe.
observe *v* leuk til.
obsessed *adj* thirled tae, unable tae see past.
obstacle *n* stick.
obstinate *adj* thrawn, unbowsome.
obstinately *adv* rizzon or nane.
obstreperous *adj* ramstam, radge.
obstruct *v* mar, stap.
obstruction *n* hinder.
obvious *adj* kenable.
occasion *n* tid, use.
occasional *adj* orra, antrin.
occasionally *adv* at a time, at the edge o a time.
occupied *adj* fest.
occur to *v* glance on.
ocean *n* tide.
odd *adj* orra, unco.
oddity *n* magink, queerie.
odd jobs *n* jots.
odd-jobs man *n* orraman, jotter.
odd-looking person *n* ticket.
odd person *n* queerie.
odds and ends *npl* orras.
odour *n* waff, guff.
of *prep* o.
off *adv/prep* aff; • *adj* foostie.
offal *n* emmledeug.
offence *n* gee.
offend *v* offen, miscomfit.
offended *adj* struntit.
offender *n* fauter.
offensive *adj* ill-faured.
offer *n/v* bode.

offhand *adj* affluif.
office *n* offish.
officer *n* offisher.
officious *adj* inbearing.
offset *n* intak.
offshore *adj* ooterlie.
offspring *n* bairn, wean.
often *adv* afen, aft.
ogle *v* blink.
ogre *n* etin.
oil *n/v* ile, uilie.
oilcan *n* poorie.
oilcloth *n* waxcloth.
oil jar *n* uilie pig.
oil lamp *n* eelie dolly, cruisie.
oily *adj* ilie, sleekit.
old *adj* auld, aul.
old age *n* eild.
oldest *adj* aul.
old-fashioned *adj* aul-farran.
old-fashioned girl *n* grannie mutch.
old-fashioned woman *n* Aunty Beeny.
old-maidish *adj* primsie.
old man *n* bodach.
old woman *n* cailleach, carline.
omen *n* warnin.
ominous *adj* uncanny.
omission *n* pass-ower.
omit *v* hip.
on *prep* in, o.
once *adv* aince, yince.
once or twice *adv* a time or twa.
one *adj/n* ane, yin.
one after another *adv* efter ither.
one and only *n* wha but he.
one another *pron* ilk ither.
one kind *adj* eeksie-peeksie.
oneself *pron* yerself.
onion *n* ingan.
only *adj* ainly, ae.
only child *n* bird-alane.
onset *n* onding.
onslaught *n* onding.
onward *adv* forrit.
ooze *n* seep, glaur. • *v* weeze.
oozings *npl* sypins.
open *adj/v* apen.
opening *n* open.
openly *adv* fair.
open-mouthed *adj* gyping.
opponent *n* unfreen.
opportune *adj* timeous.
opportunity *n* inlat, scowth.
oppose *v* conter, thorter, gainstand.
opposed *adj* contrair.
opposite *n* contrair, conter. • *prep* anent, forenent.
oppress *v* haud doon, owergang.
oppressed *adj* hauden-doon.
oppressive *adj* gurthie, sair.
oppressively hot *adj* muith.
opulent *adj* fouthie.
orange *n* oranger.
orchid *n* balderie.
ordain *v* ordeen.
ordeal *n* throu-come.
order *n* ranter. • *v* speak, ca.
orderliness *n* ranter.
orderly *adj* trig.
ordinary *adj* ordinar.
ordinary person *n* scone o the day's baking.
organ *n* kist o whustles.
organically sound *adj* hert-hale.
organs *n* harigals.
organise *v* guide.
origin *n* oreeginal.
original *adj* oreeginal.
original *n* principal.
ornament *n* affset. • *v* fineer.
ornamental *adj* wallie.
ornate *adj* fantoosh.
orphan *n* orphant.
ostentation *n* bladrie.
ostentatious *adj* palaverin.
ostentatious behaviour *n* palaver.
other *pron* ither.
other times *adv* itherwhiles.
otherwise *adv* itherwise.
ought *n* ocht.
ounce *n* unce.
our *pron* oor, wir.
ourselves *pron* oorsels, wirsels.
out *adv* oot.
out and out *adj* ringin.
outbuildings *npl* steading.
outburst *n* eruction, gowster.
outcast *n* ootlan, ootcuissen.
outcome *n* upcome, aftergait.
outcry *n* sang, scronach.
outdo *v* cowe, bang.
outdoor *adj* oot aboot.
outer *adj* ooter.
outer room *n* but, oot-room.
outfit *n* graithin.

outflow *v* stour.
outgoing *adj* gracious.
outing *n* veage.
outlandish *adj* haithen.
outlaw *n* ootlin.
outlay *n* ootgang.
outlet *n* ootlat.
outline *n* rinnin.
outlying *adj* oot, ootby.
outlying land *n* ootlan.
out of *prep* ooten.
out of doors *adj* ootby.
out of hand *adj* oot o theat.
out of place *adj* misbehadden.
out of sorts *adj* oorlich, peely-wally.
output *n* through-pit.
outrageous *adj* maroonjous, abstraklous.
outright *adv* ootricht.
outset *n* affset.
outside *adv* ootside, ootwith. • *prep* furth.
outsiders *n* the fremd.
outskirts *n* ootby.
outsmart *v* win ahin.
outspoken *adj* tongue-be-trusht.
outstanding *adj* by-ornar.
outstanding person *n* beezer, dancer.
outwards *adv* ootwan, ootby.
outwit *v* raivel.
ouzel *n* chack.
ovary *n* egg-bed.
oven *n* ovven.
over *adv/prep* ower.
overall *n* carsackie, ovies.
over and above *prep* forby.
over and done *adj* by wi.
over-anxious *adj* rackie.
overawe *v* coonger.
overbalance *v* coup.
overbearing *adj* ringin.
overburden *v* trachle.
overburdened *adj* trachelt.
overcast *adj* owercast, loorie.
overcharge *v* saut.
overcoat *n* muckle coat.
overcome *adj* owertaen. • *v* owercome.
overcooked *adj* sair duin.
overdressed *adj* fantoosh.
overdue *adj* ahin the haun.
overeating *n* gutsin.
overexcited *adj* raised.
overflow *v* skail.
overgrown *adj* grown-up.
overhang *v* owerhing.
overhead *adj* abuneheid.
overheads *npl* oncost.
overlook *v* owerleuk, mislippen.
over-particular *adj* fykie.
overpower *v* owerpooer.
over-precise *adj* perjink.
overrate *v* owerrate.
overreach *v* owerrax.
over-refined *adj* prick-ma-dentie.
overrun *adj* hoachin. • *v* ower-rin.
oversee *v* owersee.
overseer *n* grieve, owersman.
oversleep *v* sleep in.
overstep *v* owerstap.
overtake *v* owertak.
overtax *v* hash.
overthrow *v* owerthraw, ding doon.
overtime *n* by-oors.
overturn *v* coup.
overturning *adj* coup.
overweening *adj* heich.
overwhelmed *adj* trachelt.
overwork *v* hash.
overworked *adj* trachelt.
owe *v* awe.
owing *adj* owe.
owing to *conj* wi.
owl *n* ool, hoolet.
own *adj* ain. • *v* awn; **own up to** haud wi.
owner *n* awner.
ownership *n* aucht.
ox *n* owse.
oxen *n* owsen.
ox-eye daisy *n* horse gowan.
oyster *n* oo.
oyster-catcher *n* sea-pyot.

P

pace *n* pass, spang. • *v* pass, reenge.
pacify *v* peecifee.
pack *n* bunnle. • *v* stap.
packed *adj* stowed.
packed lunch *n* piece, denner-piece.
packed lunch box *n* piece box.
pack of cards *n* pair o cairds.
pack-saddle *n* sheemach, clibber.

pad *n* pluff.
paddle *v* paiddle.
paddock *n* parroch.
pail *n* cog, bowie.
pain *n* bide, fash.
painful *adj* sair.
painful injury *n* sair yin.
painfully *adv* sair.
painstaking *adj* fash.
paint *n/v* pent.
painted *adj* pentit.
paintwork *n* pent.
pair *n* twasome, perr.
palace *n* pailace.
palatable *adj* suppable.
palaver *n* carfuffle.
pale *adj* whitelie, peely-wallie, gash.
paling *n* pailin.
palisade *n* peel.
pall *n* mortclaith.
pallid *adj* palie, peely-wally.
palm *n* luif.
palpitate *v* flaff, dunt.
palpitation *n* dunt.
paltry *adj* fouterie.
pamper *v* cuiter, daut.
pamper oneself *v* socher.
pampered *adj* leepit, deltit.
pan *n* tillie-pan, pingle-pan.
panache *n* panash.
pancake *n* screever, English pancake.
pancreas *n* breeds.
pane *n* peen.
panelling *n* boxin.
pang *n* stang, stoun.
panic *n* swither.
pannier *n* packet.
pant *n/v* pech.
pantry *n* aumrie.
paper bag *n* poke.
parade *n* parawd.
paralyse *v* paraleese.
paralysed *adj* blastit.
paralysis *n* paraleesis.
parapet *n* ravel.
paraphernalia *npl* orders.
parasite *n* eat-mait.
parasitic *adj* sornie.
parboil *v* leep.
parcel *n/v* paircel.
parch *v* birsle.
parched *adj* drouchit.
pare *v* white.
parent *n* pawrent.
paring *n* scruiffin.
parish *n* pairish.
parish church *n* muckle kirk.
parishioner *n* pareeshioner.
park *n* pairk.
park-keeper *n* parkie.
parlour *n* chaumer, room.
paroxysm *n* rapture.
parrot *n* papingo.
parry *v* kep.
parsimonious *adj* ticht, grippie.
part *n/v* pairt.
particle *n* ressum.
particular *adj* parteeclar, perjink.
particularly *adv* parteeclar.
parting *n* (of hair) shed.
parting drink *n* deoch-an-dorus.
parting of the ways *n* shedding.
partition *n* parteetion.
partly *adj* pairtlie, halflins.
partner *n* pairtner, neibour.
partnership *n* partnerie.
partridge *n* paitrick.
party *n* pairtie, ploy, ceilidh.
pass *n* bealach, slap. • *v* weir in, see, pit by, win by; **pass away** win awa; **pass by** haud by; **pass over** win ower, hip.
passageway *n* gang, close, entry, vennel.
passing bell *n* deid bell.
passing by *adj* by-gaen.
passion *n* feem, patience.
passionate *adj* birsie, heidie.
passive *adj* fushionless.
past *adv* bygane. • *prep* by.
paste *n/v* batter.
pastime *n* play.
pastries *npl* snashters.
pasture *n* paster, gang. • *v* girse.
pasturage *n* girsin, lizour.
pasty-faced *adj* peely-wally.
pat *n/v* clap.
patch *n/v* eik, cloot.
patch up *v* souder.
patella *n* knap.
paternity *n* filiation.
path *n* pad, roadie.
pathetic *adj* sair.
patience *n* thole.
patient *adj* tholemoodie.
patronage *n* cheenge.

patter *v* whitter.
pattern *n* pattren.
paunch *n* painch.
pause *n* still. • *v* hover.
pave *v* causey.
pavement *n* causey, plettiestanes.
pavilion *n* paveelion.
paw *n* spag, luif. • *v* pawt.
pawn *n/v* pawnd.
pawnshop *n* pawn.
pay *n/v* pey; **pay attention** tent; **pay dearly** cauk; **pay for** pey.
pea *n* pey.
peace *n* pace, lown.
peaceable *adj* greeable.
peaceful *adj* lown.
peaceful place *n* lown.
peacefully *adv* lown.
peacock *n* paycock.
peahen *n* paysie.
peak *n* peen, kip, skip.
peaked *adj* skippit.
peaky *adj* peakit.
peal *n* jow, brattle. • *v* jow, dinnle.
peanut *n* puggie nut.
pea pod *n* cod, shaup.
pear *n* peer.
pearl *n* pairl.
pearlstring *n* pearlin.
peashooter *n* scooter.
pea soup *n* pey bree.
peat *n* pate, turf
peat basket *n* creel, cassie.
peat bog *n* moss, hill.
peat-cutter *n* peat-caster, tusker.
peat-cutting *v* peat-castin.
peat dust *n* drush, coom, smoorach.
peat fire *n* peat lowe.
peat-stack *n* ruck, stack, bing.
peat working *n* peat-hag, moss-hag.
peaty water *n* peat bree.
pebble *n* chuckie, peeble.
pebbly *adj* rocklie.
peck *n* dorb. • *v* pick.
peckish *adj* hungert.
peculiar *adj* unco, parteeclar.
peculiarity *n* unconess.
pedantic *adj* lang-nebbit.
peddle *v* cadge.
pedestrian *n* ganger.
pedestrians *npl* fit-fowk.
pedlar *n* cadger, packman, troker.
pedlar's wares *n* troke.
peel *v* pilk.
peep *n* keek, glent. • *v* keek, pleep.
peephole *n* keekhole.
peeping Tom *n* keeker.
peer[1] *n* maik.
peer[2] *v* stime.
peevish *adj* fashious, girnie.
peewit, pewit *n* peesweep.
peg *n* nag, nab.
pellet *n* skirp.
pellets *npl* hail.
pelt *n* pellet. • *v* clod, dad.
pen *n* cruive, fank. • *v* pumphal, fank.
penance *n* mends.
pencil-point *n* nib.
pendulum *n* pendle.
penetrate *v* prog, thirl; **penetrate into** howk.
penis *n* pintle, whang, wan.
penmanship *n* hanwrite.
pen-nib *n* neb.
penniless *adj* plackless.
penny *n* stuir.
penny-farthing *n* speeder.
pensioner *n* foggie.
pensive *adj* pensefu.
pent up *adj* inhauden.
penurious *adj* scuddie.
penury *n* puirtith.
peony *n* speengie rose.
people *n* fowk.
pepper *n* spice.
pepper and salt *n* dab-at-the-stuil.
peppermint *n* sweet pan drop.
peppery *adj* spicy.
perceive *v* fin, feel.
perceptive *adj* nizwise.
perch *n* spaik.
percolate *v* seep, seek.
peremptory *adj* cuttit.
perfect *adj* perfit.
perfectly *adv* perfit.
perfidious *adj* slidderie.
perforate *v* thirl.
perhaps *adv* aiblins, mebbe.
pericardium *n* huil.
peril *n* wanchance.
period *n* stoun.
perish *v* tyne.
perjure *v* manswear.
perjured *adj* mansworn.

perk *n* chance. • *v* spunk.
perky *adj* birkie.
permit *v* lat, leeve.
perpendicular *adj* evendoon.
perpetually *adv* for aye.
perplex *v* kittle, fickle.
perplexed *adj* bumbazed.
perplexity *n* swither.
perquisite *n* chance.
persecute *v* pursue, murther.
persevere *v* stick in, hing in.
persevere in *v* haud at.
persevering *adj* through-gawn.
persist *v* haud at.
persistent *adj* dreich.
persistently *adv* even on.
person *n* bodie.
perspire *v* sweet.
persuade *v* wice.
pert *adj* forritsome.
pert child *n* nacket.
pert person *n* nyaff.
perturb *v* fash.
perverse *adj* thrawn, camstairie.
perverse streak *n* thrum.
perversity *n* thraw.
pervert *v* thraw.
pest *n* provoke, scunner.
pester *v* pest, steer.
pestle *n* champer.
pet *v* browden, daut.
petrify *v* fricht.
petted *adj* deltit.
petted child *n* sookie.
petticoat *n* coat.
petty *adj* pea-splittin.
petulant *adj* tiftie.
pew *n* dask.
pewit *see* **peewit** *n* peesweep.
pewter *n* pewther.
phantom *n* adhantare, bogle.
pharmacist *n* poticary.
pheasant *n* feesan.
phlegm *n* glit.
phosphorescence *n* fire-burn.
phrase *n* rame.
physics *n* natural philosophy.
pick *n* pike • *v* pike; **pick at** pewl at; **pick out** chap; **pick up** lift, cock.
pick and choose *v* lift an lay.
pickle *n* picher.
picnic *n* kettle.
picture *n* picter.
piddle *v* strone.
piddling *adj* drutlin.
piebald *adj* pyotie.
piece *n* dorle, nip, dad.
piece of work *n* hanlin.
pieceworker *n* tasker.
pie dish *n* ashet.
pied wagtail *n* willie-wagtail.
pier *n* shore.
pierce *v* prog, jab.
piercing *adj* snell.
pig *n* grice.
pigeon *n* doo.
pigeonhole *n* doocot.
pigeon-toed *adj* hen-taed.
piggyback *adj/n* coalie-back.
piggy-bank *n* pirlie pig.
pig-headed *adj* thrawn.
pig in a poke *n* blin bargain.
pignut *n* arnit.
pigsty *n* cruive.
pigswill *n* swine-mait.
pigtail *n* pleat.
pike *n* ged, pickstaff.
pile *n/v* bing, rickle.
pilfer *v* pauchle.
pilgrim *n* pilgrimer.
pill *n* peel.
pillage *v* reive, herrie.
pillar *n* pall, stoop.
pillow *n* pillae.
pillowcase *n* pillowbere.
pilot *n* lodesman. • *v* airt.
pimple *n* pluke, plouk.
pimply *adj* plukey.
pin *n/v* peen, preen.
pinafore *n* peenie.
pincers *n* pinchers.
pinch *n* nip. • *v* nirl, skech.
pinched *adj* scrimp, shilpit.
pincushion *n* preen-cod.
pine[1] *v* dwine, peenge.
pine[2] *n* bonnet fir.
pine cone *n* fir yowe.
pine needle *n* preenack.
pinhead *n* preen-heid.
pink *n* spink.
pinpoint *n* neb.
pins and needles *n* prinkle.
pious *adj* gracie.
pip *n* paip.

pipe *n* gun.
pipe band leader *n* pipe major, pipie.
pipeclay *n* camstane.
pipe cleaner *n* pipe riper.
pipit *n* lintie.
piquant *adj* sherp.
pique *n* heelie.
piqued *adj* struntit.
pirate *n* caper.
pirouette *v* wheel.
pit *n* heuch, winning, delf.
pitch[1] *n* pick (tar).
pitch[2] *v* keytch, pick (throw).
pitch-dark *adj* pit-mirk.
pitcher *n* pig, graybeard.
pitchfork *n* fowe.
pith *n* sense, fushion.
pithead *n* hill.
pit-heap *n* pit bing, coal bing.
pithless *adj* fushionless.
pitiable *adj* peetiful.
pitted *adj* coinyelled.
pity *n* shame. • *v* mane.
placate *v* dill.
place *n* bit, spat. • *v* stell, steid.
placenta *n* cleanin.
placid *adj* fine.
plagiarise *v* thig.
plague *n* pest. • *v* deave, pest.
plaice *n* plash.
plaid *n* plaidie.
plain *adj* hamelt. • *n* carse (land).
plaintiff *n* pursuer.
plait *n* plet, pleat. • *v* warp, plet.
plan *n* ploy, schame. • *v* ettle, mint.
plane *n* han-plane (for wood). • *v* scrunt.
plank *n* clift.
plant *v* lay, set doon, stell.
plantain *n* curl-doddie.
plantation *n* plantin.
plant out *v* set aff.
plaster *n* plaster, stookie. • *v* plaister, cleester.
plate-rack *n* bink.
platter *n* ashet.
plausible *adj* fair-farran, sleekit.
play *n* ploy. • *v* rampage.
play fair *v* play fair hornie.
playful *adj* geckin.
playing cards *n* cairts, deil's picter buiks.
plaything *n* playock.
play truant *v* troon, jouk.
plead *v* prig.
pleading *adj* priggin.
pleasant *adj* canty, couthy.
pleasantly *adv* mirkie.
please *v* pleesure.
pleased *adj* prood.
pleasure *n* pleesure.
pleat *n/v* plet.
pledge *n* wad. • *v* wad, hecht.
plentiful *adj* rife, rowth.
plentifully *adv* rife.
plenty *n* fouth, rowth.
pliable *adj* dwaible.
pliant *adj* dwaible.
pliers *n* pinchers.
plight *n* pliskie.
plimsolls *n* sannies.
plod *v* stodge.
plodder *n* stodger.
plop *n/v* plowp, plowt.
plopping noise *n* plump.
plot *n* dale, glebe. • *v* collogue.
plough *n/v* pleuch.
plough-handle *n* pleuch-stilt.
ploughman *n* pleuchie.
ploughshare *n* pleuch-sock.
plover *n* pliver.
pluck *n* gumption.
plucky *adj* stuffie.
plug *n* prop. • *v* stap.
plum *n* ploom.
plume *n* pen.
plump *adj* plumb, sonsie.
plump person *n* fodgel.
plunder *n* spulyie, creagh. • *v* spulyie, reive.
plunderer *n* reiver.
plunge *n/v* plowt, plype.
plunger *n* plumper.
pneumoconiosis *n* stourie lungs.
poach *v* spoach.
poacher *n* spoacher.
poacher's hook *n* geg.
pocket *n/v* pootch.
pocket money *n* Seturday penny.
pock-marked *adj* pockarred.
pod *n* huil, cod. • *v* shaup, huil.
podgy *adj* pudgie.
poem *n* pome.
poet *n* makar, bard.
point *n/v* pint.
poison *n/v* pooshion.

poisonous *adj* pooshionous.
poke *n/v* powk, prog.
poke about *v* ruit.
poker *n* proker.
pole *n* powl, pall.
polecat *n* foumart.
police *n* polis.
policeman *n* polis.
polish off *v* perish.
polite *adj* menseful.
pollack *n* lythe.
polled *adj* hummelt.
pollute *v* fyle, smit.
polysyllabic *adj* lang-nebbit.
pompom *n* toorie.
pompous *adj* fou, pensie.
pond *n* pound, dub.
pony *n* pownie.
pooh-pooh *v* hoot.
pool *n* puil.
poor *adj* puir.
poor fellow *n* puir sowl.
poorly *adj* badly, tender.
pop *v* lowp.
pope *n* pape.
popery *n* paperie.
popgun *n* spoot-gun.
popish *adj* paipish.
popping noise *n* plunk.
poppy *n* puppie.
popular *adj* faur ben.
porcelain *n* wallie.
porch *n* rochel, entry.
pork *n* purk.
porpoise *n* pellock.
porridge *n* parritch.
porridge bowl *n* cap.
porridge stirrer *n* spurtle.
port *n* herbour.
portend *v* bod.
portent *adj* warnin.
portfolio *n* blad.
portion *n* lab, dale.
portrait-painter *n* limner.
possess *v* aucht.
possession *n* haddin.
possessions *npl* gear.
possibility *n* maybe.
possibly *adv* mebbe.
post *n* stoop, stob.
posterior *n* dowp.
postman *n* postie.
postpone *v* continue.
postponement *n* continuation.
posture *n* shape.
posy *n* bob.
pot *n* pat.
potato *n* tattie.
potato bag *n* tattie poke.
potato basket *n* tattie creel.
potato cake *n* tattie scone, tattie bannock.
potato clamp *n* tattie bing.
potato digger *n* tattie howker, tattie deevil.
potato field *n* tattie pairk.
potato harvest *n* tattie howkin.
potato leaves *n* tattie shaws.
potato masher *n* tattie champer.
potato peeler *n* tattie parer.
potato pit *n* tattie pit.
potato seedbox *n* tattie ploom.
potato skin *n* tattie peelin.
potato soup *n* tattie bree.
pot-bellied *adj* guttie.
potbelly *n* cog wame.
potent *n* stieve.
potential *n* scowth.
potful *adj* pottle.
pot handle *n* pat-bool.
pot-hanger *n* swee.
pothole *n* powe.
pot-leg *n* pat-fit.
pot lid *n* pabrod.
pot-scourer *n* scrub.
potted meat *n* plowt, potted heid/hoch.
potter *v* plowter, fouter.
pottering *n* kirn.
pottery *n* lame.
pouch *n* pootch, poke.
poultry *n* pootrie.
poultry woman *n* hen wifie.
pound[1] *n* pun.
pound[2] *v* champ, pun.
pour *v* poor; **pour off** shire; **pour out** tuim.
pout[1] *v* poot.
pout[2] *n* siller fish.
poverty *n* puirtith.
poverty-stricken *adj* ill-aff.
powder *n/v* poother.
powdery *adj* pootherie.
power *n* pooer.
powerful *adj* poorfae.
powerless *adj* mauchless.
practicable *adj* prestable.

practical joke *n* pliskie.
practice *n* haunt.
practise *v* practeese.
praise *n/v* ruise.
prance *v* brank.
prank *n* pliskie.
prattle *n/v* gash, gibble-gabble.
prawn *n* praan.
pray *v* engage.
prayers *n* guid words.
preacher *n* missionar.
precarious *adj* kittlie, tolter.
precious *adj* praicious.
precious stone *n* jowel.
precipice *n* heuch, scaur.
precipitous *adj* brent.
precocious *adj* aul-farran.
precocious child *n* nacket.
predicament *n* snorl.
predict *v* spae, weird.
prediction *n* spae, weird.
pre-eminence *n* gree.
pregnant *adj* boukit, on the road.
prejudiced *adj* nairra-nebbit.
premature *adj* afore the pint.
premonition *n* warnin, forego.
preoccupied *adj* taen up wi, jammed.
prepare *v* graith.
prepared *adj* boden, boon.
prepare for *v* mak for.
preposterous idea *n* megrim.
prescience *n* moyen.
prescription *n* line.
present *adj* forrit. • *n* praisent. • *v* gift.
presentable *adj* faisible, weel tae be seen.
presently *adv* the noo.
preserve *v* preser.
preside *v* moderate.
president *n* preses, convener.
press *n/v* preese, birze; **press on** *v* bode.
pressure *n* birze, thrangitie.
presume *v* jalouse.
presumption *n* hard neck.
pretence *n* pit on.
pretend *v* mak on; **pretend to do** mak a fashion o; **pretend to be busy** haiver.
pretended *adj* simulate.
pretentious *adj* fantoosh.
pretentious person *n* knab.
pretext *n* scug.
pretty *adj* bonny. • *adv* gey.
pretty well *adv* geylies.
prevail upon *v* weir roon.
prevaricate *v* hunker-slide, whittie-whattie.
prevarication *n* whittie-whattie.
prevent *v* kep, pit fae.
previous *adj* umquhile.
previously *adv* afore.
price *n* wanworth, dearth, ransom.
prick *n/v* prog, jag.
pricker *n* progger.
prickle *n* jag. • *v* prinkle.
prickly *adj* jaggie, prickie.
prickly feeling *n* prickle.
prig *n* primp.
priggish *adj* perjink, pensie.
prim *adj* mim, perjink.
prime *v* fang.
primly *adv* mim, perjink.
primrose *n* pink.
primula *n* dusty miller.
principal *adj* heid. • *n* rector.
print *n/v* prent.
printed book *n* prent buik.
printer *n* prenter.
prior to *adv/prep* afore.
prison *n* jile.
prisoner *n* panel.
private *adj* quate.
privet *n* privy.
privy *n* wee hoose, cludgie, watterie.
prize *n* gree, tak.
probable *adj* lik.
probe *n* speiring, prog. • *v* speir, prog.
problem *n* tickler, kinch.
proceed *v* ca awa; **proceed against** pit at; **proceed with** insist in.
procession *n* parawd.
proclaim *v* lat wit.
proclamation *n* scry.
procrastinate *v* latch.
procrastinating *adj* snifflin.
procrastination *n* weeshie-washie, aff-pit.
procrastinator *n* aff-pit.
prod *n/v* prog, pork.
prodigal *adj* wastrif.
produce *n* ootcome.
produce young *v* ferry.
production *n* ootcome, through-pit.
profane *adj* ill.
proficient *adj* profite.
profit *n* ootcome, fore.

profound *adj* lang-heidit.
profuse *adj* rowth.
profusion *n* rowth.
progeny *n* get.
progress *n* ongae, oncome. • *v* spin.
progressive *adj* fordel.
prohibit *v* interdict.
project *n/v* projeck.
projection *n* neb.
prolific *adj* breedie.
prominent *adj* kenspeckle.
promise *n/v* hecht.
promising youngster *n* lad o pairts, lass o pairts.
promontory *n* ness.
promote *v* forder.
prompt *adj* gleg, yare.
prone *adj* grooflins.
prong *n* prang, tae.
pronounce *v* pronoonce.
pronouncement *n* speak.
proof *n* pruif.
prop *n* prap, haud. • *v* prap, stuit.
propel *v* pile.
proper *adj* wicelik.
properly *adv* richt.
property *n* gear, pack.
prophecy *n* spae.
prophesy *v* spae.
prophetess *n* weird wife.
propitious *adj* seilful.
proportion *n* plenty.
proposal *n* speiring.
propose *v* propone, speir for.
proprietor *n* awner.
propriety *n* honesty.
prose *n* screed.
prosecute *v* pit at.
prosecutor *n* complainer, procurator fiscal.
prosper *v* luck, thram.
prosperity *n* seil.
prosperous *adj* fouthie, bien.
prostitute *n* limmer, hairy.
prostrate *adj* awald, felled. • *v* fooner.
protect *v* proteck.
protection *n* beild, hap.
protest *n* plaint. • *v* murmell.
protrude *v* boggle.
protuberance *n* knap.
proud *adj* prood.
proudly *adv* heich, voostie.
prove *v* pruive.
proverb *n* wice-sayin, say.
provide *v* fend.
provide for *v* sort.
provided *conj* boden.
provident *adj* forehandit.
provocation *n* provokshin.
provoke *v* chaw.
provoking *adj* angersome.
prow *n* horn.
prowler *n* scunger.
prowling *adj* skechin.
prudent *adj* canny, forethochtie.
prudish *adj* mim.
prune[1] *n* ploom damas.
prune[2] *v* sneck, sned.
pry *v* spy, neb.
prying *adj* lang-nebbit.
psalm *n* saum.
pub *n* howf.
publican *n* brewster.
publish *v* proclaim, cry.
pucker *n* bumfle.
pudding *n* puddin.
puddle *n* dub, hole.
puddles *n* gutters.
puerile *adj* bairnlie.
puff *n/v* pluff, fuff.
puffball *n* blin man's buff.
puff out *v* pluff.
puffed out *adj* bumfelt.
puffin *n* Tammie norrie.
puffy *adj* pluffie.
pugnacious *adj* fechtin.
pugnacity *n* fecht.
pull *n/v* pul, pou, click; **pull about** touse; **pull a leg** draw a leg; **pull apart** spelder; **pull oneself together** gaither; **pull through** thole throu; **pull to pieces** rive; **pull up** hale.
pullet *n* poullie.
pulley *n* block.
pullover *n* gansey.
pulp *n* potterlowe. • *v* pran.
pulpit *n* poopit.
pulsate *v* putt.
pulverise *v* murl.
pummel *v* nevel, knuse.
punch *n/v* nevel.
Punch-and-Judy show *n* puppie show.
punctilious *adj* pintit.
punctiliously *adv* pintitly.

punctual *adj* pintit.
punctually *adv* pintitly.
puncture *v* prog, jag.
pungent *adj* snell.
pungency *n* nip.
punish *v* pey, sort.
punishment *n* pey.
punt pole *n* sting.
puny *adj* drochlin, shilpit.
puny person *n* drochle.
pup *v* whalp.
pupil *n* scholar, sicht.
puppet show *n* puppie show.
purchase *n/v* coff.
purchases *npl* messages.
purge *v* wark, scoor.
purify *v* shire.
purl *v* pearl.
purple *n* purpie.
purpose *n/v* ettle, mint.
purposeless *adj* fushionless.
purr *n* murr. • *v* curmur.
purse *n* spung, spleuchan. • *v* thraw.
purulent *adj* attrie.
pus *n* etter, humour.
push *n/v* pouss; **push along** hurl.
pustule *n* plook.
put *v* pit; **put aside** pit by, set by; **put away** wa-pit; **put down** plunk; **put in order** redd; **put off** pit fae; **put out** set oot, smoor; **put together** rattle up; **put up with** thole, bide.
putrefy *v* muilder.
putrid *adj* humphed.
putty *n* pottie.
puzzle *n* tickler. • *v* fickle, tickle.
puzzling *adj* kittle, ticklie.

Q

quack *v* quaik.
quaff *v* coup.
quagmire *n* bobbin-quaw.
quail *v* jouk.
quaint *adj* orra, aul-farran.
quake *v* quak.
quaking grass *n* shaker.
qualify *v* qualifee.
qualm *n* doot.
quandary *n* swither.
quantity *n* amoont.
quarrel *n/v* thraw, threap.
quarrelling *adj* flytin.
quarrelsome *adj* carnaptious.
quarrelsome woman *n* randie.
quarry *n* quarrel. • *v* howk.
quarter *n* airt.
quarter day *n* term day.
quarter pound *n* quarter.
quarters *n* up-pittin.
quaver *v* tremmle.
quay *n* shore.
queer *adj* clem.
queer-looking person *n* magink.
quench *v* slock, smoor; **quench one's thirst** weet yer thrapple.
querulous *adj* girnie.
query *n/v* speir.
quest *n* fork.
question *n* speir. • *v* speir at, streek.
questioning *adj* speiring.
quibble *n* fittiefie.
quick *adj* gleg, cliver.
quickest *adj* suinest.
quickly *adv* swith.
quick-tempered *adj* snappous.
quick-witted *adj* gleg, sparkie, knackie.
quiet *adj* quate, quietlik. • *n* quate, saucht.
quieten *v* quaten.
quietly *adv* quate.
quill *n* pen.
quilt *n/v* twilt.
quirk *n* fittifie.
quite *adv* hail, raither.
quits *adv* equals-aquals.
quiver *n* hotter. • *v* quither, queever.
quota *n* pairt.

R

rabbit *n* kinnen.
rabbit's burrow *n* clap.
rabbit's tail *n* bun, fud.
rabble *n* clamjamfrie.
rabid *adj* wuid.
race[1] *v* stour.

race[2] *n* ilk, etion.
rack *n* heck.
racket *n* ricket.
racquet *n* clackan.
radiance *n* lowe.
radish *n* reefort.
raffle *n* lucky-poke.
rafter *n* raft, bauk.
rag *npl* cloot.
ragamuffin *n* tattie-bogle.
rage *n* tirrivee. • *v* fizz.
ragged *adj* raggit.
ragman *n* ragger.
rags *n* duds, cloots.
ragwort *n* ragweed.
raid *n* creach, spreath.
raider *n* reiver.
rail[1] *n* ravel.
rail[2] *v* flyte.
railing *n* ravel.
railway points *n* snecks.
rain *n* weet, sowp. • *v* plump, pish doon.
raindrop *n* spark.
rainy *adj* saft, plowterie.
rainy day *n* sair fit.
raise *v* heeze.
rake *n* scartle, rap. • *v* quile; **rake together** *v* harl.
ram *n* tup.
ramble *v* rammle, rander.
ramshackle *adj* ricklie.
ramsons *n* ramps.
rancour *n* gum.
random *adj* beguess.
randy *adj* radgie.
range *n/v* reenge; **range over** raik.
rank *adj* ramsh, ruch.
ransack *v* ransackle.
rant *v* rane, natter.
rap *n/v* knap.
rapacious person *n* gled.
rape *n* rap.
rapid *adj* strick.
rare *adj* seendil.
rarities *n* uncos.
rascal *n* laidron.
rascally *adj* waffie, coorse.
rash[1] *adj* ramstam.
rash[2] *n* rush.
rashly *adv* ramstam.
rasp *n/v* risp.
raspberry *n* rasp.
raspberries *npl* thummles.
raspberry picking *n* berry-pickin, the berries.
rat *n* ratton.
rat-trap *n* stamp.
rate *n* raik.
rather *adv* raither.
ratify *v* chap.
ration *n/v* raition.
rational *adj* wicelik.
rattle *n/v* dirl, blatter.
raucous *adj* roupit.
ravage *v* herrie.
rave *n* raverie. • *v* rame.
ravel *v* fankle.
raven *n* corbie.
ravenous *adj* geenyoch.
ravine *n* heuch, gill.
raving *adj* gane, radge. • *n* raverie.
raw *adj* hard, oorie.
raw-boned *adj* runchie.
ray *n* leam.
razor *n* razzor, malky.
razorbill *n* scoot.
razor-fish *n* spootfish.
reach *n/v* reak; **reach out** *v* rax; **reach over** rax ower.
ready *adj* olite.
ready cash *n* lyin siller.
real *adj* rael.
really! *interj* fegs!
realm *n* kinrick.
reap *v* raep.
reaper *n* cutter.
rear[1] *adj/n* hint.
rear[2] *v* fess up, park.
reason *n* rizzon.
reasonable *adj* wicelik.
rebellious *adj* heidie.
rebound *v* skite, stot.
rebuff *n* turn. • *v* snuil.
rebuild *v* rebig.
rebuke *n/v* rebook.
recalcitrant *adj* reestie.
recall *v* mind.
receipt *n* quittance.
recent *adj* raicent.
recently *adv* newlins.
reception *n* innin.
recess *n* crannie, neuk.
recipe *n* receipt.
recitation *n* scrift.

recite *v* rame.
reckless *adj* rackless.
recklessly *adv* racklessly.
reckless person *n* ramstam.
reckon *v* rackon.
reckoning *n* rackonin.
reclaim *v* rive.
recline *v* lean.
recluse *n* mowdiewort.
recognise *v* ken.
recognition *n* kennin.
recoil *n* putt. • *v* resile.
recollect *v* mind.
recollection *n* mindin.
recommend *v* moyen.
recompense *n* rewaird.
reconcile *v* gree.
reconsider *v* forethink.
record *n* writ.
recount *v* screed aff.
recover *v* win ower, gaither.
recovery *n* betterness.
recrimination *n* back-come.
recruit *v* list.
rectify *v* richtify.
recuperate *v* sturken.
red *n* rid, reid.
redcurrant *n* rizzar.
redden *v* rid, reid.
redress *v* remeid.
redshank *n* pleep.
reduce *v* lowden.
reduction *n* inlaik.
reed *n* sprot.
reef *n* skellie.
reel *n* pirn, spring. • *v* slinger.
referee *n* thirdsman.
refined *adj* perjink.
reflect *v* refleck.
reform *v* mend.
refrain *n* owerword.
refresh *v* caller.
refreshing *adj* caller.
refuge *n* bield.
refund *v* repeat.
refurbish *v* replenish.
refurnish *v* replenish.
refuse[1] *v* deny.
refuse[2] *n* hinneren, redd.
refuse-collector *n* scaffie.
regale *v* treat.
region *n* kintra.
register *n* catalogue.
regret *v* rue.
regular *adj* raiglar.
reign *v* ring.
reimburse *v* repey.
reiterate *v* threap.
relapse *n/v* back-gang.
relate *v* effeir, screed aff.
related *adj* sib.
relation *n* kin, sib.
relationship *n* sibness.
relative *n* sib.
relax *v* lint.
release *v* lowse.
reliable *adj* sicker.
relief *n* easement.
relieve *v* exoner, souder.
relinquish *v* quate.
reluctance *n* sweirtie.
reluctant *adj* sweirt, thrawn.
rely *v* lippen.
remain *v* bide.
remainder *n* lave.
remains *npl* orrals.
remark *n* say, observe.
remarkable *adj* unco.
remedy *n/v* remede.
remember *v* mind.
remind *v* mind.
reminiscence *n* minding, recoll.
remnant *n* remainder.
remote *adj* ootlan, farawa.
removal *n* shift, flit.
remunerate *v* mak up, pey.
rend *v* rive.
render *v* rind.
rendezvous *n/v* tryst.
rennet *n* yirnin.
renovate *v* replenish.
rent *n* rive.
reopen *v* tak up.
repair *v* sort, fettle.
reparation *n* mends.
repartee *n* giff-gaff.
repay *v* repey.
repayment *n* repetition.
repeat *v* rane, say ower.
repent *v* mak a rue, remorse.
replete *adj* fou.
replica *n* limn.
reply *v* speak back.
report *n* din. • *v* clype.

repose *v* rist.
repress *v* haud in aboot.
repressed *adj* doon-hauden.
reprimand *v* scaud.
reproach *n* wyte. • *v* rag.
reprobate *n* laidron.
reproof *n* rub, waukening.
reprove *v* repree.
repudiate *v* rejeck.
repugnance *n* scunner.
repulsion *n* hert-scaud.
repulsive *adj* ugsome, ill-faured.
reputation *n* word.
request *v* speir, seek.
require *v* requare.
research *v* speir oot.
resemble *v* favour.
reserve *n* fordel. • *v* hain.
reserved *adj* ootward, still.
reservoir *n* pound.
reside *v* bide, stay.
resident *n* residenter.
residue *n* lave.
resin *n* roset.
resinous *adj* rosettie.
resist *v* gainstan.
resistance *n* fend.
resolute *adj* stieve.
resolve *v* redd up.
resort *n* howff.
resound *v* stoun.
resourceful *adj* fendie, quirkie.
respectable *adj* douce.
respectability *n* honesty.
respite *n* lissance.
responsible *adj* pensie.
rest[1] *n* rist, lave (remainder).
rest[2] *n/v* rist (repose).
restive *adj* skeer.
restless *adj* fykie, hotchin.
restlessness *n* fyke.
restitution *n* repetition.
restore *v* kep.
restrain *v* tether, haud in aboot.
restrained *adj* mim.
restraint *n* rander.
restricted *adj* scrimpit.
result *n* affcome, eftercast.
retailer *n* merchant.
retain *v* kep.
retch *n/v* boak.
retinue *n* trevaille.
retirement *n* retiral.
retort *n* back-chap. • *v* speak-back.
retract *v* resile.
retreat *n* place o haud. • *v* tak leg bail.
retribution *n* dirdum.
return *n* hame-comin.
reveal *v* kythe.
revel *n* splore. • *v* rant.
revelation *n* clearance.
revelry *n* gilravage.
reverberate *v* dunner, dirl.
reverberation *n* dunner.
reverie *n* dwam.
reverse *n* conter.
review *n/v* scance.
revile *v* misca, abuise.
revive *v* spunk up.
revolting *adj* scunnersome.
revolve *v* birl.
revolving *adj* row-chow.
revulsion *n* scunner, grue.
rheumatism *n* rheumatise.
rhythm *n* lilt.
ribald *adj* reebald.
ribbed *adj* rigged an furred.
ribbon *n* trappin.
rich *adj* fouthie, bien.
rick *n* steck.
rickety *adj* shooglie.
ricochet *n* skite.
rid *v* redd.
riddle *n* guess, ree. • *v* ree.
ride *n/v* hurl.
ridge *n* hirst, drum.
ridicule *v* mak a bauchle o.
riff-raff *n* scruff.
rifle *v* reive, ripe.
rift *n* rive, split.
rig *v* pauchle.
right *adj* richt.
rightly *adv* richtlie.
rigid *adj* stieve, stench.
rigmarole *n* lay-aff.
rigorous *adj* snell.
rim *n* fillie.
rime *n* cranreuch.
rind *n* huil.
ring *n* raing. • *v* tingle.
rinse *n/v* reenge, syne.
riot *n/v* gilravage.
riotous *adj* randie, dinsome.
rip *n/v* rive.

ripe *adj* maumie.
ripple *n/v* swaw.
rise *n* fluther, spate. • *v* heave, tak up.
risky *adj* unchancie.
river *n* watter.
rivet *n/v* ruive.
rivulet *n* strintle.
roach *n* braze.
road *n* rod, roadie.
roadway *n* causey.
roam *v* stravaig, reenge.
roaming *n* stravaig.
roan *adj* grim.
roar *n/v* rair.
roaring *adj* roarie.
roast *v* sneyster.
rob *v* reive.
robber *n* reiver, briganer.
robbery *n* rapt.
robin *n* reid Rab.
robust *adj* stoot, hail.
rock[1] *n* craig.
rock[2] *v* shoogle, coggle.
rocket *n* racket.
rocky *adj* stanie.
rod *n* wand.
roe *n* rae, rawn.
rogue *n* dyvour.
roguish *adj* pawky.
roisterous *adj* rantin.
roll *n* rowe; bap (bread). • *v* rowe, pirl.
rollicking *adj* tousie.
romp *n/v* rant.
romping *adj* hempie.
roof *n* reef, ruif.
rook *n* craw, corbie.
rookery *n* craw widdie.
room *n* en, chaumer.
roomy *adj* sonsie.
roost *n* reest.
root *n* ruit. • *v* howk.
rope *n/v* raip.
rose *n* breer.
rosehip *n* dog-hip.
rot *v* daise.
rotate *v* birl.
rotten *adj* daised.
rough *adj* roch, ruch.
roughen *v* faize, hack.
round *adj* roon.
rouse *v* roose, roust.
rout[1] *n* scatterment.
rout[2] *v* skail.
route *n* road.
routine *adj* ornar.
rove *v* raik.
rover *n* traik, land-louper.
roving *adj* rinaboot.
row[1] *n* raw (line).
row[2] *n* threap, stushie (quarrel). • *v* threap.
row[3] *v* rowe (a boat).
rowan *n* roden tree.
rowdy *adj* tousie.
royalty *n* lordship.
rub *n/v* dicht, screenge.
rubber *n* guttie.
rubbish *n* rubbage, clamjamphry, troke. • *interj* blethers!
rubbish dump *n* coup.
ructions *n* stushie, rammie.
rude *adj* ill-mou'd, indiscreet.
rudely *adv* ramstam.
rue *v* forthink.
ruffian *n* rochian, keelie, ned.
ruffle *n* bord. • *v* runkle.
ruffled *adj* touslie, rouchled.
rug *n* hap.
rugged *adj* umbersorrow.
ruin *n* rummle, wrack. • *v* durk, wrack.
ruination *n* ruinage.
ruined *adj* shent, awa wi it.
rule *v* ring.
rumble *n/v* rummle, dunner.
rummage *v* ruit, howk; reesle throu.
rummaging *adj* kirn.
rumour *n* clatter. • *v* clash, clack.
rump *n* curpin.
rumple *n* lirk, bumfle. • *v* lirk, touse.
rumpled *adj* bumfelt.
rump-steak *n* Pope's eye, heuk-bone.
rumpus *n* splore.
run *n* rin (water), race. • *v* rin, leg; **run away** tak leg.
runabout *n* rinaboot.
runaway *n* fugie.
rung *n* spar.
runnel *n* trink.
runner *n* slipe.
runny *adj* snotterie.
runt *n* titlin, rag.
rupture *v* ripter, ripture.
ruptured *adj* rimbursin.
rural *adj* landward.
ruse *n* wimple.

rush *n* rash, scoor. • *v* stour; **rush about** widder.
rust *n/v* roost.
rustic *adj* landward. • *n* jock, teuchter.
rustle *n/v* reesle, souch.
rustling *adj* reishlin.
rusty *adj* roostie.
rut *n* rat, trink.
rutted *adj* trinket.
ruthless *adj* fell.

S

sack[1] *n* seck.
sack[2] *v* spulyie (plunder).
sackcloth *n* harn.
sacrament *n* the table.
sad *adj* sod, dowie.
saddle *n/v* saidle.
saddler *n* saidler.
sadly *adv* dowielie.
sadness *n* sair, sorra.
safe *adj* sauf.
safe-conduct *n* conduck.
safety *n* sauftie.
sag *v* swag.
sagacious *adj* wicelik.
sagacity *n* wit.
sagging *adj* dwamfle.
sailor *n* tarry-breaks.
saint *n* saunt.
saintly *adj* sauntlie.
salary *n* sellarie.
sale *n* roup.
saliva *n* slavers.
salivate *v* slerp.
sallow *adj* din.
salmon *n* saumon, fish.
salt *n* saut.
salt-cellar *n* saut dish.
salt water *n* saut bree.
salty *adj* sautie.
salve *n* saw.
salver *n* server.
same *adj* samen.
sample *n* preein. • *v* pruive.
sanctimonious person *n* Holy Willie.
sanctimonious people *n* the unco guid.
sanction *v* chap.
sanctuary *n* bield, haud.
sand *n* san.
sand-eel *n* sanle.
sandman *n* Willie Winkie.
sand-martin *n* sannie-swallow.
sandpiper *n* san laverock.
sandpit *n* bunker.
sandstone *n* brie-stane.
sandwich *n* piece.
sandy *adj* sannie.
sane *adj* wicelik.
sanity *n* judgement, wit.
sapwood *n* sap-spail.
sarcasm *n* afftakin.
sarcastic *adj* snell.
sardonic *adj* mockrif.
sash *n* chess.
Satan *n* Sawtan
sate *v* ser.
satiate *v* ser, sta.
satisfactory *adj* no bad.
satisfied *adj* fittit.
satisfy *v* pleesure.
satisfying *adj* hertsome.
saturate *v* drook.
Saturday *n* Seturday.
sauce *n* gravy.
saucer *n* flat.
saucy *adj* pauchtie.
saunter *v* dander.
sausages *npl* links.
savage *adj* gurlie.
save *v* sauf, gaither.
savings *n* hainins.
savour *v* saur.
savoury *adj* gustie.
saw *v* risp.
sawdust *n* sawins.
say *v* moot.
saying *n* say.
scab *n* scur.
scabbed *adj* scabbit.
scabby *adj* scawt.
scabious *n* curl-doddle.
scaffolding *n* sentrices.
scald *v* scaud.
scalding *adj* plot het. • *n* scaudin.
scale *n* shall, skelf.
scales *npl* wechts.
scallop *n* clam.
scallywag *n* loon, nickum.
scalp *n* scaup.

scalpel *n* lance.
scamp *n* skellum, loon..
scamper *v* skleter.
scan *v* scance.
scandal *n* souch.
scandalmonger *n* clatterer.
scandalmongering *n* speak.
scandalous *adj* michtie.
scant *adj* scrimp.
scantily *adv* jimp.
scantiness *n* scrimpness.
scanty *adj* scrimpit.
scapegoat *n* burry man.
scar *n/v* scaur.
scarred *adj* pockarrd.
scarce *adj* scrimp.
scarcely *adv* scarcelins.
scarcity *n* scant.
scare *v* scar, fleg, gliff.
scarecrow *n* bogle, tattie-bogle.
scared *adj* fleggit.
scarf *n* gravat, cosie.
scarlet fever *n* rush-fivver.
scatter *v* splatter, skail.
scatterbrain *n* scatterwit.
scatterbrained *adj* scatterwittit.
scattering *adj* skail.
scavenge *v* scunge.
scent *v* snoke.
scheme *n* ploy. • *v* schame.
scheming *adj* lang-drauchit.
scholarship *n* bursary.
school *n* scuil.
schoolchild *n* scuil bairn.
scissors *npl* chizors.
scoff *n* afftak. • *v* geck at.
scold *n/v* scaul.
scolding *adj* scauling.
scoop *n/v* scuip.
scope *n* scouth.
scorch *v* scowder, birsle.
score *n/v* rit.
scorn *n* laith. • *v* lichtlie.
scornful *adj* mockrif.
scot-free *adj* hailscart.
scoundrel *n* scoonrel.
scour *v* scoor.
scourer *n* scrub.
scouring *adj* scoor.
scourge *v* screenge.
scowl *n/v* scool, glunsh.
scowling *adj* gowlie.
scrabble *v* scraible.
scraggy *adj* mean, ill-thriven.
scramble *n/v* scrammle.
scrap *n* perlicket.
scrape *n/v* scrap, rit.
scraper *n* scartle.
scrapings *npl* scartlins.
scraps *npl* orrals.
scratch *n/v* scrat, scart.
scrawl *n* scrape o the pen.
scream *n/v* skirl, skelloch.
screaming *adj* yellyhooin.
scree *n* sclenters.
screech *n/v* skreek, scrauch.
screeching *adj* scrauchin.
screen *n* sconce. • *v* scug.
screw *n/v* feeze.
scribble *n/v* scart.
scribbler *n* scriever.
scrimp *v* jimp.
script *n* scrieve.
scripture *n* scripter.
scrofula *n* the cruels.
scrotum *n* courage-bag.
scrounge *v* scroonge.
scrounger *n* scunge.
scrounging *adj* scran, skech.
scrub *n* scrogs. • *v* screenge.
scrubbling brush *n* rubber.
scruff *n* cuff, tattie bogle.
scruffy *adj* scawt, scoorie, schemie.
scruple *v* stickle.
scrupulous *adj* perneurious.
scrutinise *v* sicht.
scrutiny *n* sicht.
scud *v* whid.
scuff *n/v* skliff.
scuffle *n* rammie. • *v* tullyie.
scullion *n* scodgie.
scum *n* quinkins, bratts.
scurf *n* scruif.
scurry *n* fudder. • *v* skelter.
scutter *v* skelter.
scuttle *v* skelter.
scythe *n* hey-sned. • *v* maw.
sea *n* sey, tide.
sea anemone *n* pap.
sea-eagle *n* earn.
sea fog *n* haar.
seagull *n* maw.
seal *n* signet, selkie, selch.
seam *n* saim.

seaman *n* killick.
sea-pink *n* sey-daisy.
seaport *n* seytoon.
search *n/v* fork; **search for** *v* seek.
seashore *n* ebb.
seaside *n* saut-watter.
season *n/v* saison.
seasoning *n* kitchen.
seat *n* sate. • *v* set.
sea-thrift *n* sey-daisy.
sea urchin *n* hairy hutcheon.
seaweed *n* tangle.
second *n* saicant.
second-hand *adj* second-handit.
secret *adj/n* saicret.
secrecy *n* hidin.
secretly *adv* hidlins.
sect *n* profession.
section *n* lith.
secure *adj/v* sicker.
securely *adv* sicker.
security *n* caution, wad.
sedate *adj* douce.
sedge *n* seg.
sedge-warbler *n* Scotch nightingale.
sedgy *adj* seggie.
sediment *n* gruns.
seduce *v* mistryst.
see *v* sei.
seed-potato *n* set.
seed-time *n* sawin time.
seedy *adj* bauch.
seek *v* sik.
seemly *adj* wicelik, menseful.
seep *v* sook.
seer *n* spaeman, spaewife.
seesaw *n* shoggie-shoo.
seethe *v* hotter.
seething *adj* hoatchin.
seething mass *n* hotter.
segment *n* leaf, lith.
seize *v* saize.
seizure *n* poinding, straik.
seldom *adv* seendil.
select *v* seleck, wale.
selection *n* walin.
self *n* sel, ainsel.
self-assured *adj* poochle.
self-confident *adj* poochle.
self-conscious *adj* strange.
self-important *adj* pauchtie, pensie.
self-important person *n* wha but he.
self-indulgent *adj* free-living.
selfish *adj* sellie.
selfishness *n* sellie.
self-righteous person *n* the unco guid.
selfsame *adj* self an same.
self-satisfied *adj* croose.
self-willed *adj* thrawn.
sell *v* roup.
semi-detached *adj* hauf.
send *v* sen, set; **send off** set aff; **send out** ootpit.
senile *adj* dottelt.
sensation *n* fushion, gliff.
sense *n* mense, sinse.
senseless *adj* glaikit.
sensible *adj* mensefu.
sensibly *adv* wicelik.
sensitive *adj* kittlie.
sentence *n* doom.
sentiment *n* souch.
separate *adj/v* saiprit; **separate from** *v* spean fae.
separately *adv* sindry.
septic *adj* atterie.
serene *adj* at yersel.
sergeant *n* sairgint.
sermon *n* preachin.
servant *n* servan.
servants *npl* fowk.
serve *v* ser, lift.
service *n* onwaiting, preachin.
serviette *n* servit.
servile *adj* sleekit.
serving *adj* service.
serving spoon *n* divider.
set[1] *n* pair.
set[2] *v* mak, jeel; **set aside** pit by; **set down** plunk; **set off, set out** set awa, tak the road; **set to** yoke tae; **set up** stell; **set upon** set tae.
setback *n* thraw.
settle *v* sattle.
settlement *n* doonset.
set-to *n* fa-tae.
seven *adj/n* saiven, seeven.
seventeenth *adj* seeventeen.
seventh *adj* seevent.
seventy *adj/n* seeventie.
sever *v* saiprit, pairt.
several *adj* severals.
severe *adj* snell, fell, dour.
severely *adv* snell.

sew *v* shew.
sewing *n* shewin.
sewing kit *n* hussie.
sewer *n* jaw-hole.
sex *n* tail-toddle, houghmagandie. • *v* sicht.
sexually excited *adj* radgie.
sexton *n* beadle.
shabby *adj* scuffie, ill-faured.
shabby person *n* ticket.
shackle *n/v* sheckle.
shade *n* scug, mention. • *v* sky.
shadow *n/v* shedda.
shady *adj* leesome.
shaft *n* tram, shank.
shaggy *adj* tautit.
shake *n/v* shak; **shake hands** *v* chap hauns; **shake off** shachle aff; **shake up** cadge.
shaking *adj* hotter.
shaky *adj* shooglie.
shall *v* will.
shallow *adj/n* shalla.
sham *adj* leesome. • *n* pit-on. • *v* fraik.
shamble *v* shachle.
shambles *n* reel-rall, Paddy's mairket.
shamefaced *adj* hingin-luggit.
shameful *adj* michtie.
shameless *adj* braisant.
shape *n* set. • *v* coll.
shapeless *adj* shachlin.
share *n* dale. • *v* pairt; **share equally** gae halfers.
shark *n* sherk.
sharp *adj* shairp.
sharp-eared *adj* gleg-luggit.
sharpen *v* shairpen.
sharpening *n* shairp.
sharp-eyed *adj* gleg-eed.
sharp-featured *adj* peesie-weesie.
sharply *adv* shairplie.
sharpness *n* glegness.
sharp-nosed *adj* nairra-nebbit.
sharp-pointed *adj* gleg.
sharp-tongued *adj* snippie.
shatter *v* chatter.
shave *v* skive.
shavings *npl* spailins.
shawl *n* hap.
she *pron* shae.
sheaf *n* shaif.
shear *v* share.
shebeen *n* bothan.
shed[1] *n* puidge.
shed[2] *v* cast.
sheep *n* yowe, tup.
sheepdog *n* collie.
sheep-flock *n* hirsel.
sheepfold *n* fauld.
sheepish *adj* bauch.
sheepmark *n* kenmairk.
sheep-shearing *n* clippin.
sheep-shears *n* gangs, shears.
sheepskin *n* fell.
sheep-tick *n* taid.
sheep track *n* rodding.
sheer *adj* evendoon.
sheldrake *n* burrow duck.
shelf *n* skelf, bink.
shell *n/v* shall.
shelter *n* howf, shalter. • *v* scug, beild.
sheltered *adj* lown, hiddlie.
shelving *adj* shelvie.
shepherd *n* herd.
shepherd's crook *n* crummock, nibbie.
shepherd's purse *n* leddy's purse.
sheriff *n* shirrif.
shield *n* shiel.
shift *n* yokin. • *v* mudge.
shiftless *adj* haiveless.
shifty *adj* loopie.
shilling *n* shullin.
shilly-shally *v* waffle.
shimmer *n* oam. • *v* skimmer.
shin *v* sclim.
shine *n* gleet, glent. • *v* scance, sheen.
shingle *n* chingle.
shiny *adj* glancie.
ship *n* bait.
shipwreck *n* wrack.
shirk *v* slope.
shirker *n* sloper.
shirt *n* sark.
shiver *n* grue. • *v* chitter.
shivery *adj* oorie.
shoal *n* drave, scuil.
shock *n* gliff, conflummix, hassock. • *v* conflummix, stammygaster.
shocking *adj* awfu.
shoddy *adj* scuffie.
shoe *n/v* shae, shee.
shoelace *n* shae pint.
shoemaker *n* souter, cordiner.
shoemaking *n* souterin.

shoot *n* imp, hempe. • *v* shuit, pap; **shoot up** rapple.
shooting star *n* fire-flacht.
shop *n* shap.
shop assistant *n* coonter-lowper.
shopkeeper *n* merchant.
shopping *n* messages.
shore[1] *n* strand, stron.
shore[2] *v* stuit (support).
short *adj* jimpit.
shortage *n* shortcome.
shorten *v* dock.
shortbread *n* shortie.
short cut *n* near cut.
shortly *adv* shortlins.
short person *n* dottle.
short-tailed *adj* fuddie.
short-tempered *adj* fuffie, short i' the trot.
short-winded *adj* pechie.
shot *n* tooch.
shoulder *n* shouder, spaul.
shoulder bone *n* spaul.
shoulder joint *n* shouder heid.
shout *n* roust, goller. • *v* goller, cry.
shove *n* jundie. • *v* shuve.
shovel *n/v* shuil.
show *n/v* shaw; **show off** *v* pross.
showy *adj* fantoosh.
shower *n* shour, scoor.
showery *adj* plowterie.
shred *n* shreed.
shreds *npl* flitters.
shrew *n* screw, shirrow.
shrewd *adj* canny, pawky.
shrewdness *n* rumgumption.
shriek *n/v* skirl.
shrill *adj* snell.
shrimp *n* screw.
shrink *v* crine, skrunkle.
shrink back *v* scunner.
shrivel *v* crine, nither.
shrivelled *adj* skrunkit, wizzent.
shroud *n* shrood.
Shrove Tuesday *n* festern's een.
shrub *n* buss.
shrug *n* thring, fidge. • *v* hirsel.
shrunken *adj* picket.
shudder *n/v* shither, shidder.
shuffle *n/v* scush. • *v* shiffle.
shuffling walk *n* shachle.
shun *v* evite.
shut *v* steek, sneck.
shutters *npl* shuts.
shuttle *n* spuil.
shut up *v* parrock, haud yer wheesht.
shy *adj* freff, ergh. • *v* skeich, funk.
shy away *v* scar.
sickbed *n* carebed.
sicken *v* scunner.
sickle *n* Rob Sorby.
sickly *adj* unweel, peely-wallie.
sickly-looking *adj* fauchie.
sickness *n* unweelness.
side *n* cheek.
side by side *adj* fit for fit.
sidelock *n* haffet.
sidelong *adj* sidelins.
sidesaddle *n* side legs.
sideways *adj* sidieweys.
sidle *v* siddle.
sift *v* bout, search.
sigh *n/v* sich.
sight *n* sicht.
sightless *adj* sichtless.
signify *v* beir.
silence *n* lown. • *v* wheesht.
silicosis *n* stourie lungs.
sill *n* sole.
silly *adj* daft, sully.
silly person *n* gomerel, sodie-heid.
silly talk *n* jibber.
silt *n* sleek.
silver *adj/n/v* siller.
silver coins *n* white siller.
silvery *adj* lyart.
similar *adj* siclik.
similarly *adv* siclik.
simmer *v* hotter, sotter.
simper *v* smudge.
simple *adj* semple, blate, hamelt.
simple-minded *adj* wantin, nae richt.
simpleton *n* daftie, gowk.
simply *adv* een.
simulate *v* mak on.
simulated *adj* made on.
since *adv/conj* sin, syne.
sincere *adj* aefauld.
sinew *n* sinnen.
sing *v* tweetle.
singe *n/v* sing.
single *adj* aesome, free.
single-minded *adj* aefauld.
singsong *n* horoyally.

singular *adj* parteeclar.
sinister *adj* weirdlie.
sinister-looking person *n* huidie craw.
sink *n* jaw-box. • *v* lair.
sip *v* sirple.
siren *n* whustle.
sissy *n* Jessie.
sister *n* tittie.
sister-in-law *n* guid-sister.
sit *v* hunker, dowp doon.
sit-down *n* set-doon.
site *n* stance, larach, pairt.
sitting *n* doon-sittin.
sitting room *n* room.
situation *n* pouster.
six *adj/n* sax.
sixpence *n* saxpence.
sixteen *adj/n* saxteen.
sixteenth *adj* saxteent.
sixth *adj* saxt.
sixty *adj/n* saxtie.
size *n* bouk.
sizeable *adj* roon.
skate *n/v* skeet, sketch.
skater *n* skeetcher.
skein *n* hank.
skeleton *n* skelet, rickle o banes.
sketchy *adj* stake an rice.
skewer *n* speet.
skid *n/v* skite.
skilful *adj* skeelie, knackie.
skill *n* skeel.
skim *v* ream, scum.
skimmed milk *n* scum milk.
skin *n* huil. • *v* scruif.
skinflint *n* nipscart.
skinny *adj* skrank, shilpit.
skinny person *n* skinnymalink.
skip *n* link. • *v* skiff.
skip along *v* skelp.
skipper *n* mannie.
skipping rope *n* jumpin raip.
skirmish *n/v* skrimmish.
skirt *n* coat.
skirting board *n* skiftin.
skittish *adj* flisky.
skittles *npl* kyles.
skive *v* dog.
skua *n* allan, bonxie.
skulk *v* skook.
skulking person *n* skook.
skull *n* pan, powe.
sky *n* lift.
skylark *n* laverock.
slab *n* skelp, leck.
slack *adj* haingle. • *v* jauk.
slacker *n* fouter.
slackening *n* slack.
slag *n* danders.
slag-heap *n* bing.
slake *v* slocken.
slam *v* clash.
slander *n* ill-tongue. • *v* misca.
slandering *adj* ill-tonguit.
slanderous *adj* ill-speakin.
slant *n/v* sklent.
slanting *adj* skellie.
slap *n/v* skelp.
slapdash *adj* rummlin. • *adv* ramstam.
slash *n* screed. • *v* hash, chib.
slat *n* rin.
slate *n/v* sclate.
slattern *n* laidron.
slatternly *adj* slutterie.
slaughter *n/v* slauchter.
slaughterhouse *n* butch-hoose.
slave *n* sclave.
slaver *v* slabber.
slay *v* en.
sledge *n* sled.
sleek *adj* sleekit, slaip.
sleep *n* sowff. • *v* snoozle.
sleepless *adj* wakrif.
sleepy *adj* sleeperie.
sleight *n* slicht.
slender *adj* sclinner.
slender person *n* spirlie.
slice *n* sleesh, shave. • *v* shave; **slice open** speld.
slick *adj* gleg.
slide *n* sly. • *v* scurr, skite.
slight[1] *adj* slicht.
slight[2] *n* heelie. • *v* lichtlie.
slightly *adv* a wee.
slim *adj* slamp.
slime *n* goor, glaur.
slimy *adj* glittie.
sling *v* thraw.
slink *v* sleek.
slip *n* slidder. • *v* sklyte.
slip away *v* skice.
slip-knot *n* rin-knot.
slip past *v* glent.
slipperiness *n* slipper, glaur.

slippery *adj* slippie.
slipshod *adj* hashie.
slipper *n* baffie, rovie.
slit *n* fent, spare. • *v* slite.
slither *n/v* sclidder.
sliver *n* slive.
slobber *n/v* slubber, slabber.
slobberer *n* slabber.
slobbering *adj* blibberin.
sloe *n* slae.
slop *n* slutter. • *v* skiddle.
slope *n* sklent, brae. • *v* sklent.
sloping *adj* sidelins.
slops *n* slaister.
sloppy *adj* slitterie.
sloppy food *n* slubber.
slosh *v* skiddle.
sloth *n* sweirtie.
slothful *adj* sweirt.
slough *n/v* sloch.
slovenly *adj* sclafferin.
slovenly person *n* habble, guddle.
slow *adj* slaw, blate.
slow down *v* ca canny.
slowly *adv* huilie.
slow-witted *adj* donnert.
slow-witted person *n* mowdiewort.
slow-worm *n* slae.
sludge *n* slutch.
slug *n* snail.
sluggard *n* sclidder.
sluggish *adj* thowless.
sluice *n* sloosh.
slumber *n* sowff.
slum-dweller *n* keelie.
slump *v* fa.
slur *n* smitch.
slush *n* slash.
slushy *adj* slashie.
slut *n* besom, clatch.
sluttish *adj* slutterie.
sly *adj* slee.
slyly *adv* slee.
smack *n/v* skelp.
small *adj* wee, sma.
small amount *n* sma.
small change *n* smas.
smallholding *n* croft.
small piece *n* bittie, bittock.
small person *n* smowt.
smart *adj* smairt. • *v* nip.
smash *n* stramash. • *v* smatter.
smear *n* sclatch. • *v* slairy.
smell *n* waff, guff. • *v* snoke.
smelly *adj* minging.
smelt *n* spirling.
smile *n/v* smirk.
smirk *n/v* smirtle.
smith *n* bruntie, gow.
smithereens *npl* shivereens.
smithy *n* smiddy.
smock *n* carsackie, wrap.
smoke *n* reek, smeek. • *v* smeek, smuik.
smoke-covered *adj* reekit.
smoke-cured *adj* reekit.
smoke-filled *adj* reekie.
smoke-stained *adj* smeekit.
smoky *adj* smeekie.
smooth *adj* smuith. • **smooth down** *v* daik; **smooth out** stracht; **smooth over** glaze.
smoothly *adj/v* smuithlie.
smoothness *n* sneith.
smooth-tongued *adj* sleekit, slidderie.
smother *v* smoor, smudder.
smoulder *v* smooder.
smudge *n* smit. • *v* slair.
smug *adj* croose.
smuggling *n* free trade.
smuggling boat *n* bucker.
smut *n* smit.
smutty *adj* brookie, groff.
snack *n* piece, snap.
snag *v* thraw.
snail-shell *n* buckie.
snap *n/v* knack, snack.
snapdragon *n* grannie's mutch.
snare *n/v* girn.
snarl *n* girn. • *v* snag.
snatch *n* glamp. • *v* sneck; **snatch at** glaum at; **snatch away** wheech awa; **snatch up** clink up.
sneak *n* hinkum. • *v* snaik.
sneaking *adj* snoovin.
sneer *n* sneist. • *v* girn.
sneering *adj* sneistie.
sneeze *n* neeze. • *v* sneesh.
sniff *n* snift. • *v* snifter.
snigger *n/v* snicher.
snip *v* sneg, nick.
snipe *n* heather-bleater.
snob *n* cockapentie.
snobbish *adj* pridefu.
snooze *n/v* dover, gloss.

snore *n* snocher. • *v* snifter.
snort *n/v* snirt, snirk.
snot *n* snotter.
snotty *adj* snotterie.
snout *n* snoot.
snow *n/v* snaw.
snow bunting *n* snawfleck.
snow-covered *adj* snawsel.
snowdrift *n* wreath, blin smoor.
snowfall *n* onfa.
snowflake *n* flichan.
snowstorm *n* yowdendrift, stour.
snowy *adj* snawie.
snub *n* chaw. • *v* saut.
snuff[1] *n* sneesh.
snuff[2] *v* snite.
snuffbox *n* sneeshin-mill.
snuffle *v* snifter.
snug *adj* snod, cosh.
snuggle *v* coorie; **snuggle up** *v* coorie in.
so *adv* sic, sae.
soak *v* drook; **soak through** seek throu.
soaked *adj* drookit.
soaking *adj* plashin. • *n* dookin.
soap *n/v* saip.
soapsuds *npl* sapples.
soapy *adj* saipie.
soar *v* tove.
sob *n/v* sab.
sober *adj* fresh, douce.
sociable *adj* sonsie, couthy.
sock *n* fittock.
socket *n* hose.
sod *n* clod, divot.
soda *n* sodie.
sodden *adj* steepit.
soft *adj* saft, feel.
soften *v* saften.
softly *adv* saftly.
soggy *adj* sotterie.
soil[1] *n* sile, muild.
soil[2] *v* sile, suddle.
soiled *adj* brookit, dirten.
solder *v* sowder.
soldier *n* sodger, kiltie.
sole[1] *adj* ae.
sole[2] *n* howe o the fit, tobacco fleuk.
solely *adj* allenarly.
solicit *v* peuther.
solicitor *n* writer, agent.
solicitous *adj* helplie.
solid *adj* sonsie
solitary *adj* aesome, lane.
solve *v* redd.
sombre *adj* mirksome.
some *adj* fyow.
somehow *adv* someway.
somersault *n* simmerset.
something *pron* sumhin.
sometimes *adv* whiles.
somewhat *adv* some.
somewhere *adv* someplace.
somnolent *adj* sleeperie.
son *n* sin, lad.
son-in-law *n* guidson.
song *n* sang.
song festival *n* sangshaw.
song thrush *n* throstle, mavis.
soon *adv* suin.
sooner or later *adv* suin or syne.
soot *n* suit.
soothe *v* soother.
soothsayer *n* spaeman, spaewife.
sop *v* drook.
soppy *adj* sappie.
sops *npl* saps.
sorcerer *n* warlock.
sorceress *n* wutch.
sore *adj/n* sair.
sorely *adv* sairlie.
soreness *n* sairness.
sorrel *n* soorock.
sorrow *n* sair, sorra.
sorrowful *adj* sairie, sorraful.
sorry *adj* sairie, bauch.
sort *n* keind. • *v* redd.
soul *n* saul.
sound *adj* soon. • *n* soon, kyle.
soup *n* bree.
soup plate *n* deep plate.
sour *adj* shilpit, soor.
sour grapes *npl* soor plooms.
sour look *n* glumsh.
sour-looking *adj* soor-faced, glumsh.
souse *v* sloonge.
south *n* sooth.
southern *adj* soothlan.
southwards *adv* suddart.
souvenir *n* minding.
sow[1] *n* soo.
sow[2] *v* saw.
space *n* waygate, piece.
spade *n* spaad.
span *n/v* spang.

spank *v* skelp.
spanking *n* skelpin.
spar *n* strunt.
spare *adj* orra.
spare time *n* by-time.
sparing *adj* jimp.
sparingly *adv* jimp.
spark *n/v* sperk, gleid.
sparkle *n/v* glent.
sparrow *n* sparra, sprug.
spasm *n* drowe.
spatter *v* splatter.
spavin *n* spavie.
spawn *n/v* redd.
spawning ground *n* redd.
speak *v* spek; **speak of** mint at; **speak one's mind** say awa; **speak out** set up yer gab.
spear *n/v* leister.
special *adj* by-ornar.
specially *adv* aince-eeran.
species *n* speshie.
specify *v* condescend on.
specimen *n* sey.
specious *adj* fair-farran.
speck *n* smitch.
speckle *n/v* spreckle.
speckled *adj* spreckelt.
spectacles *npl* spentacles.
spectre *n* doolie.
speculate *v* ettle, jalouse.
speech *n* speak, say, leid.
speechless *adj* dumfoonert.
speed *n* raik. • *v* smack.
speedily *adv* swith.
speedwell *n* cat's een.
speedy *adj* gleg.
spell *n* speel, cantrip.
spellbind *v* daumer.
spend *v* ware.
spendthrift *n* spendrif.
spent *adj* matit.
sperm *n* melt.
spew *v* boak.
spice *v* kitchen.
spider *n* speeder, webster.
spider's web *n* moose wab.
spigot *n* spile.
spike *n* stug. • *v* pike.
spiked *adj* pikie.
spiky *adj* stobbie.
spill *v* skail.
spin *v* birl.
spindle *n* spinnle.
spindly *adj* spirlie.
spindrift *n* speendrif.
spine *n* backsprent, rig.
spinning wheel *n* spinnie.
spinster *n* maiden.
spirit *n* speerit, wicht, smeddum.
spirited *adj* speeritie, spankie.
spiritless *adj* fushionless.
spirits *n* aquavitae.
spit[1] *n* speet.
spit[2] *n* spittle • *v* slerp.
spite *v* maugre.
spiteful *adj* ill-willie.
spiteful person *n* ettercap.
spittle *n* spits.
splash *n* plash, jaup. • *v* splairge, plout; **splash about** plouter.
splashy *adj* jaupie.
splay *v* skew.
splay foot *n* splash fit.
splay footed *adj* skew-fittit.
splay-footed person *n* kep-a-gush.
spleen *n* melt.
splendid *adj* braw.
splendour *n* brawness.
splice *v* wap, skair.
splint *n/v* spelk.
splinter *n* splinder, skelf, spelk. • *v* spelk, sklinter.
split *adj* gelled. • *v* spleet.
split peas *npl* spilkins.
splodge *n* splatch.
splotch *n* splatch.
splutter *n/v* splairge.
spluttering *adj* splairgin.
spoil *n* spulyie. • *v* spile.
spoilt *adj* daised.
spoilt child *n* sookie.
spoke *n* spaik.
spoked *adj* spaikit.
spokesman *n* preses.
sponge *n* spoonge. • *v* cadge.
sponger *n* skech.
spongy *adj* fozie.
spook *n* ghaist.
spool *n* spuile.
spoon *n* spuin.
spoonful *adj* spuinful.
sport *n* play. • *v* ramp, daff.
sportsman's assistant *n* ghillie.

spot *n* spat, plook.
spotted *adj* spreckelt.
spouse *n* marrow.
spout *n/v* spoot.
sprain *n/v* staive, rax.
sprat *n* garvie.
sprawl *v* sprachle.
spray *n* stour. • *v* spairge.
spread *n/v* spreed; **spread about** skail; **spread gossip** clish; **spread out** speld.
spreadeagle *v* spelder.
spree *n* splore, rammle.
sprig *n* rice.
sprightly *adj* spree.
spring *n* spoot, voar. • *v* lowp, sten; **spring forward** breist; **spring up** breist.
spring onion *n* sybie.
sprinkle *v* splatter.
sprinkler *n* skoosher.
sprinkling *adj* splatter.
sprint *v* sprunt.
sprite *n* brownie.
sprout *n/v* sproot.
spruce[1] *adj/v* sproosh.
spruce[2] *n* sprush.
spry *adj* spree.
spume *n* seagust.
spur *n* brod.
spurious *adj* fause.
spurn *v* cast oot.
spurt *n* scoot, skoosh. • *v* jaw, jilp.
sputter *v* sotter.
spyglass *n* prospect.
squabble *n* stushie. • *v* scash.
squabbling *n* nip-lug.
squalid *adj* fousome.
squall[1] *n* skelp (blast of wind).
squall[2] *v* squaik.
squally *adj* scourie.
squander *v* squatter.
square *adj* squerr. • *v* quader.
squash *v* grush, brizz.
squat *adj* setterel. • *v* hunker, coorie hunker.
squawk *n/v* squaik.
squeak *n/v* squaik.
squeal *n/v* squile.
squeamish *adj* waumish.
squeeze *n* chirt. • *v* knuse.
squelch *v* chork, plodge.
squelching *adj* plashin.
squib *n* squeeb.
squid *n* ink-fish.
squint *n* gley, skelly. • *v* skew, sklent.
squint-eyed *adj* skelly-eed.
squirm *v* wimple.
squirt *n/v* scoot.
stab *n/v* stug.
stable[1] *n* travise.
stable[2] *adj* sicker.
stably *adv* stieve.
stack *n/v* steck.
stack up *v* ruck.
stackyard *n* cornyaird.
staff *n* steek.
stagger *n/v* stoit.
stagnant *adj* staignant.
stagnant pool *n* stank.
staid *adj* douce.
stain *n/v* tash, smad.
staircase *n* stair.
stairs *n* stair.
stake *n* stob, stunk.
stale *adj* haskie.
stalk[1] *n* shank, pen.
stalk[2] *v* steg, dilp.
stalks *npl* shaws.
stall *n* sta, stan.
stallion *n* staig.
stalwart *adj* buirdly.
stamina *n* strenth.
stammer *n/v* stut, stot.
stammerer *n* manter.
stamp *n/v* stramp, tramp.
stampede *v* prick.
stanch *v* stainch,
stanchion *n* staincheon.
stand *n/v* stan, staun; **stand up** win up.
standard *n* stannert.
standard-bearer *n* cornet.
staple *n* stapple.
star *n* starn, blinker.
starboard *adj* farran.
starch *n* stairch. • *v* stiffen.
stare *n* gowp. • *v* glower.
starfish *n* scoskie.
starlight *n* starnlicht.
starry *adj* starnie.
stark *adj* sterk.
starling *n* stirlin.
start *n/v* stert.
startle *v* start.
starve *v* sterve.
starved *adj* hungert.

starved-looking *adj* shilpit.
state *n* tift, set.
statement *n* speak.
station *n/v* stance.
station master *n* station agent.
stature *n* lenth.
staunch *adj* stench.
staunchly *adv* stieve.
stave *n* stap. • *v* brak.
stay *n/v* bide.
steadfast *adj* sicker.
steady *adj* sicker, canny.
steak *n* collop.
steal *v* nip, sneck.
stealthily *adv* stowlins.
stealthy *adj* sneck-drawing.
steam *n* stame. • *v* stove.
steel *n* fleerish.
steelyard *n* steel.
steep[1] *adj* brent, stey.
steep[2] *v* drook, sapple.
steer[1] *v* airt.
steer[2] *n* stirk.
steersman *n* lodesman.
stem *n* pen, shank.
stench *n* guff, stew.
step *n/v* stap, staup.
step-child *n* stap-bairn.
step-father *n* stap-faither.
step-mother *n* stap-mither.
stepping-stone *n* stappin-stane.
stern[1] *adj* raucle, dour.
stern[2] *n* starn.
sternly *adv* fell.
stew *n/v* stove.
steward *n* factor.
stewed *adj* sitten.
stick *n/v* steek; **stick up** *v* stert.
stickleback *n* banstickle.
sticky *adj* claggy.
stiff *adj* stieve, stechie.
stiffly *adv* stieve.
stifle *v* smoor.
stifling *adj* smochie.
stigma *n* tash.
still[1] *adj* lown, quate. • *adv* aye, yet (continue to).
still[2] *n* stell.
stilletto heel *n* peerie heel.
stillness *n* lithe.
stilt *n* stult.
stimulation *n* upsteerin.
stimulus *n* kittle.
sting *n/v* stang.
stingy *adj* nippit, ticht.
stink *n/v* stew.
stinking *adj* minging.
stint[1] *n* yokin.
stint[2] *v* stent.
stir *n/v* steer; **stir up** *v* taisle, set up; **stir round** to whummle.
stirrup *n* strip.
stirrup-cup *n* deoch-an-dorrus.
stitch *n/v* steek, stick.
stoat *n* whitrat.
stock *n* etion, bree, stockin. • *v* hain, fordel.
stockade *n* peel.
stocking *n* moggan.
stocky *adj* short-set.
stomach *n* waim.
stomach ache *n* bellythraw.
stomach-rumble *n* curmurrin.
stone *n* stane, chucky, paip. • *v* stane.
stonebreaker *n* stane-knapper.
stonechat *n* chack.
stonemason *n* dorbie.
stone's throw *n* stane-clod.
stony *adj* stanie.
stool *n* stuil.
stoop *n* lootch. • *v* coorie.
stop *n/v* stap; **stop for a moment** *v* haud a wee; **stop in the middle** stick; **stop short** reest; **stop up** clag.
stoppage *n* stick.
stopper *n* prop.
store *n* fordel. • *v* kist.
storekeeper *n* Jenny a' thing, Johnny a' thing.
storey *n* flat.
storm *n* weather. • *v* heckle.
storm about *v* rammish.
stormy *adj* weatherful.
story *n* say, crack.
storyteller *n* upmakar, seannachie.
stout *adj* stoot.
stout-hearted *adj* stoot-hertit.
stow *v* stowe.
straddle *v* striddle.
straggle *v* traik.
straight *adj/adv/n* stracht.
straight ahead *adv* enweys.
straight away *adv* stracht.
straight down *adv* evendoon.

straighten *v* stracht.
straightforward *adj* stracht-forrit.
straight on *adv* enlang.
strain *n/v* streen, leed.
strait *n* kyle.
strait-laced *adj* perjink.
strand *n* ply.
strange *adj* unco, fremmit.
strangeness *n* unconess.
strange person *n* wedgie.
stranger *n* ootrel.
strangers *n* unco fowk.
strange sight *n* ferlie.
strangle *v* thrapple.
strap *n* tawse.
straw *n* strae.
stray *adj* waff. • *v* gae will.
streak *n/v* straik.
streaked *adj* brookit, randit.
stream *n* strin, burn. • *v* teem.
stream out *v* tove.
street *n* causey, gate.
street-sweeper *n* scaffie.
strength *n* strenth, macht.
strengthen *v* souder.
strenuous *adj* sair.
stress *n* sweet, flocht.
stretch *n/v* streetch; **stretch out** to streek, rax oot; **stretch over** to rax ower.
stretched *adj* streekit.
strew *v* strinkle.
stricken *adj* strucken.
strict *adj* strick.
strictly *adv* stricklie.
stride *n/v* striddle.
strident *adj* groff.
striding *adj* stilpin.
strife *n* stour.
strike *v* strick, chap, paik; **strike at** lay at; **strike down** fooner; **strike off** skite; **strike out** loonder; **strike up** yerk aff.
string *n* skainie.
string together *v* strap.
strip *n* ran. • *v* tirr.
stripe *n/v* straik.
striped *adj* strippit.
stripling *n* lad, loon, callant.
strip off *v* tirl.
strive *v* kemp; **strive for** seek tae.
stroke *n/v* straik.
stroll *n/v* dander, dauner.
strong *adj* strang, hard.
strongly *adv* stranglie.
strong-tasting *adj* wild.
struggle *n/v* fecht, chaave; **struggle on** *v* warsle on; **struggle through** warple.
struggling *adj* warslin.
strut *n* dwang (wooden). • *v* bairge.
stubble *n* stibble.
stubbly *adj* stibblie.
stubborn *adj* thrawn.
stubbornness *n* thraw.
stucco *n* stookie.
stuck-up *adj* big.
stud *n* mud.
student *n* collegianer.
study *v* bore at.
stuff *n* graith. • *v* stap.
stuffed *adj* stappit.
stuffing *n* stappin.
stuffy *adj* smochie.
stumble *n/v* stummle.
stumbling-block *n* bumlack.
stump *n* stug. • *v* stodge; **stump along** stramp.
stumpy *adj* stumpit.
stun *v* daze, daumer.
stunned *adj* donnert.
stunned state *n* stoun.
stunted *adj* scruntit.
stunted-looking person *n* shargar.
stupefied *adj* donnert.
stupefy *v* daver.
stupid *adj* daft, stupit.
stupid person *n* fuil, daftie.
stupor *n* stoun, dwam.
sturdy *adj* stieve.
stutter *n/v* stitter.
sty *n* cruive,
stye *n* styan.
style *n* souch.
stylish *adj* tippie.
suave *adj* fair-faced.
subdue *v* lowden.
subdued *adj* lown.
subject *n* speak.
subjugate *v* warsle.
sub-lease *n/v* subset.
sublet *n/v* subset.
submissive *adj* patientfu.
submit *v* knuckle, snuil.
subside *v* seg.
subsistence *n* leevin.
subsoil *n* sole.

substantial *adj* sonsie, sufficient.
substitute *n* by-pit. • *v* speel.
subterfuge *n* scug.
subtle *adj* gleg.
succeed *v* mak weel, luck.
succeeding *adj* incoming.
success *n* seil, thrive.
successful *adj* seilful.
successfully *adv* enweys.
succinct *adj* cuttit.
succour *v* fend.
succulent *adj* sappie.
such *adj* sic.
suchlike *adj* siclik.
suck *v* sook.
sucker *n* sooker.
suckle *v* sook.
suckling *adj* sookie, suckler.
suck up to *v* sook in wi.
suction *n* fang.
sudden *adj* suddent.
suddenly *adv* suddentlie.
suddenness *n* suddenty.
suds *npl* sapples.
sue *v* law.
suet *n* shuet.
suffer *v* thole.
suffering *n* dool, pine.
suffocate *v* smeek, smoor.
sugar *n* succar.
sugar-candy *n* candibrod.
suggest *v* propone.
suit *n/v* shuit.
suitable *adj* sitable.
suit of clothes *n* cleedin.
sulk *v* fung, hing the pettit lip.
sulks *npl* dorts.
sulky *adj* glumsh.
sulky-looking *adj* glumsh.
sullen *adj* derf, dour.
sullenly *adv* dourlie.
sully *v* fyle.
sultry *adj* smochie.
sum *n* soum.
summarily *adv* short an lang.
summer *n* simmer.
summit *n* heid, heicht.
summon *v* cry.
summons *n* cry.
sums *n* coonts.
sun *n* sin.
sunbeam *n* sunblink, leam.
sunrise *n* keek o day.
sunset *n* sundoon.
Sunday *n* Sawbath.
sunder *v* sinder.
sundry *adj* sindry.
sunken *adj* howe, clappit.
sup *v* sowp.
superb *adj* ferlie.
supercilious *adj* dortie, pauchtie.
superimpose *v* onlay.
superior *adj* a king tae.
supernatural *adj* eldritch.
superstition *n* freit.
superstitious *adj* freitie.
supervise *v* owersee.
supervision *n* owerance.
supper *n* sipper.
supplant *v* pit oo ane's ee.
supple *adj* soople.
supplement *n* eik.
supplement *v* eik tae.
supply *v* plenish.
support *n* haud, prap. • *v* stuit, tend; **support oneself** fend.
supporter *n* stoop.
suppose *v* jalouse.
suppress *v* smoor.
suppurate *v* etter.
supremacy *n* gree.
sure *adj* shair, shuir.
surely *adv* shuilie.
surety *n* caution.
surf *n* jaup.
surface *n* sruif.
surfeit *n* stap. • *v* scunner.
surfeited *adj* sairt.
surge *n* hurl. • *v* jaw.
surgical instruments *n* irons.
surly *adj* gurlie.
surmise *v* jalouse.
surmount *v* win over.
surpass *v* cowe, bang; **surpass everything** cowe the cuddie.
surplice *n* sark.
surplus *adj* owerplus.
surprised *adj* taen.
surrender *v* renounce.
surreptitious *adj* hidlins.
surreptitiously *adv* hidlins.
surround *v* humfish.
survey *n/v* leuk, scance.
survive *v* pit ower.

surviving *adj* tae the fore.
suspense *n* tig-tire.
sustain *v* keep, pit ower.
sustenance *n* mait.
swab *n/v* swaible.
swagger *n* swash. • *v* strunt.
swaggerer *n* gowster.
swamp *n* flow, moss, gullion.
swampy *adj* mossie.
swampy place *n* stank.
sward *n* swaird.
swarming *adj* hoatchin.
swarthy *adj* black-avised.
swathe *n* sway. • *v* sweel.
sway *n/v* swey, shog.
swear *v* sweer.
swear word *n* sweer, sweerie.
swear words *n* sweerie-words, ill-tongue.
sweat *n/v* sweet.
sweaty *adj* sweetin.
swede *n* neep, swad.
sweep *n/v* soop.
sweet *adj* douce, hinny. • *n* sweetie.
sweetbreads *n* breids.
sweetheart *n* jo, sweetie, quine.
sweet-jar *n* sweetie bottle.
sweets *n* snashters.
sweetshop *n* sweetie-shop.
sweet-stall *n* sweetie stan.
swell *n* lift, jow. • *v* swall.
swelling *adj* swallin.
swelter *n/v* swither, plot.
sweltering *adj* sweltrie.
swerve *n* swey, jee. • *v* jee, sklent.
swift *adj* swith, cliver. • *n* cran.
swiftly *adv* swith.
swig *n* wacht. • *v* scaff.
swill *n/v* sweel.
swilling *n* sweel.
swim *v* sweem.
swindle *n/v* swick, pauchle.
swindler *n* swick.
swindling *adj* swickerie.
swingboat *n* shoogieboat.
swingle *n* scutcher.
swingle-tree *n* threap.
swipe *n/v* wheech.
swirl *n/v* swurl.
switch off *v* sneck aff.
swollen *adj* swallen.
swollen-headed *adj* gigsie.
swoon *n* dwam, soon. • *v* swelt, dwam.
sword *n* swurd.
sycamore *n* plane tree.
sycophant *n* sook, lick-ma-dowp.
syllable *n* syllab.
symbol *n* whirligig.
sympathetic *adj* couthy, innerlie.
symposium *n* collogue.
syrup *n* trykle.

T

table *n* buird, brod.
table leg *n* standart.
table mat *n* bass mat.
table napkin *n* daidle.
tablet *n* taiblet.
taciturn *adj* dour, derf.
tack *n* airt, road, taik (direction). • *v* taik.
tackle *n/v* taickle.
tact *n* mense.
tactful *adj* canny.
tadpole *n* taddy.
tag *n* shod.
tail *n* rumple.
tailor *n* tylor.
taint *n* humph. • *v* smit.
tainted *adj* humphie.
take *v* tak, hae; **take in** *v* intak.
takeaway *n* cairry-oot.
tale *n* spell, spin.
talent *n* ingine.
talk *n/v* crack, blether say.
talkative *adj* bletherie.
tall *adj* lang, heich.
tally *n* nickstick.
talon *n* clowe.
tame *adj* caif. • *v* cuddom.
tamper *v* prat wi.
tan *v* barken.
tangle *n* fankle, raivel, snorl. • *v* fankle, taut, taigle.
tangled *adj* fankelt, raivelt.
tangy *adj* snell.
tankard *n* stoup.
tanner *n* barker.
tansy *n* stinkin Tam.
tantrum *n* fung.

tap[1] *n* cran, well.
tap[2] *n* chap *v* chap, tip.
tape *n* trappin.
taper *n* spail.
tapioca *n* birdie's een.
tap-root *n* taupin.
tar *n/v* taur.
tardy *adj* dreich, hint-haun.
tare *n* fitch.
target *n* prap.
tarnish *v* ternish, scuff.
tarnished *adj* scuffie.
tarry *adj* taurie. • *v* dwadle.
tart[1] *adj* wersh, snar.
tart[2] *n* tairt, tert.
tartan *adj* chackit. • *n* plaidin.
task *n* troke.
tassel *n* toorie.
taste *n* saur, gust. • *v* lip, gust.
tasteless *adj* wersh, gustless.
tasting *adj* preein.
tasty *adj* gustie.
tattered *adj* duddie.
tatters *npl* flitters.
taunt *n/v* upcast.
taunting *adj* sneistie.
taut *adj* tacht.
tauten *v* stent.
tavern *n* howf.
tawdry *adj* hudderie.
tax *n/v* stent.
tea *n* tae.
tea-break *n* piece-break.
teach *v* learn.
teacher *n* dominie, schoolie.
tea-drinker *n* tea-haun, tea-Jenny.
tea-leaf *n* blade.
team *n* pass, rink.
tea party *n* tea skiddle.
teapot *n* snippy.
tear *n/v* sklent; **tear apart** *v* rive; **tear at** rive; **tear off** screeve.
tearaway *n* ned, clip.
tearful *adj* bubblie.
tear-stained *adj* begrutten.
tease *v* kittle, touse.
teasing *adj* rub, taisle.
teat *n* tit.
tedious *adj* taiglesome, dreich.
tedium *n* hing-on.
teeming *adj* hoatchin.
teeth *n* gams.
teetotal *adj* total.
tell *v* mou, clype.
telltale *adj/n* clype, clasher.
temper *n* tune, cut, birse. • *v* licht.
temperate *adj* lown.
tempest *n* bowder, blatter.
tempestuous *adj* ramballiach, gowstie.
temple *n* haffet.
tempt *v* temp.
temptation *n* provokshin.
ten *adj/n* dek, dick.
tenement *n* backland.
tenant *n* tacksman.
tend *v* keep, tent.
tender *adj* frush.
tendon *n* tenon.
tenon *n* tenor.
tense *adj* strait.
tenterhooks *n* heckle-pins.
tenth *adj/n* tent.
tepid *adj* teepid.
term *n* tairm.
termagant *n* shirrow.
terminate *v* en.
termination *n* hinneren.
tern *n* pirr.
terrible *adj* terrel.
terrier *n* terrie.
terrified *adj* fair fleggit.
terrify *v* fricht.
terrifying *adj* frichtsome.
terror *n* terrification.
terse *adj* nippit.
test *v* pruive.
testament *n* settlement.
testicle *n* cull, stane.
testy *adj* crabbit, cranky.
tetchy *adj* carnaptious, crabbit.
tether *n/v* tedder.
tethering post *n* baikie.
text *n* grun.
than *adv* nor, as.
thank *v* thenk.
that *pron* at, it.
thatch *n/v* thack.
thatched cottage *n* thackit biggin.
thatcher *n* thacker.
thaw *n/v* thowe, fresh.
the *adj/adv* e, de, da.
theft *n* stootherie.
them *pron* thaim, dem.
theme *n* leid, owercome.

themselves *pron* thaimsels.
then *adv/conj* than, an.
thence *adv* syne.
thereabouts *adv* thereaway.
thereafter *adv* syne.
therefore *adv* syne.
thereupon *adv* syne.
these *pron* thae, thir.
thick *adj* guttie, stieve.
thicken *v* lithe, mak.
thickening *n* lithin.
thicket *n* buss, shaw.
thick-headed *adj* mappit.
thickness *adj* ply.
thickset *adj* thick.
thief *n* briganer.
thievery *n* rapt.
thigh *n* thee.
thigh-bone *n* hunker-bane.
thighs *npl* fillets.
thimble *n* thummle.
thin *adj* slink, skleff, shilpit. • *v* sinder.
thin person *n* skelf.
third *adj* trid.
thirst *n/v* thrist, drouth.
thirst-quencher *n* slockener.
thirsty *adj* drouthie.
thirteen *adj/n* therteen.
thirteenth *adj* therteen.
thirty *adj/n* threttie.
this *adj/pron* is.
thistle *n* thrustle.
thither *adv* theretill.
thong *n* whang.
thorax *n* kist.
thorn *n* jag.
thorny *adj* jaggie.
thorough *adj* thorow.
thoroughfare *n* througang.
thoroughly *adv* evendoon.
those *adj/pron* thae.
though *adv* but.
thought *n* thocht.
thoughtful *adj* pensefu.
thoughtless *adj* glaikit.
thousand *adj/n* thoosan.
thraldom *n* thirlage.
thrash *v* bate, ding, bash; **thrash about** spelder.
thrashing *n* skelping, loonderin.
thread *n* threid.
threadbare *adj* pookit.
threat *n* thrait.
threaten *v* thrait.
threatening *adj* unchancie.
three *adj/n* chree.
three-pronged *adj* three-taed.
thresh *v* thrash.
thresher *n* barnman.
threshold *n* thrashel.
thrift *n* trift.
thriftless *adj* thrieveless.
thriftlessness *n* wanthrift.
thrifty *adj* fendie.
thrill *n* dirl. • *v* thirl.
thrive *v* trive, dae guid.
thriving *adj* growthie.
throat *n* thrapple.
throb *n/v* stoun, thrab.
throe *n* thraw.
throng *n/v* thrang.
throttle *v* thrapple.
through *prep* throu.
throw *n* thraw, jass. • *v* thraw, clod; **throw away** ort; **throw down** doosht; **throw off** cast. **throw on** hudder on; **throw up** boak.
thrust *n* thrist, punce. • *v* thrist, dird.
thrust into *v* stap in.
thud *n/v* dunt, dad.
thug *n* rochian.
thumb *n* thoum.
thump *n* belt, dunt. • *v* dunch, cloor.
thunder *n* thunner, brattle.
thunder shower *n* thunner-plump.
thwart *v* conter. • *n thaft*.
thwarted *adj* lummed.
tick *v* skelp.
ticking *n* tike.
tickle *n/v* kittle.
ticklish *adj* kittle.
tiddly *adj* cornt.
tide *n* rug.
tidings *npl* speirings.
tidied *adj* red up.
tidily *adv* ticht.
tidiness *n* purpose.
tidy *adj* trig. • *v* redd.
tie *v* tether; **tie together** leash; **tie up** hankle.
tiger *n* teeger.
tight *adj* ticht.
tighten *v* tichten.
tight-fitting *adj* nippit.

tightly *adv* ticht.
tile *n* wallie tile.
tiled *adj* wallie.
till *v* teel.
tillage *n* laborin.
tiller *n* tillie.
tilt *n* thraw. • *v* coup.
timber *n* timmer.
timbre *n* souch.
time *n* tid.
time-consuming *adj* taiglesome.
time-wasting *adj* fouterie.
timid *adj* blate, timorsome.
timidity *n* erghness.
timorous *adj* timorsome.
tinsmith *n* tinnie.
tinder *n* tindle.
tine *n* tae.
tinge *n/v* teenge.
tingle *v* dingle, thirl.
tingling *adj* dinnle.
tinker *n* tink, mink.
tinkle *v* tingle.
tinkling *adj* plinkin.
tint *n/v* spraing.
tiny *adj* wee, peedie, peerie.
tip *n* tap, neb. • *v* coup.
tipple *v* taste, dribble.
tippler *n* drouth, toot.
tipsy *adj* hauf-cock, cornt.
tiptoe *v* tipper.
tiptoes *npl* taptaes.
tire *v* fornyaw.
tired *adj* fornyawed, forfochen.
tired-looking *adj* disjaskit.
tiredness *n* tire.
tiresome *adj* stawsome.
tiring *adj* taiglesome.
tissue *n* tishie.
titbit *n* hire.
titbits *n* snysters.
tithe *n* teind.
titillate *v* kittle.
titivate *v* prink.
titter *n/v* snicher.
tittle-tattle *n* clavers, clishmeclaiver.
to *prep* tae, till.
toad *n* taid, puddock.
toadstool *n* puddock stuil.
toady *n* sook.
toast *v* birsle.
toasted *adj* roastit.
tobacco ash *n* dirrie.
tobacco pouch *n* spleuchan.
today *n* the day.
toddle *v* tottle, hotter.
toddler *n* tottie.
toe *n* tae.
toe-cap *n* freuchan.
toffee *n* taffie.
together *adv* thegither.
toil *n* trachle, chaave. • *v* trachle, swink.
toilet *n* watterie, cludgie, wee hoose.
toilsome *adj* pinglin.
token *n* taiken.
tolerable *adj* tholeable, middlin.
tolerably *adv* middlin.
tolerance *n* thole.
tolerate *v* thole, bide.
toll *n/v* towl.
toll-keeper *n* tollie.
tomboy *n* gilpie.
tomboyish *adj* hallockit.
tombstone *n* lairstane.
tomcat *n* gibcat.
tomfoolery *n* flumgummerie.
tomorrow *n* the morn.
tomorrow morning *n* the morn's morn.
tomorrow night *n* the morn's nicht.
tone *n* souch.
tongs *npl* tangs.
tongue *n* melt, gab.
tongue-tied *adj* tongue-tackit.
tonight *n* the nicht.
too *adv* tae.
tool *n* tuil.
tools *npl* graith.
too many *adj* ower monie.
too much *adj* ower muckle.
tooth *n* tuith.
toothache *n* teethache, worm-i-the-cheek.
top *n* tap, heid.
toper *n* drouth.
topknot *n* toorie.
topmost *adj* heidmaist.
top up *v* eik up.
topic *n* speak.
topple *v* coup.
topsy-turvy *adj* tapsalterie.
torch *n* ruffie.
torment *v* deave.
tornado *n* skailwin.
torrent *n* spate.
tortoise *n* tortie.

torture *n/v* torter.
toss *n/v* fung; **toss about** *v* towin; **toss down** doss doon.
tot *n* tottie, dram.
total *n* hail.
totter *n* stotter, stoiter. • *v* stacher, stoiter.
tottery *adj* shooglie.
touch *n/v* tig, scuff.
touchy *adj* tiftie, pernickitie.
tough *adj* teuch. • *n* rochian.
tour *n* gate.
tourist *n* towerist.
tournament *n* rink.
towel *n* tool.
tower *n* toor.
town *n* toon.
town hall *n* toon hoose, tolbooth.
townspeople *npl* toonsers.
toy *n* playock, wheerum.
trace *n* tress. • *v* speir oot.
trachea *n* wizzen.
track *n* pad, steid. • *v* steid; **track down** speir oot.
tract *n* track.
trade *n* tred, traffeck. • *v* dale, niffer.
tradition *n* threap.
traffic *n/v* traffeck.
trail *n* steid. • *v* trachle.
trailing *adj* sloggerin.
train *v* cuddum.
training *n* upbring.
trait *n* track.
traitor *n* tratour.
tramcar *n* skoosh-car.
tramp *n* gangin body, caird, gaberlunzie. • *v* traik, stramp.
trample *v* patter, paidle; **trample down** paddit; **trample on** stramp.
trampling *adj* stramp.
trance *n* dwam.
tranquil *adj* lown, lithe.
tranquillity *n* lown.
transact *v* transack.
transaction *n* transack.
transactions *n* traffeck.
transfer *v* translate.
transferable *adj* prestable.
transfix *v* skiver.
transform *v* cheenge.
transgress *v* mistak.
translate *v* owerset.
translation *n* owersettin.
transport *v* convoy.
transverse *adj* thort.
transversely *adv* thort.
trap *n* girn, stamp. • *v* girn, fankle.
trappings *n* graithin.
trash *n* troke.
trashy *adj* peltrie.
travel fast *v* spank.
travelling bag *n* pockmantie.
travelling salesman *n* fleeing merchan.
traverse *v* reenge.
tray *n* server.
treacherous *adj* traicherous.
treachery *n* traison.
treacle *n* traicle.
tread *n/v* stramp; **tread down** *v* paidle; **tread on** stramp.
treadle *n* fit brod.
treason *n* traison.
treasure *n* traisure.
treasurer *n* thesaurer.
treatise *n* libel.
treatment *n* guideship.
treble *adj/v* threeple.
tree-creeper *n* tree-speeler.
tree stump *n* stog.
tree trunk *n* caber.
trefoil *n* triffle.
trellis *n* tirless.
tremble *v* tremmle.
trembling *adj* grue, chitterin.
tremendous *adj* unco.
tremor *n* grue.
trench *n* sheuch, track.
trencher *n* truncher.
trend *n* fasson.
trendy *adj* fantoosh.
trepidation *n* feerich.
tress *n* flacht.
trestle *n* tress.
tribulation *n* tribble.
tributary *n* leader.
trick *n* cantrip, swick. • *v* jouk, jink.
trickery *n* swickerie.
trickle *n* dribble. • *v* seep.
tricky *adj* fickle, ill-trickit.
trifle *n* triffle. • *v* fouter; **trifle with** glaik wi.
trifling *adj* skitterie.
trigger *n* tricker.
trim *adj* trig, nate. • *v* sned, shaw.
trimmed *adj* snibbit.

trimly *adv* dinklie.
trimming *n* squirl.
trimmings *npl* trappin.
trinket *n* whigmaleerie.
trinkets *npl* trokes.
trip *n* gate. • *v* stammer.
tripe *n* painches.
triple *adj/v* threeple.
triplet *n* threeplet.
trivet *n* cran.
trivial *adj* fouterie.
troll *v* harl.
trolley *n* barra.
trollop *n* cookie, hairy-tail.
trot *n* jundie. • *v* troddle.
trot along *v* pad.
trouble *n* tribble. • *v* fash.
troubled *adj* trachelt.
troublemaker *n* rochian.
troublesome *adj* tribblesome, fashious.
trough *n* troch.
trounce *v* lamp, bang.
trouncing *adj* lamping.
trousers *n* troosers, breeks.
trouser braces *n* galluses.
trousseau *n* muntin, waddin-braws.
trout *n* troot.
trowel *n* truan.
truant *n* troon.
truce *n* barley.
truck *n/v* troke.
truculent *adj* turk.
trudge *n* traik. • *v* trodge.
trudge on *v* dodge awa.
true *adj* suithfast.
truly *adv* truelins.
truth *n* trowth.
truthful *adj* truthfae.
trump card *n* trumph.
trumpery *adj* trumpherie.
trumpet *n* tooter. • *v* toot.
truncate *v* sned.
truncheon *n* rung.
trundle *v* trunnle.
trunk *n* kist, caber.
truss *n/v* turse.
trust *n* truist. • *v* lippen.
trustworthy *adj* suithfast.
trusty *adj* stieve, trest.
try *v* ettle, pruive.
tub *n* bine, boyne.
tuck *n/v* touk.
tuck up *v* kilt.
Tuesday *n* Tyseday.
tuft *n* toosht.
tufted *adj* tappit.
tug *n/v* teug, chug.
tumble *n/v* tummle; **tumble about** *v* rowchow; **tumble over** play wallop.
tummy *n* stamack.
tumour *n* clyre.
tumult *n* stushie.
tumultuous *adj* camstarrie, arrachin.
tumulus *n* law.
tune *v* kittle.
tuneless *adj* timmer.
tunic *n* slop, jupe.
tunnel *n* cundie.
turbid *adj* drumlie.
turbot *n* rodden fluke.
turbulence *n* stushie.
turd *n* tuird, jobbie.
turf *n* turr.
turf-cutter *n* flauchter-spade
turf seat *n* sunk.
turf wall *n* truff dyke.
turkey *n* pullie.
turkey cock *n* bubbly-jock.
turmeric *n* tarmanick.
turmoil *n* dirdum.
turn *n/v* birl; **turn aside** *v* skewl; **turn back** kep again; **turn out** oot; **turn round** birl; **turn up** lay in.
turned up *adj* kippit.
turnip *n* neep.
turnip lantern *n* neep lantern.
turnip slicer *n* neep-cutter.
turnip top *n* neep shaw.
turnpike *n* toll.
turnpike-keeper *n* tollie.
turnstile *n* tirless.
turnover *n* owerturn.
turn-up *n* flype.
turret *n* tappietoorie.
tussle *n/v* tissle.
tussock *n* boss.
tutelage *n* tutory.
tutorship *n* tutory.
twang *n* tune.
tweed mill *n* oo-mill.
tweezers *n* pinchers.
twelfth *adj* twalt.
twelve *adj/n* twal, qual.
twelvemonth *n* twalmond.

twelve o'clock *n* twaloors.
twenty *adj/n* twintie.
twice *adj* twicet.
twiddle *v* tweedle.
twig *n* boucht.
twilight *n* gloamin.
twill *n/v* tweed.
twin-bedded *adj* twa-beddit.
twine *n* skaenie. • *v* whip.
twinge *n* rug, twang.
twinkle *n/v* glent.
twirl *n* swirl. • *v* pirl.
twist *n* skew. • *v* thraw, chowl.
twisted *adj* thrawn, snorlie.
twister *n* dyvour.
twit *v* geck.
twitch *n/v* fidge.
twite *n* heather lintie.
twitter *v* tweeter.
two *adj/n* twa.
two-faced *adj* sleekit.
two-faced person *n* sneck-drawer.
two-fold *adj* twa-fauld.
type *n* teep.
typhus *n* purpie-fever.
tyrant *n* tirran.

U

udder *n* aidder, ether.
ugly *adj* ill-faured, ooglie.
ulcer *n* bealin.
ultimate *adj* hinmaist.
ultimately *adv* at the hinneren.
ululation *n* hwll.
umbrage *n* umrage.
umpire *n* owersman.
unabashed *adj* furthie.
unable *adj* useless.
unaffected *adj* hameower.
unaired *adj* mothie.
unappetising *adj* wersh.
unappreciative *adj* perskeet.
unassuming *adj* canny.
unattractive *adj* ill-faured.
unawares *adv* unawaurs.
unbalanced *adj* cat-wittit.
unbending *adj* stieve.
uncanny *adj* oorie, eldritch.
uncertain *adj* slidderie, dootsome.
uncivil *adj* sneistie.
uncomfortable *adj* unoorament.
uncommon *adj* orra.
uncompromising *adj* stench.
unconditionally *adv* simpliciter.
unconventional *adj* owerlie.
uncouth *adj* raucle.
unctuous *adj* sappie.
uncultured *adj* coorse.
undaunted *adj* undauntit.
undecided *adj* dootsome.
undemonstrative *adj* lown.
under *adj* nether.
under *prep* alow.
under-age *adj* within eild.
underclothing *n* linens.
undercut *v* boss.
undergo *v* dree.
undergrowth *n* scrogs.
underhand *adj* sleekit.
underhand person *n* mowdiewort.
underneath *adv* aneath.
undernourished *adj* ill-thriven.
underrate *v* lichtlie.
undersized *adj* scrimpit.
understanding *n* uptak.
undertake *v* tak on haun.
undertaking *n* prottick, ploy.
undervalue *v* lichtlie.
undiluted *adj* hard.
undisciplined *adj* ill-deedie.
undistinguished *adj* raploch.
undo *v* lowse.
undress *v* tirl, tirr.
undulate *v* kelter, wammle.
unearth *v* howk.
unearthly *adj* eldritch.
unease *n* thocht.
uneasiness *n* wanrest.
uneasy *adj* on nettles.
unemployed *adj* orra.
unemployment *n* idleset.
unemployment benefit *n* broo.
unequalled *adj* marrowless.
unexpectedly *adv* in a hurry.
unfair *adj* nae fair.
unfamiliar *adj* unkent.
unfastened *adj* lowse.
unfinished *adj* stickit.

unfit *adj* no able.
unfortunate *adj* mischancie.
unfriendly *adj* thin.
ungainly *adj* ill-shakken.
ungrateful *adj* pick-thank.
unhappy *adj* dowie.
unharmed *adj* hail-heidit.
unhurt *adj* hail-heidit.
uninspired *adj* fushionless.
uninteresting *adj* smeerless.
unite *v* knit, souder.
university *n* college.
university student *n* collegener.
unjust *adj* unricht.
unkempt *adj* tashie, ill-farran.
unkind *adj* ill.
unknown *adj* unkent.
unlatch *v* unsneck.
unless *conj* onless.
unlike *adj* unalik.
unload *v* disloaden.
unlucky *adj* unchancie.
unmanageable *adj* royat.
unmannerly *adj* unfarran.
unmarried *adj* marrowless, free.
unmatched *adj* orra.
unmethodical *adj* throwder.
unmusical *adj* timmer.
unnatural *adj* nae canny.
unobserved *adj* unkent.
unoccupied *adj* tuim.
unpalatable *adj* humphy.
unpleasant *adj* unoorament, pooshionable.
unploughed *adj* white.
unpolished *adj* raucle, unfarran.
unpopular *adj* ill-likit.
unpredictable *adj* kittle.
unpunctual *adj* mistimeous.
unravel *v* unraivel.
unrefined *adj* unfarran, raucle.
unrelated *adj* fremmit.
unreliable *adj* slidderie.
unrest *n* wanrest
unrestrained *adj* camstairie.
unruly *adj* ill-deedie.
unsafe *adj* uncanny.
unsatisfactory *adj* ill.
unscathed *adj* hailscart.
unscrew *v* feeze aff.
unsettled *adj* lowse, wanrestful.
unsheathed *adj* bare.
unshorn *adj* ruch.
unskilful *adj* kweerichin.
unskilled *adj* ill, hielan.
unsociable *adj* stickin.
unsophisticated *adj* unfarran.
unspeakable *adj* past a.
unstable *adj* skeer, shooglie, cogglie.
unsteady *adj* shooglie, cogglie.
unsubstantial *adj* silly.
untidy *adj* tashie.
untidy person *n* ticket.
untidy place *n* Paddy's mairket.
untie *v* lowsen.
until *conj/prep* gin, while.
untrustworthy *adj* sleekit.
unusual *adj* by ornar, unco.
unusually *adv* nae ornar.
unwashed *adj* unwashen.
unwell *adj* nae weel, bad.
unwholesome *adj* ill.
unwieldy *adj* untowtherlie.
unwilling *adj* sweirt.
unworthy *adj* wanwordie.
unwrinkled *adj* brent.
unyielding *adj* unbowsome, dour.
up *adv/prep* oop.
upbraid *v* scaul.
upbringing *n* upfessin.
uphold *v* uphaud.
upkeep *n* keep-up.
upland *adj* upthrou. • *n* brae.
upper *adj* iver.
upper hand *n* owerhaun.
uppermost *adj* umost.
uppish *adj* heich.
upright *adj* upricht.
uproar *n* stushie, stramash.
uproarious *adj* rantin.
uproot *v* howk.
upset *adj* uggit. • *n/v* coup, whummle.
upshot *n* upcome.
upside down *adv* tapsalteerie.
upstairs *adv* upby.
upward *adj* upwart.
upwards *adv* upwith.
urchin *n* gorlin.
urge *v* threap at.
urge on *v* ca.
urgent *adj* clamant.
urgently *adv* sair.
urine *n* pish, peeins.
urinate *v* pish, strone.

us *pron* uz, wiz.
use *n/v* eese.
useful *adj* eesefae.
useless *adj* eeseless, daeless.
usual *adj* eeswal.
usually *adv* for ordnar.
utensil *n* tuil.
utmost *adj* utmaist.
utter[1] *adj/adv* fair.
utter[2] *v* mint.

V

vacant *adj* tuim.
vacate *v* redd.
vacillate *v* switherg.
vacillating *adj* switherin.
vagabond *n* scurryvaig.
vagina *n* fud.
vagrant *adj* waffie, vaigin. • *n* gaun-aboot, gangrel, hallanshaker.
vagrants *npl* waunnerin fowk.
vague *adj* dootsome.
vain *adj* pridefu, tuim.
valance *n* pan.
valet *n* wally.
valiant *adj* wicht, croose.
valley *n* glen, howe, strath.
valour *n* saul.
value *n/v* vailye.
valueless *adj* wanworth.
valve *n* toby.
vanishing *adj* eelyin.
vanquish *v* defait.
vapid *adj* smerghless.
vapour *n* reek.
varied *adj* sindry.
variegated *adj* spreckelt.
variety *n* kin.
various *adj* sindry.
vary *v* cheenge.
vast *adj* gowstie, muckle big.
vat *n* fat.
vault *n/v* vowt.
vaulted *adj* coomed.
vaulted passageway *n* pend.
vaunt *v* bla.
vegetation *n* growthe.
vehement *adj* swith wi virr.
vehemently *adv* sair.
vehicle *n* machine.
velvety *adj* feel.
veneer *v* fineer.
venereal disease *n* Canongate breeks.
venom *n* pooshion.
venture *n* ploy. • *v* ettle.
verge *n* leemit.
verger *n* beadle.
verily *adv* verilies.
veritable *adj* jonick.
verity *n* troth.
vermin *n* baists.
vernacular *adj* hameower.
verruca *n* werrock.
verse *n* screed.
vertebra *n* link.
very *adv* verra, awfie, gey.
vest *n* semmit.
vestibule *n* rochel.
vestige *n* glint, stime.
vetch *n* fitch.
veteran *n* foggie.
veterinary surgeon *n* ferrier.
veto *n/v* na-say.
vex *v* fash.
vexation *n* fasherie.
vibrate *v* dirl.
vibration *n* dirlin.
victory *n* owerhaun.
victuals *npl* scran.
vie *v* kemp.
view *n* vizzy. • *v* leuk.
vigilant *adj* waukrif.
vigorous *adj* hail, caller.
vigorously *adv* fell.
vigour *n* birr, smeddum.
vile *adj* wile.
vilify *v* splairge.
village *n* clachan, toon.
villain *n* limmer.
villainous *adj* gallus, hangit-faced.
vindictive *adj* ill-willie.
violate *v* abuise.
violence *n* strouth.
violent *adj* bang, snell.
violently *adv* fiercelins.
violin *n* fiddle.
virago *n* shirrow.
virile *adj* pretty.
virtuous *adj* gracie.
virulent *adj* strang, fell.

vision *n* sicht.
vitality *n* smergh.
vivacious *adj* speeritie.
vivacity *n* lifieness.
vivid *adj* gleg, vieve.
voice *n/v* vice.
void *n* tuim, boss.
volatile *adj* wafflie, allevolie.
vole *n* lan-moose.
voluble *adj* gleg-tonguit, glib.
vomit *n/v* boak.
voracious *adj* gutsie.
vouch for *v* uphaud.
vow *v* voo.
voyage *n* veage.
vulgar *adj* groff, coorse.
vulva *n* fud.

W

wadding *n* colfin.
waddle *n* hoddle, plowd. • *v* widdle, rowe.
wade *v* wad, plowter.
waders *n* wyders.
wading *adj* wad.
wag *n* tear. •*v* to wingle.
wage *n* wauge.
wager *n/v* wauger.
waggle *n/v* waiggle.
wagon *n* wain.
wagtail *n* seed-bird.
waif *n* waff.
wail *n/v* yowl.
wainscoting *n* boxin.
waistband *n* heidban.
waistcoat *n* weskit.
wait *n/v* wyte.
wait a while *v* bide a wee.
wait for *v* wyte on.
wake *v* wauk.
wakeful *adj* waukrif.
walking *n* shanks' naig.
walking stick *n* staff, crummock.
wall *n* wa, dyke.
wall-clock *n* wag-at-the-wa.
wallet *n* walgan.
wall-eye *n* ringle ee.
wall-eyed *adj* ringit.
wallop *n/v* loonder.
wallow *n/v* wammle, wallae.
wan *adj* wabbit, peely-wally.
wand *n* wan.
wander *v* wauner, stravaig, rove, reenge.
wanderer *n* traik.
wandering *adj* waunert.
wangle *v* pauchle, scraible.
waning *n* dwine.
want *n* wint. • *v* seek.
war *n* weir.
warble *n* chirm. • *v* chirl.
war-cry *n* slogan.
ward *v* weir.
warehouse *n* warehoose.
wares *n* plweirs.
warlike *adj* weirlik.
warm *adj* het. • *n* glaise. • *v* birsle.
warn *v* wairn.
warning *n* telling.
warp *n/v* worp.
warrant *n/v* warran.
warren *n* cuningar.
warrior *n* kemp.
wart *n* wrat.
wary *adj* sicker.
wash *n/v* wesh.
wash down *v* sweel.
washer *n* shangie.
washerwoman *n* washerwife.
wash out *v* syne oot.
wasp *n* waasp.
wasp's nest *n* byke.
waste *n* redd. • *v* connach; **waste away** dwine.
wasted *adj* gowstie, ill-wared.
wasteful *adj* wastrif.
wastepaper basket *n* bucket.
waster *n* prod.
waste time *v* pit aff, daidle.
watch *n* gaird. • *v* tak tent o, leuk ower.
watchful *adj* waukrif.
watchmaker *n* watchie.
water *n/v* watter.
water-bucket *n* stan.
water-closet *n* watterie, cludgie, wee hoose.
watercress *n* wa girse.
waterfall *n* linn.
water-hen *n* stankie.
watering can *n* rooser.
water pistol *n* scoot.

water rat *n* watter dog.
water sprite *n* kelpie.
water tap *n* stroop.
watertight *adj* thight.
watery *adj* wabblie.
wave *n* swaw, waff. • *v* waff, wampish.
waver *v* waffle.
wavering *adj* weegletie-waggletie.
way *n* wey, airt.
wayward *adj* waywart.
we *pron* oo.
weak *adj* waik, wabbit, traikie.
weaken *v* tak doon.
weakling *n* schachle.
weakly *adv* tender.
weak-minded *adj* glaikit.
weak-willed *adj* sapsie.
weal *n* score.
wealth *n* walth, graith.
wean *v* spean.
weapon *n* wappen.
wear *v* weir.
wear and tear *n* docher.
weariness *n* tire.
wearisome *adj* stawsome.
weary *adj* wabbit, forjeskit. • *v* deave.
weary-looking *adj* disjaskit.
weasel *n* wheasel.
weather *n* wather.
weave *v* warp, wyve.
weaver *n* webster.
web *n* wab.
wed *v* wad.
wedding *n* waddin.
wedding cake *n* bridecake.
wedding clothes *n* waddin braws.
wedge *n/v* wadge.
Wednesday *n* Wodensday.
weed-infested *adj* growthie.
weeds *n* growthe.
week *n* ook.
weekday *n* ilkaday.
weekly *adj* ooklie.
weep *v* greet.
weepy *adj* greetie.
weft *n* waft.
weigh *v* wey, wecht.
weight *n* wecht.
weighty *adj* wechtie.
weir *n* caul.
weird *adj* unco, eldritch.
welcome *n/v* walcome.
weld *v* well.
well[1] *adj/adv/interj* weel.
well[2] *n* wall.
well-behaved *adj* gracie.
well-bred *adj* gentie.
well-built *adj* buird.
well-deserved *adj* weel-wared.
well-dressed *adj* braw.
well-earned *adj* weel-wared.
well-endowed *adj* weel-tochert.
well-fed *adj* mait-lik.
well-grown *adj* growthie.
well-informed *adj* wice.
well-known *adj* kenspeckle.
well-made *adj* slee, trig.
well-mannered *adj* menseful.
well-meaning *adj* weel-willie.
well-off *adj* weel-daein.
well-preserved *adj* weel-hained.
well-protected *adj* weel-happit.
well-read *adj* far I the buik.
well-spent *adj* weel-wared.
well-stocked *adj* weel-plenisht.
well-to-do *adj* weel-daein.
well-trodden *adj* paddit.
welt *n* walt.
welter *n* walter.
west *n* wast.
western *adj* waster.
westernmost *adj* wastmost.
westwards *adv* wastle.
wet *adj/v* weet, wat.
wet-nurse *n* nourice.
wether *n* wedder.
whack *n/v* whauk, loonder.
whale *n* whaul.
wharf *n* shore.
what *pron* whit, wha, fit.
whatever *pron* whatsomever.
wheat *n* white.
wheatear *n* stane chack.
wheedle *v* wheetle.
wheedler *n* whillywha.
wheedling *adj* licklip.
wheedling *n* whillywha.
wheel *n* trinnle, whurl. • *v* hurl, rowe.
wheelbarrow *n* hurl-barra.
wheeze *n/v* wheezle.
wheezing *adj* purfelt. • *n* sowff.
wheezy *adj* pechie.
whelk *n* wulk.
whelp *n/v* whalp.

when *adv/conj* whan, fan.
whence *adv* whaur fae.
where *adv* whaur, far.
wherever *adv* whaurivver.
whet *v* what.
whetstone *n* set-stane.
whether *conj* whither, whuther, gif.
which *adj/pron* whilk, filk.
whiff *n* whuff.
while *conj* whill, file. • *n* stoun.
whim *n* wheem.
whimbrel *n* Mey bird.
whimper *n/v* fumper.
whimsical *adj* maggotie.
whin *n* whun.
whinchat *n* whun-chacker.
whine *n/v* girn, draunt.
whining *adj* girnie. • *n* girn.
whinny *v* nicher.
whip *n/v* whup.
whiplash *n* whang.
whipping *n* skelping.
whip-round *n* lift.
whirl *n/v* whurl.
whirligig *n* turlie.
whirlpool *n* swelch, belth.
whirlwind *n* whidder.
whirr *n/v* whurr.
whish *n/v* whush.
whisk *n* wheech. • *v* wisk.
whisker *n* fusker.
whisky *n* whuskie, barley bree, the craitur, usquebae.
whisky and beer *n* hauf an hauf.
whisky jar *n* kirstie.
whisky measure *n* dram, hauf.
whisper *n/v* whusper.
whispering *adj* hudgemudgin.
whistle *n/v* whustle, fussle.
white *adj* fite.
whitebeam *n* mulberry.
white-faced *adj* hawkit.
whither *adv* whaur till.
whiting *n* whitie.
whitish *adj* whitelie.
whitlow *n* whittle-bealin.
whittle *v* white, futtle.
whizz *n* swiff. • *v* wheech.
who *pron* wha, whae.
whoever *pron* whasomever.
whole *adj* hail.
wholesome *adj* haisome.
wholly *adv* haillie.
whom *pron* wham.
whoop *v* hooch.
whooping cough *n* kink-hoast.
whopper *n* whulter.
whopping *adj* wappin.
whore *n* howre, limmer.
whorl *n* whurl.
whose *pron* whase.
why *adv* hoo, foo.
wicked *adj* wickit, ill-deedie.
wickedly *adv* ill.
wicker *n* wan.
wickerwork *n* wickers.
wide *adj* braid.
widely *adv* abreid.
widely known *adj* weel-kent.
width *n* boon.
wield *v* wage, wald.
wife *n* wifie, wumman.
wild *adj* wull, will.
wild cat *n* wullcat.
wild garlic *n* ramps.
wile *n* wimple.
wilful *adj* willsome, heidie.
will *n/v* wull.
willing *adj* wullint.
will-o'-the-wisp *n* spunkie, daith-cannle.
willow *n* willie, sauch.
willow warbler *n* willie-muff.
wilt *v* wult.
wily *adj* pawky.
win *v* wun; **win over** weir roon.
wince *v* jouk.
winch *n* iron man.
wind[1] *n* win, wun.
wind[2] *v* rowe, wimple; **wind up** rowe.
windbag *n* blether.
windbreak *n* sconce.
windfall *n* peeled egg.
winding *n* loop. • *v* wuppit.
winding sheet *n* shrood.
windless *adj* lown, quate.
windmill *n* win-mull.
window *n* winda, windae, winnock.
window-frame *n* chess.
window-sill *n* windae-sole.
windpipe *n* thrapple.
wing *n* weeng, jamb.
wink *v* glimmer.
winnow *v* win.
winter *n* wunter.

wipe *n/v* dicht.
wire *n* weer.
wisdom *n* wit.
wise *adj* wice, slee.
wish *n/v* wiss, wush.
wishbone *n* thochtbane.
wishy-washy *adj* fushionless.
wisp *n* wusp.
wistful *adj* pensefu.
wit *n* wut.
witch *n* wutch, carline.
witchcraft *n* glamourie.
with *prep* wi, in.
withdraw *v* hen, resile.
wither *v* wuther.
withered *adj* fushionless, wallan.
within *adv* wi'in. • *prep* intae.
without *prep* wi'oot, wantin.
withstand *v* gainstan.
witless *adj* doitert.
witness *n* wutness.
wits *n* judgement.
witty *adj* knackie, auld-farran.
wizard *n* warlock.
wizzened *adj* wuzzent.
wobble *n* wachle. • *v* wabble.
wobbly *adj* shooglie.
woe *n* wae.
woebegone *adj* waebegane.
woeful *adj* waeful.
wolf *n* oof.
woman *n* wumman, wifie.
womb *n* wame.
wonder *v* wunner
wonderful *adj* wunnerfae.
wonderfully *adv* ferlie, wunnersome.
wont *n* hant.
woo *v* oo.
wood *n* wuid, wud, timmer, plantin.
wooden *adj* wudden.
wooden leg *n* pin leg.
woodland *n* plantin, shaw.
woodlouse *n* slater.
wood-pigeon *n* cushie-doo.
woody *adj* wuddie.
wool *n* woo, oo.
woollen *adj* ooen.
woolly *adj* ooie.
word *n* wird.
work *n* wark, thrift, seam.
worker *n* warker.
workhouse *n* puirhoose.
workings *npl* intimmers.
workshy *adj* hanigle, sweirt.
world *n* warld.
worldly *adj* wardlie.
worm *n* wirm.
worn-out *adj* forfochen.
worry *n/v* wirry, fash.
worse *adj* warse, waur.
worst *adj/adv/v* warst.
worsted *n* worset.
worth *n* wirth.
worthless *adj* weirdless.
worthy *adj* wordie, braw.
wound *n* stang, dunt, scrat. • *v* brain, mairtyr.
wraith *n* ghaist.
wrangle *n/v* raggle.
wrap *n* hap. • *v* wap, hap; **wrap up** rowe up.
wrath *n* wreth.
wreck *n/v* wrack, wreak.
wreckage *n* stramash, spreath.
wren *n* wrannie.
wrench *n/v* runch.
wrestle *v* warsle.
wretch *n* wratch, dring.
wretched *adj* donsie.
wriggle *v* wammle.
wring *v* thraw.
wrinkle *n/v* runkle.
wrinkled *adj* runklie.
wrinkly *adj* wirlie.
wrist *n* shackle.
writ *n* summons, letter.
write *v* wreat, scribe, scrieve.
writer *n* scriever.
writing *n* write, writ, scrieve.
writhe *v* warsle, twine.
wrong *adj* wrang, ill-deein. • *n* ill.
wrongdoing *n* ill-daein.
wrongful *adj* wrangous.
wrongfully *adv* wrangouslie.
wry *adj* thrawn.

YZ

yacht *n* yatt.
yap *v* yowl.
yard *n* yaird.
yardstick *n* ellwan.
yarn *n* yairn.
yawn *n/v* gant.
yawning *adj* ganting.
yearling *n* yearaul.
yearn *v* green for.
yell *n/v* yowl, gowl.
yellow *adj* yella, yellae.
yellowhammer *n* yella lintie, yorlin.
yellowish *adj* fauchie.
yelp *n/v* yowl.
yes *adv* ay, yea.
yesterday *adv* yestreen.
yet *adv* still an on. • *conj* yit.
yield *n* profit. • *v* loot.
yob *n* ned, clip.
yoghurt *n* soor dook.
yoke *n* yock.
yokel *n* yochel, geordie, teuchter.
yolk *n* yowk.
yon *adv/pron* thon.
yonder *adj/adv* yonner, thonder.
you *pron* ye, yiz.
young *adj* green. • *n* follower.
youngster *n* younker.
your *pron* eer, yer.
yourself *pron* yersel.
youth *n* youtheid, lad, loon, callant.
youthful *adj* green, youthie.
Yule *n* Yeel.
zealous *adj* guid-willed.
zigzag *v* jink.